臨床頭頸部癌学

系統的に頭頸部癌を学ぶために

Clinical Head and Neck Oncology

改訂第2版

編集

田原　信
林　隆一
秋元哲夫

南江堂

■ 編集

田原　信	たはら まこと	国立がん研究センター東病院頭頸部内科
林　隆一	はやし りゅういち	国立がん研究センター東病院頭頸部外科
秋元　哲夫	あきもと てつお	国立がん研究センター東病院放射線治療科

■ 執筆（執筆順）

堀　芽久美	ほり めぐみ	静岡県立大学看護学部専門基礎・保健学
片野田耕太	かたのだ こうた	国立がん研究センターがん対策研究所
太田　一郎	おおた いちろう	近畿大学奈良病院耳鼻咽喉科・頭頸部外科
光武　範吏	みつたけ のりさと	長崎大学原爆後障害医療研究所放射線リスク制御部門放射線災害医療学研究分野
安松　隆治	やすまつ りゅうじ	近畿大学医学部耳鼻咽喉・頭頸部外科学講座
中島　寅彦	なかしま とらひこ	国立病院機構九州医療センター耳鼻咽喉科，頭頸部腫瘍センター
小野澤祐輔	おのざわ ゆうすけ	静岡県立静岡がんセンター原発不明科
大上　研二	おおかみ けんじ	東海大学医学部耳鼻咽喉科・頭頸部外科
藤井　誠志	ふじい さとし	横浜市立大学大学院医学研究科・医学部分子病理学
長尾　俊孝	ながお としたか	東京医科大学人体病理学分野
近藤　哲夫	こんどう てつお	山梨大学医学部人体病理学
小川　武則	おがわ たけのり	岐阜大学大学院医学系研究科耳鼻咽喉科・頭頸部外科学分野
尾尻　博也	おじり ひろや	東京慈恵会医科大学放射線医学講座
久野　博文	くの ひろふみ	国立がん研究センター東病院放射線診断科
馬場　亮	ばば あきら	東京慈恵会医科大学放射線医学講座
荻野　展広	おぎの のぶひろ	東京慈恵会医科大学放射線医学講座
田中　宏子	たなか ひろこ	がん研究会有明病院画像診断部
山内　英臣	やまうち ひでおみ	東京慈恵会医科大学放射線医学講座
杉本　太郎	すぎもと たろう	都立駒込病院耳鼻咽喉科・頭頸部外科
岡野　渉	おかの わたる	国立がん研究センター東病院頭頸部外科
岡野　晋	おかの すすむ	国立がん研究センター東病院頭頸部内科
松浦　一登	まつうら かずと	国立がん研究センター東病院頭頸部外科
花井　信広	はない のぶひろ	愛知県がんセンター頭頸部外科部
朝蔭　孝宏	あさかげ たかひろ	東京医科歯科大学頭頸部外科
門田　伸也	もんでん のぶや	国立病院機構四国がんセンター頭頸科・甲状腺腫瘍科
齊藤　祐毅	さいとう ゆうき	東京大学医学部耳鼻咽喉科・頭頸部外科
篠﨑　剛	しのざき たけし	国立がん研究センター東病院頭頸部外科
藤井　隆	ふじい たかし	大阪国際がんセンター頭頸部外科
杉谷　巌	すぎたに いわお	日本医科大学大学院医学研究科内分泌外科学分野
吉本　世一	よしもと せいいち	国立がん研究センター中央病院頭頸部外科
四宮　弘隆	しのみや ひろたか	神戸大学大学院医学研究科耳鼻咽喉科頭頸部外科
安藤　瑞生	あんどう みずお	岡山大学大学院医歯薬学総合研究科耳鼻咽喉・頭頸部外科
渡邉　昭仁	わたなべ あきひと	恵佑会札幌病院耳鼻咽喉科・頭頸部外科
櫻庭　実	さくらば みのる	岩手医科大学形成外科学講座
丸尾　貴志	まるお たかし	愛知医科大学耳鼻咽喉科・頭頸部外科
西村　恭昌	にしむら やすまさ	近畿大学医学部放射線腫瘍学
古平　毅	こだいら たけし	愛知県がんセンター放射線治療部
吉村　亮一	よしむら りょういち	東京医科歯科大学放射線治療科
出水　祐介	でみず ゆうすけ	兵庫県立粒子線医療センター附属神戸陽子線センター放射線治療科

全田　貞幹	ぜんだ さだもと	国立がん研究センター東病院放射線治療科	
本間　明宏	ほんま あきひろ	北海道大学大学院医学研究院耳鼻咽喉科・頭頸部外科	
榎本　圭佑	えのもと けいすけ	和歌山県立医科大学耳鼻咽喉科・頭頸部外科	
東家　　亮	とうや りょう	熊本大学大学院生命科学研究部放射線治療医学講座	
榎田　智弘	えのきだ ともひろ	国立がん研究センター東病院頭頸部内科	
山﨑　知子	やまざき ともこ	埼玉医科大学国際医療センター頭頸部腫瘍科	
有賀　悦子	あるが えつこ	帝京大学医学部緩和医療学講座	
清田　尚臣	きよた なおみ	神戸大学医学部附属病院腫瘍センター	
富岡　利文	とみおか としふみ	国立がん研究センター東病院頭頸部外科	
若杉　哲郎	わかすぎ てつろう	産業医科大学医学部耳鼻咽喉科・頭頸部外科学	
藤本　保志	ふじもと やすし	愛知医科大学耳鼻咽喉科・頭頸部外科学	
太田　陽介	おおた ようすけ	兵庫県立がんセンター放射線治療科	
門脇　重憲	かどわき しげのり	愛知県がんセンター薬物療法部	
長友　孝文	ながとも たかふみ	自治医科大学医学部耳鼻咽喉科学	
藤井　博文	ふじい ひろふみ	自治医科大学附属病院臨床腫瘍科	
田原　　信	たはら まこと	国立がん研究センター東病院頭頸部内科	
鈴木　真也	すずき しんや	国立がん研究センター東病院薬剤部	
小西　哲仁	こにし てつひと	国立がん研究センター東病院歯科	
石井しのぶ	いしい しのぶ	国立がん研究センター東病院看護部	
小松　　薫	こまつ かおる	国立がん研究センター東病院看護部	
神谷しげみ	かみや しげみ	国立病院機構久里浜医療センター	
神田　　亨	かんだ とおる	静岡県立静岡がんセンターリハビリテーション科	
坂本はと恵	さかもと はとえ	国立がん研究センター東病院サポーティブケアセンター	
日江井裕介	ひえい ゆうすけ	藤田医科大学耳鼻咽喉科・頭頸部外科学	
楯谷　一郎	たてや いちろう	藤田医科大学耳鼻咽喉科・頭頸部外科学	
林　　隆一	はやし りゅういち	国立がん研究センター東病院頭頸部外科	
秋元　哲夫	あきもと てつお	国立がん研究センター東病院放射線治療科	

改訂第2版の序

「我が国で頭頸部癌に関して診断・検査・治療・治療後のフォロー・多職種の役割など系統的に学べる教科書を提供したい」という趣旨をもとに本書の初版が2016年に発刊され，頭頸部癌診療に携わる多くの医療従事者に愛読されてきた．各領域の第一人者に執筆を担当していただき，「系統的に頭頸部癌を理解できる」教科書を提供してきたと自負している．しかし，6年も経過すると，新たなエビデンスが創出され，新たな治療が誕生しており，改訂の必要性を感じた．

癌治療の進歩の中で，とりわけ薬物療法の進歩は目覚ましい．特に免疫チェックポイント阻害薬は，再発・転移頭頸部扁平上皮癌の二次治療のみならず，いまや一次治療の標準治療となっている．また，2020年9月に局所進行および再発頭頸部癌に対して世界で初めて承認された光免疫療法は，今日では実臨床で使用可能となっている．

現在，検出された腫瘍の遺伝子変異に応じて分子標的治療薬を処方するがんゲノム医療が様々な癌腫にて進展している．甲状腺癌は，治療に結びつくアクショナブルな遺伝子異常の頻度が約60％と比較的高いために，様々な分子標的治療薬が開発中である．2022年2月にRET遺伝子異常を有する甲状腺癌に対して承認されたセルペルカチニブのコンパニオン診断システム（CDx）が，実施医療機関の制限のないオンコマインDxTTとなり，RET遺伝子異常以外の遺伝子異常の情報も入手可能となった．今後，甲状腺癌にもがんゲノム医療の推進が期待される．

こうした進歩を受けて，「再発・転移頭頸部癌に対する薬物療法」，「根治切除不能甲状腺癌に対する薬物療法」，「光免疫療法」として新たに項目を設けて解説した．

放射線治療においても新たな治療選択肢が増えた．2018年4月に頭頸部悪性腫瘍（口腔・咽喉頭の扁平上皮癌を除く）に対して陽子線治療および重粒子線治療が，2020年6月に切除不能な局所進行または局所再発頭頸部癌に対してホウ素中性子捕捉療法（BNCT）が保険収載された．これを踏まえて，本改訂では新たに粒子線治療を概説する項目を追加した．また，頭頸部癌患者に緩和照射を行うことが多いため，「緩和的放射線治療」の項目も追加した．

治療法以外の部分もアップデートがあった．2017年にTNM分類が第8版へ，2018年に『頭頸部癌取扱い規約』が第6版へ改訂され，口腔癌にN3bの概念の導入，HPV関連中咽頭癌の大幅なステージの変更などがあったことを受け，本改訂ではTNM分類の変更点を解説した．また，『頭頸部癌診療ガイドライン2022年版』の刊行に伴い，この内容に対応するように見直しを行った．

上記以外においても，各執筆者の先生方に現状に則した最新の内容へアップデートいただいた．

本書が複雑となった頭頸部癌治療の理解に少しでも役立つこと，頭頸部癌に興味を持っ

てくれる医療従事者が少しでも増えることを切望する．また，本書が日常診療に活用され，頭頸部癌患者の治療成績向上に少しでも寄与することを願っている．

2022年9月

田原　　信
林　　隆一
秋元　哲夫

初版の序

「我が国で頭頸部癌に関して診断・検査・治療・治療後のフォロー・多職種の役割など系統的に学べる教科書を提供したい」，このような趣旨をもとに本書の出版が企画された．

頭頸部は多臓器の集合体であり，その原発部位と進行度によって治療方針・予後も異なる．頭頸部癌は初期症状が少なく，約半数以上が進行癌で発見されることが多い．また嚥下，咀嚼，発声などの重要な機能を担っているために，癌の進行，あるいは治療によってこれらの機能が障害されることがある．特に進行癌では外科切除による機能の損失が顕著になることがあり，機能温存を重視し非外科的治療を希望する患者も増えている．また，進行癌では予後改善のために，外科切除，放射線治療，化学療法を組み合わせた集学的治療が必要となっており，治療はますます複雑となっている．したがって，治療方針決定においては，原発部位と進行度，機能温存希望の有無，現在得られているエビデンスをもとに総合的に判断していく必要がある．化学療法また化学放射線療法の副作用は決して軽くなく，適切な支持療法が治療完遂・治療継続に必要とされる．喫煙・飲酒が主な発症要因であるために，社会的・経済的に問題を抱えている患者も少なくない．

今回，各領域の第一人者に執筆を担当していただいた．最新の内容を網羅した「系統的に頭頸部癌を理解できる」教科書ができたと自負している．

我が国の社会は縦割りであり，医療においても臓器別に分けられてきた歴史があり，他科，さらに多職種との連携は少なく，単科での治療方針決定，治療の実施などが行われてきた．そのため，患者を多職種でチーム医療を行うという基盤整備が整っていない．海外では頭頸部癌の治療に関しては集学的治療チーム（multidisciplinary team）で行うことが法制化されている国もある．本書にてまずお互いの職種の役割・意義を十分に理解し，集学的治療チームが実践される施設が増えることも期待したい．

若い耳鼻咽喉科医，放射線治療医，腫瘍内科医で，頭頸部癌に興味を持ってくれる医師は少ない．頭頸部癌治療の発展には若い力は必須である．本書にて，頭頸部癌に興味を持ってくれる医療従事者が増えることも期待したい．

最後に，本書の出版趣旨に賛同していただき，本書を完成に導いていただいた南江堂編集部の方々にこの場を借りて深謝させていただきたい．

2016年5月

田原　　信
林　　隆一
秋元　哲夫

目 次

第Ⅰ章　総　論　　1

1. 疫　学 …………………………………………………… 堀　芽久美・片野田耕太　2
2. 分子生物学と発癌機序 ……………………………………………………………… 6
   A. 頭頸部扁平上皮癌 ………………………………………………… 太田　一郎　6
   B. 甲状腺癌 …………………………………………………………… 光武　範吏　12
3. 診療ガイドライン・薬物療法ガイダンス ………………… 安松　隆治・中島　寅彦　16
4. インフォームドコンセントとセカンドオピニオン ……………………… 小野澤祐輔　26

第Ⅱ章　診　断　　31

1. 発生部位と症状 ……………………………………………………… 大上　研二　32
2. 病理診断 ……………………………………………………………………………… 38
   A. 頭頸部癌 …………………………………………………………… 藤井　誠志　38
   B. 唾液腺癌 …………………………………………………………… 長尾　俊孝　48
   C. 甲状腺癌 …………………………………………………………… 近藤　哲夫　54
3. 検査と診断 …………………………………………………………………………… 64
   A. 診断に至るまでの検査 …………………………………………… 小川　武則　64
   B. 画像診断 ………………………………………………………………………… 68
      1) 総　論 ………………………………………………………… 尾尻　博也　68
      2) 上咽頭 ………………………………………………………… 久野　博文　71
      3) 口　腔 ……………………………………………… 馬場　亮・尾尻　博也　75
      4) 中咽頭 ……………………………………………… 荻野　展広・尾尻　博也　81
      5) 喉頭・下咽頭 ………………………………………………… 田中　宏子　85
      6) 頸部リンパ節転移 ………………………………… 山内　英臣・尾尻　博也　89
   C. 内視鏡診断 ………………………………………………………… 杉本　太郎　94
4. TNM 分類 …………………………………………………………… 岡野　渉　102

第Ⅲ章　治　療　　107

1. 治療方針決定の手順 ………………………………………………… 岡野　晋　108
2. 外科治療 ……………………………………………………………………………… 116
   A. 総　論 ……………………………………………………………… 松浦　一登　116
   B. 切除術 …………………………………………………………………………… 121
      1) 口　腔 ……………………………………………………… 花井　信広　121
      2) 鼻腔・副鼻腔 ……………………………………………… 朝蔭　孝宏　126

	3）上咽頭	門田	伸也	*129*
	4）中咽頭	齊藤	祐毅	*133*
	5）下咽頭	篠﨑	剛	*139*
	6）喉　頭	藤井	隆	*142*
	7）甲状腺	杉谷	巌	*146*
	8）唾液腺	吉本	世一	*149*
	9）聴　器	四宮	弘隆	*152*
	10）頸部郭清	安藤	瑞生	*155*
	11）経口的手術	渡邉	昭仁	*159*
C.	形成・再建術	櫻庭	実	*165*
D.	救済手術	丸尾	貴志	*174*

3. 放射線治療 … *178*
- A. 総　論 …… 西村　恭昌 *178*
- B. 外部照射 …… 古平　毅 *182*
- C. 小線源治療 …… 吉村　亮一 *191*
- D. 粒子線治療（陽子線・重粒子線・BNCT） …… 出水　祐介 *196*
- E. 化学放射線療法 …… 岡野　晋・全田　貞幹 *202*
- F. 動注化学放射線療法 …… 本間　明宏 *211*
- G. 内用療法 …… 榎本　圭佑 *216*
- H. 緩和的放射線治療 …… 東家　亮 *222*

4. 薬物療法 … *227*
- A. 総　論 …… 榎田　智弘 *227*
- B. 導入化学療法 …… 榎田　智弘 *233*
- C. 再発・転移頭頸部癌に対する薬物療法 …… 岡野　晋 *239*
- D. 根治切除不能甲状腺癌に対する薬物療法 …… 山﨑　知子 *245*
- E. 緩和ケア …… 有賀　悦子 *250*

5. 治療の効果判定 …… 久野　博文 *258*

6. QOL評価 …… 清田　尚臣 *266*

7. 急性期の合併症と有害事象管理 … *270*
- A. 外科治療 …… 富岡　利文 *270*
- B. 放射線治療/化学放射線療法 …… 全田　貞幹 *276*
- C. 薬物療法 …… 若杉　哲郎 *282*

8. 晩期の合併症と有害事象管理 … *288*
- A. 外科治療 …… 藤本　保志 *288*
- B. 放射線治療 …… 太田　陽介 *292*
- C. 薬物療法 …… 門脇　重憲 *299*

第IV章　フォローアップとチーム医療　　*303*

1. 治療後のフォローアップと生活指導 …………………………… 長友　孝文・藤井　博文　*304*
2. 多職種連携 ……………………………………………………………………………………… *313*
   A. 多職種連携の重要性 ……………………………………………………… 田原　　信　*313*
   B. 薬剤師の役割 ……………………………………………………………… 鈴木　真也　*316*
   C. 歯科の役割 ………………………………………………………………… 小西　哲仁　*322*
   D. 看護師の役割 ……………………………………………………………………………… *328*
      1) 皮膚炎管理 …………………………………………………………… 石井しのぶ　*328*
      2) 嚥下評価 ……………………………………………………………… 小松　　薫　*332*
   E. 管理栄養士の役割 ………………………………………………………… 神谷しげみ　*334*
   F. 言語聴覚士の役割 ………………………………………………………… 神田　　亨　*337*
   G. ソーシャルワーカーの役割 ……………………………………………… 坂本はと恵　*340*

第V章　今後の展望　　*343*

1. 新たなターゲットとバイオマーカー …………………………………… 榎田　智弘　*344*
2. 今後，注目される治療法 ……………………………………………………………………… *352*
   A. ロボット支援下手術 ……………………………………………… 日江井裕介・楯谷　一郎　*352*
   B. 光免疫療法（アルミノックス治療） ……………………………………… 林　　隆一　*355*
   C. 放射線治療 ………………………………………………………………… 秋元　哲夫　*358*
   D. 薬物療法 …………………………………………………………………… 田原　　信　*364*

索　引 …………………………………………………………………………………………………… *370*

謹告　著者ならびに出版社は，本書に記載されている内容について最新かつ正確であるよう最善の努力をしております．しかし，薬の情報および治療法などは医学の進歩や新しい知見により変わる場合があります．薬の使用や治療に際しては，読者ご自身で十分に注意を払われることを要望いたします．

株式会社　南江堂

第Ⅰ章
総　論

1. 疫　学

記述疫学

1 口腔・咽頭癌

2019年の日本における口腔・咽頭癌による死亡数（人口動態統計）は男性5,504人および女性2,260人で，それぞれ癌死亡全体の2%および1%を占める．2017年の口腔・咽頭癌の罹患数（全国がん登録）は男性15,398例および女性6,635例で，それぞれ癌罹患全体の3%および2%を占める．詳細部位別にみると，口腔・咽頭癌における罹患は，歯肉，梨状陥凹＜洞＞，中咽頭，下咽頭に多い．がん統計予測[1]によると，2020年の口腔・咽頭癌の死亡数は男性5,500人および女性2,400人，罹患数は男性15,800例，女性6,800例と予測されている．

日本における口腔・咽頭癌の年齢調整罹患率は，詳細部位別では，男性の中咽頭癌，下咽頭癌で米国および香港より高かった（表1）．日本の口唇癌や唾液腺癌の罹患率は米国黒人，太平洋諸島系米国人（API）や香港と同程度で，米国白人より低い．日本の舌癌の罹患率は米国白人より低いが，米国APIよりは高い．扁桃癌の罹患率は，男性・女性ともに日本，米国API，香港と比較して米国白人および黒人で高い．香港の上咽頭癌の罹患率は男性・女性ともに日本，米国に比べてきわめて高い．

口腔・咽頭癌の年齢階級別死亡率（図1）は男性で60歳代前後，女性で70歳代から高くなり，その後は年齢とともに増加する．年齢階級別罹患率（図2）は男性，女性ともに50歳代前後から高くなる．

表1　頭頸部癌の年齢調整罹患率[*1] 国際比較

部　位	日本[*2]	米　国[*3]			香港
		白　人	黒　人	API[*4]	
男　性					
口腔・咽頭					
口唇	0.1	0.7	0.1	0.1	0.1
舌	2.3	3.9	2.6	1.7	2.0
口腔	1.6	1.7	1.9	1.1	1.3
唾液腺	0.6	1.1	0.8	0.7	0.7
扁桃	0.3	2.7	2.3	0.7	0.6
中咽頭	1.0	0.5	0.8	0.2	0.2
上咽頭	0.5	0.4	0.8	2.7	12.8
下咽頭	2.1	0.7	1.2	0.4	1.2
その他	0.1	0.3	0.3	0.1	<0.1
喉頭	3.0	3.9	6.2	1.5	2.9
甲状腺	2.9	5.6	2.6	4.7	2.9

部　位	日本[*2]	米　国[*3]			香港
		白　人	黒　人	API[*4]	
女　性					
口腔・咽頭					
口唇	<0.1	0.2	<0.1	<0.1	<0.1
舌	1.1	1.3	0.8	0.9	1.4
口腔	0.9	1.0	1.0	0.6	0.8
唾液腺	0.4	0.7	0.7	0.7	0.7
扁桃	0.1	0.5	0.5	0.1	0.1
中咽頭	0.2	0.1	0.2	<0.1	<0.0
上咽頭	0.2	0.2	0.3	0.9	4.0
下咽頭	0.2	0.2	0.2	0.1	0.1
その他	<0.1	0.1	0.1	<0.1	<0.0
喉頭	0.2	0.9	1.2	0.2	0.2
甲状腺	8.7	17.6	9.5	15.6	9.9

[*1]：基準人口：世界人口．
[*2]：対象地域：宮城県，山形県，栃木県，新潟県，福井県，愛知県，大阪府，広島県，長崎県．
[*3]：SEER 18 Registries（http://seer.cancer.gov/registries/terms.html）．
[*4]：API：Asian Pacific Islander.

［Cancer Incidence in Five Continents Volume XIより作成］

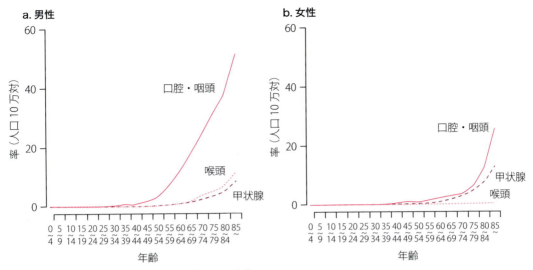

図1 頭頸部癌の年齢階級別死亡率（2019年）
［国立がん研究センターがん情報サービス「がん統計」（厚生労働省咽喉動態統計）より］

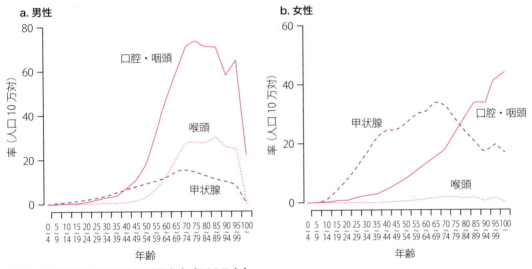

図2 頭頸部癌の年齢階級別罹患率（2017年）
［国立がん研究センターがん情報サービス「がん統計」（全国がん登録）より］

口腔・咽頭癌の年齢調整死亡率（図3）は，男性では1960〜2000年代まで増加傾向にあったが，2010年頃から減少傾向である．女性は1990年代前半の上昇傾向が1990年代後半から微減傾向に転じている．年齢調整罹患率は男性，女性ともに1980年代から増加傾向にある．

2009〜2011年に口腔・咽頭癌と診断された患者の5年相対生存率［全国がん罹患モニタリング集計（MCIJ）］は男性60.7％，女性69.4％である．

2 喉頭癌

2019年の日本における喉頭癌による死亡数（人口動態統計）は男性806人および女性57人で，癌死亡全体に占める割合は男性・女性とも1％未満である．2017年の喉頭癌の罹患数（全国がん登録）は男性4,845例および女性402例で，男性・女性とも1％未満である．死亡，罹患とも女性に比べて男性が圧倒的に多い癌である．がん統計予測[1]によると，2020年の喉頭癌の死亡数は男性

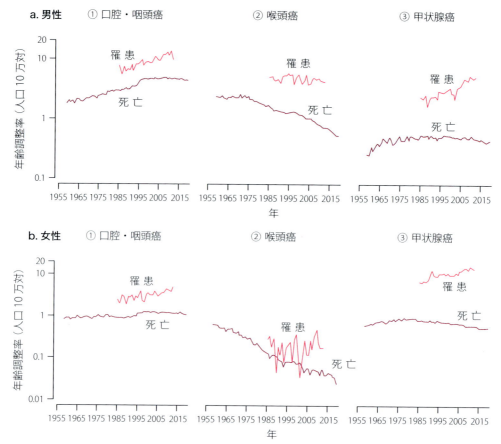

図3 頭頸部癌の年齢調整死亡率および年齢調整罹患率の年次推移

[Katanoda K, et al：J Epidemiol 31：426-450, 2021 より引用]

800人および女性100人，罹患数は男性5,000例，女性400例と予測されている．

　日本における喉頭癌の年齢調整罹患率は，男性で米国白人・黒人より低く，特に米国黒人の罹患率は日本の2倍以上である．女性も同様に米国黒人での罹患率が高い．米国APIと比較すると，男性において日本のほうが高く，女性で同程度である．

　喉頭癌の年齢階級別死亡率（図1）は，男性で70歳代前後から高くなり，その後は年齢とともに増加する．女性では全年齢階級で死亡率は低い．年齢階級別罹患率（図2）は60歳代前後から高くなり，その後は年齢とともに増加する．女性も男性同様，60歳代前後から増加するが，全年齢を通して罹患率は低い．

　喉頭癌の年齢調整死亡率（図3）は，男性では1970年代から1980年代後半までの減少傾向であっ

たが，1990年代には横ばいになり，近年は再び減少傾向である．女性は1950年代後半から減少傾向が続いている．年齢調整罹患率（図3）は，男性では1980年代から微減傾向，女性では1980年代から横ばい傾向にある．

　2009〜2011年に喉頭癌と診断された患者の5年相対生存率［全国がん罹患モニタリング集計（MCIJ）］は男性81.8％，女性81.7％である．

3 甲状腺癌

　2019年の日本における甲状腺癌による死亡数（人口動態統計）は男性619人および女性1,243人で，癌死亡全体に占める割合は男性・女性とも1％未満である．2017年の甲状腺癌の罹患数（全国がん登録）は男性4,642例および女性13,448例で，男性では罹患全体に占める割合は1％未満である

が，女性では約3％を占める．がん統計予測[1]によると，2020年の甲状腺癌の死亡数は男性600人および女性1,200人，罹患数は男性4,700例，女性13,400例と予測されている．

日本の甲状腺癌の年齢調整罹患率は，男性，女性ともに米国，香港と比較して低い．女性の米国白人の罹患率は日本の2倍を超える．

甲状腺癌の年齢階級別死亡率（図1）は，男性，女性ともに70歳代から高くなり，その後は年齢とともに増加する．年齢階級別罹患率（図2）は男性では30歳代から増加が始まり，その後は年齢とともに高くなる．女性では10歳代後半から増加が始まり60歳代から70歳代でピークを迎える．他部位の癌と比較すると男性，女性ともに若年での罹患が多い．

甲状腺癌の年齢調整死亡率（図3）は，男性では1990年代後半，女性では1970年代後半にそれまでの増加傾向が微減傾向に転じている．年齢調整罹患率は男性では1980年代から増加傾向にあったが，2010年頃から横ばい傾向にある．女性では，2000年頃からの増加傾向が，2010年代から横ばい傾向にある．

2009～2011年に甲状腺癌と診断された患者の5年相対生存率［全国がん罹患モニタリング集計（MCIJ）］は男性91.3％，女性95.85であり，他部位の癌と比較して高い．

リスク因子

1 口腔・咽頭癌

口腔癌の確立したリスク因子は喫煙と飲酒である．咽頭癌についても喫煙と飲酒が確実なリスク因子である．喫煙と飲酒とが組み合わさるとそれぞれ単独の場合よりもリスクが上がる．能動喫煙により口腔・咽頭癌のリスクは非喫煙者に比べて2倍から3倍になることが日本人を対象とした大規模コホート研究の統合解析で示されている．喫煙と飲酒以外では，ホルムアルデヒドへの職業曝露は上咽頭癌の確実なリスク因子，中国南東部（広東省，香港など）で伝統的に食べられる塩蔵魚は上咽頭癌のほぼ確実なリスク因子である．また，野菜・果物（特にβカロテンを含むもの）の摂取が口腔・咽頭癌のリスクを下げることはほぼ確実とされている．Epstein-Barrウイルスが上咽頭癌と，ヒトパピローマウイルス（HPV）が口腔・中咽頭癌と関連することが報告されている．中咽頭癌の中でHPV関連の割合は，日本で約50％[2]，米国で約70％[3]と推計されており，そのほとんどはHPV16型が原因であるとされている．

2 喉頭癌

喉頭癌についても喫煙と飲酒が確実なリスク因子であり，両者が組み合わさるとそれぞれ単独の場合よりもリスクが上がる．能動喫煙による喉頭癌のリスク上昇は，男性の場合非喫煙者に比べて5倍から6倍であることが日本人を対象とした大規模コホート研究の統合解析で示されている．禁煙後，喉頭癌のリスクは急速に下がり，10～15年で喫煙継続者の約40％になる．喫煙・飲酒以外では，アスベストなどの職業性の曝露との関連が指摘されている．

3 甲状腺癌

放射線，特に幼少期の放射線への曝露は，甲状腺癌の確立したリスク因子である．乳幼児期に頭頸部に放射線治療を受けた患者で甲状腺癌のリスクが上がることが知られている．旧ソ連のチェルノブイリ原子力発電所事故後，放射性ヨウ素に汚染されたミルクなどを摂取した小児に甲状腺癌が増加した．放射線以外では，食事由来のヨードと甲状腺癌との関連が指摘されており，ヨード摂取量が多い地域では乳頭癌が，少ない地域では濾胞癌がそれぞれ多いことが知られる．

📖 文 献

1) がん情報サービス．http://ganjoho.jp/public/statistics/pub/short_pred.html（2021年10月閲覧）
2) Hama T, et al：Prevalence of human papillomavirus in oropharyngeal cancer：a multicenter study in Japan. Oncology 87：173-182, 2014
3) Viens LJ, et al：Human Papillomavirus-Associated Cancers — United States, 2008-2012, MMWR Morb Mortal Wkly Rep 65：661-666, 2016

2. 分子生物学と発癌機序

A 頭頸部扁平上皮癌

　頭頸部癌は，全世界で年間60万人以上が新たに罹患する世界第6位の悪性新生物である[1]．固形癌であるがゆえに，単一の細胞集団というよりも多様性に富んだ不均一な（ヘテロな）細胞集団である．その病理組織型の約90％が扁平上皮癌である．従来，この頭頸部扁平上皮癌は，喫煙・飲酒歴が長く，偏った食事や不衛生な口腔環境を有する高齢男性に生じる疾患であった．一方，近年，喫煙習慣の減少とともに頭頸部扁平上皮癌の罹患率は減少しており，この傾向は口腔癌と喉頭癌で顕著である一方，中咽頭癌はHPV（ヒトパピローマウイルス）感染の影響により増加の一途である．つまり，頭頸部扁平上皮癌は，遺伝的素因よりもたばこ，アルコール，細菌，ウイルスなど外的環境因子に影響を受けることで発生しやすい癌といえる．

　本項では，今後臨床で展開される頭頸部扁平上皮癌に対する個別化治療，いわゆるprecision medicine（高精度医療）を考えていくうえで，押さえておきたい癌の特性と発癌進展メカニズムをこれまでの歴史的変遷を踏まえて解説する．

発癌機序

1 癌の特性の獲得（多段階発癌モデル）

　癌は，遺伝子の「傷」（癌遺伝子の活性化と癌抑制遺伝子の不活性化など）によって起こる疾患といわれてきた．しかしながら，発癌は単に1つの遺伝子の異常によって起こるような単純なしくみではなく，内因性および外因性の多くのストレスに曝露される中で複数の癌関連遺伝子の変異が段階的に蓄積されることにより癌の特性"hallmarks of cancer"を獲得していくとされている．

　Douglas HanahanとRobert Weinbergは，この癌の特性として10要素を提唱し，それぞれの要素は治療のターゲットと考えられている[2]（図1）．

　正常な細胞がこのような特性を兼ね備えて癌化するためには，前述のごとく，いくつかの癌関連遺伝子に変異が蓄積されるというステップを踏む必要がある．この概念が世界で初めて提唱されたのは，今から約30年前，Bert Vogelsteinらによる大腸癌の"多段階発癌モデル"である．さらに，頭頸部扁平上皮癌においても咽喉頭粘膜の広範囲に喫煙や飲酒などが繰り返し曝露されることによる"field cancerization"という発癌概念が提唱され，同様な多段階発癌モデルが考えられている[3]（図2）．

　癌化に至るこれらの10要素の順序は，従来示されてきたような一定の多段階発癌の順序ではなく，癌種によってさまざまであることがわかってきた．

　さらに，このような癌関連遺伝子の変異のみならず，遺伝子変異を伴わないエピジェネティックな要因による遺伝子発現調節の変化をはじめ，マイクロバイオーム，細胞の老化，分化にかかわる細胞の可塑性も発癌に大きな影響を及ぼすこともわかってきた[4]．

2 特定の遺伝子変異による癌化（oncogene addiction）

　ある種の癌においては，ある特定の遺伝子の異常（ドライバー遺伝子）が複数の遺伝子（パッセンジャー遺伝子）を同時に制御し，従来の発癌ステップを短縮することができると考えられている．この概念をI. Bernard Weinsteinは"oncogene ad-

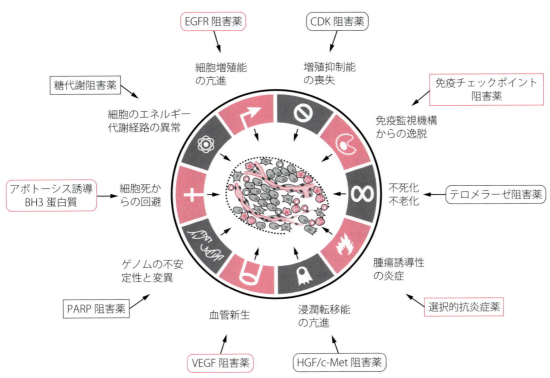

図1　癌の特性10要素と治療ターゲット

[Hanahan D, Weinberg RA：Cell 144：646-674, 2011 をもとに作成]

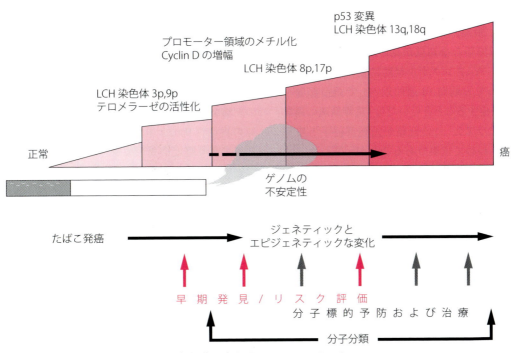

図2　頭頸部扁平上皮癌における多段階発癌と field cancerization

[Mao L, et al：Cancer cell 5：311-316, 2004 より引用]

diction"（癌遺伝子中毒）と名付けた．このドライバー遺伝子をターゲットにした薬剤（つまり，分子標的治療薬）で阻害することで癌細胞の増殖・進展が著明に阻害しようとするこの概念が，現在の分子標的治療の基礎となっている．その良い例が EML4-ALK 融合遺伝子異常を有する肺腺癌に対する EML4-ALK 融合型チロシンキナーゼ阻害薬クリゾチニブの劇的な抗腫瘍効果である．

しかしながら，2005 年から始まった遺伝子レベルでの究極の癌の解析と考えられる TCGA（The Cancer Genome Atlas）プロジェクトの結果，頭頸部扁平上皮癌には，TP53，PTEN/PI3K，FAT1，EGFR，NOTCH などのドライバー遺伝子変異が既知の報告と同様に認められたが，これらのドライバー遺伝子に優位な活性型変異は認められなかったことが 2015 年の Nature 誌で報じられたのである[5]．つまり，頭頸部扁平上皮癌は oncogene addiction には単純には当てはめにくい，現時点ではいわゆる癌ゲノム医療における遺伝子パネル検査の恩恵を受けにくい癌種であると考えられている．

a Hippo-YAP シグナル経路活性による発癌

2020 年，頭頸部扁平上皮癌のジェネティックな発癌機構で新たな知見が見いだされた[6]．細胞内の Hippo-YAP シグナル経路に変異のあるマウスがきわめて短期間（4 週間以内）で頭頸部扁平上皮癌を発症することを見いだし（世界最速の癌発症モデルマウス），この経路が頭頸部扁平上皮癌の発症にきわめて重要であることが示された．すなわち，頭頸部扁平上皮癌の発症・進展機構は，(A) TP53，PTEN/PI3K，FAT1，EGFR の遺伝子変異などの蓄積によって，YAP 活性が閾値を超えたときに癌が発症することが示唆された．(B) また，癌発症後もさらに YAP 活性が蓄積して癌がより進展する，などの頭頸部扁平上皮癌の発症・進展機構の可能性を示された．さらに，頭頸部扁平上皮癌のリスク因子である，喫煙，機械的な粘膜刺激，HPV 感染も YAP を活性化することは，これまでに報告されていることから，これらも YAP 活性化の一役を担うことが考えられる．つまり，Hippo-YAP シグナル経路は頭頸部扁平上皮癌における oncogene addiction を担っていると考えられ，絶好の分子標的治療の分子となりうることが期待される．

3 エピジェネティックな変異による癌化（transcriptional addiction）

TCGA プロジェクト後もさまざまなゲノム解析の結果，人の多様性や癌の発生進展にはゲノムの遺伝情報のみならず，エピジェネティクスと呼ばれる遺伝情報の発現調節機構が重要な役割を果たしていることが明らかになってきた．つまり，優位なドライバー遺伝子の活性型変異をもたない頭頸部扁平上皮癌は，多段階の遺伝子変異だけでなく，エピジェネティックな機構により遺伝子発現プログラムをリプログラミングし悪性化へと進展していく transcriptional addiction を有する癌種である可能性が高いと考えられている[7]．

4 ウイルスによる発癌

a EBV と上咽頭癌

Epstein-Barr ウイルス（EBV）は，バーキットリンパ腫（BL）から最初のヒト癌ウイルスとして 1964 年に分離された．その後，上咽頭癌やホジキンリンパ腫，NK/T リンパ腫，AIDS や臓器移植などに伴う日和見リンパ腫，胃癌などへの関与が明らかにされており，これらは EBV 関連癌と呼ばれる．

上咽頭癌における EBV の関与に関しては，EBV の初感染後，潜伏感染していた EBV 陽性 B リンパ球の再活性化により放出された EBV が，遺伝子変異により軽度の異形成を伴った上咽頭上皮細胞に感染すると考えられている．一般に EBV に感染した咽頭上皮細胞ではウイルス複製が起こり，その感染細胞は溶解する．しかし，何らかのメカニズムにより潜伏感染に移行することで，不死化への強力なドライバー遺伝子である LMP1（EBV 膜蛋白 1）が発現し癌化へと進展していくと考えられている[8]（図 3）．

EBV はほとんどの健康成人に潜伏感染しており，EBV 感染が発癌に直結するわけではない．免疫系異常や感染細胞の遺伝子変化など何らかの要因により，EBV との共存の破綻，すなわち発癌へと移行する．EBV による発癌機構のさらなる解明は，EBV を標的とした上咽頭癌の治療法開発へつなが

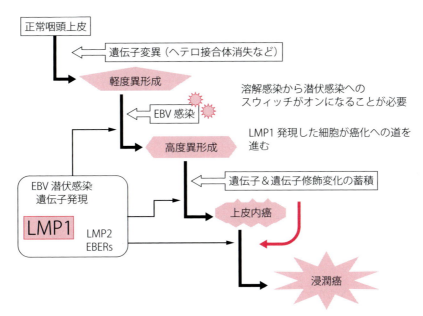

図3 EBV 感染から発癌への過程
咽頭細胞において遺伝子変異が起こり，そこに EBV が感染して潜伏感染が可能となり，LMP1 が発現すると癌化へと進む．
［吉崎智一：日耳鼻 121：174-179, 2018 より許諾を得て転載］

b HPV と中咽頭癌

中咽頭，特に扁桃組織における HPV の感染メカニズムは，扁桃の表層に位置する分化した重層扁平上皮ではなく，陰窩内に存在する未分化な上皮細胞に多く存在する HPV 受容体を介して感染する．この感染した未分化な上皮細胞内の HPV は，環状のエピゾーム状態で存在し，分化が進むにつれて複製が亢進し，やがて感染細胞が溶解して成熟した HPV が放出される．そして周囲に存在する HPV 受容体陽性の未分化な上皮細胞に再感染する[8]．（溶解持続感染）宿主免疫からの排除を逃れた HPV 持続感染細胞において HPV ゲノムの E6/E7 の発現が亢進し，HPV ゲノムの宿主細胞への取り込み（インテグレーション）が起こり，E2 欠失，E6/E7 の安定高発現につながり癌化が進展すると考えられている．この癌化のキーポイントである HPV のインテグレーションの促進に，本来 HPV の感染制御と排除に働く APOBEC3 が逆に寄与していることがわかった．さらにエストロゲン受容体（ER）を有する HPV 感染細胞においてエストロゲン刺激により APOBEC3 を誘導することも報告されており[9]（図4），HPV 発癌における APOBEC3 と ER の関連性のさらなる解明は，今後の治療開発にも重要な指針となるだろう．

5 加齢と癌

上述のごとく，正常組織において喫煙や飲酒などが繰り返し曝露されることによる "field cancerization" という発癌概念が提唱されているが，加齢により蓄積するゲノム異常，特に癌のドライバー変異が蓄積することが次々と報告されている．最近，頭頸部癌に隣接する食道癌の発癌研究において，正常食道では，発癌に先立って年少期のうちに NOTCH1 変異を主体とした食道癌のドライバー変異を獲得したクローンが多中心性に出現し，加齢に伴ってドライバー変異の数が増加するとともにクローン拡大をきたし，高齢者では正常食道の大半がドライバー変異を有するクローンに置き換わっていることが報告された[10]．しかしながら，加齢における決定的な癌化のメカニズムついてはいまだに解明されていない．ゲノム異常のみならずエピジェネティクス，蛋白質，免疫も含めた包括的な手法による解析を用いてさらなる解明が望ま

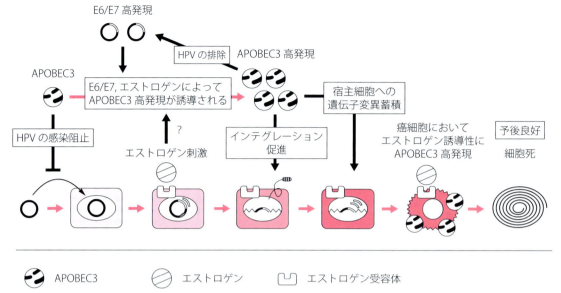

図4 HPV関連癌におけるAPOBEC3とERの関わり

［加納　亮ほか：頭頸部癌 46：18-21, 2020 より許諾を得て転載］

れている．このようなメカニズムは，同じフィールド・病理組織である頭頸部扁平上皮癌にも相通じると考えられる．

6　癌幹細胞と癌微小環境

　近年，「癌の概念」は癌細胞自体の特性だけでなく，癌を組織として捉え，癌細胞とそれを取り巻く"癌微小環境（tumor microenvironment）"との相互関係において成り立つという概念が確立されてきた．この癌微小環境は，線維芽細胞，炎症細胞，免疫細胞，血管，リンパ管，細胞外基質などで構成されている．癌細胞はこれらの正常細胞群との相互作用に依存して，自己の生存・増殖に有利な微小環境を形成する．また，癌細胞が浸潤・転移する際には，原発巣および転移先の微小環境細胞群が産生するシグナル因子が大きく関与している（図5）．さらにはこの癌微小環境は癌免疫応答の中心的な場としても働き，免疫チェックポイント阻害薬の効果にも影響を及ぼす．

　また，自己複製能をもち，同時に多様な細胞に分化する能力をもつ癌幹細胞（cancer stem cell）は，"ニッチ（niche）"という微小環境においてその幹細胞性を維持し，癌の進展や転移・再発に関与していると考えられている．つまり，癌幹細胞とニッチとは相互作用を示し，ニッチは癌幹細胞の"ねぐら（マイホーム）"として癌幹細胞の特性維持や細胞分裂抑制を維持する因子を産生し，一方，癌幹細胞からはニッチの分化・誘導・維持に関与する因子が産生され，放射線や抗癌薬などに対して治療抵抗性を獲得するという考えである．さらに，転移臓器においては先行してその癌幹細胞特異的なニッチが存在することで，より効率的に臓器特異的な転移が成立すると考えられている．頭頸部癌においても癌幹細胞の概念が提唱されており，現在，免疫チェックポイント阻害薬を併用した癌幹細胞を含む癌微小環境における制御分子を標的とした新たな治療法の開発が進みつつある[11]．

遺伝子パネル検査における頭頸部扁平上皮癌の標的遺伝子

　近年，次世代シークエンサーを用いたハイスループットの医療機器の登場により，癌の遺伝子検査領域において革命的な変化がもたらされ，上述のごとく癌ゲノムのプロファイルが明らかにされてきた結果，precision medicineをめざした癌ゲノム医療が急速な進歩を遂げている．実際，わが国においても2019年6月に癌遺伝子パネル検査と

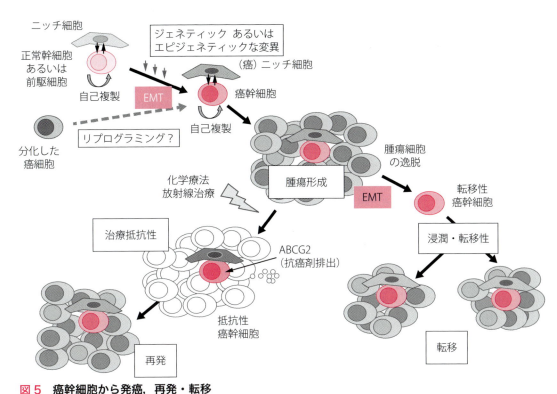

図5 癌幹細胞から発癌，再発・転移

［太田一郎ほか：頭頸部癌 36：442-446, 2010 より許諾を得て転載］

して2種類の癌ゲノムプロファイル検査が保険収載され，今や癌ゲノム医療が身近なものとなった．

頭頸部扁平上皮癌の遺伝子パネル検査において，前述のごとく，*TP53*，*PTEN/PI3K*，*FAT1*，*EGFR*，*NOTCH* などのドライバー遺伝子変異は検出される可能性はあるが，現時点において治療に有力な標的遺伝子は同定されていない．しかしながら，今後，前述の頭頸部扁平上皮癌における Hippo-YAP シグナル経路の解明が進むことで新たな標的遺伝子が見いだされる可能性があり，その研究開発が期待される．

一方，唾液腺癌をはじめとする頭頸部非扁平上皮癌は，乳癌や肺癌との関連性の高い遺伝子プロファイルを有することを考慮すると，今後有望なドライバー遺伝子が見いだされ，有効な分子標的治療薬が提供される可能性が期待される．

文献

1) Siegel RL, et al：Cancer statistics, 2020. CA Cancer J Clin **70**：7-30, 2020
2) Hanahan D, Weinberg RA：Hallmarks of cancer：the next generation. Cell **144**：646-674, 2011
3) Mao L, et al：Focus on head and neck cancer. Cancer cell **5**：311-316, 2004
4) Hanahan D：Hallmarks of cancer：new dimensions. Cancer Discov **12**：31-46, 2022
5) Cancer Genome Atlas Network：Comprehensive genomic characterization of head and neck squamous cell carcinomas. Nature **517**：576-582, 2015
6) Omori H, et al：YAP1 is a potent driver of the onset and progression of oral squamous cell carcinoma. Sci Adv **6**：eaay3324, 2020
7) 益田宗幸：頭頸部癌基礎研究の動向：概論と展望．日本臨床 **78**：121-127, 2017
8) 吉崎智一：耳鼻咽喉科・頭頸部外科学研究の最前線：ウイルス発癌研究の進歩：上咽頭癌と中咽頭癌の類似点と相違点．日耳鼻 **121**：174-179, 2018
9) 加納 亮ほか：HPV 関連中咽頭癌の発癌・臨床像における APOBEC の役割．頭頸部癌 **46**：18-21, 2020
10) 太田一郎ほか：癌幹細胞と浸潤・転移．頭頸部癌 **36**：442-446, 2010
11) Yokoyama A, et al：Age-related remodelling of oesophageal epithelia by mutated cancer drivers. Nature **565**：312-317, 2019

B 甲状腺癌

甲状腺癌は，わが国だけでなく国際的にその頻度が上昇傾向にあるといわれている．甲状腺癌にはさまざまな組織型があり，主に乳頭癌，濾胞癌（この2つをあわせて分化癌とも呼ぶ），低分化癌，未分化癌，髄様癌に分類される．このうち，髄様癌だけが濾胞傍細胞から発生するとされ，残りは濾胞細胞を発生母地とすると考えられている．

甲状腺発癌の外的要因で明らかとなっているものは放射線被曝である．特に低年齢時における被曝のリスクが高い．また，いくつかの遺伝要因もある．遺伝性疾患では家族性大腸ポリポーシス，Cowden症候群，Carney複合，Werner症候群などで分化癌の発生がみられる．家族性髄様癌については後述する．しかし，通常の散発性乳頭癌でも，3～10％は遺伝の関与があるとされ，家族内集積がみられることがあるが，原因となる遺伝子はまだわかっていない．ただ，近年のゲノムワイド関連解析により，効果量はそう高くないものの，甲状腺癌発症と関連する遺伝子多型がいくつか明らかとなっている．本項の最後で少し述べる．

散発性癌でも，その原因は遺伝子変異（こちらは体細胞変異で，癌にのみ見られる変異）にあるとされる（各組織型の遺伝子変異の頻度はp.245表1を参照）．よって本項では，組織型ごとの代表的な遺伝子変異と関連するシグナル伝達経路について解説する．また近年，わが国では遺伝子パネル検査としてNCCオンコパネルとFoundationOneが承認されたが，これらに含まれているかについても簡単に触れる．

遺伝子変異

1 乳頭癌の遺伝子変異

乳頭癌は甲状腺癌の中でもっとも頻度の高い組織型である．この乳頭癌における代表的な遺伝子変異が*BRAF*変異と*RET/PTC*である．

BRAFは，セリンスレオニンキナーゼの1つであり，細胞の増殖や分化に関与しているとされるMAPKシグナル伝達経路の構成分子の1つである（図1）．甲状腺癌にみられる変異のほとんどが600番目のアミノ酸がバリンからグルタミン酸に変わるV600Eと呼ばれる変異であり，この変異によって，BRAFのキナーゼ活性が恒常的に上昇する．この*BRAF*変異が，乳頭癌においてもっとも頻度の高い遺伝子異常である．欧米での頻度は約50％であるが，わが国を含めた東アジアではさらに高く，約80％とする報告もある．この*BRAF*変異は，腫瘍の悪性度と関連があるとする報告が多く，甲状腺外浸潤，リンパ節転移，ステージ，再発率などとの相関が報告されている[1]．ただし，予後の指標としては，従来の臨床病理学的な悪性度の指標を用いて多変量解析を行うと，統計学的な有意差が消失してしまうとの報告もある．また，わが国のように*BRAF*変異の頻度が高い地域では，悪性度との相関を否定する論文が多く，いまだ決着がついたとはいえない[2]．

*RET/PTC*とは通常，甲状腺濾胞細胞ではほとんど発現していないRETチロシンキナーゼが，染色体再配列により，C末端側のキナーゼドメイン

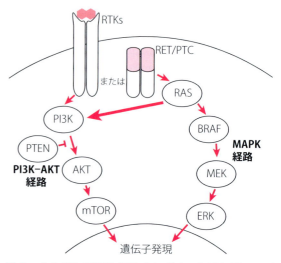

図1 分化癌に重要な細胞内シグナル伝達経路
［光武範吏：ホルモンと臨 61：61-66, 2013 より引用］

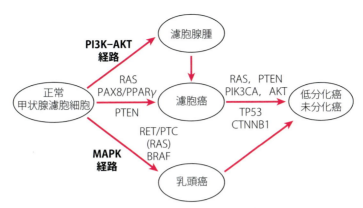

図2 甲状腺濾胞細胞の癌化に関与する遺伝子変異
[光武範吏：ホルモンと臨61：61-66, 2013 より引用]

と，融合するパートナー遺伝子のN末端側が結合してできる融合遺伝子のことである．そのため，パートナー遺伝子のプロモーターを使って融合遺伝子全体が発現するようになる．また，パートナー遺伝子にはcoiled-coilドメインをもつものが多く，二量体を容易に形成し，自己リン酸化によってRETのキナーゼ活性が恒常的に上昇する．*RET/PTC* は，パートナー遺伝子の違いで15種類以上が報告されているが，*RET/PTC1* がもっとも多く，次に多い *RET/PTC3* とあわせて約90％を占める．*RET/PTC* の頻度は，わが国では10％程度である．

また，頻度は少ないものの *RAS* 変異も乳頭癌で検出される．この変異は濾胞癌で多く見つかるが，乳頭癌では follicular variant と呼ばれる組織亜型でよくみられる．詳細は後述する．

近年，次世代ゲノム解析技術の進歩により，癌細胞における遺伝子変異をゲノムワイドで網羅的に解析できるようになってきた．甲状腺癌も国際的な The Cancer Genome Atlas（TCGA）の解析対象とされ，乳頭癌を中心に解析結果が出ている．それによると，これら遺伝子変異以外にも頻度は少ないものの，*BRAF* や *NTRK*，*ALK* などとの融合遺伝子が，このタイプの癌の原因遺伝子となっている可能性が示唆されている[3]．

ここで重要なことは，これら遺伝子変異にはほとんど重複がみられないということである．というのは，RETなどのチロシンキナーゼ，RAS，BRAFはすべて前述したMAPKシグナルを活性化するが，RETやRASは他の下流シグナルも同時に活性化する．それにもかかわらず，これら遺伝子変異に重複がないということは，共通の下流であるMAPKシグナルの恒常的な活性化が，乳頭癌の発生にきわめて重要であることを示唆しているといえる（図1，2）．

また近年，*TERT* 遺伝子のプロモーター領域の変異（*TERT-p* 変異）が注目されている．変異の頻度は約10％であり，年齢や悪性度・予後と強い相関がある[4]．

BRAF 変異や *RET/PTC*，*RAS* 変異，*ALK* 融合遺伝子は，NCC オンコパネルと FoundationOne の両方で検出可能と思われるが，*NTRK* 融合遺伝子については，乳頭癌で頻度の高いものは *ETV6/NTRK3* であり，*NTRK3* は両パネルに含まれていない．ただし，*ETV6* は FoundationOne では対象となっており，検出できる可能性がある（要検証）．また，*TERT-p* 変異も FoundationOne のみ対象となっている．

2 濾胞癌の遺伝子変異

前述の乳頭癌ではMAPK経路であったが，濾胞癌の発生に重要であると考えられているのがPI3K-AKTシグナル伝達経路の恒常的な活性化である（図1，2）．

乳頭癌でも述べた RAS には，NRAS，HRAS，KRAS のアイソフォームがある．変異RASは前述のとおり，MAPK経路も活性化するが，甲状腺濾胞細胞ではPI3K-AKT経路のほうをより強く活性化する可能性がある[5]．これら *RAS* 変異は，癌だ

けではなく，濾胞腺腫にもみられ，悪性化というよりも腫瘍発生の初期段階に起こるとされている．ただし，RAS変異は後述の低分化癌や未分化癌での頻度がより高いため，腫瘍の発生だけではなく，癌の脱分化，高度悪性化にも重要な役割を果たしている可能性がある（図2）．

同じくPI3K-AKT経路に関与するものに，PTEN遺伝子の変異，欠失がある．PTENの機能欠損によってPI3K-AKT経路が活性化する（図1）．

濾胞癌ではこのほかに，PAX8/PPARγという融合遺伝子も検出される．この遺伝子の正確な機能はわかっていないが，癌抑制遺伝子と考えられているPPARγへのドミナントネガティブ効果やPAX8応答遺伝子の活性化によるものが示唆されている．またこの遺伝子変異も，濾胞癌だけでなく濾胞腺腫でも検出され，腫瘍の発生初期に重要な役割をもっていることが考えられる（図2）．しかしながら，この遺伝子変異は低分化癌や未分化癌ではほとんど検出されず，このことは，この遺伝子産物は癌の高度悪性化には関与していない（むしろ逆の）可能性を示唆する．これがRAS変異との大きな相違点である．しかし，このPAX8/PPARγとRAS変異も1つの腫瘍には重複がほとんど存在せず，濾胞癌の発生には異なった2つのシグナル伝達経路が関与している可能性を示唆しており，興味深い．また，乳頭癌で述べたTERT-p変異は濾胞癌でも10～15%にみられ，やはり悪性度・予後と相関するとする報告がある．

RAS変異やPTEN遺伝子の変異，欠失は両パネルで検出可能と予想されるが，PAX8/PPARγは対象となっていない．

3 低分化癌・未分化癌の遺伝子変異

未分化癌の予後はきわめて不良で，分化癌とは明らかに異なった病態を示す．未分化癌の中には長い経過の分化癌から悪性転化したと思われる症例から，いきなりde novoで発生したと思われるものまである．低分化癌は，未分化癌と分化癌の中間的な性質をもつものと考えられる．

これらの癌には，ゲノムの守護神と呼ばれるp53蛋白をコードするTP53遺伝子の変異が検出される．p53はDNA損傷があった場合などに活性化され，損傷修復に関与する．もしくは損傷が大きすぎて修復できない場合などには細胞にアポトーシスを誘導し，異常なゲノムをもった細胞を除去し，個体を守るという重要な役割を果たしている．TP53変異は，他臓器の癌でもよくみられるものであるが，分化癌ではほとんど検出されない．TERT-p変異も分化癌に比べ急増する．これらが，甲状腺癌の高度悪性化に重要な役割を果たしていると考えられる．

低分化癌・未分化癌ではまた，カテニンシグナルの異常も報告されている．カテニンは，Wntシグナル上の分子であり，サイクリンD1やMYCを通して機能する．細胞周期，転写調節，癌幹細胞の自己複製シグナルなど，癌とのかかわりが深い．カテニン蛋白をコードしている遺伝子はCTNNB1であり，低分化癌，未分化癌と悪性度と相関して変異の頻度も上昇すると報告されていた．しかし最近の報告では，この遺伝子変異の頻度はそう高くはないとの結果もあり，今後の検証が必要である[6]．

また，分化癌の項でも述べたとおり，MAPK経路やPI3K-AKT経路の遺伝子異常やエピジェネティックな変化が蓄積されてくる．このことは，これらのシグナル異常は，甲状腺癌の発生とは別に，進展・悪性化にも重要な役割を果たしている可能性がある．

TP53，CTNNB1，PIK3CA，AKTなどの変異は，両遺伝子パネルで検出可能である．

4 髄様癌の遺伝子変異

髄様癌は，甲状腺癌の中で唯一濾胞傍細胞から発生する癌であり，その頻度は約1%と少ない．髄様癌の約30%は遺伝性疾患であり，多発性内分泌腫瘍症（MEN）2型や家族性甲状腺髄様癌（FMTC）などとして発症する．原因としてRET遺伝子の点突然変異が認められ，常染色体優性の遺伝形式をとる．また変異の部位によって病状が異なっており，遺伝子検査は必須といえる．加えて，当然家族を含めた遺伝子カウンセリングも重要である．

散発性の髄様癌では，体細胞変異としてのRET変異が検出されるものとそうでないものが存在する．ただし，散発性と思われる髄様癌でも，遺伝

子検査は行うべきであると考えられている．*RET* 遺伝子は，両遺伝子パネルで検出可能である．

RETは，前述したとおり甲状腺濾胞細胞にはほとんど発現していないが，濾胞傍細胞には発現している．点突然変異のほとんどはキナーゼドメインに集中しており，キナーゼ活性を恒常的に上昇させる変異である．これによって，MAPK経路やPI3K-AKT経路が活性化されると考えられている．

以上，甲状腺癌にみられる遺伝子変異について概説したが，基本的には細胞増殖，脱分化，ゲノム不安定化，抗アポトーシスなどに関与する細胞内シグナル伝達経路を活性化する変異によって発生，進行するというのがこの疾患の病態であると考えられる．

遺伝子多型

甲状腺癌への罹患しやすさを規定する遺伝子多型，つまり個人の体質，遺伝的背景について述べる．2009年にGudmundssonらは，アイスランド住民を中心とした調査において，初めてのゲノムワイドな解析結果を発表し，9q22と14q13にある一塩基多型（SNP）（それぞれrs965513，rs944289）が分化癌の発症と有意な関連があることを報告した[7]．これらの近傍には，甲状腺特有な機能に重要な転写因子 *FOXE1*（*TTF2*）と *NKX2-1*（*TTF1*）遺伝子が存在する．危険アレルのそれぞれのオッズ比は1.6，1.2程度であるが，これら両方の多型にホモで危険アレルをもった場合，そのリスクは5.7倍高いと推定された．日本人では，9q22にあるSNP，rs965513の危険アレルの頻度は，欧米の35%と比べ5%とかなり低いが，これらのリスクは，日本人症例でも確認されている[8]．

しかしながら，これらのSNPsが近傍の遺伝子に対してどのような機能をもっているか，いまだ確定したデータは少なく，これらのSNPsの機能解析が今後の課題となると考えられ，それによって甲状腺癌発症メカニズムの一端が明らかになると期待されている．

以上，甲状腺癌にみられる遺伝子変異と，それによって影響を受ける細胞内シグナル伝達経路，さらには甲状腺癌発症に関連する遺伝子多型の主なものを概説した．今後は，血管新生や免疫応答を含めた癌組織全体の理解が必要になってくるものと考えられる．

文 献

1) Xing M：BRAF mutation in papillary thyroid cancer：pathogenic role, molecular bases, and clinical implications. Endocr Rev 28：742-762, 2007
2) Gandolfi G, et al：Time to re-consider the meaning of BRAF V600E mutation in papillary thyroid carcinoma. Int J Cancer 137：1001-1011, 2015
3) The Cancer Genome Atlas Research Network：Integrated genomic characterization of papillary thyroid carcinoma. Cell 159：676-690, 2014
4) Matsuse M, et al：TERT promoter mutations and Ki-67 labeling index as a prognostic marker of papillary thyroid carcinomas：combination of two independent factors. Sci Rep 7：41752, 2017
5) Xing M：Molecular pathogenesis and mechanisms of thyroid cancer. Nat Rev Cancer 13：184-199, 2013
6) Kunstman JW, et al：Characterization of the mutational landscape of anaplastic thyroid cancer via whole-exome sequencing. Hum Mol Genet 24：2318-2329, 2015
7) Gudmundsson J, et al：Common variants on 9q22.33 and 14q13.3 predispose to thyroid cancer in European populations. Nat Genet 41：460-464, 2009
8) Matsuse M, et al：The FOXE1 and NKX2-1 loci are associated with susceptibility to papillary thyroid carcinoma in the Japanese population. J Med Genet 48：645-648, 2011

3. 診療ガイドライン・薬物療法ガイダンス

　診療ガイドラインとは，病気の予防・診断・治療・予後予測など診療の根拠や手順について，最新の情報を専門家によってわかりやすくまとめた指針を指す．これまでに各種疾患に対する診療ガイドラインがわが国においても策定されているが，頭頸部癌においては 2009 年に日本頭頸部癌学会より『頭頸部癌診療ガイドライン』（初版）が刊行された．その後，2013 年，2018 年，2022 年に改訂されている[1]．また薬物療法の進歩に伴い，診療ガイドラインを補う形で 2018 年に日本臨床腫瘍学会から『頭頸部がん薬物療法ガイダンス』（第 2 版）[2]が刊行された．対象は頭頸部に発生した悪性腫瘍であり，口腔，上顎洞，上，中，下咽頭，喉頭の扁平上皮癌，甲状腺癌，耳下腺癌，原発不明頸部転移癌，嗅神経芽細胞腫について解説が行われている．

　ただ，わが国において頭頸部癌は全癌の 4～5％とそれほど罹患率の高い疾患ではなく，病態も単一ではない．発生部位，組織型も多岐にわたっており，症例の蓄積が容易でなく，いまだに標準治療の定まっていない部位も存在する．また，部位，病期によって治療方針は大きく異なり，嚥下，音声といった日常生活に密接な機能を有している臓器が集中していることから，その治療内容によって治療後の生活に影響が及びやすいといった特徴がある．そのため頭頸部癌の治療にあたっては根治性と生活の質の維持，すなわち可能な限りの臓器機能・形態温存の両立が求められている．

　頭頸部癌診療ガイドライン策定の目的は，
　①実臨床において適切な診断と治療を補助すること
　②頭頸部癌診療における施設間差を少なくすること
　③治療の安全性と治療成績の向上を図ること
　④過剰な治療を避けて人的・経済的負担を軽減すること
　⑤ガイドラインを広く一般にも公開して，医療者と患者の相互理解にも役立てること
とされている．

　これまでの頭頸部癌診療ガイドラインでは，主に各疾患に対する標準治療について言及されていたが，2018 年版および 2022 年版，『頭頸部がん薬物療法ガイダンス』（第 2 版）では，診断，治療（薬物療法を含む），支持療法，リハビリテーション，緩和ケアまですべてを含んだ内容となっており，医師のみならずメディカルスタッフも対象としていることが特徴といえよう．欧米では頭頸部扁平上皮癌の治療に対して National Comprehensive Cancer Network（NCCN）から『Practice Guideline for Squamous Cell Cancers of the head and Neck』[3]や European Society For Medical Oncology（ESMO）から『Squamous cell carcinoma of the oral cavity, larynx, oropharynx and hypopharynx：EHNS-ESMO-ESTRO Clinical Practice Guidelines for diagnosis, treatment and follow-up』[4]と呼ばれるガイドラインが発表され，各部位別の病期に応じた治療方針が示されている．

　本項では口腔，上顎洞，上，中，下咽頭，喉頭の扁平上皮癌，唾液腺癌，甲状腺癌，原発不明頸部転移癌に関する『頭頸部癌診療ガイドライン 2022 年版』の改訂ポイントを中心に欧米の頭頸部癌診療ガイドラインとも比較しながら標準治療について解説を行う．

各部位別診療ガイドライン

1 口腔癌（舌癌）

　口腔癌は舌，口腔底，頰粘膜，上下歯槽，歯肉，硬口蓋の亜部位に分類される．2017 年の TNM 分

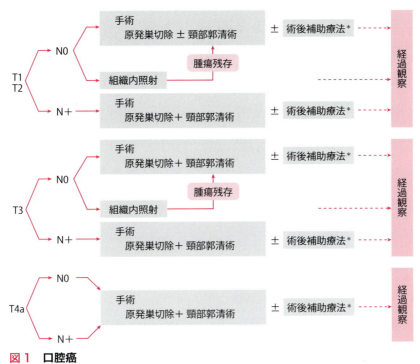

図1 口腔癌
＊CQ 11-3（ガイドラインのp.193），CQ 12-1（ガイドラインのp.202）参照
［日本頭頸部癌学会（編）：頭頸部癌診療ガイドライン2022年版，金原出版，東京，2022より許諾を得て転載］

類改訂によって，新たに腫瘍深達度の概念が加えられたが治療アルゴリズムの変更はない．わが国の頭頸部癌診療ガイドライン（図1）[1]，NCCNガイドライン[3]，ESMOガイドライン[4]ともに切除可能な口腔癌の標準的治療は手術である．リンパ節の節外浸潤，切除断端陽性例は必要に応じて術後補助療法として放射線治療，あるいは化学放射線療法（併用薬剤はシスプラチン）を施行することが推奨されている．また，これとは別にT1～T3のリンパ節転移のない病変に対して，わが国ではアルゴリズムの中に小線源放射線療法も治療法として記載されている．しかしながら，治療後の難治性潰瘍，顎骨壊死といった有害事象や放射線性発癌を認めるという報告もあり，適応は慎重に検討すべきである．手術前の導入化学療法[5]あるいは化学放射線療法については前向き臨床試験が行われておらず，標準治療には含まれない．

2 鼻副鼻腔癌（上顎洞癌）

鼻・副鼻腔癌は部位として上顎洞，鼻腔，篩骨洞に分類される．このうち上顎洞癌がもっとも頻度の高い疾患である．リスク因子である副鼻腔炎の有病率低下に伴って，発生頻度は近年，減少傾向にある．しかしながら，初期では自覚症状に乏しいことから，初診時に進行した状態で受診することが多い．組織型として主に扁平上皮癌が発生するが，そのほかに腺様嚢胞癌なども認められる．NCCNガイドライン[3]では腺様嚢胞癌に対する指針も別途掲載されている．TNM分類でみた場合，もっとも予後を規定するものはT分類とされる．

したがって，いずれの病変でも根治可能であれば切除を試みるべきであり，その切除の状況に応じて追加治療として化学放射線療法（併用薬剤はシスプラチン）を検討することが推奨されている（図2）．外科的切除による根治治療が困難と考えられる症例に対しては（化学）放射線や粒子線での治療が選択肢となる．

わが国においては以前より上顎洞癌に対して動注化学療法が施行されている．近年では臓器機能温存を目的とした放射線治療併用の高用量シスプ

図2　上顎洞癌
［日本頭頸部癌学会（編）：頭頸部癌診療ガイドライン2022年版，金原出版，東京，2022より許諾を得て転載］

ラチンを用いた超選択的動注化学療法の有効性が報告されている[6]．

3 上咽頭癌

WHOの組織型分類において角化型扁平上皮癌（typeⅠ），リンパ上皮腫などの非角化型（typeⅡ），未分化癌（typeⅢ）に分類され，発癌とEBウイルスの関連性が指摘されている．解剖学的に根治切除が困難な部位であるが，一方で放射線感受性が高いといった特徴がある．したがって，放射線治療あるいは化学放射線療法が治療の基本となる．

2017年の改訂によってTN分類が変更され，それに伴って治療アルゴリズムもStageⅠ，StageⅡとStageⅢ～ⅣAを分けて記載されている．わが国（図3），NCCNいずれのガイドライン[1,3]においてもT1N0M0症例に対しては放射線単独での治療が推奨されている．それ以外の症例に対しては多臓器への遠隔転移再発のリスクが高まるため，原則として白金製剤を含んだ単剤（シスプラチン100 mg/m^{2}の3週間隔投与）あるいは多剤化学療法を併用した放射線治療が推奨されている．放射線治療の方法としては有害事象軽減のために強度変調放射線治療（intensity modulated radiation therapy：IMRT）が望ましいとされている．NCCNガイドライン[3]では，T1N0M0以外の遠隔転移を認めない症例に対して導入化学療法，あるいは化

図3　上咽頭癌
[日本頭頸部癌学会（編）：頭頸部癌診療ガイドライン2022年版，金原出版，東京，2022より許諾を得て転載]

学放射線療法後の追加化学療法（シスプラチン 80 mg/m^2＋5-FU 1,000 mg/m^2，4日間を4週間隔で3コース）についても推奨されている．わが国の診療ガイドラインでは特にStage Ⅲ以上の遠隔転移リスクが高い進行癌症例に対して導入化学療法や化学放射線療法後の補助化学療法（シスプラチン 80 mg/m^2＋5-FU 1,000 mg/m^2，4日間を4週間隔で3コースの併用を考慮すると記載されている．

4 中咽頭癌

中咽頭は前壁（舌根），側壁（扁桃），上壁（軟口蓋），後壁の4つの亜部位に分けられる．2017年にUICCのTNM分類が改訂され，p16陽性癌とp16陰性癌でTN分類，Stage分類が分けて記載されるようになった．ただ治療に関しては，わが国のガイドライン[1]，NCCNガイドライン[3]，ESMOガイドライン[4]ともに，アルゴリズム上はあらゆるStageにおいて，以下2種類の方針が併記されている（図4）．

①手術（原発巣，頸部郭清を含む）を行ったうえで断端陽性例やリンパ節の節外浸潤例に対しては（化学）放射線治療を施行する．
②（化学）放射線治療後に残存病変が認められた場合は救済手術を行う．

NCCNガイドライン[3]ではp16陰性と陽性の場合でアルゴリズムがわずかに異なっている．p16陰性T1，T2N1までの病変に対しては放射線単独で治療，N2以上あるいはT3，4病変に対しては化学放射線療法がそれぞれもっとも推奨される治療として記載されているが，p16陽性癌ではT1，T2N1（N≦3 cm）までの病変においては，外科的切除，それ以外の病変に対して化学放射線療法が推奨されている．併用化学療法のレジメンとしては白金製剤を含んだ単剤（シスプラチン 100 mg/m^{2}の3週間隔投与）あるいは多剤が多い．これまでに手術療法と放射線治療を前向きに直接比較した臨床試験は存在しないが，治療の選択にあたっては治療成績と術後機能を考慮して決定することが重要である．またヒトパピローマウイルス（HPV）感染に関連する中咽頭癌症例の特徴として，化学放射線療法に対する感受性が高いことが指摘されている[7]．HPV感染の有無によって治療強度を変えることの是非については臨床研究での検証が行われている状況であり，治療アルゴリズムに掲載されるまでに至っていない．

5 下咽頭癌

下咽頭癌は梨状陥凹，後壁，輪状後部の3亜部位に分類される．発生頻度は梨状陥凹癌がもっとも高い．初期症状に乏しく，初診時には多くの症例においてリンパ節転移を伴う局所進行癌の状態である．そのため治療成績は頭頸部癌の中でもっとも不良である．治療に際しては喉頭機能温存の可否が最大の焦点となる．これまでわが国の診療ガイドラインではT1，2およびT3，T4がそれぞれ同じアルゴリズムでまとめられ，もっとも推奨される治療としてT1，2では（化学）放射線治療，

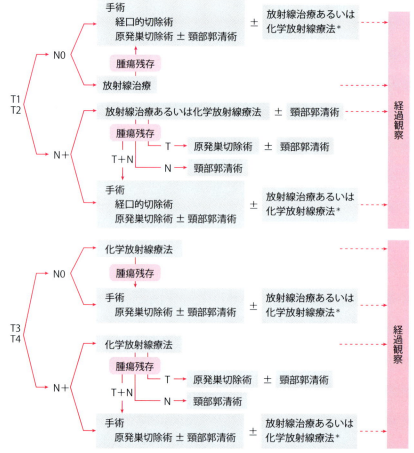

図4 中咽頭癌

＊CQ 11-3（ガイドラインのp.193），CQ 12-1（ガイドラインのp.202）参照
注）HPV関連中咽頭癌はHPV非関連癌に比べて予後が良好であるが，HPV関連の有無によって標準治療を変更するエビデンスは確立していない．HPV関連癌に対する低侵襲治療は，日常臨床ではなく，臨床試験において実施することが求められる．
[日本頭頸部癌学会（編）：頭頸部癌診療ガイドライン2022年版，金原出版，東京，2022より許諾を得て転載]

T3, 4では手術が記載されていた．2018年の改訂以降，T1, 2, 3, 4a別に分けて記載されている．アルゴリズムの概略を以下に示す（図5）．

- T1：N0で（喉頭温存）手術，N＋では（化学）放射線治療がもっとも推奨されている．
- T2：N因子にかかわらず，（化学）放射線治療がもっとも推奨されている．
- T3：（化学）放射線治療がもっとも推奨されている．手術療法では喉頭摘出を基本としているが，喉頭温存をめざした手術も選択肢として記載されている．また，喉頭温存を目的とした導入化学療法も選択肢の1つである．
- T4a：咽頭喉頭摘出＋頸部郭清がもっとも推奨されている．また，T3と同様に喉頭温存を目的とした導入化学療法が選択肢の1つとして記載されている．

NCCNガイドライン，ESMOガイドラインでは，T1と一部のT2症例には放射線治療単独あるいは喉頭温存手術を推奨し，T2, T3症例に対しては手術以外の方法として導入化学療法，あるいは化学放射線療法が記載されている．導入化学療法を推奨する根拠として，EORTCの臨床試験で導入化学療法によって予後，臓器温存率ともに手術後に術後放射線治療を追加した群と比較して，良好な成績であったことに基づいている[8]．ただし，

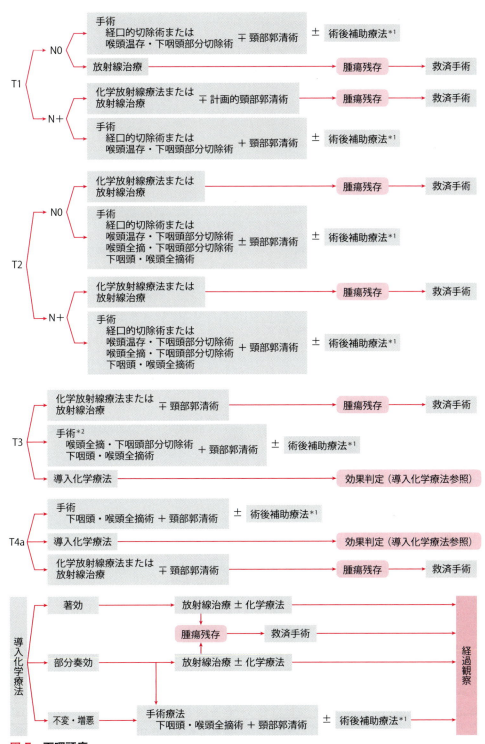

図5　下咽頭癌

＊1 CQ 11-3（ガイドラインの p.193），CQ 12-1（ガイドラインの p.202）参照
＊2 症例によっては，傾向的切除術または喉頭温存・下咽頭部分切除が可能なものもある．

［日本頭頸部癌学会（編）：頭頸部癌診療ガイドライン 2022 年版，金原出版，東京，2022 より許諾を得て転載］

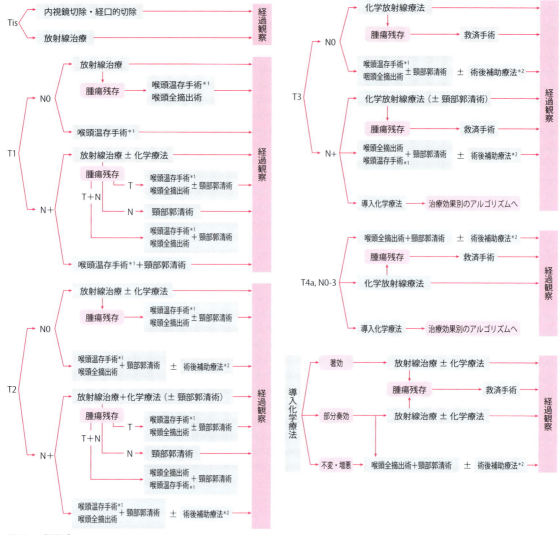

図6　喉頭癌
＊1 内視鏡切除術，経口的切除術，喉頭部分切除術，喉頭亜全摘出術を含む．
＊2 CQ 11-3（ガイドラインの p.193），CQ 12-1（ガイドラインの p.202）参照

［日本頭頸部癌学会（編）：頭頸部癌診療ガイドライン2022年版，金原出版，東京，2022より許諾を得て転載］

T4症例に対しては導入化学療法や化学放射線療法も記載されてはいるものの，手術療法（頸部郭清を含む）をもっとも推奨している．導入化学療法，放射線治療の併用薬のレジメンとしては白金製剤を含んだ単剤あるいは多剤が多い．

6　喉頭癌

喉頭癌は声門上，声門，声門下の3亜部位に分類され，疫学的には30％が声門上，65％が声門，5％が声門下に発生するといわれている．頭頸部癌診療ガイドライン[1]，ESMOガイドライン[4]では，T1，T2症例とT3，T4症例では治療方針が異なり，前者は放射線治療あるいは喉頭温存手術で喉頭温存を図ることが推奨されている（図6）．一方，後者でもT3N0症例には手術法として喉頭温存手術が試みられる場合があり，アルゴリズムにも記載されている．しかしながら，T4症例に対する外科的治療としては喉頭摘出術を前提とした治療が推奨されている．いずれの病期においても，頸部リンパ節転移が認められる場合は頸部郭清を追

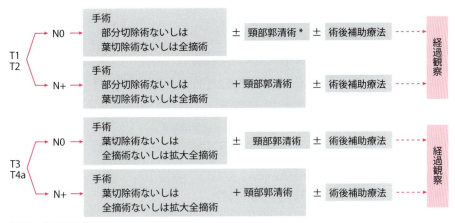

図7 唾液腺癌
＊Ⅰ期でも高悪性度群では頸部郭清を考慮してよい．
［日本頭頸部癌学会（編）：頭頸部癌診療ガイドライン2022年版，金原出版，東京，2022より許諾を得て転載］

加する．また，初回に手術を選択した場合，断端陽性例やリンパ節の節外浸潤例にはその後の（化学）放射線治療が推奨され，また，一次治療として化学放射線療法を選択した場合，残存した病変に対しては救済手術が適応となる．2018年の改訂以降は，上皮内癌（Tis）に対するアルゴリズムとT3N＋，T4a症例を対象として喉頭温存を目的とした導入化学療法のアルゴリズムが加わっている．NCCNガイドライン[3]では声門と声門上部は別々に記載されているが，特徴としてT3以上ではいずれの亜部位でも導入化学療法による反応を考慮したうえでの治療法が選択肢としてあげられている．導入化学療法，放射線治療の併用薬のレジメンとしては白金製剤を含んだ単剤あるいは多剤が多い．

7 唾液腺癌（耳下腺癌）

唾液腺悪性腫瘍は大唾液腺（耳下腺，顎下腺，舌下腺）のほか，口腔，咽頭，鼻・副鼻腔などの小唾液腺からも発生する．このうちもっとも頻度が高いのは耳下腺癌であり，耳下腺腫瘍のうちおおよそ20％近くが悪性腫瘍といわれている．病理組織学的に低，中，高悪性度に分類される．2017年にWHO分類が改訂された結果，診療ガイドラインの悪性度診断も変更され，低悪性度群に導管内癌，分泌癌が加わっている．また，新たに低，中，高悪性度の5年生存率がそれぞれ85％以上，50〜85％，50％以下と規定された．治療の基本はいかなるStageにおいても適切な外科的切除である（図7）．術前に診断が確定している高悪性度T1症例については予防的頸部郭清を考慮する必要がある．また，N＋症例に対しては全頸部郭清を行うことが推奨されている．顔面神経については麻痺がなければ温存を試みる．切除断端陽性，神経周囲浸潤，リンパ節転移が認められた症例には術後の化学放射線療法が推奨されている[1]．NCCNガイドライン[3]においても治療の基本は外科的切除であるが，T1，2病変であっても腺様嚢胞癌などの中，高悪性度癌については術後放射線治療を検討する必要がある旨が記載されている．根治切除不能症例に対しては，根治的放射線治療や粒子線治療も考慮する．

8 甲状腺癌

病理組織学的に乳頭癌，濾胞癌，髄様癌，低分化癌，未分化癌，悪性リンパ腫に分類される．組織型によって治療法が異なるため，本項では甲状腺乳頭癌のガイドラインについて解説する．まず2017年のTNM分類改訂に伴い，甲状腺癌のTNM分類も変更された．頭頸部癌診療ガイドライン[1]での治療アルゴリズムについては，T1N0病変に対してアクティブサーベイランスあるいは葉峡切除を

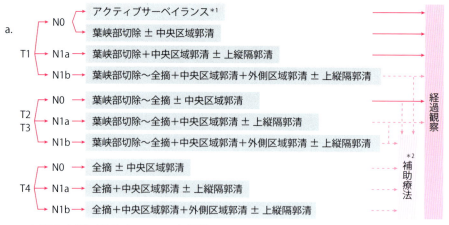

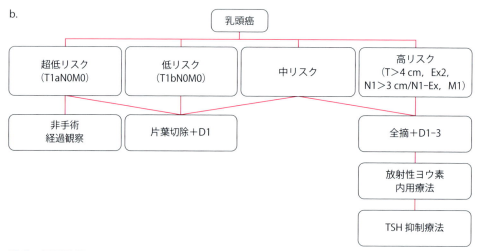

図8 甲状腺癌
注）NCCN ガイドラインでは
1. 放射線治療歴がない
2. 遠隔転移がない
3. リンパ節転移がない
4. 甲状腺被膜外進展がない
5. 4 cm 未満の腫瘍

以上の条件をすべて満たす場合が中リスク群，その他は高リスク群に分類される．
［a：日本頭頸部癌学会（編）：頭頸部癌診療ガイドライン 2022 年版，金原出版，東京，2022 より許諾を得て転載，b：甲状腺腫瘍診療ガイドライン作成委員会：甲状腺腫瘍診療ガイドライン 2018，日内分泌・甲状腺外会雑 35（Suppl 3），2018 より許諾を得て転載］

推奨し，T1N+，T2，3 には葉峡切除あるいは全摘術，T4 症例には全摘術を推奨している（図 8a）．N+症例への対応について，上縦隔リンパ節転移が N1a に含まれ，T 別の N+症例の郭清範囲が N1a と N1b に分けて記載されている．このほか，2018 年の改訂以降，薬物療法（分子標的治療薬）に関する記載が加わっている．『甲状腺腫瘍診療ガイドライン』（日本内分泌外科学会，日本甲状腺外科学会編）[9)] も 2018 年に改訂されており，乳頭癌が超低リスク，低リスク，中リスク，高リスクに分類されるようになっている．超低リスク群（T<1 cm）では非手術・経過観察が可能であることが新たに記載されている．高リスク（T>4 cm，Ex2，N1>3 cm，N1-Ex，M1 のいずれか 1 項目以上が該当）

群に対しては，原則として甲状腺全摘術とリンパ節郭清，さらに放射性ヨウ素内用療法，TSH 抑制療法が推奨されている（図 8b）．一方，T1N0M0 の低リスクと評価されるものに対しては葉切除が手術法として記載されており，それ以外の中リスク群では片葉切除，全摘術を症例の状況に応じて選択することが勧められている．NCCN の甲状腺癌ガイドライン[3]では以下の条件をすべて満たす場合が中リスク群で，1 項目でも該当する症例は高リスク群に分類され，原則として甲状腺全摘が推奨されている．

① 放射線治療歴がない
② 遠隔転移がない
③ リンパ節転移がない
④ 甲状腺被膜外進展がない
⑤ 4 cm 未満の腫瘍

9 原発不明頸部転移癌

組織検査にて扁平上皮癌かつ p16 免疫染色が陽性であった場合は HPV 関連中咽頭癌の分類を用い，EBV が検出された場合は上咽頭癌の病期分類を用いる．治療もそれぞれの原発巣に準じた治療を行う．それ以外で頸部リンパ節から組織学的あるいは細胞学的に癌が証明されているものの，種々の原発巣検索を行っても初回治療開始までに原発巣が発見できない症例を狭義の原発不明頸部転移癌と定義している．

遠隔転移がない場合，予後規定因子は N 病期と節外浸潤の有無であり，頸部郭清が治療の基本である．NCCN のガイドラインでは N1 病変には頸部郭清もしくは放射線治療単独が治療選択肢として記載されている．N2 以上の病変に対しては頸部郭清以外の方法として化学放射線療法があげられている．節外浸潤陽性例は頸部郭清に加えて化学放射線療法（シスプラチン 100 mg/m² の 3 週間隔投与）を追加することが望ましいとされている．なお，『頭頸部癌診療ガイドライン 2022 年版』では，扁平上皮癌以外の組織型に対しては，これらの方針は除外されており，個別に対応を検討する必要がある．

10 聴器癌

外耳，中耳，内耳に発生する癌を聴器癌と称する．外耳からの発生がもっとも多く，また組織型としては扁平上皮癌が多い．人口 100 万人に 1 人の頻度で発生し，頭頸部癌の 1～2％程度を占めるといわれている．非常にまれな腫瘍であるため，UICC の TNM 分類は定められておらず，進展度評価には Pittsburgh 分類[10]が用いられることが多い．また NCCN ガイドライン，頭頸部癌診療ガイドラインにも標準治療に関する記載はなされていない．

文献

1) 日本頭頸部癌学会（編）：頭頸部癌診療ガイドライン 2022 年版，金原出版，東京，2022
2) 日本臨床腫瘍学会（編）：頭頸部がん薬物療法ガイダンス，第 2 版，金原出版，東京，2018
3) NCCN clinical Practice Guidelines in Oncology: Head Neck Cancers Version I, 2021
4) Machiels JP, et al：Squamous cell carcinoma of the oral cavity, larynx, oropharynx and hypopharynx: EHNS-ESMO-ESTRO Clinical Practice Guidelines for diagnosis, treatment and follow-up: Ann Oncol **11**：1462-1475, 2020
5) Mazeron JJ, et al：Induction chemotherapy in head and neck cancer: results of a phase III trial. Head Neck **14**：85-91, 1992
6) Homma A, et al：Superselective arterial cisplatin infusion with concomitant radiotherapy in patients with advanced cancer of the nasal cavity and paranasal sinuses: a single institution experience. Cancer **112**：4705-4714, 2009
7) Ang KK, et al：Human papilloma virus and survival of patients with oropharyngeal cancer. N Eng J Med **363**：24-35, 2010
8) Bernier J, et al：Defining risk levels in locally advanced head and neck cancers: A comparative analysis of concurrent postoperative radiation puls chemotherapy trials of the EORTC (#22931) and RTOG (#9501). Head Neck **27**：843-850, 2005
9) 甲状腺腫瘍診療ガイドライン作成委員会：甲状腺腫瘍診療ガイドライン 2018, 日内分泌・甲状腺外会誌 **35**（Suppl 3），2018
10) Moody SA, et al：Squamous cell carcinoma of the external auditory canal: an evaluation of a staging system. Am J Otol **21**：582-588, 2000

4. インフォームドコンセントとセカンドオピニオン

インフォームドコンセント（informed consent：IC）

インフォームドコンセント（IC）とは医療行為（治療，検査など）を受けるにあたって，患者が医療従事者より医療行為の内容について十分な説明（inform）を受けて十分理解したうえで自らの意思に基づいて医療従事者と合意する（consent）という行為をいう．必ずしも医療者から提示された治療方針を患者が受け入れる場合のみでなく，それを拒否する場合も含まれる．現在の医療現場では患者から文書で同意を得る機会が多いが，患者側が全部おまかせしますと言って十分に理解しようとせず署名してしまう態度や，医療従事者が半ば説得して説明に同意させるような態度は，本来のICとはいえない．逆に医療従事者が十分説明したうえで患者が治療方針を拒否した場合は十分なICを行ったともいえる．

インフォームドコンセントの歴史

もともとICは医学研究から端を発している．1947年，第二次世界大戦中のナチスによる非人道的人体実験への反省から制定されたニュールンベルク綱領の制定にさかのぼる．その冒頭で「許容できる医学の実験においては，被験者の自発的同意が絶対的に不可欠である」と述べられている．その精神は1964年に世界医師会総会で採択されたヘルシンキ宣言へと継承された．すなわち医学研究には十分な情報開示と被験者本人の自発的同意すなわちICが必要不可欠となった．

米国で最初にICという言葉が用いられたのは，1957年カリファルニア州での「サルゴ判決」においてである．

その後，1960年代のさまざまな患者人権運動を背景に米国病院協会がICと自己決定権を柱とする「患者の権利章典」を1973年に制定した．また，米国内での主に黒人を被験者としたタスキギー梅毒研究などの非倫理的な人体実験の反省から米国保険福祉省（HHS）内に国家委員会が設置され，同委員会が被験者保護のための倫理原則を定めたベルモントレポートを発表した．このように法律，臨床や研究の現場でICが確立していった．わが国では1989年当時の厚生省（現在の厚生労働省）が新薬開発段階での「説明と同意を義務づける」「医薬品の臨床試験の実施に関わる基準」（good clinical practice：GCP）を設けた．わが国ではこの頃よりICが認識されたと考えられる．

インフォームドコンセントの成立要件

米国「生物医学・行動科学研究におけるヒト被験者保護のための国家委員会」の報告（ベルモントレポート，1979年4月18日）では，同意のプロセスとして以下の3つの要素が示されている．

①患者への十分な情報提供

医療従事者は患者に対して病状，検査，治療の内容，それを実施した場合，実施しなかった場合のメリット，デメリット，代替療法の有無を説明する．

②患者の理解

患者は医療従事者からの説明を十分理解したうえで同意する．患者の理解を助ける手段として診療行為に関して言及した説明同意文書を作成することが望ましい．

③患者の自発性

患者が成人で判断能力がある場合には自由意思に基づく患者本人の同意が不可欠である．

癌治療における IC

癌治療においてはさまざまな局面において IC が必要になる．まずは患者の病気と病状を伝えることである．最近は癌告知という言葉は以前より使用されなくなったと筆者は考えているが，1990年代は癌専門病院でさえ，本人に病名告知を行わず，手術，抗癌薬治療，それに放射線治療などが行われていた．IC の概念が普及するにあたって現在ではほとんどの場合，病名が本人に説明されている．一般病院などではむずかしい局面もあると考えられる．事前の問診などで病名告知を原則とするが，希望するかどうかあらかじめ患者やご家族に答えてもらってから（アンケートなどでよい）診察に入ることが望ましい．IC を行う場合まず，病名や病状をちゃんと患者が理解していることが必要である．

次に治療法の説明である．治療の選択肢，目的，具体的内容，治療成績，治療による利益，不利益を説明する．このほかに代替治療や治療を受けない場合の利益，不利益を説明する．特に頭頸部癌の治療は複数の治療法があり，それぞれの治療法のメリット，デメリットを説明することが必要である．再発・転移の場合は IC が困難なことが多い．これは医師にストレスがかかる仕事である．単に患者に情報を与えるだけではなく，言葉の選択，患者の感情変化の受容，不安を抱える患者への支援，患者家族のケアなどのことが要求される．

効果的なコミュニケーション・スキルを実践することで患者の高い満足感，治療遵守，患者の心理的なストレス軽減につながることが知られている．Robert Buckman が提唱した「SPIKES protocol」[1] では，悪い知らせを伝え治療方針を決定するための 4 つの最重要課題と，それを実践するための 6 つの手順が記されている．

① 4 つの課題
- 患者からの情報を得る
- 患者の必要性や要望に従いわかりやすい情報を教える
- 悪い知らせを聞いた患者を支援する
- 患者の協力を得て，治療計画を立てる

② 6 つの手順
- S（SETTING UP）
プライバシーを確保しゆったりとした場所を用意する．一緒に話を聞いてほしい人（多くの場合は家族であるが，家族がいない場合友人や福祉関係の人物もありうる）と同席してもらう．着席して患者の緊張をやわらげる．

- P（PERCEPTION）
患者の病状理解や深刻さの受け止め方（これが意外とむずかしい）を把握する．患者にしゃべってもらい，もし理解が間違っていれば修正できるようにして，理解にあわせてわかりやすいように病状を伝える．

- I（INVITATION）
患者が病名，治療法，予後などについてどの程度知りたいか確認する．予後などは具体的に説明することが憚れるのであれば，あいまいな形での説明もありうる．また患者がすべてを知ることを望まないのであれば，家族に代わりに話すことを提案してもよい．

- K（KNOWLEDGE）
悪い知らせを患者に伝える際，前置きを述べて患者に心構えをさせることで，患者が受ける精神的ショックをやわらげ，話の展開をスムーズにすることができる．また，説明は患者の理解度や語彙力にあわせる．専門用語はできるだけ使用しない．患者の理解度を確認しながら行う．また予後の悪い状況でも，疼痛コントロールや症状緩和など他の目標を示し，突き放す発現はしない．

- E（EMOTIONS with EMPATHIC responses）
悪い知らせを聞いた患者は沈黙や不信感・号泣・怒りなど，さまざまな感情を示すがそのような感情に対して共感，理解を示すことで，医師と患者の強固な信頼関係が得られる．
患者の感情に共感を示すには次の 4 つのステップが必要である．
1. 患者の感情表現をよく観察する
2. 患者が抱いている感情を正しく認識する．もし黙っている場合は，感情の自己表出を促す
3. 患者の抱いた思いの理由を確認する

4. 患者の感情に共感して，当然の反応であると理解を示す
- S (STRATEGY and SUMMARY)

面談の最後には，提供した情報を簡潔にまとめ，患者に質問や理解できない点がないかを確認する．紙面にまとめておくと患者や家族は後から確認できるのでよい．

IC は患者本人が医療行為に関して必要な正しい情報を十分提供され，その情報を正しく理解し，自発的に意思決定をすることである．これは患者医療者間のコミュニケーションの1つの形態である．医療者はこれに留意して診療を行っていかなければいけない．

セカンドオピニオン

IC の項目でも述べたがわが国では以前は伝統的に「おまかせ医療」が行われてきた．それゆえ，医師は患者側に病気の原因，検査の結果，治療方法，予後などを十分に伝えないで医療を行っていたことが多かった．IC は医療者より十分な時間をかけて病気や治療，検査についての説明を行い，患者はその内容をよく理解したうえで，最終的には自分の意志で医療行為について同意することである．しかし，患者側は専門家でないので十分理解するということはかなり困難なことでもある．近年，患者が主治医以外の医師から治療方針の意見を聞く，セカンドオピニオンがよく行われるようになった．

1 セカンドオピニオンとは

セカンドオピニオンとは，現在主治医から提示されている診断や治療方針について，他の専門家の意見を聞くことである．もともと米国で行われていたが，わが国も 2000 年前後よりかなり普及してきたと考えられている．現在の主治医の治療方針（ファーストオピニオン）についてよく理解できなかったり，他の治療法がないかと患者側が考えている場合，他の専門家（セカンドオピニオン）の意見を聞くことによって，自分の受ける治療についての理解が深まり安心して治療が受けられたり，至適な治療にたどり着くことができる．このようにセカンドオピニオン時には医師—患者間の信頼関係を深めることに役立つものである．以前は主治医の気を悪くしないか，信頼関係を損ねるのではないかといかと気兼ねする患者は多かったが，最近はそのような雰囲気はなくなりつつある．また，頭頸部癌もそうであるが希少癌や治療法が定まっていない癌もあり，そのような場合は主治医のほうからセカンドオピニオンに行くようにといわれるケースもめずらしくはない．

2 セカンドオピニオンの注意点

セカンドオピニオンを受けるにあたって一番大事なことは，現在の治療方針を患者と主治医が十分話し合うことである．そうすることによってセカンドオピニオンの目的もはっきりとするし，主治医が診療情報提供書に治療方針をはっきり記載してくれていれば，セカンドオピニオンを受ける側もやりやすくなる．また，問診の際に患者側がどういうことを聞きたいか（治療方法のわからないことを知りたいか，他の治療法はないか，医療費のことが心配など）を聞き取ることも，よいセカンドオピニオンをすることに必要である．ここ数年はインターネットでの情報も氾濫している．不適切な情報や誤った情報も散見されている．公的な癌情報のホームページなどを紹介したりすることも，時には必要となる．

3 頭頸部癌におけるセカンドオピニオン

頭頸部癌は経口摂取，嚥下，呼吸，発声など，生活に必要な機能に影響を与える．また進行癌では集学的治療（外科切除，放射線治療，抗癌薬治療が組み合わさった治療）が必要になることが多く，セカンドオピニオンがむずかしくなる場合もある．医療者は標準治療を踏まえたうえで治療方針を提示する．しかし，進行癌の場合，厳密な無作為化比較試験があるわけではなく，セカンドオピニオンで異なる治療選択枝を示されることもままある．その場合，それぞれの治療についてのメリット，デメリットを丁寧に説明することが重要であり，場合によっては複数科（頭頸部外科，放射線治療科，腫瘍内科）でのセカンドオピニオンが必要になる場合があると考える．癌は根治した

が後遺症に悩まされる患者さんは多く，晩期毒性の説明も重要であると筆者は考えている．

再発・転移の場合のセカンドオピニオンにおいては，根治不能な場合，患者・家族側には病気が治らないことを説明しないといけない．患者・家族は本当に治らないのか？最善の治療方法はないか？ということをセカンドオピニオンに求めていることが多いからである．その場合も真摯に丁寧に説明する．具体的な予後をルーチンで伝えるべきではないが，治癒がむずかしいことや患者の余命が限られていることは伝えるべきである．求められれば提示した治療の全生存期間中央値などを説明する．患者の予後には大きな個人差があるうえに，疾患や病期に応じた統計学的数値であるため，個々の患者の予後を正確に予測することは困難である．ある程度はばを持たせて説明したほうがよい．

セカンドオピニオンは癌の診療のみでなく，すべての医療において定着しつつある．患者・家族が納得した医療を実施するうえでは欠かすことができないものになっている．また場合によっては医師と患者間の信頼関係が深まる．頭頸部癌の治療は発声，構音，嚥下，整容的側面に影響を与える，それらを考慮したQOLを考えた治療が要求されている．医療者は患者からセカンドオピニオンを求められたら快くそれに応じ，決して見放さない態度を示すことが重要である．

文献

1) Baile WF, et al：A six-step protocol for delivering bad news：Application to the patients with cancer. Oncologist **5**：302-311, 2000

第Ⅱ章

診　断

1. 発生部位と症状

　頭頸部は呼吸や食物の通過路でもあり，解剖学的に複雑な領域である．機能的には呼吸，発声，咀嚼，嚥下，味覚，嗅覚，聴覚など，日常生活や社会生活を送るうえで不可欠な臓器の集合体である．そのため頭頸部に発生する癌はさまざまな症状を呈し，その癌に特異的な症状をもつもの，あるいはもたないものがあり，発生部位ごとに症状は大きく異なる．基本的に発生部位にしこりや潰瘍を生じ，徐々に大きくなり痛みや声がれ，出血などの症状を生じるが，早期の段階では特有の症状を呈しないことも多い．臓器別に各種癌の概説とそれぞれの注意すべき症状について解説する．

聴器癌

1 発生頻度・発生部位

　聴器癌は外耳または中耳に発生する癌で，100万人に1人程度のまれな癌腫である．

2 症状・要因

　外耳癌がもっとも多いが，特異的な症状に乏しく診断がつきにくい癌の1つである．聴器癌の初発の症状は耳痛，耳漏であるが，外耳炎による症状と類似している．既往に外耳道炎をもつ症例も多く，類似の症状を呈するため，外耳道炎として長期に経過をみられ，その悪性変化が見逃されている症例も少なくない（図1）．通常の治療による反応が不良な難治性，または進行性の外耳炎，外耳道湿疹は外耳道癌の可能性も念頭に置いて診療すべきである[1]．特に月単位で症状が持続，増悪傾向のあるものは要注意である．外耳道癌の場合，病理組織型による症状の違いもあるとされ，扁平上皮癌では耳漏が7割，耳痛が4割であるのに対して，腺様嚢胞癌では耳痛が半数にみられる．慢性的な刺激が癌の発症要因の1つとされており，固い耳かきによる耳掃除の習慣のある患者は要注意である[2]．

　血性耳漏は癌を疑う重要な所見で，耳漏を認める外耳道癌の3割強に血性の耳漏を認めるため，血性耳漏を認める症例でCTなどの画像検査や細胞診，組織診などで悪性の鑑別が必要である．1回の組織診で悪性診断がつかないこともあり，疑いが強い場合高次医療機関への紹介も考慮する．顔面神経麻痺が早期の症状として現れることはないが，外耳炎を漫然と経過観察，治療中に急速に麻痺が発症することがあり，進行した外耳道癌の重要な所見の1つである．外耳道が腫瘍で狭窄，閉鎖してくれば耳閉感，難聴をきたす．中耳癌では難聴や耳漏が主症状となるが，やはり血性の耳漏は特徴的とされる．

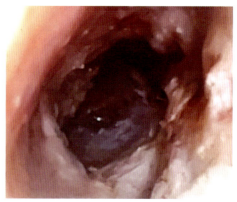

図1　長期にわたる難治性外耳炎に出血を伴う場合
外耳道癌を疑い画像検査や生検などを考慮する．

口腔癌

1 発生頻度, 発生部位・要因

　口腔癌はわが国では年間約8,000人が発症するとされている. 癌全体の約1%を占めるが, ビンロウの実 (betel nuts) による噛みたばこ (ビンロウ) の習慣のあるインドや南アジアでは全癌の約30%を占めるともいわれる. 口腔癌は頬粘膜, 上歯肉, 下歯肉, 硬口蓋, 舌, 口腔底に分類されるが, 口腔癌の約6割は舌に発生し, 次いで歯肉, 口腔底, 頬粘膜に多く発生する. 病理組織学的には口腔癌の90%以上が扁平上皮癌であり, 残りは唾液腺由来の癌や肉腫である. 中高年の男性に多く, 飲酒・喫煙や口腔内不衛生, 不適合義歯などの機械的刺激などが原因とされる. 20歳代でも発症することがあり, 注意を要する.

2 症　状

　口腔内腫瘤の自覚や疼痛, 摂食時痛などである. 早期の段階で粘膜表面の色調変化 (白色や赤色) で気づかれることもある. 舌癌では舌炎, 咬傷などと, 口腔底癌ではアフタ性口内炎と, また歯肉癌ではう歯による痛み, 歯周炎などと間違えられることが多い. 抜歯後の創治癒の遅延が歯肉癌発見のきっかけとなることも多い. いずれも初期には食事がしみる, 違和感程度であるが, 月単位で徐々に硬結が広がり潰瘍を伴うと, 痛みが強くなり, 会話, 咀嚼, 嚥下などが困難となる. 進行すると出血や頸部リンパ節腫脹を自覚することがある. 舌癌においては頸部リンパ節転移の危険因子として原発巣の深部浸潤が知られており, 新TNM分類にも腫瘍深達度 (depth of invasion : DOI) が加えられた[3].

　口腔癌は患者自身が鏡で見ることができ, 早い時期に先述の色調変化や腫瘤, 疼痛から自身で見て病変に気づき受診することもあるが, 歯科診療にて発見されることも多い. 口内炎, 歯肉炎として保存的治療を続けられ, 診断が遅れ病状が進行することもあるので注意が必要である. 自治体によっては, 歯科医師会主催で口腔癌検診を行っており, 早期発見に努めている.

上咽頭癌

1 発生頻度, 発生部位・要因

　上咽頭癌はわが国では年間800人程度の発生がみられ, 中国南部や, 台湾, シンガポールに多いという民族的背景がある. またEBウイルスが発癌に関連することがわかっている. 発症は40～60歳代に多いが, 10歳代, 20歳代の症例も散見されるため, 注意を要する.

2 症　状

　上咽頭癌は初期にはほとんどが無症状であり, 進行して周囲臓器へ影響してさまざまな症状を生じるが上咽頭の解剖学的特徴から説明できる. 鼻腔の後端に位置するため, 鼻症状としては鼻出血, 鼻閉を生じる. 上咽頭の両側に耳管咽頭孔が開口しているため, 同部位への浸潤による耳管機能不全症状として, 耳閉感や難聴, 自声強調などの滲出性中耳炎にみられる症状を呈する. 滲出性中耳炎として漫然と治療を受けている症例で, 他の症状を伴うようになり, 上咽頭癌が発見されることは少なくない. 特に高齢者の難治性の片側性滲出性中耳炎では, 鼻咽腔内視鏡検査で必ず上咽頭癌を否定しておく. また上咽頭には咽頭扁桃があり, Waldeyer咽頭輪の一部を構成するためリンパ流が豊富であり, 頸部リンパ節の腫脹が初発症状となることもめずらしくない. 特に後頸三角へのリンパ節転移は上咽頭癌を疑う必要がある (図2). 約半数は初診時にリンパ節転移を伴っているともいわれている.

　上咽頭は後上方が頭蓋底に接しており, 骨破壊を伴う頭蓋内浸潤により, 脳神経症状を呈することがある. 特に蝶形骨洞の両側には海綿静脈洞があり, 破裂孔から内頸動脈に沿って頭蓋内へ浸潤, 内頸動脈周囲から海綿静脈洞へ及ぶ場合, 三叉神経症状として頭痛, 顔面痛を, また外転神経麻痺などによる眼球運動障害, 複視を生じうる (図3). 副咽頭間隙, 咀嚼筋間隙への浸潤により, 開口障害, 咬合時痛などの症状を呈するものもあり, 歯科などで顎関節症として経過をみられていた症例も経験する (図4). 鼻腔後端から蝶口蓋孔, 翼口

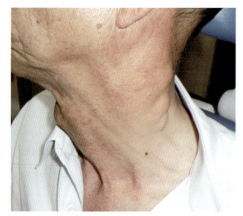

図2 上咽頭癌の後頸三角を中心としたリンパ節転移
原発巣に関連する症状はなかった．

図3 上咽頭癌の海綿静脈洞浸潤による右外転神経麻痺
難治性の滲出性中耳炎として加療されていたが，急に複視を発症した．

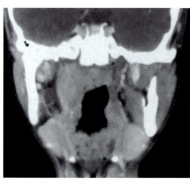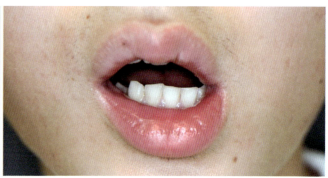

図4 開口制限について歯科で顎関節症として診療されていた，上咽頭癌の翼突筋浸潤例
右上咽頭から咀嚼筋間隙に腫瘍浸潤を認める．

蓋窩へ進展，正円孔または側頭下窩から中頭蓋底へ浸潤し，三叉神経第2枝，第3枝を侵す．いずれも単独の症状のこともあるが，病変の進行，周囲への浸潤に伴い，種々の症状が複合して現れる．

中咽頭癌

1 発生頻度，発生部位・要因

中咽頭癌は，頭頸部癌の約10％を占め，わが国では，年間1,000～2,000人程度に発症するといわれる．男性が女性よりも3～5倍多く発症し，好発年齢は50～60歳代である．亜部位は上壁，側壁，後壁，前壁に分類される．喫煙や過度の飲酒がリスク因子であるが，近年，ヒトパピローマウイルス（human papilloma virus：HPV）が関与した癌の発症が急増している．他の頭頸部癌が禁煙などで頻度が減少傾向にあるのに比して，中咽頭癌のみが増加傾向にあるのはHPV関連癌が増加していることに起因する．わが国では約50％がHPV関連の中咽頭癌[4]といわれ，特に扁桃と舌根に多い．欧米では70～80％がHPV関連といわれるが，わが国でも急速に増加傾向にある．HPV関連中咽頭癌発症には，oral sexの習慣やパートナーの数などのsex behaviorが関与している[5]．

2 症　状

中咽頭癌の症状は，咽喉頭異常感，嚥下時違和感や食事がしみる感じが初発症状で，徐々に嚥下痛や嚥下困難が生じる．進行すると嚥下障害，誤嚥，構音障害などが現れ，出血や呼吸困難を伴う．側壁型が翼突筋に浸潤すると開口制限をきたす．

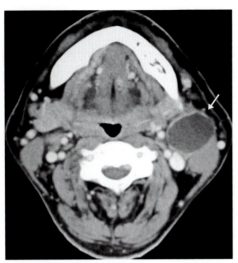

図5　HPV 関連の中咽頭癌
原発巣は小さいが囊胞状のリンパ節転移（矢印）を伴うことが多い．鰓性癌や原発不明頸部転移として取り扱われていることがある．

また原発巣に関する症状がなく，頸部リンパ節転移のみが症状となる，いわゆる原発不明頸部転移という形で発症することもある．特に HPV 陽性の中咽頭癌は，原発巣が小さい割に頸部転移が目立つ，しかも囊胞状となることが多いため（図5）注意が必要である．かつて鰓性癌と診断されたものや原発不明頸部リンパ節転移の中には，小さな中咽頭癌が原発として検出される例も多く報告されている．

下咽頭癌

1　発生頻度，発生部位・要因

下咽頭癌は 50 歳以上の男性に好発し，飲酒，喫煙がリスク因子である．年間 2,000 人程度に発症するといわれ，男性に多い．梨状陥凹，後壁，輪状後部の 3 亜部位に分類されるが，大半は梨状陥凹に生じる．輪状後部癌は女性に多く，鉄欠乏性貧血が関与する（Plummer-Vinson 症候群）とされる．

2　症　状

咽喉頭異常感や嚥下時の違和感（ものが引っかかっている感じや残る感じ）であるが，非特異的な症状なためこの段階で医療機関を受診することは少ない．徐々に進行して潰瘍を伴うと，食事時にしみる感じの痛み，嚥下痛を伴ってくる．咽頭症状とともに，嚥下時に片側耳に鋭い痛みが走る感じを訴えることもあり，関連痛や放散痛であるため，耳のみの診察で下咽頭病変を見逃さないよう注意が必要である．

下咽頭癌が進行し，声帯に麻痺を生じると嗄声が生じ，さらに進行すると嚥下時のむせや嚥下困難感が強くなる．さらに進行すると呼吸困難をきたす．下咽頭癌は粘膜下のリンパ流を通じて頸部リンパ節転移をきたしやすく，約 3/4 に初診時に頸部腫瘤を触れる．頸部リンパ節が初発の，そして唯一の症状となることもあり，特に側頸部や下頸部の腫瘤を訴え，固く，可動性の不良な腫瘤は転移性のリンパ節を疑う．原発巣の対側に腫れることや急激な増大をきたすこともまれではない．

近年では上部消化管内視鏡検査において，特殊光や画像強調装置を用いて下咽頭の表在癌が早期に発見されることも多く，無症状の段階での診断が可能となっている．表在癌という新しい疾患概念が生まれるきっかけとなっている．

喉頭癌

1　発声頻度，発生部位・要因

喉頭癌の発生数は癌全体の 0.6% ほどで，人口 10 万人あたり約 4 人，年間 5,000 人強が喉頭癌を発症する．中年以降の男性に多く，男女比は 9：1 である．喫煙がリスク因子であり，喉頭癌に対する喫煙の死亡寄与危険度は，非喫煙者の 32 倍といわれる．亜部位は声門上部，声門部，声門下部に分けられるが，以前はわが国では声門上部癌が多かったが（60%），現在は声門部癌が増加傾向であり 60% 以上を占める．

2　症　状

a　声門癌

嗄声が主症状となる．粗糙性と表現される固い汚い嗄声が特徴的である．進行に伴い血痰，呼吸

困難をきたす．他の亜部位と比べて進行するまで頸部リンパ節転移の頻度は少ない．

ⓑ 声門上癌

咽喉頭異常感，咳嗽，喀痰などの非特異的な症状が初発症状である．徐々に増大すると嗄声や咽頭痛を生じる．より進行すると呼吸困難や嚥下痛，嚥下困難をきたす．比較的早期から頸部リンパ節転移を，しかも両側にきたしやすいのも特徴である．これは声門上部のリンパ網が密に発達しているからである．

ⓒ 声門下癌

早期には咳や咽喉頭の違和感などで，進行するまで症状がでないことも多いが，進行して声帯や気管に浸潤して嗄声や呼吸困難，血痰を呈するようになる．

鼻腔および副鼻腔癌

1 発生頻度，発生部位

鼻腔および副鼻腔癌は鼻腔・篩骨洞原発と上顎洞原発の癌に分類されている．上顎洞癌が約3/4以上を占める．かつては頭頸部癌の中でも多い癌腫であったが，副鼻腔炎の減少とともに徐々に減っている．男性に多く，高齢者にみられる癌である．

2 症　状

ⓐ 上顎洞癌

上顎洞は骨に囲まれて，上顎に癌が発生しても症状が出にくい．周囲組織への浸潤とともに症状が出現するが，初期症状としては片側性の鼻閉，鼻汁，鼻出血（血性の鼻漏）である．癌が増大すると頰部腫脹，頰部痛，眼球突出，流涙などを生じるが，進展方向に応じた症状が特徴的といえる．

内方進展することで，鼻閉，流涙が生じる．上方に進展すると眼窩下壁が破壊されるため，眼症状として眼球突出，複視が現れる．下方進展すると硬口蓋や歯肉腫脹，歯痛などを生じる．前方進展では頰部皮下への浸潤により頰部腫脹が，後方に進展すると上顎歯肉，硬口蓋の知覚異常，顔面痛などの三叉神経症状を，翼突筋に浸潤すると開口障害をきたす．

ⓑ 鼻腔癌，篩骨洞癌

初発症状が一側の鼻閉と血性の鼻汁である．眼窩内に進展すると眼症状として眼球突出，複視，眼痛が現れる．上方進展すると頭蓋内に浸潤し，頭痛などを生じるようになる．

唾液腺癌

1 発生頻度，発生部位・要因

唾液腺癌は耳下腺，顎下腺，舌下腺などの大唾液腺，あるいは小唾液腺より生じるが，それぞれの発生部位により，症状は異なる．

2 症　状

ⓐ 耳下腺癌

耳下部，耳前部の腫れがもっとも多い症状である．無痛性腫脹のこともあるが，痛みを伴う場合は癌を強く疑う．癌の浸潤による顔面神経麻痺は悪性に特徴的であり，痛み，急速な増大とともに，良性の多形腺腫からの悪性化を疑う症状である．

ⓑ 顎下腺癌

顎下部の腫脹であるが，顎下腺腫瘍の約半数が悪性といわれる．やはり痛みを伴う場合，悪性を疑う所見である．舌神経に浸潤すると舌の違和感，しびれや痛みを生じる．顔面神経下顎縁枝の症状として，下口唇の麻痺を生じることがある．

ⓒ 舌下腺癌

舌下腺由来の腫瘍では良性はまれで，ほとんどが悪性腫瘍であるが，耳下腺，顎下腺に比して発生頻度はきわめて低く，全唾液腺癌の0.5〜1％程度である．症状は口腔底の無痛性の腫脹がほとんどであり，舌下面の違和感を訴えることもある．舌下神経浸潤に伴う舌運動障害，構音障害，舌神経浸潤による舌表面の知覚異常，疼痛そしてリンパ節転移で気づかれることもある．腫脹の増大速度，疼痛，舌運動の異常が注意して問診すべき症状である．

甲状腺癌

1 発生頻度

わが国の2013年における甲状腺癌推定罹患数は16,000例で，人口10万人あたりの粗罹患率は男性6.8，女性17.4であった[6]．乳頭癌，濾胞癌の2つを分化癌，その他，低分化癌，髄様癌，未分化癌がある．

乳頭癌は甲状腺癌全体の約90%を占め，女性に多く30〜60歳代にみられる．

濾胞癌は甲状腺癌の約10%である．

髄様癌は甲状腺癌の1〜2%で，カルシトニンを分泌するC細胞から発生する癌である．遺伝性のものが約1/3で，残り2/3が孤発性のものである．遺伝性のものは多発内分泌腫瘍2型（multiple endocrine neoplasia：MEN）と呼ばれ，副腎の褐色細胞腫や副甲状腺機能亢進症（2A），多発性粘膜神経腫（2B）を合併する．RET遺伝子が原因遺伝子とされる．

甲状腺癌の約2%である未分化癌は分化癌が長期の経過で悪性転化したものと考えられている．

2 症　状

前頸部腫瘤であり，それ以外の症状がないことが多い．自覚症状として感じることもあれば，他人から指摘されることも多い．また時に咽喉頭異常感を自覚したり，他の症状で内科などを受診し指摘される，あるいは検診で触診，超音波検査で発見されることもある．最近ではCT，MRI，PET/CTなど他疾患の画像診断で指摘されることも多い．

頸部リンパ節転移が主訴となる場合や，食道癌手術などで頸部リンパ節郭清組織から甲状腺癌のリンパ節転移と診断され，原発巣が甲状腺に見つかることもある．高齢者で長期に経過した前頸部の腫瘤が急速に増大したものは未分化癌や悪性リンパ腫も考慮する．腺外に浸潤して，反回神経浸潤による嗄声や，気管浸潤による呼吸困難，食道浸潤による嚥下障害などをきたすこともある．がん診療ガイドラインによると甲状腺腫瘍における悪性腫瘍の可能性の高い理学所見は，硬い結節，結節の周囲組織への固定，リンパ節の触知，声帯の麻痺，3〜6 cmの結節などである．また，ある程度悪性を疑うものとして，硬い腫瘍，腫瘍の急激増大がある．以下，代表的な癌種別の症状について解説する．

a 乳頭癌

自覚症状はほとんどないものや，無痛性の前頸部腫瘤や，転移性のリンパ節を前頸部や側頸部に自覚することもある．

b 濾胞癌

乳頭癌と同様，特徴的な症状はない．乳頭癌も含め，腫瘍の増大は比較的緩徐であるが，腫瘍が増大して腺外に浸潤すると上記の周辺臓器の症状が発現する．

c 髄様癌

特異的な症状はなく，孤発性では前頸部の腫瘤，遺伝性では先行する褐色細胞腫の精査中に発見されることが多い．

d 未分化癌

症状は前頸部の腫瘤のほか，頸部の圧迫感，熱感，疼痛，発赤に加え，嗄声，嚥下障害など，周囲臓器への浸潤による症状を伴う．これらの症状が急速に進展するのが特徴的である．頸部リンパ節転移を初診の段階で認めることも多い．

文　献

1) 大上研二：外耳・中耳癌．頭頸部癌診療のABC：診療所における基本戦略．ENTONI 116：9-15, 2010
2) Tsunoda A, et al：Right dominance in the incidence of external auditory canal squamous cell carcinoma in the Japanese population：dose handedness affect carcinogenesis. Laryngoscope Investig Otolaryngol 2：19-22, 2017
3) UICC（ed.）：NM classification of Malignant Tumours. 8th ed., Splinger-Verlag, New York. 2016
4) Hama T, et al：Prevalence of human papillomavirus in oropharyngeal cancer：a multicenter study in Japan. Oncology 87：173-182, 2014
5) Gillison ML, et al：Prevalence of oral HPV infection in the United States, 2009-2010. JAMA 307：693-703, 2012
6) 甲状腺腫瘍診療ガイドライン作成委員会：甲状腺腫瘍診療ガイドライン2018年版．日内分泌・甲状腺外会誌 35（suppl 3）：1-87, 2018

2. 病理診断

A. 頭頸部癌

　頭頸部は，通常は鎖骨からトルコ鞍までの領域を指す．この領域に発生する腫瘍の組織型はきわめて多様であり，全身を見渡しても類をみない．その理由は，頭頸部を構成する組織そのものが多様であるからであり，腫瘍細胞の由来細胞，由来組織が多様であることを意味する．頭頸部領域は，皮膚，粘膜，軟部組織，骨，リンパ節，末梢および中枢神経組織，眼，傍神経節，内分泌器官，唾液腺，歯原性構造などの多様な組織から構成され，複雑な組織型の腫瘍が発生する．頭頸部に発生する腫瘍の病理組織学的診断を行ううえで注意すべき点の1つに組織多様性がある．加えて，頭頸部領域では，生検アプローチが困難であるがゆえ，採取された組織は小さく，歪んでおり，粘膜の接線方向の観察を可能にするパラフィン包埋がしばしば困難になり，確定的な診断を行いにくい場合がある．このようにさまざまな要素が病理診断を困難にする．また，upper aero-digestive tract (UADT) に属する臓器は表面を粘膜が覆い，その粘膜下には小唾液腺，筋組織，骨・軟骨組織が存在する．微小な生検組織が提出された場合，粘膜病変を有する腫瘍なのか，粘膜下を主座にする腫瘍なのかが明らかになることによって鑑別診断が絞られる場合があるため，臨床医による腫瘍組織の局在と生検部位の情報は，鑑別診断をあげる際にもきわめて重要になる．さらに，臨床医が提出する生検組織が腫瘍の本態を反映する組織か否か，腫瘍組織の周囲組織を含む可能性があるのか否かについても，組織切片上に見いだされる所見の統合に有用な情報になるため，臨床医との意思疎通はきわめて大切である．

上皮性悪性腫瘍について

1 生検組織の取扱いについて

　先に述べたように頭頸部に発生する腫瘍は多種多様な組織型からなるが，実際のところは，扁平上皮癌が組織型の90％以上を占める．粘膜生検について，dysplastic lesion 以上の病変か否かについて正しく評価するためには，扁平上皮全層を観察し，さらには浸潤の有無を検討する必要がある．そのためには，接線方向に組織が包埋されているかがきわめて重要である．また，扁平上皮癌の組織亜型，ことに verrucous carcinoma か否かといった問題に応えるためにも，扁平上皮の全層が観察できるように組織の包埋がなされなければならない．生検組織片が接線方向に包埋されて作製された切片であるか否かを確認しつつ，深切りの切片を作製し，できうる試みはすべて試して組織診断に臨む必要がある．再包埋や PAS 染色を行ったり，免疫組織化学的染色にて基底膜を描出したりすることも，時には必要である．段階的に深切り切片を作製して組織の描出を試みたとしても，依然として組織像に変化がなく，確定的な診断根拠になる所見がえがたい場合がある．腫瘍性病変か否かについての質問は最低限臨床医に回答すべきことではあるが，腫瘍性病変の疑いが拭えない場合には異形成の疑い，扁平上皮癌の上皮内伸展の可能性が残る病変である旨を臨床医に躊躇なく伝えて，再度の組織採取を依頼すべきである．また異形成以上であることが確定できるのであれば，治療が必要な病変か否かを判断するために，その程度を必ず記載する必要がある．また病理医は，生検採

取時には病変の肉眼像を見ているわけではない．臨床医が明らかに腫瘍と認識するほどの肉眼像を認識していたとしても，採取された組織が病変の本態を表わしている組織ではない可能性（採取組織が適切ではない場合）も当然のことながらありうる．こうしたことは，日常診療では起こりうることであり，病理医と臨床医との間でコミュニケーションを図り，"肉眼的に明らかな病変が存在しているのであれば，再検もしくは十分な経過観察が必要である"と報告書に付記することが望まれる．基本的なことではあるが，コミュニケーション不足による非生産的なやりとりを回避して，患者に負担のかかる無用な頻回の生検を避けることは，早期診断・早期治療上も非常に大切である．

2 扁平上皮癌の亜型について

頭頸部領域の悪性腫瘍の90％以上を占める組織型である扁平上皮癌には8つの亜型がある[2]．それらには，conventional squamous cell carcinoma, verrucous carcinoma, spindle cell squamous cell carcinoma, papillary squamous cell carcinoma, basaloid squamous cell carcinoma, adenosquamous carcinoma, adenoid squamous cell carcinoma, lymphoepithelial carcinoma がある．特に提出される生検の状態が病理医の診断に影響を与えるのは，verrucous carcinoma, spindle cell squamous cell carcinoma である．以下に扁平上皮病変を診断する際に注意すべきことを記述する．

a Leukoplakia

Keratinizing dysplasia と称されるが，常に平坦な病変とは限らないことに注意すべきである．時に上皮は乳頭状に増生し，verrucous carcinoma との鑑別が問題となる．

b Proliferative verrucous leukoplakia (PVL)

まれな病変であるが，肉眼像が特徴的で，口腔内において白色の板状あるいはレース状の筋が境界不鮮明に認められる．切除するのであれば，拡大切除を要するほどの広がりを示すので質的診断に注意しなければならない．PVLとは，多巣性に白板症が増殖性に広がりを示す病変として認識されている．本病変の組織像はPVLの進行段階に応じて異なり，初期は hyperplasia, hyperkeratosis であり，次第に hyperkeratosis, hypergranulosis が出現する．さらに上皮下に高度の炎症細胞の浸潤を伴った疣贅状の肥厚，すなわち florid verrucous hyperplasia の像を呈する．経過を経て，異形成，さらには扁平上皮癌を発生する病変とされている．すなわち，PVL は，口腔内における扁平上皮癌へ移行しうる前駆病変として定義され，扁平上皮癌を後発する高度危険疾患として位置づけられている．部分的に見れば特異的な組織学的な所見を欠くがゆえ，経過観察された症例の臨床病理像から確立することができた疾患といえよう．連続的に生検にて経過観察を行った結果，進行性に異形成，TP53蛋白の蓄積がみられると報告されている．PVL は oral leukoplakia の aggressive form と位置づけられており，異形成を発症し，長期の経過観察の後に70％という高い頻度で扁平上皮癌が発生するとされる．この長期間がどの程度かについては不明であるが，平均年齢は62歳で，男女比は1：4であり，口腔内に多発性にみられるのが一般的である．女性では頬粘膜，男性では舌が好発部位であり，再発と進行を繰り返す．口腔内扁平上皮のように有棘層の肥厚を示すことが多い場合には，部分的な生検像のみで PVL と診断することはしばしば困難である．Leukoplakia のような clinical hyperkeratotic lesion に遭遇した場合は，臨床医から肉眼像を提供されることが的確に病理診断を行ううえで非常に有用である場合が多く，臨床医と病理医の連携が必要な病変であるといえる．

c Verrucous carcinoma

典型的な肉眼像，組織像を十分に理解し，高分化型扁平上皮癌との異同を明確にしなければならない病変である．肉眼的にはカリフラワー状に隆起する腫瘍を形成する（図1a, b）．組織学的には church flame（蝋燭の炎）のように角化物が高度に貯留する（図1c）．また非腫瘍性上皮基底層よりも下方に上皮突起が圧排性に伸長する．同部の細胞異型度はきわめて低い（図1d）．ときに，高分化型扁平上皮癌が，誤って verrucous carcinoma と診断されることがあるので，臨床的にもこの特殊型の組織学的診断に注意し，肉眼的な所見，病態を照合する必要がある．また，verrucous hyper-

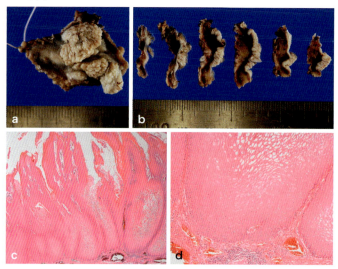

図1 verrucous carcinoma
a, b：固定後肉眼像．表面からの観察では，カリフラワー状の隆起性腫瘤を認める．
c：病理組織像（HE染色，弱拡大像）．上皮は乳頭状，疣贅状に肥厚しつつ外向性発育を示し，蝋燭の炎のように角化物の貯留を認める．
d：病理組織像（HE染色，中拡大像）．上皮突起は伸長し，圧排性に下方発育するが，細胞異型度はきわめて低い．

plasia（＝papillary hyperplasia）のように非腫瘍性と断定しにくい類似病変も存在するがゆえ，verrucous carcinomaの診断には，周囲上皮の基底層を越えた上皮突起の下方伸長などの組織学的診断基準を疎かにしないように注意が必要である．これらのことを踏まえると，疣贅状の顕著な上皮の肥厚が生検組織上にみられた場合には，しばしば前述の所見が明らかではない場合が多く，臨床的にも慎重に経過観察をしていかなければならないことが起こりうる．また，verrucous carcinomaと通常の扁平上皮癌が混在する症例があり，WHO分類において，hybrid tumorとして紹介されている．こうしたverrucous carcinomaのvariantを認識する意義は，このvariantは転移をきたす可能性があるということに尽きる．言い換えれば，verrucous carcinomaと診断する場合には，組織学的に慎重な診断姿勢が必要とされる．また生検組織でverrucous carcinomaの像を示すものの，いくぶん異なるsevere dysplasiaが鑑別にあがるような上皮内病変を伴っていることが疑われる場合には，hybrid carcinomaの初期を疑って，臨床医に伝えられなければならない．

d Spindle cell squamous cell carcinoma

Dysplasiaあるいはsquamous cell carcinomaといった上皮内の腫瘍性病変に被覆された腫瘍組織で，紡錘形細胞の増殖を上皮下に認める場合には，明らかに他の組織型であると確定診断しうるまでは，常にspindle cell squamous cell carcinoma（WHO分類第4版より，spindle cell carcinomaはspindle cell squamous cell carcinomaになった）の可能性を念頭において，病理組織診断を行っていかなければならない．その場合には，1つの上皮性マーカーに依存して免疫組織化学的染色を施行するのではなく，複数の上皮性マーカー（CK7，CK18，CK20，CAM5.2，CK5/6，AE1/3，EMA，p63など）を用いて紡錘形腫瘍細胞の上皮性性格の有無を検討しなければならない．一方，上皮性マーカーがまったく陰性であるspindle cell squamous cell carcinomaも認識されている．WHO分類第4版[1])でもそのことについて言及しており，1/3のspindle cell squamous cell carcinomaは上皮性マーカーがと記述されている．また深部に発生する咽

頭喉頭領域の肉腫はきわめてまれであり，ましてや粘膜面にまで顔を出すような肉腫はきわめてまれであるという認識のもと，常に spindle cell squamous cell carcinoma の可能性を完全に除外できるかという姿勢で病理診断を行わなくてはならない．それに対応していくためには，臨床医が生検する際，粘膜病変があるのか，あるいは粘膜とは離れて深部に腫瘍の主座が存在するのかについての情報を病理医に明確に伝えることは大切であり，病理医もそれについて積極的に尋ねなければならない．

ⓔ Papillary (exophytic) squamous cell carcinoma

角化あるいは非角化型の上皮性腫瘍細胞からなる．喉頭では，非角化型の扁平上皮癌と，乳頭腫，特に respiratory papillomatosis と関連がある乳頭腫との鑑別は，生検組織のみではしばしば困難である．乳頭腫は例外なく，非角化型上皮から構成され，HPV6 または 11 がしばしば陽性となる．乳頭腫は，基底細胞様細胞の過形成を示し，上皮の下方1/3において核分裂像を認める．Papillary carcinoma では，上皮全層で細胞配列が乱れ，間質への浸潤，扁平上皮全層に異型核分裂像を含む核分裂像が存在する．こうした所見がないかを慎重に探して病理診断を行うことが肝要である．

ⓕ Basaloid squamous cell carcinoma

基底細胞に類似する腫瘍細胞からなり，扁平上皮癌あるいは浸潤性の扁平上皮癌成分を有する腫瘍組織を指す．微小な生検では，単一の胞巣のみといった微量な浸潤癌成分のみに遭遇することがある．しかし，その胞巣を構成する腫瘍細胞の境界が不明瞭で，基底細胞に類似する腫瘍細胞からなり，中心部に壊死（comedo necrosis）を伴う胞巣のみが採取される場合には，本組織型を積極的に疑っていく必要がある．

ⓖ Adenosquamous carcinoma (ASC) と mucoepidermoid carcinoma (MEC)

この両者はときに混同されてしまう組織型である．両者の鑑別点としては，MEC はたとえ high grade tumor に分類されるものであっても，癌真珠を形成するほどの角化や高度の多形性を示すことはあまりなく，発生由来を考慮してもわかるように表層の扁平上皮に異型成や上皮内癌を認めることはない．一方，ASC では，癌真珠を形成するほどの角化や高度の多形性を示ことが多く，表層部に異型成や上皮内癌が存在する．しかしながら，MEC でみられる中間細胞（intermediate cell）は ASC にはない．

ⓗ Adenoid squamous cell carcinoma (acantholytic carcinoma, pseudovascular carcinoma)

Adenoid squamous cell carcinoma は MEC や angiosarcoma との鑑別が問題になるかもしれない．Adenoid squamous cell carcinoma は MEC とは対照的に，true gland（粘液を含有する真の腺管構造）や中間細胞を欠き，粘液染色に陽性となる腫瘍細胞は認めない．また ASC とは，粘液を産生する真の腺管がないことから区別される．しかし，adenoid squamous cell carcinoma は，偽腺腔が真の腺腔ありと誤解されて ASC と診断されている場合があり，注意しなければならない．また，adenoid squamous cell carcinoma は，癌細胞がサイトケラチンに強陽性である一方，血管内皮細胞マーカーに陰性であることから angiosarcoma とは明確に区別される．

ⓘ Lymphoepithelial carcinoma (undifferentiated carcinoma)

上咽頭のみならず，舌底部，扁桃，鼻副鼻腔や耳下腺などにも発生する．上咽頭に発生するものは，ほとんどが Epstein-Barr ウイルスが関係しているが，他部位発生のものは，ほとんど関係がないとされている．中咽頭発生の undifferentiated carcinoma のいくつかは，ヒトパピローマウイルスが陽性である一方，Epstein-Barr ウイルスは陰性である．当然のことながら，本腫瘍と鑑別すべき重要な組織型には，malignant lymphoma, malignant melanoma, sinonasal undifferentiated carcinoma があるが，的確な免疫組織化学的染色を施行し，注意深く鑑別していくことが大切である．

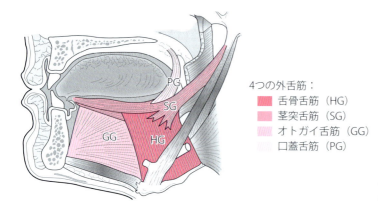

図2 外舌筋の解剖
外舌筋とは，舌の外に起始し舌の内に停止する，舌を動かすための筋肉である．4種類の外舌筋の種類の位置および起始点を示す．
[Norton NS：Netter's Head and Neck Anatomy for Dentistry, 2nd Ed, Saunders, St. Louis, p379–400, 2011 をもとに作成]

筋　肉	起　始	停　止	神経支配
舌骨舌筋（HG）	舌骨の大角と体	舌の外側面・下面	舌下神経
茎突舌筋（SG）	茎状突起・茎突舌骨靱帯	舌の外側面・下面	
オトガイ舌筋（GG）	下顎骨のオトガイ棘	舌背・舌骨体	
口蓋舌筋（PG）	軟口蓋の口蓋腱膜	舌の外側部	迷走神経の咽頭枝 舌咽神経の頭部根

口腔癌について

1 T因子の改訂について

　TNM分類8版の改訂，それに対応して改訂した頭頸部癌取扱い規約第6版において変わったのは，T因子，N因子の判定基準である．口腔癌のT分類では浸潤の深さ（depth of Invasion：DOI），N分類ではリンパ節被膜外進展（extranodal extension：ENE）が導入されたことである．従来（第7版）のT分類では，「舌深層の筋肉/外舌筋に浸潤する腫瘍」がT4aと判定されていたが，第8版では「舌深層の筋肉/外舌筋に浸潤する腫瘍」の記載は削除された．頭頸部領域のT因子は，腫瘍が発生した部位周囲の構造への進展によって判定される場合が多い．すなわち，解剖を十分に理解しておかなければ，誤ったT因子の判定になってしまうことに対して十分に注意しなければならない．その一例として舌癌も含まれていた．

　第7版のTNM分類では腫瘍細胞の外舌筋浸潤の評価が必要であったために，舌の解剖に対する理解が求められた．病理診断のみならず，TNM分類をはじめとする分類はその時々に応じて変遷するが，病理組織学的所見は古くなることはなく，将来の新規分類，新規治療指針の策定に資することができるように，病理医はいつも精度高く所見を取り，病理診断報告書に記録していかなければならない．頭頸部癌を診断する病理医は，他の臓器の病理診断と同様に，診断対象の臓器の解剖の理解を怠ってはならない，解剖学的深達度の評価が求められた以前のT4因子の判定にはそれが明らかに必要であった．その一例として外舌筋への浸潤について説明する．

　外舌筋とは，舌の外に起始点をもち，舌内に停止点が存在する筋肉である．外舌筋は，舌骨舌筋（hyoglossus muscle），茎突舌筋（styloglossus muscle），オトガイ舌筋（genioglossus muscle），口蓋舌筋（palatoglossus muscle）の4種類である．これらの4つの外舌筋の起始点と停止点を図2に示す．図2からわかるように，前額面で割面像を見た場合には，舌尖から舌根に向かってどの位置の前額面に相当するかによって，観察できる外舌筋が異なり，表層から外舌筋に達するまでの距離が異なる．すなわち，舌の内舌筋と外舌筋についての解剖を十分に理解し，外舌筋を認識すること必要とされる．病理標本は切除方法により，これらの外舌筋の同定の容易さ，困難さが異なってくる．舌全摘術，舌亜全摘標本および舌半切除標

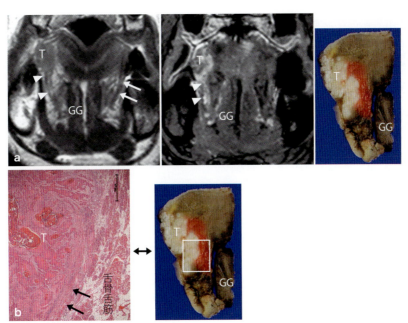

図3　舌癌の外舌筋への浸潤
60歳代，男性．右舌縁 扁平上皮癌（pT4aN2b）．T：腫瘍，GG：オトガイ舌筋．
a：MRI画像と切除標本との対比．外表観察からはcT2と診断されたが，MRI画像では，右舌骨舌筋が腫瘍と同等の信号強度を示すことから，腫瘍の同筋への浸潤が疑われ，cT4aN2bと診断されて舌半切除術が施行された．
b：組織像と切除標本との対比．組織像では，舌骨舌筋を圧排しつつ，その表層に腫瘍細胞の浸潤を認め，pT4aと診断された．

本といった広範に観察しうる標本では，標本を解剖学的位置にあわせながら切り出しをすることができ，舌癌病巣の深部に存在する外舌筋を比較的容易に同定できる．しかし，舌尖から舌根に向かってどの位置に病巣が存在しているかについての情報がない場合には，時に標本中での外舌筋の有無および同定を見誤る可能性がある．場合によっては，画像情報を含めて，舌部分切除標本がどの舌の解剖学的位置で，どの部分に存在するかについての情報を添えられて，病理標本として提出されることが必要なことかもしれない．症例を一例紹介する（図3）．症例は，60歳代，男性である．右舌縁の扁平上皮癌と生検組織にて診断された．診察時にはcT2と診断されたが，MRI画像では右舌骨舌筋が腫瘍と同等の信号強度を示しており，同筋への腫瘍の浸潤が疑われた（図3a）．それを考慮して，舌半切除術が施行された．切除標本の病理組織像から，舌骨舌筋への腫瘍細胞の浸潤を認めた（図3b）．

外舌筋への浸潤の有無を正しく病理組織標本を観察して評価することは，それ以後の患者の経過を予測して対応するうえでも重要な情報を提供することができる．外舌筋（特にHGとGG）の周囲には舌の神経血管組織が豊富に存在することがわかっており，この舌神経血管組織への浸潤は，リンパ節転移との関連性が示唆されている．ここで重要なのは，表面から計測した腫瘍の厚さや，第8版で計測が求められるようになったDOIが，必ずしも腫瘍の解剖学的位置を反映しないことを注意しなければならない．舌癌の解剖学的深達度はリンパ節転移を予測する独立した因子である[3]．

第8版T分類では，第7版の腫瘍最大径に加えて，DOIが5 mmを超えるとT2に，10 mmを超えるとT3になる．一方で，T4a因子の判定には，前述した「舌深層の筋肉/外舌筋に浸潤する腫瘍」の記載が削除された．DOIはあくまでも深達度の指標であり，図4に示すように水平基準線を扁平上皮癌にもっとも近接して存在する非腫瘍性扁

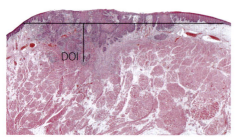

図4　DOI（depth of Invasion）の測定方法
［日本頭頸部癌学会（編）：頭頸部癌取扱い規約，第6版補訂版，金原出版，2019より許諾を得て改変し転載］

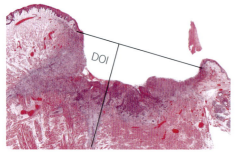

図5　潰瘍型腫瘍のDOIの測定方法とtumor thicknessとの関係
［日本頭頸部癌学会（編）：頭頸部癌取扱い規約，第6版補訂版，金原出版，2019より許諾を得て改変し転載］

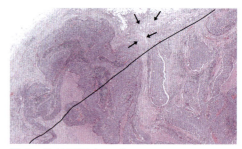

図6　節外浸潤（ENE）
［日本頭頸部癌学会（編）：頭頸部癌取扱い規約，第6版補訂版，金原出版，2019より許諾を得て改変し転載］

平上皮の基底膜に設定する．その水平基準線から垂線を下し，腫瘍細胞が存在する最深部までの距離を測定し，DOIを計測する．垂線を引いて計測するということは，切り出し時から，腫瘍に対して垂直に割を入れるように注意して組織切片を作製しなければならないことを意味する．斜めに割が入った標本でDOIを計測しても実態以上に数値が大きくなったり，小さくなったりする．腫瘍は図4のような軽度隆起する腫瘍のほか，潰瘍を形成する腫瘍に大別される．図5に示す潰瘍型腫瘍についても，同様に水平基準線を扁平上皮癌にもっとも近接して存在する非腫瘍性扁平上皮の基底膜に設定する．潰瘍型のDOIを測定すると，一見してわかるようにtumor thicknessはDOIよりも薄くなる．「頭頸部表在癌取扱い指針」で使用するtumor thicknessとは測定法が当然のことながら異なることに注意しなければならない．

2　N因子の改訂について

第8版のN分類では，cN分類とpN分類ともに節外浸潤（ENE）の有無の評価が求められる．N2，N3aにとどまるのは，節外浸潤がない場合である．cN3bは臨床的節外浸潤ありの場合であり，皮膚浸潤か，下層の筋肉もしくは隣接構造に強い固着や結合を示す軟部組織の浸潤がある場合，または神経浸潤の臨床的症状がある場合は，臨床的節外浸潤として認定される．一方，病理組織学的な腫瘍細胞の節外浸潤は，以下のように厳密に判定する．図6に示すように，本来のリンパ節とその節外の境界線（黒色線）の目印として，リンパ節を取り囲むように走る膠原線維を用いて，リンパ節外の周囲に分布する血管（黒矢頭）や神経などをリンパ節外領域である指標として用いる．本来のリンパ節を越えた腫瘍細胞の浸潤があるとみなされる場合には節外浸潤陽性と判定する．リンパ節外浸潤の距離について，AJCC（American Joint Committee on Cancer 2017）では節外浸潤距離2 mm以上をENEma（ENE＞2 mm or gross ENE），節外浸潤2 mm以下をENEmi（microscopic ENE ≦2 mm）と定めている．『頭頸部癌取扱い規約』（第6版補訂版）ではリンパ節外浸潤距離の記載を現時点では求めていない．AJCCでの細分類ではmm単位の評価が要求される．病理組織標本では容易であるものの，画像診断ではENEの判定のみならず，mm単位の分類は困難である．われわれは食道扁平上皮癌について節外浸潤の判定意義を検討して論文を発表した[4]．リンパ節被膜全周の破壊をENEのグレード分類として採用して予後

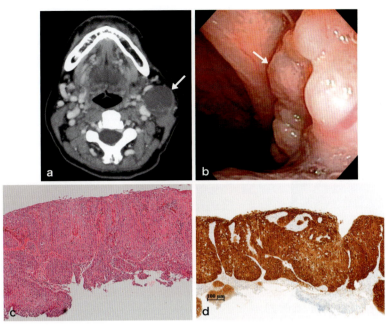

図7 原発不明頸部腫瘤（症例1）
a：造影CT．造影CTでは，左レベルⅡA領域に囊胞変性を示すリンパ節腫大を認める．
b：内視鏡画像．原発巣は造影CTでは指摘が困難であったが，内視鏡検査にて中咽頭を精査すると，左扁桃にcT1相当の中咽頭癌が見いだされた．
c：病理組織像（HE染色）．上皮内伸展を示して間質浸潤を示す低分化型扁平上皮癌を認める．
d：免疫組織化学的染色（p16）．免疫組織化学的染色では，腫瘍細胞はp16陽性である．

との関係を調べ，有意な結果を得ている．頭頸部癌におけるENEをgradingするか否かについては今後の課題である．

4 原発不明頸部腫瘤へのアプローチ：p16陽性の中咽頭原発扁平上皮癌について

　HPV陽性の中咽頭癌のリンパ節転移巣では囊胞変性をきたすことが多いことは，メカニズムは解明されていないもののよく知られている現象である[4]．そのことを利用しながら原発不明頸部腫瘤の原発巣を探索することは，時として重要なアプローチ法になりうる．代表的な症例を呈示する．症例は，50歳代，女性である．造影CT画像にて，左レベルⅡA領域に囊胞変性を示すリンパ節腫大が認められた（図7a）．原発巣に関しては造影CT画像にて指摘困難な病変であったが，内視鏡検査にて左扁桃にT1相当の中咽頭癌が見つかった（図7b）．見いだされた扁桃の腫瘍は，陰窩上皮を伸展する扁平上皮癌からなり（図7c），免疫組織化学的染色では，腫瘍細胞はp16蛋白をびまん性に発現し，HPV陽性であると考えられた（図7d）．

　囊胞状変性をきたすリンパ節は必ずしも大型のものばかりではなく，転移性リンパ節の中でも比較的小さなリンパ節でも囊胞状変性をきたすものもある．その症例を呈示する．症例は40歳代，男性である．左レベルⅡAに，造影CTにて内部低吸収，MRI T2強調像において液状の高信号を示す成分を含むリンパ節が認められて，転移性リンパ節と考えられた（図8a）．内視鏡検査にて左扁桃に腫瘍が認められた（図8b）．摘出された扁桃の腫瘍細胞はp16蛋白をびまん性に発現していた（図8c, d）．本症例は，HPV-DNA陽性は確認された．本症例は，HPV関連中咽頭癌では，リンパ節転移初期においても囊胞状変化をきたす可能性を示す例として認識される．なぜ囊胞状変化を

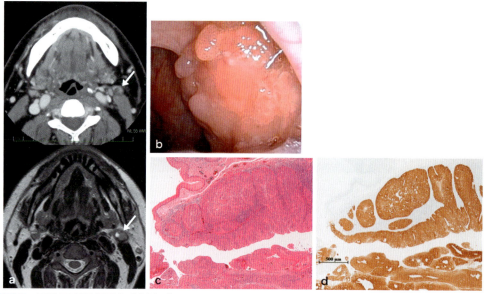

図8 原発不明頸部腫瘤（症例2）
a：造影CTとMRI T2強調画像．左レベルⅡAに，造影CT（上図）にて内部低吸収，MRI T2強調画像（下図）において液状の高信号を示す成分を含むリンパ節を認め，転移性リンパ節が疑われる．
b：内視鏡画像．内視鏡検査にて左扁桃に腫瘍を認める．
c：病理組織像（HE染色）．扁桃陰窩上皮を置換する上皮内伸展と間質浸潤を示す低分化型扁平上皮癌を認める．
d：免疫組織化学的染色（p16）．免疫組織化学的染色では，腫瘍細胞はp16陽性である．

きたすのかについてのメカニズムは不明であるが，文献によれば，囊胞状変性をきたすリンパ節の原発巣が中咽頭であれば，高率に腫瘍細胞はp16蛋白をびまん性に発現するとされている[5]．この現象を考慮して，リンパ節転移巣の腫瘍細胞について免疫組織化学的染色にてp16蛋白の発現を調べて，原発巣検索を試みることは有用な方法であると考えられる．現行では，p16陽性≒HPV陽性として捉えられており，治療指針を決定するうえでも病理組織標本を用いて，p16蛋白の発現を免疫組織化学的染色にて検討することは有用であると思われる．

5 咽頭表在癌について（表在癌取扱い指針を紹介する）

咽頭の表在性病変は，NBI（narrow band imaging：狭帯域内視鏡）と拡大内視鏡が併用されるようになるまでは見つけられることはなかった．新しいmodalityの普及により，咽頭の表在性病変が加速度的に見つかるようになっている．病理医はこれまではこの粘膜表面の微細血管構築であるIPCL（intra-papillary capillary loop）の変化によって見いだされた咽頭の表在性扁平上皮病変に遭遇することがなかった．われわれは，IPCLの変化が従来の扁平上皮病変を診断する際に認められる細胞異型，構造異型とともに起こっていることを見いだし，従来の診断基準にIPCLの変化を組み入れることを提唱している[6]．また頭頸部表在癌の取扱いについては，2018年1月に「頭頸部表在癌取扱い指針」（http://www.jshnc.umin.ne.jp/pdf/toriatsukaishishin.pdf，日本頭頸部癌学会表在癌委員会 編）が公開されている．

咽頭表在性病変の中で，NBIでこそ見つけられる新たな病変として，basal cell hyperplasia with IPCL atypiaを提唱とした[6]．この病変は経過を追っていかなければならない病変ではあるが，経過を追っても変化がない，あるいは消失したとされる病変が含まれている．逆にこの新しい診断名に対する内視鏡的所見を検討することで，内視鏡診断が可能である病変であることが判明し，その診断

基準を見いだしている[7]．

　表在性扁平上皮癌は，扁平上皮癌の浸潤の病理組織学的な定義とは何か？といった非常に重要な病理学的な命題を投げかけている．また，病態を観察していくうえでさまざまなことが明らかになりつつあり，今後は臨床と病理が協働して咽頭表在性病変の本態を明らかにしていかなければならない．そうすることによって正しい病理診断基準を明らかにしてくれるであろう．

　頭頸部臓器では，採取自体が困難な部位が多く，生検診断材料として微小な組織片が提出される．また，頭頸部領域の臓器，組織は多様であることから，発生する悪性腫瘍の組織型はきわめて多様であり，その組織型の生物学的態度も多様である．頭頸部病理診断には，微小な生検組織片から，良悪性の判定のみならず，組織型についての診断も求められる．腫瘍の発生部位，年齢などを考慮しつつ，適格な鑑別診断をあげて，不適切な治療へ導くことのないように，正しい病理組織診断を行わなければならない．

文献

1) World Health Organization Classification of Tumors：Pathology and genetics. head and neck tumors. IARC press, Lyon, 2017
2) Barnes L, et al：Head and neck pathology（Consultant pathology）, Demos Medical, New York, 2020
3) Mitani S, et al：Anatomic invasive depth predicts delayed cervical lymph node metastasis of tongue squamous cell carcinoma. Am J Surg Pathol 40：934-942, 2016
4) Okada N, et al：Impact of pathologically assessing extranodal extension in the thoracic field on the prognosis of esophageal squamous cell carcinoma. Surgery 159：441-450, 2016
5) Goldenberg D, et al：Cystic lymph node metastasis in patients with head and neck cancer：an HPV-associated phenomenon. Head Neck 30：898-903, 2008
6) Fujii S, et al：Microvascular irregularities are associated with composition of squamous epithelial lesions and correlate with subepithelial invasion of superficial-type pharyngeal squamous cell carcinoma. Histopathology 56：510-522, 2010
7) Yagishita A, et al：Endoscopic findings using narrow-band imaging to distinguish between basal cell hyperplasia and carcinoma of the pharynx. Cancer Sci 105：857-861, 2014

B 唾液腺癌

　唾液腺は，左右1対からなる大唾液腺（耳下腺，顎下腺，舌下腺）と口腔内粘膜下に存在する小唾液腺（口蓋腺，口唇腺，舌腺，など）に大別される．これら唾液腺組織からは良性・悪性の腫瘍が発生する．悪性腫瘍である癌は，全頭頸部癌の3〜5%を占めるに過ぎず，希少癌に該当する．臨床的に，唾液腺癌の多くは50歳以上の成人に発症する．唾液腺癌全体では女性にやや優位であるが，中には男性に多い腫瘍型もある．発生部位としては，80%は大唾液腺（耳下腺＞＞顎下腺＞＞舌下腺）で，残りが口腔小唾液腺に由来する．なお，耳下腺や顎下線では悪性腫瘍（癌）の発生頻度は全唾液腺腫瘍の1/5以下であるが，舌下腺や一部の口腔小唾液腺発生症例では良性よりもむしろ悪性の頻度が高い．臨床病期は予後因子として重要で，TNM分類に準じて判定する[1]．

　病理学的には，唾液腺悪性腫瘍の90%以上が上皮性（癌腫）であり，その他では頻度は低いが，特に耳下腺ではMALTリンパ腫が臓器特異的に発生する．唾液腺癌はきわめて多彩な病理組織像を呈し，多数の腫瘍型（約20種類）とそれぞれには亜型があり，複雑である．他臓器癌と同様に，唾液腺癌の病理診断はWHO分類に基づいて行う（**表1**）[2]．比較的発生頻度が高い腫瘍型としては，粘表皮癌，腺様嚢胞癌，多形腺腫由来癌，唾液腺導管癌，腺房細胞癌があり，分泌癌，上皮筋上皮癌がそれらに続く．腫瘍の発生部位によってそこから発生する癌の種類が異なることを知っておくと診断に役立つことがある．すなわち，大唾液腺には，多形腺腫由来癌，唾液腺導管癌，腺房細胞癌，上皮筋上皮癌，基底細胞腺癌などが優位に発生し，一方，多型腺癌，明細胞癌などはほぼ小唾液腺のみにみられる．唾液腺癌では腫瘍型によって生物学的態度（悪性度）が規定されることが多いため，病理診断による腫瘍型の決定は実臨床においてきわめて重要である（**表2**）[3]．ただし，粘表皮癌，腺様嚢胞癌，および多形腺腫由来癌では組織像によって悪性度が異なり，注意を要する．

病理診断学的アプローチ

　唾液腺癌を形態学的に病理診断する際には，臨床情報（患者の年齢・性・発生部位・臨床所見）を把握したうえで，腫瘍の肉眼的性状と発育様式，組織構築，細胞形態，および間質成分の各項目について順を追って注意深く観察し，総合的に判断する[4,5]．

　唾液腺癌では，異なる腫瘍型であっても部分的に同様の組織像を示すことや，同一の腫瘍内に悪性度の異なる成分が混在することがあるため，全体像の把握が欠かせない．そのため，できるだけ多くの標本を作製して病理診断する．頻度が高い腫瘍で典型例であれば，HE染色標本のみでの診断が可能であることが多いが，非典型例，まれな腫瘍型，およびコア針生検の場合には免疫組織化学染色（免疫染色）・遺伝子解析を行い，診断精度の

表1　唾液腺癌病理分類

- 粘表皮癌　Mucoepidermoid carcinoma
- 腺様嚢胞癌　Adenoid cystic carcinoma
- 腺房細胞癌　Acinic cell carcinoma
- 分泌癌　Secretory carcinoma
- 微小分泌腺癌　Microsecretory adenocarcinoma
- 多型腺癌　Polymorphous adenocarcinoma
- 硝子化明細胞癌　Hyalinizing clear cell carcinoma
- 基底細胞腺癌　Basal cell adenocarcinoma
- 導管内癌　Intraductal carcinoma
- 唾液腺導管癌　Salivary duct carcinoma
- 筋上皮癌　Myoepithelial carcinoma
- 上皮筋上皮癌　Epithelial-myoepithelial carcinoma
- 粘液腺癌　Mucinous adenocarcinoma
- 硬化性微小嚢胞腺癌　Sclerosing microcystic adenocarcinoma
- 多形腺腫由来癌　Carcinoma ex pleomorphic adenoma
- 癌肉腫　Carcinosarcoma
- 脂腺腺癌　Sebaceous adenocarcinoma
- リンパ上皮癌　Lymphoepithelial carcinoma
- 扁平上皮癌　Squamous cell carcinoma
- 神経内分泌癌（小細胞型，大細胞型）　Neuroendocrine carcinoma (small and large cell types)
- 唾液腺芽腫　Sialoblastoma
- 唾液腺癌NOS　Salivary carcinoma, NOS

［WHO Classification of Head and Neck Tumours, 5th ed., IARC, Lyon, 2021より引用］

表2 唾液腺癌の悪性度分類

低悪性	中間悪性	高悪性
・粘表皮癌，低悪性度型 ・腺房細胞癌 ・分泌癌 ・導管内癌 ・多型腺癌 ・上皮筋上皮癌 ・明細胞癌 ・基底細胞腺癌 ・腺癌 NOS，低悪性度型 ・多形腺腫由来癌，被膜内型・微小浸潤型 ・唾液腺芽腫	・粘表皮癌，中間悪性度型 ・腺様嚢胞癌，篩状型・腺管型 ・脂腺腺癌 ・腺癌 NOS，中間悪性度型 ・筋上皮癌* ・リンパ上皮癌	・粘表皮癌，高悪性度型 ・腺様嚢胞癌，充実型 ・唾液腺導管癌 ・腺癌 NOS，高悪性度型 ・癌肉腫 ・扁平上皮癌 ・低分化癌（小細胞癌・大細胞癌） ・多形腺腫由来癌，広範浸潤型 ・高悪性度転化癌

各群の予後の目安となる5年生存率は，低悪性度腫瘍では85％を超え，高悪性度腫瘍のそれは50％に満たない。中間悪性度腫瘍ではこれらの間の値を示す。*：一部の症例は高悪性度である。

［長尾俊孝：唾液腺．外科病理学，第5版，深山正久ほか（編），文光堂，東京，2020より引用］

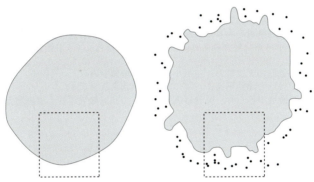

図1　良悪性唾液腺腫瘍の発育様式の違いと適切な標本作製
（左図）良性腫瘍：被膜を有し境界明瞭．（図右）悪性腫瘍：浸潤性増殖．病理標本を作製する際には必ず腫瘍とその周囲の唾液腺組織を含める．

向上を図る．腫瘍型診断に至らない場合にも，治療方針決定のためにできる限り悪性度判定を行う．

1 病理診断の手順とポイント

a 肉眼的性状と発育様式

肉眼的性状としては，充実性か嚢胞性かという点と出血や壊死の有無が重要である．出血や壊死は悪性を示唆するが，術前の穿刺吸引細胞診操作によって，良性腫瘍でもこれらの所見を呈することがある．

発育様式に関しては，肉眼的にあるいは顕微鏡下弱拡大で腫瘍が線維性被膜に囲まれているのか，それとも周囲境界不明瞭な浸潤性の増殖をしているのかを見定めることが良悪の鑑別にもっとも重要である（図1）．また，組織学的な脈管（リンパ管・静脈）侵襲は悪性の指標や予後因子となる．

b 組織構築

嚢胞状，乳頭状，篩状，管状（1層性，2層性），充実性，索状，束状，粘液腫様，微小嚢胞状，濾胞状，柵状などの多様な組織構造を呈するが，腫瘍型に特有の所見を見いだすことが正しい診断への鍵となる．代表的な唾液腺癌の病理組織像を図2に示す．また，壊死の有無やその性状は，良悪性の鑑別や腫瘍型の推定に役立つときがある．

c 細胞形態

腫瘍細胞の形状・性状も多彩であり，立方，円柱，扁平上皮，基底細胞様，類上皮，紡錘形，脂腺，軟骨様，骨様，淡明，粘液性，空胞状，好酸

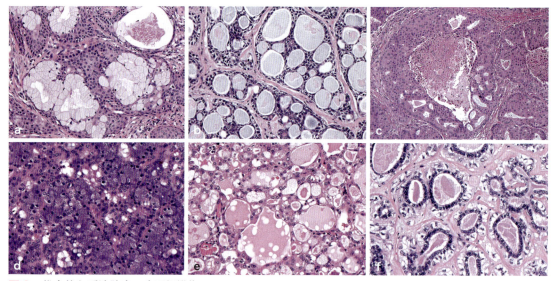

図2　代表的な唾液腺癌の病理組織像
a：粘表皮癌．粘液細胞，類表皮細胞，および中間細胞の充実性胞巣や小嚢胞形成を示す増殖をみる．
b：腺様嚢胞癌．多数の淡好塩基性物質を容れた偽嚢胞形成からなる篩状構造を呈する．
c：唾液腺導管癌．篩状構造を示す癌胞巣がみられ，その中心部は壊死（コメド壊死）に陥っている．高異型度乳管癌に似る．
d：腺房細胞癌．好塩基性腫瘍細胞の充実性および微小嚢胞状の増殖をみる．
e：分泌癌．好酸性の分泌物を容れた濾胞構造や一部の微小嚢胞状構造を示す．
f：上皮筋上皮癌．2相性腺管構造がみられ，腺管は内腔側の立方状好酸性導管上皮細胞と外側の淡明な大型筋上皮細胞からなる．

性（オンコサイト，アポクリン様，形質細胞様），好塩基性など，さまざまであるが，それらを的確に捉えることが腫瘍型の特定化につながる（図2）．

癌細胞の分化方向をみることも重要で，病理診断上，筋上皮細胞への分化の有無で数ある唾液腺癌の腫瘍型を2群に分けて考える．この際，後述する免疫染色所見をしばしば参考にする．筋上皮分化ありの群には，導管上皮細胞との2相性分化を示す腫瘍と筋上皮細胞のみからなる腫瘍型がある．筋上皮分化ありの唾液腺癌には，腺様嚢胞癌，上皮筋上皮癌，基底細胞腺癌，筋上皮癌があげられ，前三者では導管上皮細胞と筋上皮細胞との2相性腺管形成がみられる．

細胞異型にも着目して診断する．ただし，唾液腺癌では細胞異型が弱い腫瘍型が少なくない．細胞異型の程度は悪性度判定に必要である．

核分裂像は，良悪の鑑別と悪性度判定に有用である．核分裂像数5個/10 HPF以上は，悪性腫瘍を考慮する．

d 間質成分

粘液様あるいは硝子様の基底膜様細胞外物質の存在は，筋上皮分化を示唆する．また，リンパ球性間質は，粘表皮癌や腺房細胞癌でもみられることがある．

2 病理学的補助診断検査

前述のように唾液腺癌は多彩な組織像を示すため，病理組織形態学のみではしばしば診断に難渋する．したがって，免疫染色や遺伝子解析が病理学的補助診断検査としてよく用いられる．

a 免疫染色

抗原抗体法により，病理組織切片上で特定の蛋白（マーカー）の発現をみる方法である．HE染色標本による組織学的な腫瘍型の絞り込みを行ってからの検索が原則である．免疫染色には予期しない結果が得られたり，思わぬ落とし穴があったりと，その結果の解釈には注意を要する．一般的に，免疫染色結果よりも組織所見を優先させて診断する．

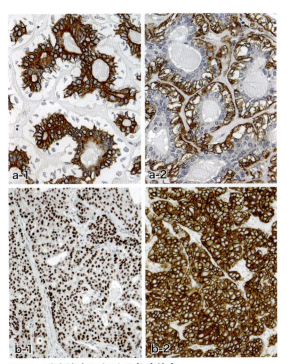

図3 唾液腺癌における免疫染色
a：上皮筋上皮癌．導管上皮細胞（腺管内腔側）と筋上皮細胞（腺管外側）は，それぞれCK7（左図）とcalponin（右図）に陽性である．
b：唾液腺導管癌：（左図）androgen receptor核陽性癌細胞がびまん性に認められる．（右図）すべての癌細胞の細胞膜にHER2の過剰発現がみられる．

　病理診断を行ううえでの免疫染色の最大の目的は，腫瘍の筋上皮分化の有無をみることにある．筋上皮マーカーセットとしては，pan-CK（AE1/AE3），α-SMA，calponin（図3a），p63，p40，およびS-100蛋白が推奨される．なお，導管上皮上皮マーカーとしては，CK7（図3a）やEMAが知られている．また，良性・悪性の鑑別や悪性度の指標としては，Ki-67染色やp53染色がある．Ki-67の標識率が10%以上であるときには悪性腫瘍を念頭に置く．p53はほぼすべての腫瘍細胞が強陽性あるいはまったく陰性である場合に，当該遺伝子変異と相関率が高く，高悪性の指標となる．
　特定の腫瘍型の診断に有用なマーカーは少ないが，たとえば，androgen receptorとHER2の強発現所見は唾液腺導管癌を強く示唆する（図3b）．これらはホルモン療法や分子標的治療のマーカーとしての側面ももつ．β-catenin（基底細胞腺癌），pan-Trk（分泌癌），NR4A3（腺房細胞癌），RAS Q61R（上皮筋上皮癌）も診断的価値が高いマーカーである．

b 遺伝子解析

　唾液腺癌の診断に用いられる遺伝子解析の方法とその目的としては，FISH法（遺伝子増幅・染色体再構成［転座］の検出），RT-PCR法（融合遺伝子の検出），Sangerシークエンス（点突然変異の検出），および次世代シークエンス（網羅的遺伝子変異の検出）があげられる．
　唾液腺癌では腫瘍型の確定に有用な遺伝子異常が多数報告されている．その中でも染色体転座による腫瘍特異的融合遺伝子形成が多いのが特徴的である．特に粘表皮癌における*CRTC1-MAML2*融合遺伝子，分泌癌における*ETV6-NTRK3*融合遺伝子（図4a），腺様嚢胞癌における*MYB-NFIB*融合遺伝子，および明細胞癌における*EWSR1-*

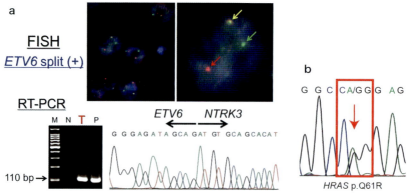

図4 唾液腺癌における遺伝子解析

a：分泌癌．図上段：ETV6 (12p13) Dual Color, Break Apart Rearrangement Probe を用いた FISH 法による ETV6 遺伝子再構成．緑と赤の矢印：分離したシグナルで，ETV6 遺伝子転座を意味する．黄色の矢印：変化のない染色体を示す．図下段左：RT-PCR 法による ETV6-NTRK3 融合遺伝子の検出．M：マーカー，N：陰性コントロール，T：腫瘍サンプル，P：陽性コントロール．図下段右：ETV6-NTRK3 融合遺伝子転写物の塩基配列．
b：上皮筋上皮癌．Sanger シークエンス法による HRAS exon 3 ホットスポット点突然変異（codon 61）の検出．

ATF1 融合遺伝子が重要である．また，分泌癌における NTRK3 再構成による融合遺伝子産物が TRK 阻害薬を用いた分子標的治療の対象となる．通常の病理標本である FFPE 標本における染色体転座と融合遺伝子の検出にはそれぞれ FISH 法と RT-PCR 法を用いるのが一般的で，粘表皮癌と分泌癌では RT-PCR 法が簡便で有用である．腺様嚢胞癌では FISH 法が適する．その他，腫瘍特異的なホットスポット遺伝子変異として，上皮筋上皮癌における HRAS 遺伝子（図4b），基底細胞腺癌における CTNNB1 遺伝子，多型腺癌における PRKD1 遺伝子などが知られている．遺伝子増幅としては，唾液腺導管癌における HER2 遺伝子がある．

病理診断報告書に記載するべき事項

唾液腺癌切除症例における病理診断報告書には，下記の項目を記載することが望まれる．『頭頸部癌取り扱い規約』[1] や国際的に提唱されている病理診断報告書のデータセット（ICCR；www.iccr-cancer.org）[6] を参考にする．

- 腫瘍発生部位と術式
- 病理診断名：可能であれば亜型も記載する．
- 予後因子：pT 分類（腫瘍径，実質外進展の有無），組織学的悪性度（低悪性度・高悪性度の区別，細胞異型，核分裂像数，壊死の有無など），浸潤の様式や程度，リンパ管・静脈侵襲や神経周囲浸潤の有無や程度，リンパ節転移の状態，切除断端の評価（検体表面へのインクの塗布が推奨される）など．
- 治療に直結した免疫染色結果：唾液腺導管癌における HER2 と AR など．
- 遺伝子解析結果：粘表皮癌や分泌癌における融合遺伝子など．

穿刺吸引細胞診・コア針生検

穿刺吸引細胞診（FNA）は，術前診断に有用で，広く普及している．ただし，検体量不足を防ぐことや標本を乾燥させることなく採取後ただちに 95% アルコール液に固定するなど，不適正検体とならないように，採取方法には工夫や注意を要する．良・悪性の正診率は 80% 以上と比較的高いが，唾液腺癌では腫瘍型の推定がしばしば困難である．しかしながら，腫瘍型推定診断がむずかしい場合においても，治療方針の決定のために悪性度を評価する．一方，細胞異型ではなく，浸潤の有無の

みで良・悪性型の判定を行う腫瘍型もある．そのような症例では"良悪性判定困難腫瘍"と診断せざるをえない．唾液腺腫瘍の穿刺吸引細胞診の報告様式としては，ミラノシステムが推奨されている[7]．ミラノシステムでは，不適正，非腫瘍性，意義不明な異型，腫瘍性病変（良性腫瘍，良悪性判定困難な腫瘍），悪性の疑い，悪性［低悪性・高悪性］の6つのカテゴリーに分類する．

近年ではコア針生検（CNB）を施行する施設が増えてきた．コア針生検は，一般的に穿刺吸引細胞診よりも診断精度が高い．また，免疫染色や遺伝子解析を行えるといったメリットがある．その一方で，コア針生検を行うことで局所播種をきたす危険性がある．

術中迅速診断

術前診断が不確実な場合や切除断端（例：腺様嚢胞癌の神経断端）の判定のために行われることが多い．腫瘍型の診断が求められる場合には，サンプリング・エラーを減らすために，可能な限り摘出検体すべてを未固定のまま病理に提出することが望まれる．腫瘍摘出検体における標本作製には，必ず腫瘍とその周囲の唾液腺組織を含める（図1）．唾液腺癌の術中病理診断は必ずしも容易ではないため，腫瘍型にこだわらず，良・悪性の鑑別，悪性であれば悪性度の判定や癌腫と悪性リンパ腫の鑑別を行う．あくまでも最終診断はホルマリン固定後検体による術後病理診断であり，術中迅速診断は確定診断とはならない．

文献

1) 日本頭頸部癌学会：頭頸部癌取扱い規約，第6版補訂版，金原出版，東京，2019
2) WHO Classification of Head and Neck Tumours, 5th ed., IARC, Lyon, 2021
3) 長尾俊孝：唾液腺．外科病理学，第5版，深山正久ほか（編），文光堂，東京，p171-217，2020
4) 長尾俊孝ほか（編）：腫瘍病理鑑別診断アトラス，頭頸部腫瘍Ⅰ（唾液腺腫瘍），文光堂，東京，2015
5) 長尾俊孝：唾液腺腫瘍の病理診断．唾液腺/口腔・歯原性腫瘍，癌診療指針のための病理診断プラクティス，長尾俊孝ほか（編），中山書店，東京，p4-17，2019
6) Seethala RR, et al：Data set for the reporting of carcinomas of the major salivary glands：explanations and recommendations of the guidelines from the international collaboration on cancer reporting. Arch Pathol Lab Med 143：578-586, 2019
7) Faquin WC, et al（原著）：唾液腺細胞診ミラノシステム．樋口佳代子，浦野　誠（監訳），金芳堂，京都，2019

C 甲状腺癌

　甲状腺癌（thyroid cancer）は，濾胞上皮またはC細胞に分化した2つの腫瘍に大別され，濾胞上皮由来の腫瘍が大部分を占めている[1,2]（表1）．濾胞癌，乳頭癌，低分化癌，未分化癌は濾胞上皮に由来する腫瘍である．これらの組織型は形態学的特徴と腫瘍の分化度から分類されている．濾胞癌と乳頭癌は分化癌とも呼ばれ，濾胞構造やコロイド形成など濾胞上皮への分化が保たれている．未分化癌では濾胞上皮への分化が失われており，低分化癌では分化癌と未分化癌の中間的な形態を示す．多彩な組織像を示す髄様癌はC細胞由来の腫瘍である．甲状腺の非上皮性悪性腫瘍としては慢性甲状腺炎を背景にB細胞性リンパ腫が発生する．未分化癌の一部に間葉系成分を伴うことはあるが，純粋な肉腫の発生はまれである．

乳頭癌

1 定義，臨床的事項

　乳頭癌（papillary carcinoma）は，濾胞上皮への分化を示し特徴的な核所見を有する高分化な甲状腺癌である[1]．甲状腺癌の中ではもっとも頻度が高く約90％を占める．男女比は1：4〜7で女性に多い．好発年齢は20〜50歳代であるが，小児から高齢者まで幅広い年齢層に分布する．リンパ節転移を高率（約60〜80％）に伴う．

2 肉眼像，組織学的所見

　浸潤性増殖による境界不整な充実性結節を示す（図1a）．腫瘍被膜や囊胞形成を伴うこともある．組織学的には複雑な分岐を伴った乳頭状構造（図1b）からなり，濾胞構造もしばしば混在してみられる．扁平上皮化生を伴うこともある．

　乳頭癌に特徴的な核所見とは，すりガラス状核，核溝，核内細胞質封入体などを指す（図1c）．すりガラス状核は腫瘍細胞の核の内部がすりガラス状，もしくは淡明に見える所見である．核溝とは核の長軸方向に沿った1〜2本の皺状の構造で，核膜の彎入によって生じる．核内細胞質封入体（偽封入体）は核内に膜で囲まれた円形の構造で，内部に好酸性物質をみる．これは核膜が陥入して細胞質が核内に取り込まれたものである．また，乳頭癌では核の腫大，核形不整，核の重畳，明瞭な核小体が観察される．核分裂像はみられても少ない．乳頭癌の背景には慢性甲状腺炎の所見をしばしば伴う．

　砂粒体は同心円状の構造をもった球状の石灰化で，乳頭癌の間質や周囲のリンパ洞内にみられる（図1d）．乳頭癌の約半数で観察される．砂粒体は腫瘍本体から離れた間質やリンパ節内に砂粒体が単個で観察されることもある．孤在性に壊死した腫瘍細胞が核となって石灰化が生じると考えられている．

3 多中心発生と腺内転移

　乳頭癌は甲状腺内に多発することがある．顕微鏡レベルで微小な腫瘍胞巣が多数みつかることもある．多発については多中心発生によるものか，腺内散布（腺内転移）によるかの判断がむずかしいが，近年の分子生物学的解析によっていずれも

表1　甲状腺悪性腫瘍の組織分類

濾胞上皮由来
　濾胞癌
　乳頭癌
　低分化癌
　未分化癌
C細胞由来
　髄様癌
リンパ球由来
　筋外辺縁帯B細胞性リンパ腫（MALTリンパ腫）
　びまん性大細胞型B細胞性リンパ腫
その他
　扁平上皮癌
　粘表皮癌，好酸球増多を伴う硬化性粘表皮癌
　甲状腺内胸腺癌（ITTC）
　胸腺様分化を伴う紡錘形細胞腫瘍（SETTLE）
　肉腫（平滑筋肉腫，血管肉腫など）

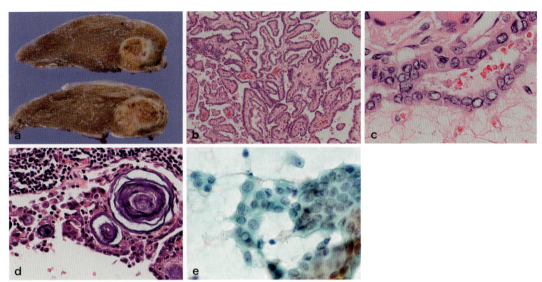

図1　乳頭癌
a：肉眼所見．淡褐色〜黄白色の不整な結節で，一部に線維性被膜を伴う．
b：複雑な分岐を伴う乳頭状構造．血管線維性の軸を有している．
c：乳頭癌の核所見．すりガラス状核，核溝，核内細胞質封入体をみる．
d：同心円状の石灰化よりなる砂粒体．
e：細胞診．Papanicolaou染色．粉末状クロマチン，核内細胞質封入体をみる．

が多発の原因となりうることがわかっている[3]．

4 乳頭癌の亜型

a 濾胞型

濾胞型は濾胞状構造のみからなる乳頭癌である（図2a）．浸潤性もしくは膨張性の増殖を示し，しばしば線維性被膜に囲まれる．乳頭状構造は欠いているが，腫瘍細胞には典型的な乳頭癌の核所見がみられる．大型の濾胞状構造から主に構成される腫瘍は，大濾胞型と呼ぶ．

線維性の腫瘍被膜に囲まれた濾胞型乳頭癌は，被包性濾胞型と呼ばれる．本亜型では乳頭癌の核所見が不十分，または腫瘍の一部にしか観察されない場合があり，濾胞腺腫・腺腫様結節（腺腫様甲状腺腫）との鑑別がしばしば問題となる．腫瘍被膜を貫通する浸潤性増殖や，血管浸潤が認められない被包性濾胞型では転移，再発がほぼないことが知られている．このためWHO分類第4版（2017年）では浸潤性増殖のない被包性濾胞型乳頭癌に対しては癌の名称を用いず「乳頭癌様の核所見を有する非浸潤性濾胞上皮腫瘍」（non-invasive follicular thyroid neoplasm with papillary-like nuclear features：NIFTP）という新規の診断名を採用した[1]．NIFTPの導入について，わが国ではさまざまな議論があり，『甲状腺癌取扱い規約』（第8版，2019年）では正式な診断名として採用されていない．

b 高細胞型

高細胞型は腫瘍の大部分（50％以上）が高円柱状の腫瘍細胞からなる乳頭癌である．高細胞の基準は腫瘍細胞の高さが横幅の3倍以上である．通常型乳頭癌よりも予後不良の亜型とされる．高齢者に多く，甲状腺外進展や遠隔転移の率がより高い．

c 充実型

充実型は充実性，索状，島状の組織構造を主体（50％以上）とし，典型的な乳頭癌の核所見を有する腫瘍である（図2b）．通常型乳頭癌に比べると遠隔転移がやや多く，死亡率もやや高い．本亜型はチェルノブイリ原発事故後の小児甲状腺癌で増加した乳頭癌として知られている．

d びまん性硬化型

びまん性硬化型はリンパ球浸潤と硬化性の線維化を伴い，びまん性に腫瘍が広がる乳頭癌である．10〜20歳代の若い女性に多い．高頻度，広範

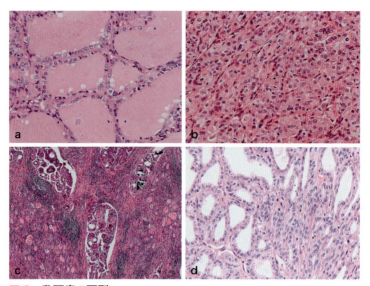

図2　乳頭癌の亜型
a：濾胞型，b：充実型，c：びまん性硬化型，d：篩型．

囲にリンパ節転移がみられ，甲状腺外浸潤，肺転移の頻度が高い．肉眼的には片葉もしくは両葉がびまん性に腫大し，割面は灰白調で，典型的には腫瘍結節が肉眼的に不明瞭である．組織学的には拡張したリンパ洞内に扁平上皮化生，多数の砂粒体を伴う乳頭癌の腫瘍胞巣がびまん性に広がっている（図2c）．間質にはリンパ濾胞の形成を伴う高度のリンパ球浸潤，びまん性の線維化をみる．

e 篩　型

篩型は家族性大腸ポリポーシス（familial adenomatous polyposis：FAP）に関連する遺伝性のものと散発性のものがある．全乳頭癌の約0.5％を占めるまれな亜型で，FAPに合併する頻度は1～2％である．20歳代の若い女性に好発し，リンパ節転移や遠隔転移はきわめてまれである[4]．肉眼的には線維性被膜を有する境界明瞭な結節が多発し，組織学的にはコロイドの乏しい篩状構造を主体とし，濾胞状，乳頭状，充実状，索状の構造が混在する（図2d）．腫瘍細胞は円柱状，立方状，紡錘形と多彩である．紡錘形細胞が渦巻状もしくは桑実状に配列するモルラ構造がしばしば散見される．モルラ構造の中心部分ではビオチンが核内に集積して白く抜けたような淡明核がみられる．本亜型では乳頭癌の核所見が部分的なことが多い．

f その他の亜型

好酸性細胞型は，腫瘍の大部分が好酸性濾胞上皮からなる乳頭癌である．ワルチン腫瘍様型は，乳頭状構造の間質部分に豊富なリンパ球浸潤を伴った乳頭癌で，組織像が唾液腺に発生するワルチン腫瘍に似ていることからこの名称がついている．腫瘍細胞には好酸性変化を伴うことが多い．円柱細胞型は，核の偽重層化を伴った円柱状細胞からなるまれな乳頭癌の亜型である．侵襲性の高い腫瘍として報告されている．『甲状腺癌取扱い規約』（第8版）では，円柱細胞癌（columnar cell carcinoma）として独立した組織型に分類されている．淡明細胞型は，腫瘍の大部分が淡明な細胞質からなるまれな乳頭癌である．淡明な細胞質からなる髄様癌や副甲状腺腺腫，腎淡明細胞癌の転移が鑑別診断となる．ホブネイル型は，鋲釘状の腫瘍細胞が微小乳頭状，乳頭状，濾胞状構造を呈して増殖するまれな乳頭癌である．

5 乳頭癌の細胞診

穿刺吸引細胞診（fine needle aspiration：FNA）では，乳頭癌を高い精度で「悪性」と判定できる．これは乳頭癌が特徴的な核所見によって定義される腫瘍であり，かつ細胞診が核所見の観察に優れた検査法のためである．乳頭癌の細胞集塊は合胞

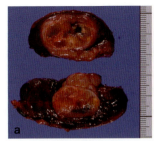
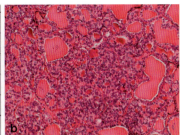
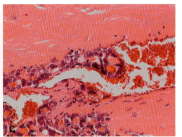
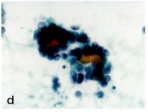

図3　濾胞癌
a：肉眼所見．広範浸潤型．境界明瞭な結節から周囲に腫瘍が浸潤している．
b：小型から中型の濾胞構造の増殖をみる．
c：血管浸潤．
d：細胞診．Papanicolaou染色．核の重積性を伴う小型濾胞，濃縮したコロイドをみる．

性シート状，乳頭状で，濾胞状，散在性，充実性の出現様式をみることもある．乳頭癌細胞の核には核腫大，核形不整，核密度の増加，粉末状クロマチン，小型核小体，核内細胞質封入体，核溝をみる（図1e）．背景には濃縮コロイド，多核巨細胞，砂粒体がみられる．

濾胞癌

1 定義，臨床的事項

濾胞癌（follicular carcinoma）は，濾胞上皮への分化を示す高分化な甲状腺癌で，乳頭癌に典型的な核所見を欠いている[1]．悪性の診断根拠として，被膜浸潤，血管浸潤もしくは転移を認める必要がある．甲状腺癌では2番目に多い組織型であり，全体の5〜10％を占めている．30〜60歳代に好発し，より女性に多い．肺や骨に遠隔転移するが，リンパ節転移はまれである．濾胞癌の少なくとも一部は濾胞腺腫（follicular adenoma）のプログレッションによると考えられている[2]．

2 肉眼像，組織学的所見

厚い線維性腫瘍被膜に囲まれた境界明瞭な充実性腫瘍で，割面は灰白色調〜淡褐色調を呈する．腫瘍径は，2〜4cmもしくはそれ以上である．被膜浸潤，血管浸潤の有無と程度によって微少浸潤型，被包性血管浸潤型，広範浸潤型の3つの浸潤様式に分ける．微少浸潤型は腫瘍被膜がよく保たれた境界明瞭な腫瘍で，被膜浸潤が顕微鏡レベルのもの．血管浸潤は認められない．被包性血管浸潤型は腫瘍被膜がよく保たれた境界明瞭な腫瘍で，血管浸潤を認めるもの．被膜浸潤の有無は問わない．広範浸潤型（図3a）は被膜浸潤が広範で，肉眼レベルで認められるもの．被膜を有しない分葉状の不整形腫瘍の場合もある．血管浸潤の有無は問わない．腫瘍被膜がよく保たれている場合には血管浸潤が高度であっても広範浸潤型にせず，被包性血管浸潤型に分類する．広範浸潤型もしくは血管浸潤が高度な症例では遠隔転移する可能性がより高い．

小型濾胞の単調な増生が濾胞癌の典型的な組織構築パターンである（図3b）．正濾胞状，大濾胞状構造を呈する場合や索状，充実状構造が部分的に混在することもある．腫瘍細胞は立方状，細胞質は好酸性〜両染性を示す．核は小型〜中型の円形で，クロマチンは暗調である．核小体は小型で目立たない．核の大小不同や核形不整を伴い，核溝をみることもあるが，乳頭癌に特徴的な核所見まではみられない．核分裂像は少数みられる．

WHO分類第4版では被膜浸潤，血管浸潤が明確でなく，疑わしい濾胞型腫瘍を境界病変として「悪性度不明な濾胞型腫瘍（follicular tumor of uncertain malignant potential：FT-UMP）と定義しているが，『甲状腺癌取扱い規約』（第8版）ではFT-UMPの概念は採用されていない[1]．

3 被膜浸潤

被膜浸潤とは，厚い線維性の腫瘍被膜を腫瘍が貫通する所見である．腫瘍被膜を完全に貫通して周囲の甲状腺組織に突出すると，しばしばキノコ状の形態を呈する．腫瘍被膜に接して小さな小結節がみられ，組織像も被膜内の腫瘍と同じと判断されるときには被膜浸潤として扱う．被膜浸潤が広範になると，腫瘍被膜は部分的もしくは不明瞭となる．

腫瘍被膜の貫通が不十分な場合や腫瘍被膜内の腫瘍の小胞巣は被膜浸潤としない．まれではあるが穿刺吸引細胞診のアーチファクトで被膜侵襲様の組織像がみられることがある．FNAによる偽浸潤（worrisome histologic alteration following fine needle aspiration：WHAFFT）と呼ばれ，穿刺によって被膜が損傷し，内部の腫瘍成分が被膜外に出ることによって生じる．WHAFFTでは出血，ヘモジデリン沈着，炎症細胞浸潤など穿刺による二次的変化を伴う．

4 血管浸潤

血管浸潤の判定は，腫瘍被膜部分もしくは被膜外で行う．内部の腫瘍から連続して血管内に進展する像，もしくは血管腔内の腫瘍胞巣として観察される．腫瘍胞巣は血管壁に接着し，その表面は血管内皮で覆われている（図3c）．内皮の被覆がなく血栓の付着を伴う場合もある．血管浸潤の程度は予後と相関があり，血管浸潤が4ヵ所以上に認められる場合には再発，死亡率が高くなることが報告されている．血管侵襲の判定において，血管腔かアーチファクトによる空隙かの判断に迷う場合には，血管内皮のマーカーとしてCD31，CD34，ERGなどを免疫染色に用いる．

5 濾胞癌の亜型

a 好酸性細胞型

濾胞癌の20〜30%を占める主要な亜型である．腫瘍の細胞質は広く好酸性，顆粒状で，円形の大型核，明瞭な核小体を有する．小型濾胞構造や充実性構造からなり，コロイド産生は乏しいことが多い．

b その他の亜型

淡明細胞型は，腫瘍の大部分が淡明な細胞質からなる濾胞癌である．粘液型では間質に豊富な粘液貯留がみられる．印環細胞型の腫瘍細胞には大型の核内細胞質空胞と偏在核がみられる．腎淡明細胞癌の甲状腺転移との鑑別にはTTF-1，CD10の免疫染色が有用である．

6 濾胞癌の細胞診

背景にコロイドは乏しく，しばしば出血性である．上皮の採取量は多く，核の重積を伴う小型濾胞構造が単調に出現し，濾胞内には濃縮したコロイドがみられる（図3d）．核は円形，クロマチンは顆粒状，濃染する．濾胞癌では核の重積性がより高度で，N/C比の増大，クロマチンの増加，核小体の明瞭化がみられる傾向がある．好酸性細胞型では細胞質は豊富でライトグリーン好性〜エオジン好性，顆粒状を示し，核は円形で大きく，核小体も目立つ．

細胞診所見で濾胞癌と濾胞腺腫を区別することは困難である．多くの症例で結節内の組織像，細胞像がオーバーラップしており，さらに，細胞診標本では浸潤性増殖（被膜浸潤または血管浸潤）を観察することができないためである．したがって，細胞診で濾胞腺腫や濾胞癌が推定される腫瘍は，あわせて濾胞性腫瘍（follicular tumor/neoplasm）と判定される．

低分化癌

1 定義，臨床的事項

低分化癌（poorly differentiated carcinoma）とは，濾胞上皮への分化を有する侵襲性の高い悪性甲状腺腫瘍であり，予後良好な分化癌と致死的な未分化癌の中間的な臨床病理学的特徴を示す[1]．乳頭癌や濾胞癌などの分化癌に比べると濾胞構造やコロイド産生に乏しく，未分化癌までの細胞異型や構造異型はない．わが国での頻度は1%程度とまれな組織型である．

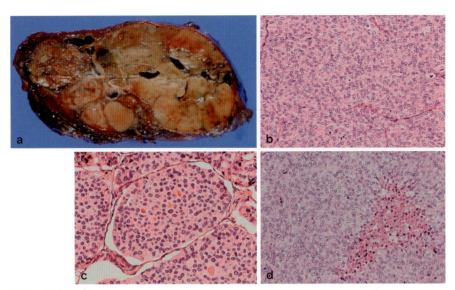

図4 低分化癌
a：浸潤性増殖を伴う不整形腫瘤，b：充実性構造，c：島状構造，d：腫瘍の凝固壊死．

2 肉眼像，組織学的所見

浸潤性増殖を示す腫瘍で，腫瘍性被膜もしばしば伴っている（図4a）．割面は褐色～白褐色調で，しばしば壊死，出血を伴う．分化型甲状腺癌を伴う場合には，コロイド豊富な領域が混在してみられる．

低分化癌において重要な組織所見が，充実構造（solid pattern），索状構造（trabecular pattern），島状構造（insular）であり，その頭文字からSTI成分，もしくは低分化成分と呼ばれる．本腫瘍ではSTI成分が腫瘍の大部分を占めている．充実性構造（図4b）は，腫瘍細胞がシート状に増殖している．島状構造（図4c）では，薄い線維性間質が腫瘍の充実性胞巣を境界明瞭に取り囲み，しばしばアーチファクトによって充実性胞巣の周囲に空隙が生じている．索状構造では，腫瘍細胞が数層の索を形成して配列する．濾胞構造はないか，あっても微小なものである．血管浸潤を高頻度にみる．

腫瘍細胞の核は小型円形で暗調のクロマチンを呈し，核小体は目立たない．乳頭癌を背景に発生した低分化癌では脳回状，もしくはレーズン状と表現される核形不整がみられ，脳回状核と呼ばれる．乳頭癌に特徴的な核所見がそろう場合には低分化癌ではなく充実型乳頭癌に分類する．

核分裂像の増加があり，腫瘍壊死をしばしば伴う．核分裂像については3個以上/10高倍視野の基準が推奨されている[5]．Ki-67（MIB-1）indexは通常10%を超える．低分化癌でMIB-1 indexが低い場合には，良性腫瘍や分化癌の可能性がないか再検討する必要がある．腫瘍壊死（図4d）は島状構造の中心部分に凝固壊死巣としてみられる．

3 低分化癌の細胞診

細胞採取量は豊富で，不規則な重積を伴い，結合性の低い大型集塊が出現する．背景にコロイドは乏しい．N/C比の高い，比較的均一な腫瘍細胞からなる．細胞診の所見から低分化癌を診断することは可能ではあるが，「濾胞性腫瘍」と区別することがむずかしい場合がある．

未分化癌

1 定義，臨床的事項

もっとも予後の不良な侵襲性の高い甲状腺癌である．濾胞上皮に由来する腫瘍で，細胞形態は未分化であるが，免疫染色や電子顕微鏡によって上皮への分化が示される[1]．全甲状腺癌の1～2%を占めている．60歳以上の高齢者にみられ，週～

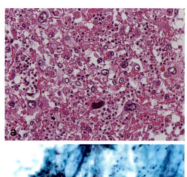
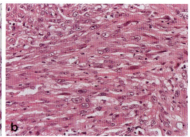
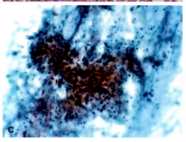

図5　未分化癌
a：多形な腫瘍細胞の増殖からなり，好中球浸潤を伴う．
b：紡錘形の腫瘍細胞の増殖をみる．
c：細胞診，Papanicolaou染色．背景に壊死を伴い，高度の核異型を有する多形な腫瘍細胞が不規則に重積する．

月単位で急速に増大する頸部腫瘤として自覚される．診断時には局所で進行し，遠隔転移をきたしていることが多い．未分化癌の一部に分化型甲状腺癌や低分化癌の成分がしばしばみられ，既存腫瘍のプログレッションによって未分化癌が生じると考えられている[6,7]．

2 肉眼像，組織学的所見

肉眼的には浸潤の高度な不整形腫瘤で，甲状腺周囲の結合組織，筋組織に浸潤が広がっている．腫瘍内部には出血，壊死を伴っている．

濾胞構造はみられず，甲状腺ホルモンの産生はほぼ失われている．腫瘍細胞は類円形，多辺形，紡錘形で，核は大型，巨核，多核など，細胞異型，核異型は著しく高度で多彩である（図5a, b）．扁平上皮への分化もしばしばみられる．核分裂像が多数認められ，壊死や高度の好中球浸潤を伴う．骨，軟骨成分などの間葉系の成分を一部にみることもある．腫瘍の全体が扁平上皮に分化しているものは扁平上皮癌に分類する．未分化癌の67〜88％にTP53変異を認める．免疫染色でのp53のびまん性強発現もしくは完全消失は変異の存在を示す指標となるため，未分化癌の疑いで生検が行われた症例ではp53の免疫染色は有用である．

3 未分化癌の細胞診

背景にコロイドはみられず，好中球を主体とする多数の炎症細胞と壊死物質をみる．腫瘍細胞は細胞結合性の低い不規則重積性の細胞集塊もしくは散在性に出現し，濾胞構造はみられない．細胞形は類円形，多辺形，紡錘形など，細胞の大きさは小型から大型，核は大型，巨核，多核など，細胞異型，核異型は著しく高度で多彩である（図5c）．

髄様癌

1 定義，臨床的事項

髄様癌はカルシトニンを産生するC細胞を由来とする悪性腫瘍であり，甲状腺癌全体の約1〜2％を占めている[1]．髄様癌の約20〜40％が遺伝性である[8]．遺伝性髄様癌には多発性内分泌腫瘍症（multiple endocrine neoplasia：MEN）2型と他の臓器の腫瘍を合併せず髄様癌のみが発症する家族性甲状腺髄様癌（familial medullary thyroid carcinoma：FMTC）とがある（表2）．

髄様癌患者の平均年齢は50歳程度であるが，遺伝性ではより若年で発生する．髄様癌全体ではやや女性優位であるが，遺伝性では男女比に差はない．

表2 甲状腺髄様癌の病型

	RET 点突然変異	随伴病変	全髄様癌中の頻度
散発性（非遺伝性）	体細胞異変（23〜70%）	なし	61%
遺伝性			
MEN 2A	胚細胞変異（95%）	褐色細胞腫，副甲状腺腺腫/過形成	28%
MEN 2B	胚細胞変異（95%）	褐色細胞腫，粘膜下神経腫，Marfan 症候群様体形	3%
FMTC	胚細胞変異（88%）	なし	8%

MEN：多発性内分泌腫瘍症，FMTC：家族性甲状腺髄様癌.

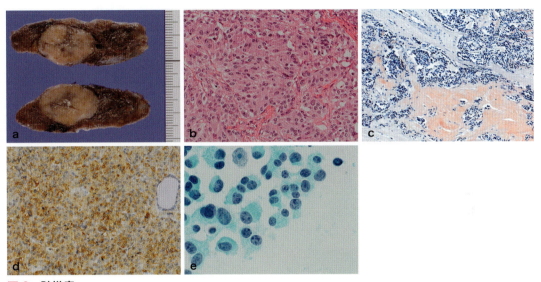

図6　髄様癌
a：肉眼所見．やや光沢のある黄白色調の結節．
b：紡錘形〜類円形の腫瘍細胞が充実性に増殖する．
c：アミロイド染色．腫瘍胞巣間に橙色に染色されるアミロイドを認める．
d：カルシトニンの免疫染色．腫瘍細胞の細胞質にびまん性に陽性．
e：細胞診，Papanicolaou 染色．核が偏在した類円形の腫瘍細胞が孤立性に出現している．ゴマ塩状の核クロマチンをみる．

2 肉眼像，組織学的所見

髄様癌は正常 C 細胞の分布と同じく甲状腺側葉の中部と上部の境界に発生することが多い．遺伝性では両側性，多発性に腫瘍がみられる．割面は硬く，白色〜灰白色（図6a）．腫瘍境界は明瞭であるが，線維性被膜を有することは少ない．出血，壊死をしばしば伴う．

組織学的には腫瘍細胞がシート状，胞巣状の充実性増殖する（図6b）．腫瘍細胞は円形，多辺形，紡錘形で混在することもある．核のクロマチンは，いわゆるゴマ塩状「salt-and-pepper」chromatin で，二核，巨核，核内細胞質封入体をみる．腫瘍内にはアミロイド沈着（図6c），石灰化をしばしば伴う．多発の髄様癌や非腫瘍部の甲状腺に C 細胞過形成をみる場合には，遺伝性髄様癌の可能性を考える．免疫染色ではカルシトニンが C 細胞のマーカーとして用いられる（図6d）．カルシトニン以外では癌胎児性抗原（CEA），シナプトフィジン，クロモグラニン A も髄様癌細胞に陽性となる．

3 髄様癌の細胞診

結合性の乏しい類円形，形質細胞様，紡錘形の細胞が散在性に出現し，核クロマチンは粗顆粒状で，いわゆるゴマ塩状を呈する（図6e）．二核，

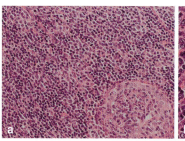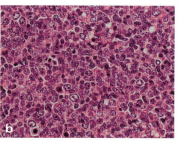

図7　リンパ腫
a：MALTリンパ腫．小型〜中型のリンパ球がびまん性に増殖する．濾胞腔内にはリンパ腫細胞が充満している（MALT ball，右下）．
b：びまん性大細胞型B細胞性リンパ腫．核小体の目立つ大型異型リンパ球がびまん性に増殖する．

多核の細胞も出現する．核内細胞質封入体がみられることもある．細胞質は顆粒状で，May-Grunwald Giemsa（MG）染色では好酸性の細胞質内顆粒を伴う．アミロイドは厚みのある無構造物質としてしばしば観察されるが，濃縮したコロイドとの区別は容易ではない．

リンパ腫

　甲状腺悪性腫瘍の2〜3％にリンパ腫（lymphoma）がみられる．甲状腺には，節外辺縁帯B細胞性リンパ腫（extranodal marginal zone B-cell lymphoma：通称MALTリンパ腫）と，びまん性大細胞型B細胞性リンパ腫（diffuse large B-cell lymphoma：DLBCL）が発生し，その他のリンパ腫はまれである．ほとんどの症例で慢性甲状腺炎（橋本病）を合併しており，経過観察中の甲状腺超音波検査にて低エコー腫瘤として発見されることが多い．細胞診でリンパ腫を疑う異型リンパ球が認められた場合は，生検によって確定診断を行う．
　組織学的には小〜中型のリンパ球が単調に増殖し，リンパ上皮病巣と呼ばれる濾胞の破壊像や濾胞腔内にリンパ腫細胞が充満した像（いわゆるMALT ball）が認められる（図7a）．DLBCLでは核形不整が高度で核小体の明瞭な大型リンパ球のびまん性増殖がみられる（図7b）．

その他の悪性甲状腺腫瘍

1 甲状腺内胸腺癌

　甲状腺内胸腺癌（intrathyroidal thymic carcinoma：ITTC）は，甲状腺内に発生した胸腺癌に類似したまれな甲状腺悪性腫瘍である．1985年にわが国のMiyauchiらが甲状腺内胸腺腫（intrathyroidal thymoma：ITET）の名称で最初に報告した．胸腺様分化を示す癌（carcinoma showing thymus-like differentiation：CASTLE）は同義語である．甲状腺周囲もしくは甲状腺内の胸腺組織が由来と考えられている．中高年にみられ，甲状腺側葉の下極にみられる．扁平上皮様異型細胞の浸潤性増殖からなり，リンパ球浸潤，線維化を伴う（図8a）．胸腺癌と同じく免疫染色にてCD5が陽性となる[9]．

2 胸腺様分化を示す紡錘形細胞癌

　胸腺様分化を示す紡錘形細胞癌（spindle cell tumor with thymus-like differentiation：SETTLE）はきわめてまれな甲状腺癌で，胎児期の胸腺組織に類似した組織像に類似している．紡錘形の上皮細胞の増殖からなり，一部に管状構造や乳頭状構造を伴う．

3 粘表皮癌

　粘表皮癌（mucoepidermoid carcinoma：MEC）は，粘液細胞と扁平上皮細胞の2つの成分からなるまれな甲状腺腫瘍である．高度の線維化，高度の

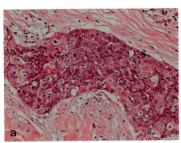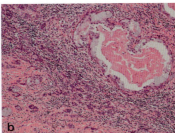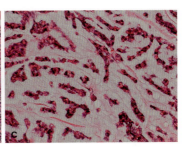

図8 その他の甲状腺癌
a：甲状腺内胸腺癌．扁平上皮様の異型細胞が充実性胞巣を形成して浸潤性に増殖する．腫瘍胞巣間には豊富な膠原線維を伴う．
b：好酸球増多を伴う硬化性粘表皮癌．胞体内に豊富な粘液を有する粘液細胞成分と扁平上皮様成分をみる．豊富な膠原線維を伴う．
c：粘液癌．腫瘍細胞間に豊富な粘液貯留をみる．

好酸球浸潤を伴う粘表皮癌は，好酸球増多を伴う硬化性粘表皮癌（sclerosing mucoepidermoid carcinoma with eosinophilia：SMECE）と診断する（図8b）．いずれも濾胞上皮もしくは鰓後体の遺残に由来すると考えられている．

4 粘液癌

粘液癌（mucinous carcinoma）は，腫瘍細胞外に豊富な粘液貯留が認められるまれな甲状腺腫瘍で，粘液内には腫瘍胞巣が浮遊してみられる（図8c）．腫瘍細胞には TTF-1 が陽性になる[10]．

5 肉　腫

平滑筋肉腫，血管肉腫などの報告例はあるが，甲状腺原発の真の肉腫（sarcoma）はきわめてまれである．未分化癌で紡錘形細胞を主体とするものや骨，軟骨成分を伴うものでは肉腫との鑑別が問題なることがある．免疫染色にてサイトケラチンなどの上皮性マーカーが陽性となれば未分化癌とする．

文献

1) Lloyd RV, et al：Pathology and Genetics of Tumours of Endocrine Organs, 4th Ed., IARC press, Lyon, 2017
2) Kondo T, et al：Pathogenetic mechanisms in thyroid follicular-cell neoplasia. Nat Rev Cancer **6**：292-306, 2006
3) Nakazawa T, et al：Multicentric occurrence of multiple papillary thyroid carcinomas：HUMARA and BRAF mutation analysis. Cancer Med **4**：1272-1280, 2015
4) Akaishi J, et al：Cribriform-morular variant of papillary thyroid carcinoma：clinical and pathological features of 30 cases. World J Surg **42**：3616-3623, 2018
5) Akaishi J, et al：Prognostic impact of the Turin criteria in poorly differentiated thyroid carcinoma. World J Surg **43**：2235-2244, 2019
6) Oishi N, et al：Molecular alterations of coexisting thyroid papillary carcinoma and anaplastic carcinoma：identification of TERT mutation as an independent risk factor for transformation. Mod Pathol **30**：1527-1537, 2017
7) Odate T, et al：Progression of papillary thyroid carcinoma to anaplastic carcinoma in metastatic lymph nodes：solid/insular growth and hobnail cell change in lymph node are predictor of subsequent anaplastic transformation. Endocr Pathol **32**：347-356, 2021.
8) Kameyama K, Takami H：Medullary thyroid carcinoma：nationwide Japanese survey of 634 cases in 1996 and 271 cases in 2002. Endocr J **51**：453-456, 2004
9) Tahara I, et al：Identification of recurrent TERT promoter mutations in intrathyroid rhymic carcinomas. Endocr Pathol **31**：274-282, 2020
10) Kondo T, et al：Mucinous carcinoma（poorly differentiated carcinoma with extensive extracellular mucin deposition）of the thyroid：a case report with immunohistochemical studies. Hum Pathol **36**：698-701, 2005

3. 検査と診断

A 診断に至るまでの検査

　頭頸部癌は，鎖骨から上の頭，頸部に発生する多彩な癌の総称で，具体的には，耳・眼窩・鼻副鼻腔・口腔・咽喉頭・甲状腺・唾液腺・頸部などが対象領域となる．わが国における発生頻度は約4%と希少なものの，近年口腔咽頭癌を中心に増加傾向であること[1]，進行癌が多いことがあげられる．

　その一方で，頭頸部癌治療においては，頭頸部癌治療における問題点としては，生命予後のみならず，治療後の咀嚼・嚥下機能，構音・発声機能，嗅覚・味覚・聴覚・視覚などの感覚機能を中心とした，いわゆる quality of survival（QOS）が重要である．治療内容は，手術，放射線，化学療法をあわせた集学的治療を行うが，支持療法も重要となり，医科歯科連携を中心とした多くの診療科が共同で取り組む場合が多い．また治療中および治療後の機能障害，具体的には呼吸障害，摂食嚥下障害，発声障害，上肢挙上を中心とした四肢運動障害に多職種で担当する必要がある．根治と機能の両立が得られる治療法選択のため，患者自身や生活環境を含めた多面的な評価が必要である．

医療面接（問診）

　従来，問診といわれていた事項は，全人的に患者を捉える重要性が高まり，医療面接といわれるようになってきた．

1 現病歴・自覚症状

　頭頸部癌の自覚症状は，部位によりさまざまであり，疼痛，出血，腫脹，嚥下や構音，呼吸障害など多岐にわたる．その一方で，慢性的なもの，経時的に増悪するものは悪性腫瘍を疑わせるサインとなるため，その症状が「いつ」「どこが」「どのように」「どう変化したか」をしっかりと整理する．症状とともに体重減少の有無，栄養状態，経口摂取量なども確認しておく．嚥下障害をすでに認める場合には，EAT10 などの経口摂取スクリーニングも行う．

2 既往症・合併症

　初診時にはできるだけ十分な既往症・合併症を聴取する．必要に応じ，問診票やテンプレートを使用する．①手術歴，②入院歴，③通院歴，④現在行われている投薬内容（抗凝固・抗血小板薬の内服の有無），⑤照射歴，⑥薬物アレルギーの有無などの項目を系統的に聴取する．内服薬は薬手帳を確認し，容量なども整理しておくとよい．

3 喫煙・飲酒歴

　重複癌の発生リスクや呼吸器疾患の合併，生活習慣病や動脈硬化に基づく疾患が潜在的に存在する可能性があるため，喫煙，飲酒歴（特にフラッシャー）についてはしっかり聴取しておく．術前の禁煙指導は必須である．

4 生活環境

　治療中・後の機能障害の点から個別的な評価が重要であり，退院後の生活や社会復帰の支援となる家族の有無なども含めた患者側の因子について総合的に評価する．特に高齢者においては，身体機能，認知症などの精神疾患の有無，周囲のサポートなどを含めた高齢者総合的機能評価（CGA）スクリーニングである G8 や fTRST などのも行って

表1 ECOGのPerformance Status（JCOGによる日本語訳版）

スコア	定義
0	まったく問題なく活動できる．発病前と同じ日常生活が制限なく行える
1	肉体的に激しい活動は制限されるが，歩行可能で，軽作業や座っての作業は行うことができる 例：軽い家事，事務作業
2	歩行可能で自分の身の回りのことはすべて可能であるが作業はできない．日中の50％以上はベッド外で過ごす
3	限られた自分の身の回りのことしかできない．日中の50％以上をベッドか椅子で過ごす
4	まったく動けない．自分の身の回りのことはまったくできない．完全にベッドか椅子で過ごす

おくとよい[2]．また，治療選択において家族などからの生活支援の可否が影響する場合があるため，家族構成や同居人の有無を確認する．趣味，外出頻度などを聞いておくことも，治療後の生活支援で参考になることがある．若年者においては，職業や将来の社会復帰の具体的希望も聞きながら，治療後の機能障害を予想しながら患者と治療法を相談していく．

全身状態の指標には，Eastern Cooperative Oncology Group（ECOG）のPerformance Status（PS, 表1）[3]やKarnofsky Performance Statusが広く用いられている．

身体所見

頭頸部癌の特徴の1つとして，視診・触診などで診断できることがあげられる．治療前の正確な診断が不可欠であり，粘膜表面は内視鏡検査，深部浸潤は造影CT検査やMRI検査により腫瘍の進展範囲の把握が可能となっているが，手術を想定している場合には，切除安全域を想定した切除ラインを描けるような診断が，放射線治療においても放射線治療医に情報提供できるような腫瘍進展範囲の診察が重要である．初期の癌では白板や紅斑として認め，前癌病変と鑑別が困難な場合がある．進行癌となれば，肉眼的に隆起型，内向型，潰瘍型などの腫瘍発育形態を示す．Narrow band imaging（NBI）やゴール染色で正確に腫瘍の進展範囲が診断できるため，診断の一助とする．深部浸潤については，触診可能な部位では十分に触診を行い，記載する（舌癌における深部浸潤など）．口腔癌においては，義歯を外し診察するが，しばしば疼痛，開口障害などにより，十分な診察ができないこともある．

頸部リンパ節の触診においては，サイズ，硬さとともに可動性も評価する．特に頭尾側方向の可動性は，頸動脈の有無に有用な情報となる．同様に下咽頭，頸部食道癌において椎前筋浸潤がある場合には，laryngeal boxの可動性が消失する．

腫瘍の進展範囲，あるいは神経温存の適否を推定のために，オトガイや頬部の知覚障害，顔面神経麻痺，舌下神経麻痺，軟口蓋麻痺，反回神経麻痺などの神経学的所見の有無も確認する．

病理学的診断

頭頸部癌の90％以上は扁平上皮癌であるが，時に腺癌や悪性リンパ腫などもみられる．扁平上皮癌において，最終診断は生検（切除生検も含む）によるが，甲状腺腫瘍や大唾液腺腫瘍，口腔咽頭の粘膜下腫瘍の形態を示す小唾液腺腫瘍などでは，画像検査と穿刺細胞診検査で臨床診断が行われることが多い．診断，Stage診断のための特殊な検査として，以下があげられる．

1 中咽頭癌におけるp16染色

ヒトパピローマウイルス（HPV）関連中咽頭癌は欧米で70～90％，わが国でも50％程度を認め，HPVは咽頭癌の増加に関与していると考えられる．HPVの検出方法には，In situ hybridization法（ISH法）がもっとも確実な方法であるが，その陽性率の低さと手技の煩雑さからp16免疫染色を代替マーカーとして行う．ポリメラーゼ連鎖反応（PCR）で腫瘍細胞の感染の有無を検出することもあるが，PCR法では，ウイルスゲノムのヒト染色体上ゲノムへの組み込みを見ているわけではなく，腫瘍細胞のウイルス感染の有無を見ているのみであることに注意が必要である．p16陽性中咽頭癌は，化学放射線療法の予後がよいことから，

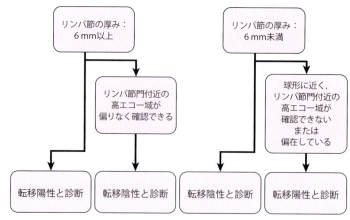

図1 Bモード超音波検査による頭頸部癌頸部リンパ節転移診断基準（案）

[Furukawa M et al：Int J Clin Oncol 15：23-32, 2015をもとに作成]

UICCの第8版[4]における中咽頭癌Stage分類においてもp16染色別に分かれ，原発不明癌頸部リンパ節転移においても，p16染色陽性で診断が変わるなど，頭頸部癌診断に重要な検査である．

2 上咽頭癌における Epstein-Barr encoded RNA-in situ hybridization (EBER-ISH) 法

WHO分類Ⅱ型（非角化型）とⅢ型（未分化癌）の上咽頭癌の発生にはEBウイルスの潜伏感染が関与しているといわれる．上咽頭癌症例では，EBER-ISHによりEBウイルス感染の確認を行うが，原発不明癌頸部リンパ節転移においても，p16染色同様，診断のために重要な検査である．

Stage 診断

Stage診断，深部浸潤の程度を正確に把握するには画像診断は必須である．T分類に深部浸潤評価が必要であり，周囲浸潤のほか，深部浸潤評価を造影CT，造影MRI，エコーで行う．下顎骨浸潤に関しては，下顎骨浸潤に関してはパノラマX線，CT（SEMAR法を含む），MRIも診断の一助となる[5]．特に下顎管（下歯槽神経）と骨破壊箇所の関係を確認し，下顎管付近の浸潤を認めるものは区域切除，それより浅い場合は辺縁切除で検討する．頸部リンパ節転移の評価では造影CTが必須となるがエコーも重要である．遠隔転移あるいは重複癌の評価は造影CTを用いて胸部のみでなく骨盤臓器までの高さまで評価を行う．全身PET/CTも検討する．（各領域に適した評価法については，「第Ⅱ章 診断」を参照）．

所属リンパ節の評価については，触診に加えて，エコー（図1），頭頸部CT，MRIによる評価が必要である．エコーによるリンパ節転移診断においては，リンパ節の厚さ，リンパ門の消失所見などが有用である[6]．

重複癌診断

下咽頭，喉頭，中咽頭，口腔癌では，重複癌の合併頻度が高く，重複先として多いのは，食道，口腔咽頭，胃，肺などである[7]．同時性重複癌が存在した場合に，治療方針の詳細な議論が必要となるため，上部消化管重複癌を合併することが多いことから上部消化管内視鏡検査は必須である．

腫瘍マーカー

頭頸部扁平上皮癌の単独の腫瘍マーカーは確立していない[8]．腫瘍マーカーとしてSCC抗原，CYFRA21-1が用いられるが，いずれも治療前の陽性率は30〜60％にとどまる．治療後の経過観察のモニターとしての有用性が報告されているが，単独で再発の早期発見に明らかに有用であるとす

る証拠は少なく，確立したものではない．

甲状腺癌においては，血中サイログロブリン値が全摘後の病勢は判断のためのマーカーとして用いられる．甲状腺全摘術を受けた患者で，抗サイログロブリン抗体を同時に測定して陰性である場合，血中サイログロブリン測定は再発の早期発見に有用である[9,10]．

全身状態評価

治療の耐久性を確認するために血液検査，心電図，呼吸機能検査，胸部X線検査など一般的な検査を行う．後期高齢者では，生活習慣により，呼吸機能低下，心機能低下，動脈硬化，腎希望低下などにより，手術適応，補液量の問題となることが多くあり，心エコーやホルター心電図，胸部X線，CT，呼吸機能検査による評価も必要なことがある．

発癌要因に喫煙がある頭頸部癌では，慢性閉塞性肺疾患（COPD）などの閉塞性肺障害を有している患者が多い．十分な禁煙指導とともに，必要に応じ呼吸器内科に紹介のうえ，治療前の呼吸器リハビリテーションを行う．

化学療法により，B型肝炎非活動性キャリア，既往感染者が再活性化する可能性がある．そのため化学療法を実施する場合は，HBs抗原測定に加え，HBs抗体，HBc抗体測定も行い，陽性であれば，HBV-DNA量測定による再活性化のリスク診断を行う（HBVに対するスクリーニングはp.110参照）[11]．

歯科的診察

頭頸部癌における治療中の合併症軽減（皮弁再建手術後の感染症や化学放射線療法中の局所，誤嚥性肺炎予防など）のため，治療前から治療中の口腔ケア介入は重要である．頭頸部癌に限らず，癌患者すべてに対して治療前口腔ケアを行うことはがん対策推進基本計画に盛り込まれ，保険適用となっているが，頭頸部癌においては，治療前のみならず，放射線治療中のエピシル処方や治療後の顎骨壊死予防のための継続的な口腔ケア，金属製の歯科補綴物がある場合に放射線治療時に周囲に散乱線が出て，粘膜炎が増悪するため，スペーサーを作成するなどの必要がある．手術後の咬合不全に対する補綴，舌切除後嚥下障害に対する舌接触補助床（PAP），軟口蓋閉鎖不全に対する軟口蓋挙上装置（PLP），上顎欠損に対する顎義歯などが必要となるため，術後の医科歯科連携が必要そうな症例においては，積極的に歯科的診察を依頼する．

文献

1) 頭頸部癌学会：頭頸部悪性腫瘍全国登録，2017年初診症例報告書
2) 石井 亮ほか：頭頸部癌における高齢者機能評価スクリーニングツールの有用性．頭頸部外 28：55-61, 2018
3) ECOGのPerformance Status（PS）[日本語訳]. http://www.jcog.jp/doctor/tool/ps.html（2021年10月参照）
4) Brierley JD, et al (eds.)：TNM Classification of Malignant Tumours, 8th Ed., JOHN WILEY & SONS, LTD., 2017
5) 石田英一ほか：手術に必要な画像診断：口腔・咽頭編 下歯肉・下顎腫瘍切除術．JOHNS 34：583-587, 2018
6) Furukawa M, Furukawa M：Diagnosis of lymph node metastases of head and neck cancer and evaluation of effects of chemoradiotherapy using ultrasonography. Int J Clin Oncol 15：23-32, 2010
7) 斉川雅久ほか：統計からみた頭頸部多重がんの実態．頭頸部腫瘍 29：526-540, 2003
8) Guerra EN, et al：Diagnostic accuracy of serum biomarkers for head and neck cancer：A systematic review and meta-analysis. Crit Rev Oncol Hematol 101：93-118, 2016
9) Giovanella L, et al：Unstimulated highly sensitive thyroglobulin in follow-up of differentiated thyroid cancer patients：a meta-analysis. J Clin Endocrinol Metab 99：440-447, 2014
10) Eustatia-Rutten CF, et al：Diagnostic value of serum thyroglobulin measurements in the follow-up of differentiated thyroid carcinoma, a structured meta-analysis. Clin Endocrinol（Oxf）61：61-74, 2004
11) 坪内博仁ほか：免疫抑制・化学療法により発症するB型肝炎対策：厚生労働省「難治性の肝・胆道疾患に関する調査研究」班 劇症肝炎分科会および「肝硬変を含めたウイルス性肝疾患の治療の標準化に関する研究」班合同報告．肝臓 50：38-42, 2009

B 画像診断

1 総論

　一般に画像診断は，存在診断（病変の有無），質的診断（病変を認めた場合，画像所見から考えられる診断），病期診断（疾患の進展の程度・範囲：TNM分類）に区分される．

　頭頸部癌では，画像検査が施行される時点で病変の存在（存在診断），時には質的診断もすでに明らかな場合も少なくない．これらの状況においては，画像診断には臨床的な存在診断・質的診断の客観的な確認とともに，進展範囲の評価による正確な病期診断が主な目的となる．

　画像診断は，単に撮像された画像検査の所見の解釈のみではなく，どのような時期に，どのような診断モダリティ（CT，MRI，PET，超音波検査）を選択し，どのような撮像プロトコール（造影剤の要否，撮像時相，撮像断面やシークエンス，画像表示条件の設定）で画像を得るのかなどを含めた理解により，初めて臨床に有用な画像情報を最大限に得ることが可能となる．

　以下に，各画像診断モダリティの特徴とともに，頭頸部癌において各領域の代表的評価項目に対して選択すべきモダリティについて概説する．

画像検査モダリティとその特徴

　画像診断には単純X線，CT，MRI，超音波検査，核医学検査，PET/PET-CTなど多くのモダリティが存在する．画像評価には，適切な画像診断モダリティ，適切な撮像プロトコールの選択が必要とされる各モダリティの特徴の理解が望まれる．以下にCT，MRI，超音波検査，PETについて，その特徴を概説する（撮像原理は省略）．

1 computed tomography（CT）

　多列検出器CTの普及により，高い空間分解能の画像を高い時間分解能のもとに撮影可能となった．短時間に広範囲の詳細な画像を得ることができる．（後述のMRIと比較して）多くの施設でほぼ同等の質を保った画像検査が可能であり，頭頸部癌における標準的画像診断モダリティと考えられる．ただし，口腔や中咽頭レベルでは義歯によるアーチファクトでの画質劣化が問題となる．原則として造影剤を投与する．コントラスト分解能はMRI（後述）に劣ることから，非造影CTでの適応は限られる．放射線被曝がある．骨と脂肪の描出に優れるため，皮質骨への浸潤，脂肪で満たされた領域（翼口蓋窩や傍咽頭間隙，傍声帯間隙など）への浸潤の評価に有用である

2 magnetic resonance imaging（MRI）

　コントラスト分解能が非常に高く，多彩な撮像シークエンスにより画像情報は豊富であり，軟部組織内での病変の進展範囲の把握に有用であるが，時間分解能はやや低く（撮影に時間がかかる），高い空間分解能を保つためには撮像範囲の制限があるのが欠点となる．撮像時間が長くなると，頭頸部領域では呼吸，嚥下など体動による画質劣化が問題となる．放射線被曝はない．体内金属の一部は禁忌であり，閉所恐怖症など，検査施行に制限がある．CTと比較すると金属アーチファクトでの画質劣化は軽度であり，口腔，中咽頭病変の評価に有用な場合が多い．

3 超音波検査

　簡便であり，比較的安価である．高い空間分解能による実時間（リアルタイム）性に優れる．超音波の到達する比較的表在性臓器（唾液腺，リンパ節，甲状腺など）に適応が限られる．画像の客観性・再現性に乏しく，評価が術者の経験，技術に大きく依存する欠点がある．

4 positron emission tomography (PET)/PET-CT

糖代謝を利用した機能画像であり，単に形態的変化を捉える他の検査とは異なる．高価であり，検査薬の運搬，調整に制限がある．偽陰性が少ないため病変の否定には有用であるが，偽陽性が多いのが問題となる（すなわち，PET 陰性であれば高い信頼性で病変存在の否定が可能であるが，陽性の場合，腫瘍か非腫瘍性かの区別は困難な場合も多い）．最近は CT との融合（PET-CT）により解剖学的情報が補われ，診断能の向上が図られている．遠隔転移や再発病変の評価に有用である．

頭頸部癌での標準的モダリティ選択と必要な撮像プロトコール

頭頸部癌では原発病変（T 因子）とリンパ節病変（N 因子）の評価がともに重要である．ここでは各領域の代表的な評価項目におけるモダリティ選択について概説する．画像所見の詳細は本章の各領域の項での記載を参照されたい．

1 上咽頭癌

上咽頭癌の原発病変の評価には基本的には造影 MRI が必須とされる．

a 頭蓋底浸潤（T3）

上咽頭癌の頭蓋底浸潤は，CT（通常は骨条件であるが，軟部濃度条件でより明瞭な場合もある）横断像あるいは冠状断像において，骨融解（破壊），骨硬化のいずれの様式も取りうる．後者は容易に見落とす危険があり，注意を要する．MRI では，髄質骨の信号異常・増強効果として検出可能である．

b 頭蓋内進展（T4）

頭蓋内進展は，造影 MRI 横断像および冠状断像が基本となる．

c 眼窩浸潤（T4）

CT，あるいは MRI（T1 強調画像）の冠状断で眼窩内脂肪層の消失の有無を確認する．

d 後側方進展による頸動脈鞘（下位脳神経を含む）浸潤

MRI 横断像が有用と思われるが，CT でもほぼ診断可能である．T1 強調画像，T2 強調画像，造影後など，各撮影は相補的な役割を担う．

e 神経周囲進展

側頭下窩から翼口蓋窩への側方進展により第 V 脳神経第 2～3 枝に浸潤，神経に沿った進展を評価する．一般的には造影 MRI が優れる．横断像，冠状断像で評価する．

2 口腔癌

口腔癌の原発病変は，造影 CT，造影 MRI 両方での評価が望まれる．

a 舌癌の舌基質への深達度

AJCC 第 8 版への改訂により，口腔癌では腫瘍深達度が T 分類に加えられた．これは口腔癌でもっとも重要な予後因子である頸部リンパ節転移と相関することによる．MRI の T2 強調像，造影後 T1 強調脂肪抑制画像が基本となる．一方で，T4s に区分されていた茎突舌筋，舌骨舌筋など，外舌筋浸潤は分類から外された．

b 顎骨浸潤（T4a）

顎骨浸潤は顎骨に対する術式決定のもっとも重要な要素である．CT 骨条件表示では皮質骨，MRI では骨髄内浸潤の範囲の評価に優れる．顎骨浸潤の疑いがある場合は両方での評価が望まれる．

3 中咽頭癌

中咽頭癌の原発病変は造影 CT，造影 MRI 両方での評価が望まれる．

a 舌根部正常解剖

横断像における舌根の正常層状解剖（4 層：気道側から舌根扁桃リンパ組織，粘膜下脂肪層，内舌筋，筋間脂肪層）の同定が浸潤性病変の指摘に重要であるが，造影 CT あるいは MRI の横断像が中心となる．

b 舌根病変評価における矢状断像の有用性

声門上喉頭，喉頭蓋前間隙への浸潤（T2）の評価に有用である．

4 喉頭癌

喉頭癌の原発部位の評価は造影 CT 横断像の軟部濃度，および骨条件での評価がもっとも重要である．喉頭領域は声門に平行な 2 mm スライスの

再構成画像が望ましい．

a 声門下進展
輪状軟骨内面の軟部組織肥厚を確認する．CT横断像軟部濃度あるいは骨条件を表示する．

b 軟骨浸潤
破壊，硬化性変化を確認する．CT横断像で骨条件よりも軟部濃度条件がより有用である．MRIでも診断能はほぼ同等である．CTで判断が困難な場合，MRIは相補的役割がある．

c 粘膜下進展（T3）
喉頭蓋前間隙，傍声帯間隙のCTでの脂肪層消失として同定する．

5 下咽頭癌

下咽頭癌の原発部位の評価は造影CT横断像の軟部濃度，および骨条件での評価がもっとも重要である．下咽頭領域は声門に平行な2 mmスライスの再構成画像が望ましい．

a 梨状窩尖部への進展
下咽頭の粘膜下脂肪層の消失に関して，造影CT横断像で評価する．

b 喉頭軟骨浸潤の評価（T4）
喉頭癌と同様である．

6 頸部リンパ節転移

頭蓋底から胸郭入口部（必要に応じて，上縦隔まで広げる）の範囲において造影CT横断像で評価する．造影MRIでも同等の診断能を示すとされるが，撮像範囲を広げることによる画質劣化（特に空間分解能の低下）が問題となる．検査効率，医療経済的観点からも造影CTが標準的選択となる．主な評価項目はリンパ節の大きさ，形状，辺縁，内部性状（内部低吸収領域の有無）があげられる．ある特定のリンパ節に対するさらなる評価が必要な場合（頸動脈浸潤の有無，切除可否の判断など），領域を限定したMRI撮影が有用な場合がある．

2 上咽頭

上咽頭癌の病期診断は，視診，触診，内視鏡，画像などを用いて総合的に判断されるが，治療方針決定に重要となる病期診断は，CT や MRI などを用いた画像診断が中心となる．画像による腫瘍進展範囲の詳細な描出は，放射線治療の適切な照射範囲設定に直結し，治療成績の改善に寄与することで重要な役割を果たす．

モダリティ選択および撮像プロトコール

上咽頭癌の病期分類を決定する際には，最初に造影 CT が選択されることが多い．原発巣は骨条件を含む 1 mm 程度の再構成スライス厚で横断像と冠状断像を含めた多断面にて評価する．リンパ節転移は頭蓋底から鎖骨上窩までが十分に含まれる全頸部の範囲を再構成スライス厚 3 mm 程度にて満遍なく評価する必要がある．原発巣の評価は，CT だけでなく組織コントラストに優れる造影 MRI での評価が必須である．CT と比較して深部組織への進展，頭蓋底浸潤（特に骨髄内評価），頭蓋内進展の評価に優れ，治療前の正確な局所病期診断決定に寄与し[1]．放射線治療前の評価に MRI を加えることで，CT のみで評価した場合に比べ局所制御率，生存率が向上すると報告されている[2]．MRI は上咽頭癌の治療効果判定，経過観察にも選択される．MRI は 3 mm のルーチンに加え，撮像可能であれば 3D 撮像法による 1～2 mm 厚で任意の多断面再構成を作成し評価することが望まれる．また，拡散強調画像および ADC マップが，治療効果判定や再発病変の評価には有用である．FDG-PET は，リンパ節や遠隔の転移診断，治療効果判定，経過観察における再発診断に用いられ，特に遠隔転移のリスクが高い病変では有用である[3]．体表に近いリンパ節転移病変に対しては頸部超音波検査が選択されることもあるが，上咽頭癌では咽頭後リンパ節転移の頻度が高いこともあり，やはり造影 CT や MRI，FDG-PET が優先される．

画像解剖

上咽頭は鼻腔と中咽頭を結ぶ，前後径約 2～3 cm，長さ約 4 cm 程度の狭い管腔構造であり，両側壁，後上壁，下壁（軟口蓋上面）の亜部位に分けられる．側壁には耳管開口部とそれを囲む耳管隆起，その後方に Rosenmüller 窩があり，耳管（eustachian tube）を介して，中耳腔へと連続している．後上壁は蝶形骨洞や斜台などの頭蓋底骨と連続する．前方は後鼻孔を介して鼻腔と，下方は軟口蓋自由縁レベルで中咽頭と連続する．咽頭頭底筋膜は上咽頭収縮筋を吊り下げる強靱な筋膜で，MRI の T2 強調画像において上咽頭粘膜を裏打ちする低信号帯として描出される．上咽頭癌の腫瘍進展においてある程度バリアとしての役割を担っているが，咽頭頭底筋膜の両側方では耳管軟骨部および口蓋帆挙筋が貫通する欠損部があり，Morgagni 洞と呼ばれ，上咽頭からの腫瘍進展経路の 1 つとして重要である（図 1）[4～6]．深部解剖では，咽頭頭底筋膜と頬咽頭筋膜を越えると，両側方に傍咽頭間隙が，後方には咽頭後間隙が位置する．傍咽頭間隙は口蓋帆張筋とそれに関する筋膜によって前・後茎突区に二分され，後茎突区の一部が頸動脈鞘に相当する．傍咽頭間隙のさらに外側には咀嚼筋間隙が位置する．

臨床上重要な画像所見

上咽頭癌における画像診断のもっとも重要な役割は，正確な病期診断と腫瘍進展範囲の詳細な描出である．上咽頭癌の病期分類は American Joint Committee on Cancer（AJCC）第 8 版によるものが用いられ（「第Ⅱ章-4．TNM 分類」参照）[7]，International Union Against Cancer（UICC）とわが国の『頭頸部癌取扱い規約』（第 6 版補訂版）は基本的に AJCC に準じている[8]．AJCC 第 8 版では，上咽頭癌の T 分類および N 分類に変更が加えられた[7]．

以下に臨床上重要な画像所見について，特に病期分類の決定に重要な所見に絞り概説する．

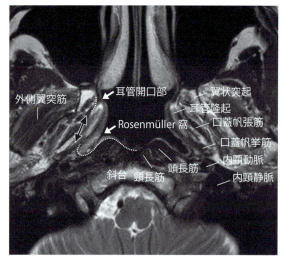

図1 上咽頭癌の病期診断に重要な正常解剖
咽頭頭底筋膜（点線）の側方では耳管軟骨部および口蓋帆挙筋（LVPM）が貫通する欠損部があり，Morgagni 洞（黒矢印）と呼ばれる．

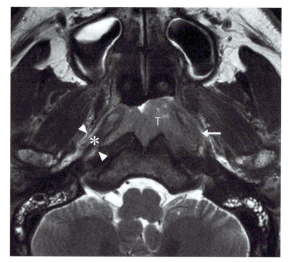

図2 上咽頭癌 傍咽頭間隙進展 T2（MRI，T2強調画像）
MRI T2強調画像において，左 Rosenmüller 窩に中等度の信号強度を示す浸潤性腫瘍（T）を認める．左側では咽頭頭底筋膜や左口蓋帆挙筋の構造が破綻し，腫瘍と同様の信号強度に置換され（矢印），傍咽頭間隙への側方進展を示す所見である．右側の Rosenmüller 窩ではおおむね咽頭頭底筋膜の線状構造と，口蓋帆挙筋（右側＊で示す）周囲の脂肪高信号（矢頭）が保たれているのがわかる．

1 EBV 陽性原発不明癌（T0）

　最新の病期分類では，上咽頭癌の T 分類に新たに T0 が設けられた[7]．画像診断および内視鏡所見において上咽頭に原発が同定されなくても，リンパ節転移から EBV が検出されたものは上咽頭癌（T0）として分類され，N 分類は上咽頭癌と同様の分類が用いられる．

2 画像による上咽頭癌の存在診断

　上咽頭癌は頸部リンパ節転移を契機として発見されることも多く，画像による上咽頭癌の同定は不要な頸部郭清術を回避できる可能性がある点において意義が高い．上咽頭癌の検出には造影 MRI が有用とされ，特異度は内視鏡と同等で，感度は内視鏡より高く[9]，内視鏡で同定困難な上咽頭癌の 12% は MRI で指摘可能であったと報告されている[10]．MRI において Rosenmüller 窩の非対称性の形態変化，腫瘍性病変に裏打ちされる深部の線状増強効果の破綻（早期の浸潤性変化を疑う所見）などの所見が重要である[9,10]．

3 Morgagni 洞を介した傍咽頭間隙進展（T2以上）

　上咽頭癌の好発部位は Rosenmüller 窩であり，そこから Morgagni 洞を経由した側方進展は，上咽頭癌の腫瘍進展様式を理解するうえで重要である（図2）．咽頭頭底筋膜内にとどまる病変は T1 に区分されるが，いったん，咽頭頭底筋膜を越えて側方進展を認めると T2 に区分され，腫瘍進展における1つのバリアを越えたことを意味するため，さまざまな方向への深部進展の起点となりうる．傍咽頭間隙は頭蓋底下端に接する関係から頭蓋底浸潤（T3 因子）の経路となる（図3）．前側方への進展では，翼口蓋窩や卵円孔への進展を経由し，神経周囲進展による頭蓋内進展（T4）の経路となる（図4）．また，後側方への進展では，傍咽頭間隙後茎突区（頸動脈鞘）へ浸潤して，同間隙に含まれる下位脳神経障害を生じうる（T4）．

4 頭蓋底浸潤（T3以上）

　上咽頭は頭蓋底と広く接しているため，比較的

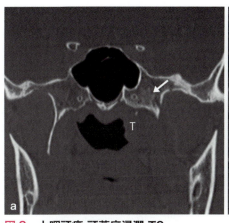
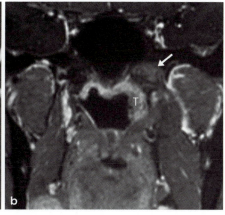

図3　上咽頭癌　頭蓋底浸潤 T3
a：CT 骨条件冠状断像．上咽頭原発巣（T）に接する左翼状突起基部に骨硬化像（矢印）を認める．骨皮質の破壊像は明らかではない．T：原発巣
b：MRI 脂肪抑制併用造影 T1 強調画像．CT にて骨硬化像を示した領域に一致し，造影 T1 強調像において増強効果を認め（→），早期の頭蓋底浸潤を示唆する．

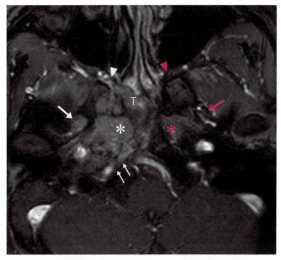

図4　上咽頭癌　複数の経路を介した頭蓋内進展 T4
MRI 脂肪抑制併用造影 T1 強調画像．右 Rosenmüller 窩から後上壁を主体とする上咽頭癌（T）を認め（未掲載），右破裂孔（白＊）周囲の頭蓋底（斜台や翼状突起基部）を介した直接浸潤と，右卵円孔（下顎神経，白→）や右翼口蓋窩（上顎神経，白矢頭）を介した神経周囲進展が認められる．斜台後方では硬膜に達する頭蓋内進展が認められる（白小→）．赤＊：左破裂孔，赤→：左卵円孔，赤矢頭：左翼口蓋窩．

CT による骨破壊や骨硬化，MRI の T1 強調像で骨髄脂肪髄の高信号消失と造影 T1 強調像での増強効果により診断される（図3）．頭蓋底浸潤を見逃さない画像診断のポイントとしては，破裂孔周囲の骨構造（錐体骨，斜台，翼状突起基部，蝶形骨体部）に注意して読影することが重要である．また，上咽頭後上壁に進展した病変は蝶形骨体部（蝶形骨洞底部）への浸潤をきたしやすく，いずれも横断像と冠状断像（骨条件 1 mm スライス）が観察しやすい．上咽頭癌は明瞭な骨破壊を伴わない骨梁間型の頭蓋底浸潤を認めることも多い（図3）[11]．

5 頭蓋内進展（T4）

上咽頭癌が頭蓋内（多くが海綿静脈洞）に達すると T4 に区分される．上咽頭癌における頭蓋内進展の様式は，大きく分けて直接浸潤と神経周囲進展があり，頭蓋内進展を示す上咽頭癌の 60％以上は 2 つ以上の経路をとる（図4）[12]．部位として卵円孔がもっとも多く，破裂孔，正円孔と続く[12]．

直接浸潤による頭蓋内への進展は，上咽頭 Rosenmüller 窩の直上の破裂孔周囲の頭蓋底（斜台や錐体骨）を経由した浸潤が多い（図4）．MRI において腫瘍との連続性を有する中頭蓋窩硬膜の肥厚を認めた場合に頭蓋内進展と判断する．頭蓋内に進展し海綿静脈洞に浸潤を認めた際には，同部位を走行する脳神経（Ⅲ，Ⅳ，Ⅴ1，Ⅴ2，Ⅵ）障害の

早期の上咽頭癌でも高頻度で頭蓋底浸潤を伴い，その場合は T3 以上に区分される．頭蓋底浸潤の診断には造影 MRI が優れるが，骨皮質の評価は CT 骨条件が有用で，可能な限り両者を併用して評価する[11]．頭蓋底浸潤を示す画像所見としては，

原因となることから，臨床所見との慎重な対比が必要である．

　神経周囲進展（perineural spread）は，神経の走行に従い神経内膜・神経周膜や神経鞘に沿って神経周囲腔（perineural space）などに播種する進展様式である．上咽頭癌では，三叉神経の下顎神経（V3）・上顎神経（V2）と，その分枝の走行に沿った進展がほとんどである[13, 14]．画像所見としては，MRIのT1強調画像において神経周囲の正常脂肪高信号の消失，神経の走行に沿った増強効果を示す軟部腫瘤の存在（図4），神経孔の開大によって証明される．特に臨床的に神経症状を欠く上咽頭癌でも，MRI（特に脂肪抑制造影T1強調画像）で神経周囲進展の所見を有する頻度は高く[15]，それらを正確に指摘することは，放射線治療における照射範囲の決定を行ううえで重要である．

6 リンパ節転移（N因子）

　上咽頭癌におけるN分類は，他の頭頸部癌のそれとは異なった分類が用いられている．上咽頭癌の85〜90％は頸部リンパ節転移をきたし，50％で両側性で，その分布は咽頭後リンパ節（69％），レベルⅡ（70％），レベルⅢ（45％），レベルⅤ（27％），レベルⅣ（11％）と報告されている[16]．下頸部（輪状軟骨下縁より下方）に転移を認める場合には遠隔転移のリスクが高いことから導入化学療法の適応が検討されるため，N3に分類される．

7 遠隔転移（M因子）

　上咽頭癌は他の領域の頭頸部扁平上皮癌に比べ初診時の遠隔転移の発生率が比較的高く，治療後の再発形式としても最多である．遠隔転移先として，骨，肺，肝，縦隔リンパ節が多く，また，遠隔転移は98％が3年以内に生じる[17]．遠隔転移の診断にはFDG-PETがもっとも有用であるが，肝転移の検出は造影CTなど，他のモダリティでの精査が必要とされている[3]．

文 献

1) Liao XB, et al：How does magnetic resonance imaging influence staging according to AJCC staging system for nasopharyngeal carcinoma compared with computed tomography? Int J Radiat Oncol Biol Phys 72：1368-1377, 2008
2) Chang JTC, et al：Nasopharyngeal carcinoma with cranial nerve palsy：the importance of MRI for radiotherapy. Int J Radiat Oncol Biol Phys 63：1354-1360, 2005
3) Xu C, et al：Optimal modality for detecting distant metastasis in primary nasopharyngeal carcinoma during initial staging：a systemic review and meta-analysis of 1774 patients. J Cancer 8：1238, 2017
4) 尾尻博也：頭頸部癌の画像診断．頭頸部癌 35：234-239，2009
5) 久野博文：上咽頭．頭頸部のCT・MRI，第3版，尾尻博也ほか（編），メディカル・サイエンス・インターナショナル，東京，p543-584, 2019
6) 尾尻博也：上咽頭．頭頸部の臨床画像診断学，第4版，南江堂，東京，p261-306, 2021
7) Amin MES, et al：Cancer AJCo. AJCC Cancer Staging Manual, 8th Ed., Springer, NewYork, 2017
8) 日本頭頸部癌学会（編）：頭頸部癌取扱い規約，第6版補訂版，金原出版，東京，2019
9) King AD, et al：Primary nasopharyngeal carcinoma：diagnostic accuracy of MR imaging versus that of endoscopy and endoscopic biopsy. Radiology 258：531-537, 2011
10) King AD, et al：Detection of nasopharyngeal carcinoma by MR imaging：diagnostic accuracy of mri compared with endoscopy and endoscopic biopsy based on long-term follow-up. AJNR Am J Neuroradiol 36：2380-2385, 2015
11) Hiyama T, et al：Bone subtraction iodine imaging using area detector ct for evaluation of skull base invasion by nasopharyngeal carcinoma. AJNR Am J Neuroradiol 40：135-141, 2019
12) Liang SB, et al：Extension of local disease in nasopharyngeal carcinoma detected by magnetic resonance imaging：improvement of clinical target volume delineation. Int J Radiat Oncol Biol Phys 75：742-750, 2009
13) Ojiri H：Perineural spread in head and neck malignancies. Radiat Med 24：1-8, 2006
14) Chong VF, et al：Nasopharyngeal carcinoma with intracranial spread：CT and MR characteristics. J Comput Assist Tomogr 20：563-569, 1996
15) Cui CY, et al：Trigeminal nerve palsy in nasopharyngeal carcinoma：correlation between clinical findings and magnetic resonance imaging. Head Neck 31：822-828, 2009
16) Ho FC, et al：Patterns of regional lymph node metastasis of nasopharyngeal carcinoma：a meta-analysis of clinical evidence. BMC Cancer 12：98, 2012
17) Li AC, et al：Distant metastasis risk and patterns of nasopharyngeal carcinoma in the era of IMRT：long-term results and benefits of chemotherapy. Oncotarget 6：24511-24522, 2015

3 口腔

口腔癌の病期診断・治療選択において画像診断は有用な情報を提供する．本項では選択すべきモダリティや撮像プロトコール，正常画像解剖，画像診断を概説する．

モダリティ選択および撮像プロトコール

口腔癌の画像評価には単純X線写真，CT，MRI，超音波検査，PET/CTなどが用いられる．口腔領域のCTではしばしば金属アーチファクトが問題となる．原発病変評価に関しては高い組織分解能を有するMRIが進展範囲をより明瞭に描出する．表1に一般的な撮像プロトコールを示す．

画像解剖

口腔領域の画像解剖をMRIのT2強調像にて示す（図1）．『頭頸部癌取扱い規約』で規定されている各亜部位を画像で示す．

臨床上重要な画像所見

画像情報は口腔癌の病期診断，治療計画，予後因子としての重要な要素となる．以下に解説する．

1 深達度（depth of invasion：DOI）

『頭頸部癌取扱い規約』（第6版補訂版），AJCC Cancer Staging Manual 第8版改訂版（以下，新規約）においてはT分類に深達度が追加された[1,2]．新規約では病理学的測定方法のみが記載され，治療前評価，放射線学的評価方法は明記されていない[1,2]．病理組織での深達度の測定では冠状断の標本作成が推奨されていることから[3]，放射線学的深達度もそれに準ずることが望ましいと考えるが，各施設で病理医と確認のもと組織切片の割断方向とあわせることが重要となる．自施設では新規約における病理での計測方法にならい，T2強調像や造影後T1強調像，造影CTの冠状断像において病変に隣接する正常粘膜と腫瘍との境界部分からの水平基準線を設定，基準線から垂直方向での病変の最深部を深達度と規定している（図2a）[4~8]．病理と同様に潰瘍部分や外方性発育を示している領域は深達度としては評価しない（図2）．MRI上の深達度は病理と相関があり（相関係数＝0.58～0.68），T2強調像や造影後T1強調像などによる計測値は病理より2～3 mmほど大きい[4~7]．MRI，T2強調像や造影後T1強調像による計測値から2～3 mm差し引くことにより深達度が推定可能と考えられる．造影CT上の深達度は病理と相関があり（r＝0.74），造影CTによる計測値は病理より2 mmほど大きい[6]．造影CTによる計測値から2 mmほど差し引くことで深達度が推定可能と考えられる．術中超音波検査の相関は高く（相関係数＝0.95），画像と病理との深達度の差は約0.2 mmとされる[9]．舌癌の茎突舌筋，舌骨舌筋浸潤のMRI

表1 口腔癌におけるCT，MRIの撮像プロトコール

CT
　頭蓋底から胸郭入口部までの範囲を撮像
　原発病変の評価（口腔領域を中心としての画像再構成）
　　・造影CT横断像・冠状断像（3 mm以下）軟部濃度条件および骨条件（適宜矢状断像を追加）
　頸部リンパ節病変の評価（頸部全体の画像表示）
　　・頸部全体（頭蓋底から胸郭入口部）の造影CT（3 mm）
MRI
　基本的には口腔領域に絞る撮像範囲を設定（スライス厚・間隔3～4 mm，FOVは15 cm程度）
　　・T1・T2・造影後脂肪抑制T1強調像の横断像および冠状断像
　　・DWI（拡散強調像）・ADC map

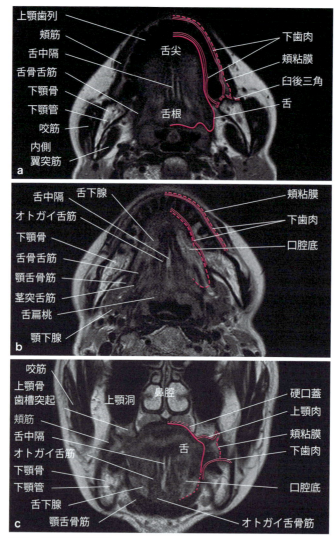

図1 正常画像解剖
a：T2強調横断像，b：T2強調横断像，c：T2強調冠状断像．

所見（図3a）がみられる場合の深達度は7mm以上であることが多く[4]，NCCNが予防的頸部郭清術を推奨する3mm[10]より大きい可能性が高い．MRI，T2強調像において頰粘膜癌の頰間隙脂肪層への浸潤（図3b）がみられる場合の深達度は6mm以上，頰筋への浸潤がみられる場合の深達度は5mm以上であることが多い[8]．舌癌や頰粘膜癌，口腔底癌が臨床的に証明されていても，MRIで描出されない表層性低容積病変がしばしば存在し（図3c），その場合の舌癌の深達度の平均は1.7mm[5]で3mm以下の可能性が高く，頰粘膜癌では深達度が1mm以下[8]，口腔底癌では深達度が3mm以下[11]であることが多い．

2 顎骨浸潤

口腔癌では基本的にはT4aに区分される点，顎骨切除の術式決定に影響する点，下歯槽神経に沿った神経周囲進展の危険性において重要である．同所見の評価において画像の果たす役割は大きいが，顎骨骨髄炎による所見の修飾もしばしばであり，確定的判断が困難な症例も多い．CTでは骨皮質，MRIでは骨髄腔の評価に優れる[12]．CT所見では早期には骨皮質の不整や途絶（図4b），骨破壊としてみられる[12,13]．3mmスライスのCT骨条件表

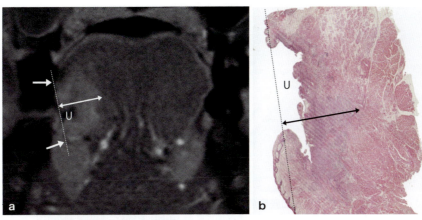

図2 深達度の計測（MRIと病理）
a：造影後脂肪抑制T1強調冠状断像．病変に隣接する正常粘膜と腫瘍との境界部分（矢印）からの水平基準線（点線）を設定，基準線から垂直方向での病変の最深部までを深達度（両矢印）と規定する．潰瘍部分はUで示す．
b：病理標本，HE染色（a）．病変に隣接する粘膜基底膜を結んだ水平基準線（点線）を設定，その基準線から垂線を引き，病変の最深部までを深達度（両矢印）と規定する．潰瘍部分はUで示す．

[Baba A, et al：Eur J Radiol 118：19-24, 2019 より許諾を得て改変し転載]

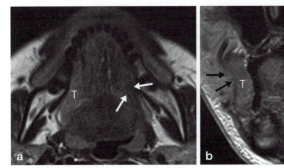 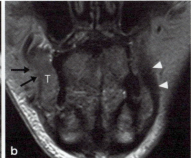 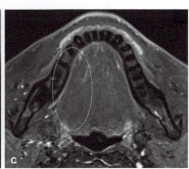

図3 深達度と関連するMRI所見
a：舌癌の茎突舌筋，舌骨舌筋浸潤
T2強調横断像．舌右側に浸潤性腫瘍性病変（T）を認め，左茎突舌筋/舌骨舌筋の不明瞭化（正常の左茎突舌筋・舌骨舌筋を矢印で示す）を認め，浸潤を示唆する．
b：頬粘膜癌の頬間隙脂肪浸潤
T2強調冠状断．右頬粘膜に浸潤性腫瘍性病変（T）を認める．右頬筋（正常の左頬筋を矢頭で示す）を介した頬間隙脂肪への進展（矢印）を認める．
c：MRIで検出できない舌癌
造影後脂肪抑制T1強調横断像．臨床的，病理学的に診断されている右舌縁（点線円内）の病変は確認できない．

示での評価において感度は96％，特異度は87％との報告がある[14]．MRIでは骨皮質浸潤は皮質に相当する低信号帯の途絶としてみられ（図5），骨髄病変はT1強調像（図5a）で正常脂肪髄の高信号を置換する低信号病変，造影剤投与によって増強効果（図5b）を示す[12]．MRI所見の感度は高いが特異度は低く，低い特異度には主に骨髄炎による偽陽性が影響している[13]．T1強調画像で正常脂肪髄の高信号が保たれている場合，高い信頼性で顎骨浸潤は否定される（陰性的中率は高い）[13]．

3 神経周囲進展

神経鞘に沿って播種をする転移様式であり，時にskip lesionとして遠隔部の病変としてみられ，予後や治療計画に大きな影響を与える．口腔癌では三叉神経（主にV2, V3とこれらの枝，三叉神経

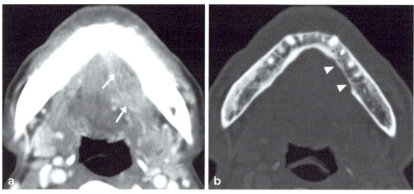

図4　骨皮質浸潤を示す左口腔底癌
a：造影CT横断像．左口腔底に浸潤性軟部濃度腫瘤（矢印）を認め，口腔底癌を示す．
b：骨条件CT横断像．腫瘤に隣接する下顎骨舌側の皮質の不整（矢頭）を認め，骨皮質への浸潤を示唆する．

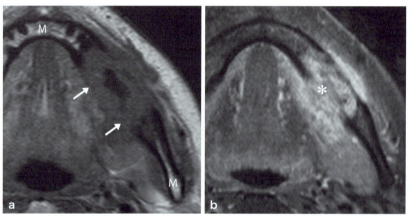

図5　下顎骨骨髄浸潤を示す左下歯肉癌
a：T1強調横断像．下顎骨左体部に浸潤性破壊性変化を認め，健常部で確認可能な正常脂肪髄の高信号（M）を置換する低信号病変（矢印）を認める．舌側および頰粘膜側において皮質を示す低信号帯の途絶を伴う．
b：造影後脂肪抑制T1強調横断像．腫瘍は不整な増強効果（＊）を示す．

本幹）の病変の評価が必要となる．画像所見としては神経の不整な肥厚や増強効果，神経の通過する孔の拡大，神経の走行する領域での組織層消失を示す[12,13]．造影MRIが評価にもっとも優れるとされる[15]．以下に代表的な罹患神経とその所見を解説する．

a　V2

1）大口蓋神経

神経末梢部の病変では硬口蓋口腔面両外側縁の溝の脂肪層の消失（CTあるいはT1強調横断像，冠状断像）（図6a）を示す．中枢側では大口蓋孔の拡大，時に頭側に連続して翼口蓋管の拡大・増強効果・脂肪層の消失を示す[12,13]．CT骨条件，造影後MRIの所見が有用である．主に硬口蓋癌，上歯肉癌でみられる[15]．

2）V2本幹

翼口蓋窩の脂肪層の消失（CTあるいはT1強調横断像，冠状断像）・同部の増強効果（図6b），翼口蓋窩の拡大（CT骨条件）として現れる．中枢ではCT冠状断骨条件での正円孔の拡大，増強効果として確認される．既述の口蓋神経病変の中枢側への播種によりしばしば認められる．

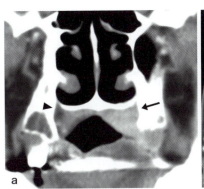
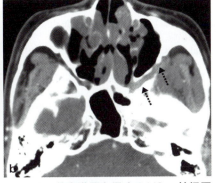

図6 大口蓋神経,左後上歯槽神経を介して翼口蓋窩進展を呈するV2の神経周囲進展
a:造影CT冠状断像.左大口蓋神経の走行する硬口蓋口腔面左外側縁の脂肪層の消失(矢印)を認める.右側(矢頭)では脂肪濃度が正常に保たれている.
b:造影CT横断像.左後上歯槽神経(V2)に沿った軟部濃度および翼口蓋窩の脂肪層消失(点線矢印)を認め,大口蓋神経からV2本幹への神経周囲進展を示す.

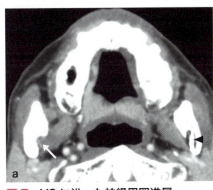
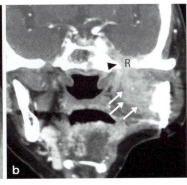

図7 V3に沿った神経周囲進展
a:造影CT横断像.右下顎孔の脂肪層の消失(矢印)を認め,下顎神経(V3)に沿った神経周囲進展を示す.対側には下顎孔に一致する正常の脂肪層(矢頭)あり.
b:別症例.造影CT冠状断像.三叉神経(V3)の走行に沿った不整な増強効果を示す索状腫瘤(矢印)を認め,神経周囲進展を示す.拡大した卵円孔(矢頭)を介して,頭蓋内への進展(R)を伴う.

b V3

1)下歯槽神経

多くは口腔癌の下顎骨浸潤の下顎管到達により生じる.CT骨条件で下顎管拡大を認める場合あり.MRIでの神経の肥厚・増強効果の所見は感度が高いが[15],炎症による偽陽性が多い[16].中枢への進展により下顎枝内側の下顎孔に接する脂肪層の消失(CTあるいはT1強調横断像,冠状断像)(図7a),下顎孔の拡大(CT骨条件)を示す.下歯肉癌,臼後三角癌で主にみられる.

2)舌神経

舌下間隙から下顎骨体部・角の内側から後上方,内・外側翼突筋の間に向かう索状腫瘤として,横断像,冠状断像で描出される.主に舌癌,口腔底癌,下歯肉癌で注意を要する.

3)V3本幹

内側および外側翼突筋の間から外側翼突筋後面筋膜下のV3本幹走行経路に一致した索状腫瘤(図7b),上記の内・外翼突筋間脂肪層の消失としてみられる.腫瘤は造影後T1強調像,脂肪層消失はCT,T1強調像での評価が有用である[12,13].中枢側では卵円孔の拡大・内部増強効果(図7b)として認められる.既述の下歯槽神経,舌神経の病変の中枢への播種により認められる.

文献

1) 日本頭頸部癌学会（編）：頭頸部癌取扱い規約，第6版補訂版，金原出版，東京，2019
2) Amin MB, et al：AJCC cancer staging manual, 8th Ed., Springer, New York, 2018
3) 日本口腔腫瘍学会（編）：口腔癌取扱い規約，第2版，金原出版，東京，2019
4) Baba A, et al：Magnetic resonance imaging findings of styloglossus and hyoglossus muscle invasion：relationship to depth of invasion and clinical significance as a predictor of advisability of elective neck dissection in node negative oral tongue cancer. Eur J Radiol **118**：19-24, 2019
5) Baba A, et al：Undetectability of oral tongue cancer on magnetic resonance imaging；clinical significance as a predictor to avoid unnecessary elective neck dissection in node negative patients. Dentomaxillofac Radiol **48**：20180272, 2019
6) Baba A, et al：Usefulness of contrast-enhanced CT in the evaluation of depth of invasion in oral tongue squamous cell carcinoma：comparison with MRI. Oral Radiol **37**：86-94, 2021
7) Baba A, et al：Radiological approach for the newly incorporated T staging factor, depth of invasion（DOI）, of the oral tongue cancer in the 8th edition of American Joint Committee on Cancer（AJCC）staging manual：assessment of the necessity for elective neck dissection. Jpn J Radiol **38**：821-832, 2020
8) Baba A, et al：Correlation between the magnetic resonance imaging features of squamous cell carcinoma of the buccal mucosa and pathological depth of invasion. Oral Surg Oral Med Oral Pathol Oral Radiol **131**：582-590, 2021
9) Yoon BC, et al：Comparison of Intraoperative sonography and histopathologic evaluation of tumor thickness and depth of invasion in oral tongue cancer：a pilot study. AJNR Am J Neuroradiol **41**：1245-1250, 2020
10) NCCN Clinical Practice Guidelines in Oncology Head and Neck Cancers v.1. https://www.nccn.org/profe ssion als/physician_gls/pdf/head-and-neck.pdf（2021年2月参照）
11) Baba A, et al：Assessment of squamous cell carcinoma of the floor of the mouth with magnetic resonance imaging. Jpn J Radiol **39**：1141-1148, 2021
12) Trotta BM, et al：Oral cavity and oropharyngeal squamous cell cancer：key imaging findings for staging and treatment planning. Radiographics **31**：339-354, 2011
13) Tshering Vogel DW, et al：Cancer of the oral cavity and oropharynx. Cancer Imaging **10**：62-72, 2010
14) Mukherji,SK, et al：CT detection of mandibular invasion by squamous cell carcinoma of the oral cavity. Am J Roentgenol **177**：237-243, 2001
15) Arya S, et al：Oral cavity squamous cell carcinoma：role of pretreatment imaging and its influence on management. Clin Radiol **69**：916-930, 2014
16) Imaizumi A, et al：A potential pitfall of MR imaging for assessing mandibular invasion of squamous cell carcinoma in the oral cavity. Am J Neuroradiol **27**：114-122, 2006

4 中咽頭

中咽頭癌では AJCC[1]，『頭頸部癌取扱い規約』[2] による TMN 分類が用いられるが，この中で CT，MRI，あるいは PET/CT など画像診断が重要な役割を果たす．また，20〜30％の症例で食道癌や胃癌，他領域の頭頸部癌などの同時性・異時性重複癌がみられ，これらに対する評価も治療計画において重要な要素（画像診断での評価項目）となる．

T1〜3 病変は原発病変の大きさにより区分されるのに対して，T4（T4a/b）病変はある特定の領域・構造への浸潤の有無により判断される．理学的所見のみでは判断が困難な粘膜下進展，深部浸潤の有無，範囲の把握に関し，CT，MRI は客観性，再現性の高い重要な情報の提供が可能であり，T4病変に相当する因子の評価において必要不可欠である．本項では原発病変（T 因子）における（治療前）画像診断を概説する．

中咽頭領域の画像解剖を MRI の T2 強調画像にて示す（図 1，2）．

モダリティの選択および撮像プロトコール

T 因子の評価に関しては，主に造影 CT，MRI が選択される．CT は骨皮質への浸潤の評価に優れるが，義歯などによるアーチファクトの影響が強く，しばしば評価が困難となる．これに対し MRI は時間分解能や検査効率の点で CT に劣るが，軟部組織の組織コントラストが高く，歯科金属のアーチファクトの影響が弱いこともあり，CT と MRI は相補的役割を担っている．一般には造影 CT でアーチファクトにより十分な評価が困難な場合，骨髄内，頭蓋内への進展，（CT では腫瘍とコントラストのつきにくい）筋などへの浸潤の有無などのより詳細な評価が必要な場合などに造影 MRI の適応が考慮される[3]．

通常は横断像および冠状断像での評価が基本となるが，舌根癌の尾側での喉頭蓋谷，声門上喉頭（喉頭蓋前間隙）への浸潤の有無の評価には矢状断像が有用である[4]．

画像所見

中咽頭癌は CT では中等度の増強効果を呈する浸潤性軟部濃度腫瘤として認められ，進展に伴い周囲脂肪層・組織層の破壊を示す．造影不良域の混在としてみられる壊死所見は中咽頭癌では比較的まれとされる．MRI では T1 強調像では骨格筋に類似する低信号，T2 強調像では中等度からやや高信号を呈する浸潤性腫瘤としてみられ，造影後T1 強調像では中等度の増強効果を呈する（造影後 T1 強調像では脂肪抑制が有用な場合もある）．拡散強調像では高信号領域としてみられるが，正常の口蓋扁桃，舌扁桃なども高信号を呈することから，必ずしも確定的所見とはならない．以下に各亜部位での癌の画像診断の要点を記載する．

1 扁桃癌（図 3，4）

扁桃癌は中咽頭側壁，口蓋扁桃の不整な肥厚・腫瘤としてみられるが，深部浸潤のない低容積病変では指摘（存在診断）の困難な場合もしばしばである．軽度の（生理的範囲内での）非対称性の所見は偽陽性が多く，粘膜面の異常や頸部リンパ節腫大のない扁桃の非対称性腫大において扁桃癌存在の頻度は約 5％に過ぎない[5]．横断像上，側方に隣接する傍咽頭間隙の脂肪濃度・信号の消失，MRI，T2 強調像で咽頭収縮筋に相当する低信号帯の途絶（図 4）などが病変の浸潤性を反映し，扁桃癌を示唆する（炎症の波及でも類似したところ見を示すことから，理学的所見などとの対比が必要である）．頭側の上咽頭側壁から頭蓋底への進展に対しては冠状断での評価が有用な場合もある．

2 前口蓋弓癌（図 5）

前口蓋弓は横断像において，CT では口蓋扁桃前方のヒダ状軟部濃度，MRI の T2 強調像では（前口蓋弓に相当する）口蓋舌筋による線状低信号構造として確認される．前側方では臼後三角に進展，同部では容易に下顎枝前面への顎骨浸潤をきたす．骨への浸潤は CT では皮質の途絶，脂肪髄を示す

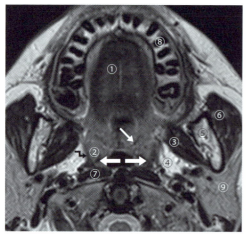

図1　中咽頭レベル，MRI T2強調横断像
①舌，②口蓋扁桃，③内側翼突筋，④傍咽頭間隙，⑤下顎骨枝，⑥咬筋，⑦椎前筋，⑧上顎骨，⑨耳下腺．細矢印：前口蓋弓，太矢印：後口蓋弓，カギ線矢印：咽頭収縮筋．

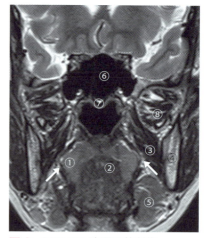

図2　MRI T2強調冠状断像
①口蓋扁桃，②舌，③内側翼突筋，④下顎骨，⑤顎下腺，⑥蝶形骨洞，⑦上咽頭，⑧外側翼突筋．矢印：咽頭収縮筋．

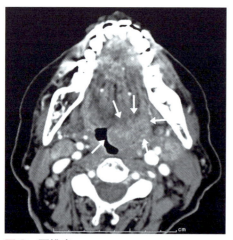

図3　扁桃癌
造影CTにおいて左扁桃に浸潤性腫瘍を認める．下前方進展にて左舌根への進展あり．

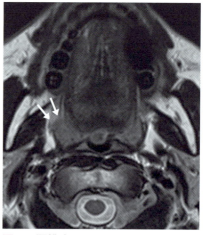

図4　扁桃癌
MRI T2強調水平断像において右咽頭収縮筋の途絶がみられ，腫瘍浸潤を示す．

低濃度の腫瘍による軟部濃度での置換，MRIではT1強調像で（通常は脂肪髄として高信号を呈する）骨髄信号の低下としてみられる．また，深部に隣接する翼突下顎縫線に達すると頭蓋底への進展経路となりうることから，時に理学的所見では把握されない頭側への進展範囲の把握において，画像所見が重要となる．

3 後口蓋弓癌

後口蓋弓に原発する癌はまれであるが，扁桃癌の二次性浸潤に伴う，咽頭壁への進展経路ともなる．後口蓋弓は，CTでは扁桃窩後方のヒダ状軟部濃度，MRIではこれを形成する口蓋咽頭筋による線状低信号構造としてみられる．下方では咽頭壁への付着から中咽頭収縮筋，外側咽頭喉頭蓋ヒダ，甲状軟骨上角へ進展を示し[6]，画像診断ではこれらの頭尾側方向進展範囲の慎重な把握が求められる．

4 舌根癌（図6）

舌根は横断像では口蓋垂下端より尾側レベル（口

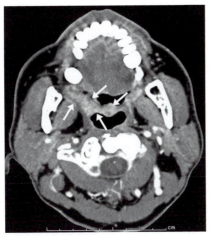

図5 前口蓋弓癌
造影CTにおいて前口蓋弓を中心とした浸潤性病変を認める．前方外側では臼後三角内側縁，内側にて口蓋垂に進展している．

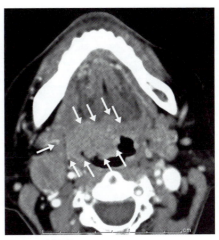

図6 舌根癌
造影CTにおいて舌根に浸潤性病変がみられ，下後方へと進展し喉頭蓋への浸潤を認める．

蓋垂の見えなくなったレベル）で中咽頭腔前壁としてみられ，下端は舌骨体部，喉頭蓋谷底部レベルに至る．正常CT解剖として，気道面から順に気道面に平行に帯状軟部濃度，線状脂肪濃度，帯状軟部濃度，線状脂肪濃度の4つの組織層が同定され，これらは順に舌扁桃組織，粘膜下脂肪層，内舌筋，筋間脂肪層を表わす[5]．MRIでもこの組織層はさまざまな信号強度として確認でき，CT，MRIにおいて同組織層の破綻は深部浸潤性病変の存在を示す．舌根には舌扁桃がある程度の厚さの軟部組織としてみられ，個体差も大きく，軽度の（生理的範囲内での）非対称性を示すこともしばしばであることから，（口蓋扁桃と同様）画像での低容積病変の指摘は容易でない場合も多い．上記組織層の消失・途絶は深部浸潤性病変（舌根癌）の存在を示唆する重要な所見となる．

尾側での喉頭蓋谷底部から声門上喉頭（喉頭蓋前間隙）への進展はT4aに相当するが，横断像での正確な判断は困難な場合もあり，矢状断像での評価が有用である．

時に側方で隣接する舌骨舌筋の不整な肥厚，増強効果として，同筋に沿った舌の神経血管束に沿った浸潤を認める場合があり，注意を要する．

5 軟口蓋癌（図7）

軟口蓋原発の扁平上皮癌のほとんどが下面（中咽頭面）より発生する[4]．軟口蓋は横断像では硬口蓋後方に連続する軟部濃度構造として描出されるが，同部の病変に関しては，冠状断，矢状断が重要である．

前方進展による硬口蓋浸潤は軟部病変による組織肥厚とともに，CTの骨条件での骨破壊の有無を評価する．大・小口蓋神経からV2に沿った中枢側への神経周囲進展の画像評価も重要であり，翼口蓋管の拡大，翼口蓋窩の脂肪層消失，さらに中枢に向かうと正円孔の拡大，海綿静脈洞の不整な肥厚として認められる．開口障害を訴える例では側頭下窩，咀嚼筋間隙への浸潤[7]を評価する必要がある．多発傾向を示すこともまれではない．

6 咽頭後壁癌

咽頭後壁における結節性・腫瘤様病変あるいは扁平でびまん性の肥厚や増強効果として認められる．後者の病変は深部浸潤傾向に乏しい場合は，比較的広範な病変であっても画像で指摘が困難な場合もあり，注意を要する．時に潰瘍形成を伴う．下咽頭後壁との連続性病変としてみられる例も多く，横断像での頭尾側スライスの追跡，矢状断像

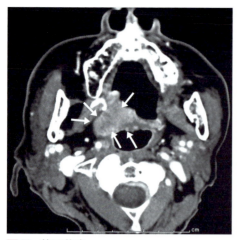

図7 軟口蓋癌
造影CTにおいて軟口蓋右側を中心とした浸潤性腫瘍を認める．外側進展で口蓋弓へと進展している．

を加えた評価による頭尾側進展範囲の把握が重要である．後方進展での咽頭収縮筋を超えた進展では，咽頭後間隙からさらに椎前筋膜・椎前筋への浸潤に至るとT4bとされるが，咽頭収縮筋はMRI, T2強調像で低信号帯として同定され，同低信号の途絶の有無として判断される．

　咽頭後間隙は横断像において咽頭壁と椎前筋前面との間の薄い脂肪層として，CTでは線状低濃度，MRIのT1強調像では線状高信号として確認される（描出には個体差あり）．同脂肪層が保たれている場合，同間隙，椎前筋・筋膜への浸潤は高い信頼度をもって否定可能である．脂肪層消失は二次性浮腫の場合を含むことから，腫瘍浸潤陽性とすると偽陽性が問題となる．椎前筋は椎体前方の薄い筋肉であり，MRIのT2強調像で低信号を示す．同筋の信号変化や造影後T1強調像での増強効果などの画像所見による陽性的中率は低く，最終的には術中所見による判断が求められる[3]．

その他

　近年，従来の中咽頭癌と生物学的特性の異なるHPV陽性中咽頭癌が増加傾向にある．2017年のAJCCの第8版[1]から古典的なHPV陰性癌と異なるT分類，N分類が設定された．HPV陽性例の多くは扁桃あるいは舌根の限局性病変である．HPV陽性例はHPV陰性例と比較して原発病変はより小さく，頸部リンパ節はより進行性で，進行病期である傾向にある[7,8]．HPV陽性癌の原発病変は従来の癌よりもやや周囲浸潤性に乏しく，境界明瞭な傾向にある[9]．また，頸部転移に関して，(時に側頸嚢胞に類似する) 嚢胞性リンパ節転移が特徴的とされ[10]，画像診断でも注意を要する．

文献

1) Amin MB, et al (eds)：Head and Neck. AJCC Cancer Staging Manual (8th ed), Springer, New York, 2017
2) 日本頭頸部癌学会 (編)：頭頸部癌取り扱い規約，第6版補訂版．金原出版，東京，2019
3) 尾尻博也：頭頸部の臨床画像診断学，第2版，南江堂，東京，p175-213, 2011
4) Million RR, et al：Oropharynx. Management of Head and Neck Cancer：A Multidisciplinary Approach, Million RR, Cassisi NJ (eds.), JB Lippincott, Philadelphia, p401-429, 1994
5) Syms MJ, et al：Incidence of carcinoma in incidental tonsil asymmetry. Laryngoscope 110：1807-1810, 2000
6) Raut VV：Management of peritonsillitis/peritonsillar abscess. Rev Laryngol Otol Rhinol (Bord) 121：107-110, 2000
7) Elnaggar AK, et al (eds.)：WHO classification of head and Neck tumors, International Agency for Research on Cancer (IARC), Lyon, 2017
8) Chan MW, et al：Morphologic and topographic radiologic features of human papilloma-related and-unrelated oropharyngeal carcinoma. Head and Neck 39：1524-1534, 2017
9) Cantrell SC, et al：Differences in imaging characteristics of HPV-positiveand HPV-negative oropharyngeal cancers. Am J Neuroradiol 34：2005-09 Oct 2013
10) Sood AJ, et al：The association between T-stage and clinical nodal metastasis in HPV-positive oropharyngeal cancer. Am J Otoraryngol 35：463-468, 2014

5 喉頭・下咽頭

モダリティ選択および撮像プロトコール

　喉頭・下咽頭は頭頸部領域の中で呼吸や嚥下による動きの影響を受けやすいため，時間分解能の高いCTが第一選択で，制限がない限り造影剤を使用する．MRIは組織分解能の良さを利用して軟骨浸潤や椎前間隙浸潤の評価に利用される．

　診断に用いる画像は横断像が基本であるが，経声門進展や声門下進展の評価に冠状断像，舌根や喉頭蓋谷，喉頭蓋，喉頭蓋前間隙，椎前間隙への進展評価に矢状断像が有用な場合がある．多列検出器CT（mutidetector-row CT：MDCT）では，任意断面の再構成画像の表示が可能で評価に有用である．Dual-energy CT（DECT）が利用できる場合には，iodine-overlay imageを作成すると非骨化軟骨と軟骨浸潤の評価に有用な場合がある．

画像解剖

　喉頭と下咽頭は前後に位置する構造である（図1）．

1 喉　頭

　喉頭は声門上部と声門，声門下部の亜部位に分けられる．声帯に平行な横断像において，仮声帯は披裂軟骨上部の高さ，声帯は披裂軟骨声帯突起の高さとなる[1]．声門上部の披裂喉頭蓋ヒダは稜線を境に下咽頭となるが，披裂は後面を含めて喉頭に分類される．前連合は甲状軟骨に接しており，その厚みは1mm程度が正常である．声門下レベルでは輪状軟骨内面に空気が接しているのが正常である．

2 下咽頭

　下咽頭は梨状陥凹と輪状後部，後壁の亜部位に分けられる．喉頭の後方に位置し，輪状軟骨と披裂喉頭蓋ヒダで喉頭と境界される．喉頭との間に梨状陥凹と輪状後部を形成し，梨状陥凹は披裂甲状間隙を介して傍声帯間隙と接する．頭側は舌骨上縁（または喉頭蓋谷底部）で中咽頭に，尾側は輪状軟骨下縁で頸部食道に連続する．輪状後部や後壁では粘膜下に脂肪層が存在する[2]．

臨床上重要な画像所見

1 喉頭蓋前間隙，傍声帯間隙

　喉頭蓋前間隙は横断像で逆U字状，正中矢状断像で舌骨喉頭蓋靱帯と甲状喉頭蓋靱帯，舌骨甲状膜で囲まれる三角形の脂肪領域である．舌骨喉頭蓋靱帯を介して喉頭蓋谷や舌根と接している．腫瘍浸潤により脂肪組織が軟部組織により置換されるため，脂肪が減少し腫瘍と同様の吸収値・信号となる（図2）．

　傍声帯間隙は喉頭粘膜と甲状軟骨側板との間の領域で，声門から声門上に分布し，脂肪組織や声帯筋が含まれる．後方で披裂甲状間隙を介して下咽頭梨状陥凹と接しており，喉頭癌と下咽頭癌のいずれでも同間隙浸潤が起こる．浸潤により脂肪織の消失と腫瘍による置換，甲状披裂筋の不明瞭化がみられる．

2 喉頭軟骨

　喉頭軟骨浸潤があると原則として喉頭温存治療の適応から外れるが，軽微な軟骨浸潤にとどまる症例には喉頭部分切除術や化学放射線療法などの喉頭温存治療が検討される．このため，軟骨浸潤の有無と程度の評価が必要となる．

　CTでは軟骨を貫通する腫瘍像や，軟骨の破壊や侵食，硬化などが軟骨浸潤の所見で，もっとも確実なのは軟骨を貫通する所見である[3]（図3）．腫瘍に接する軟骨破壊の特異度は高いが，硬化は反応性浮腫や炎症性変化でも起こり，特異度は低い．MRIは感度と陰性的中率が高く，腫瘍と同様の信号・造影効果を示す場合に軟骨浸潤と診断し，T2強調像と造影後の信号が腫瘍と比較して高い場合は二次性炎症性変化と判断する[4]．

　軟骨浸潤の評価は一般的にCTよりもMRIが有

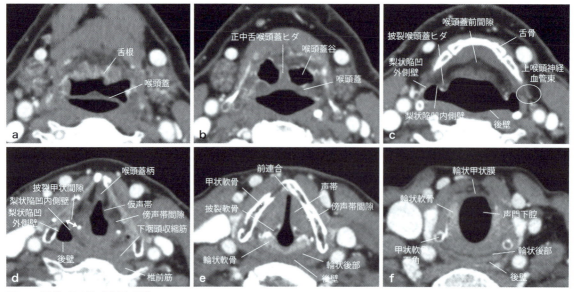

図1　正常CT像（造影CT）
a：舌骨上喉頭蓋レベル，b：喉頭蓋谷レベル，c：喉頭蓋前間隙レベル，d：仮声帯レベル，e：声帯レベル，f：声門下レベル

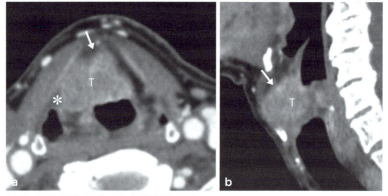

図2　喉頭蓋前間隙・傍声帯間隙浸潤
a：造影CT，b：造影CT矢状断像
声門上喉頭癌（T）の浸潤により，喉頭蓋前間隙（→）や右傍声帯間隙（a：＊）の脂肪は軟部組織に置換し，傍声帯間隙では脂肪が混濁している．

用とされてきた．これは，非骨化軟骨の吸収値がCTでは造影された腫瘍と類似しているのに対して，MRIではT2強調低信号と無造影効果を示す点にある（図4）．しかし，2012年以降，dual-energy CTの有用性が報告されている[5]．その利点として，造影される腫瘍と非骨化軟骨との識別ができることや，MRIに比べ体動による画像劣化が少なく軟骨内の二次性炎症性変化による偽陽性が減少し特異度が向上することなどが報告されている．

3　舌骨甲状膜，輪状甲状膜

喉頭外軟部組織への進展には喉頭骨格の破壊によるものと，舌骨甲状膜や輪状甲状膜を介するものとがある．後者が約40〜50％を占め，膜を直接浸潤する場合と神経血管束を通す孔を介する場合とがある．進展範囲や腫瘍容積によっては喉頭温存治療の適応となる[6]．浸潤を示す所見は，膜の外側にある脂肪組織の消失や腫瘍性軟部組織による置換である（図5）．

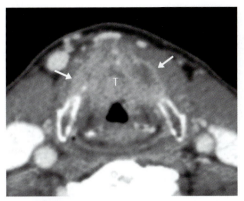

図3　喉頭軟骨浸潤（造影CT）
声門上喉頭癌（T）による両側の甲状軟骨側板を貫通する浸潤を認める（→）．

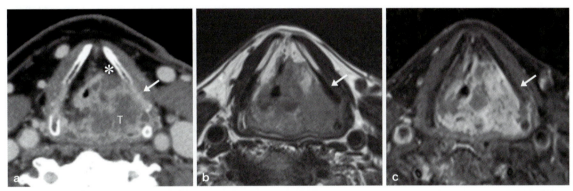

図4　非骨化軟骨
a：造影CT，b：T2強調像，c：造影T1強調像
下咽頭左梨状陥凹癌（T）は左傍声帯間隙（a：＊）に進展し甲状軟骨に接している．甲状軟骨の非骨化軟骨部（→）はCTでは腫瘍と同様の吸収値を示し浸潤様であるが，MRIではT2強調低信号で造影効果を認めず非骨化軟骨と判断できる．

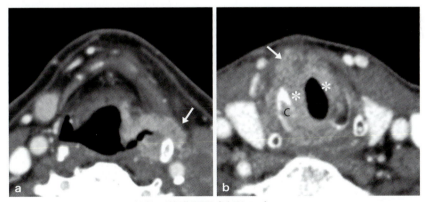

図5　舌骨甲状膜浸潤，輪状甲状膜浸潤（造影CT）
左舌骨甲状膜を介した浸潤（a）では，外側部の上喉頭神経血管束周囲の脂肪組織が軟部組織に置換している（→）．輪状甲状膜を介した浸潤（b）では，舌骨下筋直下の脂肪組織が右側優位に消失している（→）．また，bでは声門下進展を示す声門下腔と輪状軟骨との間の軟部組織があり（＊），右輪状軟骨硬化を伴っている（C）．

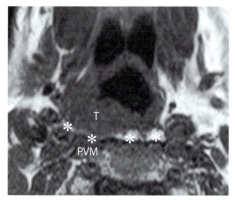

図6 咽頭後間隙浸潤（T1強調像）
下咽頭後壁癌（T）の側で咽頭後間隙の脂肪を示す高信号（＊）は右側で薄くなっているが保たれており，椎前筋（PVM）への浸潤がないことを示す．

4 咽頭後間隙，椎前間隙

下咽頭後壁を裏打ちする下咽頭収縮筋を越えると背側にある咽頭後間隙や椎前間隙へ進展する．咽頭後間隙はほぼ脂肪で満たされており，脂肪を示す低吸収や高信号が保たれていれば椎前間隙浸潤を否定できる[7]（図6）．ただし，脂肪消失が椎前間隙浸潤を示すわけではない．椎前間隙浸潤の所見として，MRIのT2強調像や造影T1強調像で椎前筋膜の不整肥厚や椎前筋の腫瘍と同様の吸収値・信号による置換が有用であるが，椎前筋の圧排や浮腫状の信号変化の所見は特異度が低い．

5 頸動脈

頸動脈浸潤は原発巣と転移リンパ節のいずれでも起きるが，原発病変による浸潤は下咽頭癌にもっとも多い．浸潤の有無は頸動脈の変形や壁構造の不整，接触角度などにより判断される．接触角度を用いる場合は270°を超えると浸潤により剥離できない可能性が高い[8]．

文献

1) Curtin HD：Anatomy, imaging and pathology of the larynx. Head and neck imaging, Som PM, Curtin HD（eds.），MOSBY, St Louis, p1917-1930, 2011
2) Schmalfus IM, et al：Postcricoid region and cervical esophagus：normal appearance at CT and MR imaging. Radiology **214**：238-246, 2000
3) Becker M, et al：Neoplastic invasion of the laryngeal cartilage：reassessment of criteria for diagnosis at CT. Radiology **203**：521-532, 1997
4) Becker M, et al：Neoplastic invasion of the laryngeal cartilage：reassessment of criteria for diagnosis at MRI. Radiology **249**：551-559, 2008
5) Kuno H, et al：Comparison of MR Imaging and dual-energy CT for the evaluation of cartilage invasion by laryngeal and hypopharyngeal squamous cell carcinoma. AJNR Am J Neuroradiol **39**：524-531, 2018
6) Beitler JJ, et al：Prognostic accuracy of computed tomography findings for patients with laryngeal cancer undergoing laryngectomy. J Clin Oncol **28**：2318-2322, 2010
7) Hsu W, et al：Accuracy of magnetic resonance imaging in predicting absence of fixation of head and neck cancer to the prevertebral space. Head Neck **27**：95-100, 2005
8) Yousem DM, et al：Carotid artery invasion by head and neck masses：prediction with MR imaging. Radiology **195**：715-720, 1995

6 頸部リンパ節転移

　頭頸部扁平上皮癌で，頸部リンパ節転移はもっとも重要な予後因子である．画像診断は，病期診断，切除可否の判断において重要な役割を果たす．以下に選択すべきモダリティ，画像解剖，臨床上重要な画像所見を概説する．

モダリティ選択および撮像プロトコール

　CT の選択が標準的である．MRI と比べて短い撮像時間により動きに伴う画質劣化が少なく，高い再現性や任意断面の再構成画像の表示が可能である．原則として造影剤を投与する．MRI の診断能は CT とほぼ同等であるが，検査効率，医療経済性に劣る．また，診断能の高い造影 CT で撮像された PET/CT は有用であるが，微小な転移巣の検出は困難であり，診断可能なサイズに限界もある．

画像解剖

　頸部リンパ節の分類は，臨床では『頭頸部癌取扱い規約』『日本癌治療学会リンパ節規約』，American Joint Committee on Cancer（AJCC）および American Academy of Otolaryngology-Head and Neck Surgery（AAO-HNS）の分類が用いられているが，画像診断では Som らによる画像所見に基づくレベルシステムがこれに対応する[1,2]．レベルシステムの各解剖学的指標は容易に画像で同定でき，リンパ節の局在を正確に再現可能である．画像上の各解剖学的指標や範囲を（表 1, 図 1）に示す．

1 咽頭後リンパ節

　咽頭後部で，腹側を深頸筋膜中葉，背外側を深頸筋膜深葉で囲まれた咽頭後間隙内に位置する．内側と外側に分けられる．外側咽頭後リンパ節がいわゆる Rouviere リンパ節である．横断像では内頸動脈と頸長筋の間，前方に位置する．環椎または軸椎レベルにみられることが多い．レベルシステムにおいて，Som ら[1,2]はレベルⅡA と区別するため，咽頭後リンパ節を頭蓋底から 20 mm 以内で，内頸動脈より内側に位置すると定義している．

2 鎖骨上リンパ節

　横頸血管に沿ったリンパ経路で，外側端は副神経リンパ鎖，内側端は頸静脈リンパ鎖下端と接合し，両リンパ経路を横に結び三角形の底辺を形成する．レベル分類におけるレベルⅤB，Ⅳ，Ⅵとの画像上の区別について，横断像で鎖骨が描出されているレベルからその下で肋骨より上，かつ総頸動脈の外側，肋骨の内側に位置するリンパ節を鎖骨上リンパ節と定義している．

臨床上重要な画像所見

　画像による頸部リンパ節転移の診断基準は多数報告されているが，正確な画像診断基準の確立に至ってはおらず，これらにより総合的に判断される．

ａ サイズ

　一般的に用いられている基準は，CT や MRI の横断像でレベルⅠB とⅡは最大横断径 15 mm，その他は 10 mm 以上で転移陽性とするもので，これらの基準を超えるリンパ節は約 80％ が転移となる[3]．次に横断像の最小短径において，正常リンパ節はレベルⅡで 11 mm，その他は 10 mm を超えない．咽頭後リンパ節は最大横断径 8 mm，最小短径 5 mm を超えると異常と判断される．10 mm 未満のリンパ節も転移陽性の可能性はあり，他の異常所見や原発部位からの特異的に流入するリンパ節領域か否かをあわせて考慮する必要がある．

ｂ 形状・集簇

　サイズ基準に加えることにより，感度はわずかに向上する．反応性リンパ節は，一般的に豆状，楕円形，扁平状で，一方，転移リンパ節は円形を示す傾向にある．原発巣のリンパ流出経路に一致した 3 個以上のリンパ節が集簇している場合，転移の可能性が高いとされている．

表1　頸部リンパ節解剖

レベル		高さと範囲
I		顎舌骨筋より下，舌骨より上の高さ，顎下腺後縁より前方
	I A	両側の顎二腹筋前腹内側縁との間
	I B	両側の顎二腹筋前腹内側縁の後外側，顎下腺後縁より前方
II		頭蓋底，頸静脈窩下縁から舌骨体部下縁の高さ，顎下腺後縁より後方，胸鎖乳突筋後縁より前方 ただし，頭蓋底から2cm以内では頸動脈鞘の前方・後方・外側に位置するもののみを含む
	II A	内頸静脈の前方，後方，外側，内側
	II B	内頸静脈の後方，内頸静脈との間に脂肪を挟む
III		舌骨体部下縁から輪状軟骨下縁の高さ，胸鎖乳突筋後縁の前方，総・内頸動脈内側縁より外側
IV		輪状軟骨下縁から鎖骨の高さ，胸鎖乳突筋後縁と前斜角筋後外側縁を結ぶ線より前内側，総頸動脈内側縁より外側
V		頭蓋底，胸鎖乳突筋付着部後縁から鎖骨の高さ，僧帽筋前縁より前方，胸鎖乳突筋後縁より後方，胸鎖乳突筋後縁と前斜角筋後外側縁を結ぶ線より後側方
	V A	頭蓋底から輪状軟骨下縁の高さ，胸鎖乳突筋後縁より後方
	V B	輪状軟骨下縁から鎖骨の高さ，胸鎖乳突筋後縁と前斜角筋後外側縁を結ぶ線より後側方
VI		舌骨体部下縁から胸骨柄上縁の高さ，両側総頸あるいは内頸動脈内側縁との間
VII		胸骨柄上縁より下方，下方は無名静脈レベル，両側の総頸動脈内側縁との間
咽頭後リンパ節		頭蓋底から2cm以内，内頸動脈より内側
鎖骨上窩リンパ節		鎖骨または鎖骨より下方，頸動脈より外側，肋骨より上内側

［Som PM et al：AJR 174：837-844, 2000；Som PM et al：Arch Otolaryngol Head Neck Surg 125：388-396, 1999 をもとに作成］

ⓒ 壊死/局所欠損

転移リンパ節の存在を示すもっとも信頼性の高い画像所見であり，CT造影下での節内低濃度として認められる（図2a）．特にサイズによる診断基準を満たさない小さな転移を同定するうえで重要である．造影CTは3mmを超す壊死を同定するのにもっとも有用な画像とされ，感度74%，特異度94%と報告されている[4]．また，CTでの局所欠損は節外進展と有意に相関するとも報告されている．MRIにおいては，T2強調画像にて高信号，T1強調画像にて低信号，造影後T1強調画像にて造影欠損として認められる．画像による鑑別疾患としては，脂肪変性や正常リンパ門，化膿性リンパ節炎などがあげられる．また，嚢胞性リンパ節転移は2mm以下の薄い壁で，液体濃度・信号によりリンパ節内部を置換される（図2b）．原発部位として，ヒトパピローマウイルス（HPV）陽性の中咽頭癌や甲状腺癌に多くみられる．

ⓓ 節外進展

AJCC TNM分類8版への改訂によりN分類に節外進展が加わり，臨床的節外進展はN3bに分類される．臨床的節外進展は皮膚浸潤か下層の筋肉または隣接構造に強い固着や結合を示す軟部組織の浸潤，または神経浸潤の臨床的所見があり，上記の臨床的所見を支持する画像所見がある場合のみとされる[5]．予後因子としても重要であるが，転移陽性の診断基準ともなる．CT，MRIでは，境界不明瞭な辺縁，被膜の不整な増強効果，周囲の脂肪あるいは筋肉への明らかな浸潤，特にMRIでは辺縁の不整な造影効果として認められる（図3a）[6,7]．手術，放射線治療，活動性炎症がある場合，不正確になる．

1）頸動脈浸潤

頸動脈浸潤は，切除可否の判断においてもっとも重要であり，節外進展陽性例では評価する必要がある．頸動脈周囲脂肪層の消失，頸動脈のen-

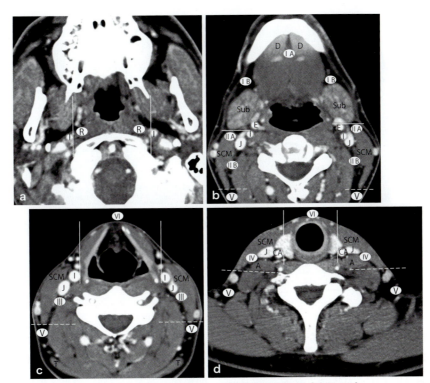

図1　レベルシステムに対する頸部リンパ節正常画像解剖（造影 CT）

a：上咽頭レベル造影 CT において，実線は内頸動脈（I）内側縁に接する前後方向の線を示す．R：咽頭後リンパ節．
b：中咽頭レベル造影 CT において，実線は顎下腺（Sub）後縁に接する水平方向の線を示す．点線は胸鎖乳突筋後縁に接する水平方向の線を示す．D：顎二腹筋前腹，SCM：胸鎖乳突筋，J：内頸静脈，E：外頸動脈．
c：甲状軟骨レベル造影 CT において，実線は内頸動脈（I）内側縁に接する前後方向の線を示す．点線は胸鎖乳突筋後縁に接する水平方向の線を示す．
d：甲状腺レベル造影 CT において，実線は総頸動脈（CA）内側縁に接する前後方向の線を示す．点線は胸鎖乳突筋（SCM）後縁と前斜角筋（A）後外側縁とを結ぶ線を示す．T：僧帽筋．

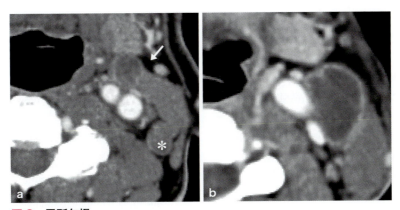

図2　局所欠損

a：局所欠損を伴うリンパ節転移．造影 CT において，左レベル II リンパ節（→）の中心部に低濃度を示し，壁は比較的厚く認められる．もう一方のリンパ節転移は偏在性（＊）に低濃度を含む．
b：囊胞性リンパ節転移（中咽頭癌）．造影 CT において，左レベル II に囊胞性腫瘤を認める．

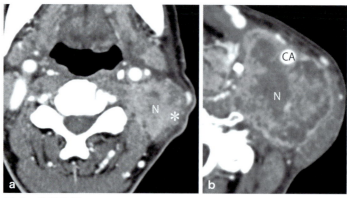

図3　節外進展
a：節外進展．造影 CT において，左レベル II レベルに頸部転移（N）を認め，輪郭は不鮮明で，節外進展を示す．隣接する胸鎖乳突筋（＊）への浸潤あり．
b：頸動脈浸潤．造影 CT において，左頸部転移（N）を認める．左総頸動脈（CA）はほぼ全周性に取り囲まれ，頸動脈浸潤（CA）を示唆する．

casement，腫瘍との最大接触角度などにより判断されるが，接触角度が 270°を超える場合は浸潤の可能性が高く（**図 3b**），180°より小さい場合，浸潤の可能性は低い[7]．ただし，腫瘍によって囲まれていても，術中に腫瘍付着のない切除可能な症例もある一方で，わずかな接触でも浸潤陽性の例もある．頸動脈の輪郭の変形は，広範な浸潤の特異的所見とされる[8]．

MRI でのリンパ節診断

T2 強調画像の不均一な信号が有用で，CT と同様にサイズの基準値として，最小短径 10 mm，最大横断径 10〜15 mm が使われている．サイズ，辺縁不整，T2 強調画像の不均一な信号により，リンパ節転移の同定が向上する[9]．拡散強調画像を加えることにより，転移リンパ節は良性リンパ節と比べて，明らかに低い apparent diffusion coefficient（ADC）を示し，1 cm より小さい転移リンパ節の同定にも有用とされる[10,11]．

PET での診断

頭頸部癌の所属リンパ節転移診断に 18F-fluorodeoxy glucose（FDG）による PET 検査は CT，MRI，US の相補的役割を有する．腫瘍の活動性を反映するマーカーである FDG は糖代謝が亢進するリンパ節転移で著明に集積する．その他，遠隔転移，原発不明癌の同定や治療効果のモニターとして行われる．代謝亢進のリンパ節転移に対して，PET/CT は正常サイズのリンパ節に小さな転移を同定しうる．空間分解能は 4〜5 mm であり，同定しうるもっとも小さなリンパ節転移は一般的に 8〜10 mm となる[12,13]．壊死リンパ節は PET で糖代謝の低下のため，偽陰性所見，炎症や感染は PET の偽陽性となり，注意を要する．最近，PET/CT による頭頸部扁平上皮癌の頸部リンパ節転移の同定は感度 84〜92％と特異度 95〜99％と報告されている[14,15]．

文献

1) Som PM, et al：Imaging-based nodal classification for evaluation of neck metastatic adenopathy. AJR **174**：837-844, 2000
2) Som PM, et al：An imaging-based nodal classification for the cervical nodes designed as an adjunct to recent clinically based nodal classifications. Arch Otolaryngol Head Neck Surg **125**：388-396, 1999
3) Sakai O, et al：Lymph node pathology：benign proliferative, lymphoma, and metastatic disease. Radiol Clin North Am **38**：979-998, 2000
4) van den Brekel MW, et al：Cervical lymph node metastasis：assessment of radiologic criteria. Radiology **177**：379-384, 1990
5) Patel S, et al：Cervical Lymph Nodes and Unknown Primary tumors of the Head and Neck. AJCC Cancer Staging Manual, 8th Ed., Amin M, et al（eds.），

Springer, New York, p67-78, 2017
6) Yousem DM, et al：Central nodal necrosis and extracapsular neoplastic spread in cervical lymph nodes：MR imaging versus CT. Radiology **182**：753-759, 1992
7) Yousem DM, et al：Carotid artery invasion by head and neck masses：prediction with MR imaging. Radiology **195**：715-720, 1995
8) Pons Y, et al：Relevance of 5 different imaging signs in the evaluation of carotid artery invasion by cervical lymphadenopathy in head and neck squamous cell carcinoma. Oral Surg Oral Med Oral Pathol Oral Radiol Endod **109**：775-778, 2010
9) de Bondt RB, et al：Morphological MRI criteria improve the detection of lymph node metastases in head and neck squamous cell carcinoma：multivariate logistic regression analysis of MRI features of cervical lymph nodes. Eur Radiol **19**：626-633, 2009
10) de Bondt RB, et al：Diagnostic accuracy and additional value of diffusion weighted imaging for discrimination of malignant cervical lymph nodes in head and neck squamous cell carcinoma. Neuroradiology **51**：183-192, 2009
11) Vandecaveye V, et al：Head and neck squamous cell carcinoma：value of diffusion-weighted MR imaging for nodal staging. Radiology **251**：134-146, 2009
12) Stoeckli SJ, et al：Is there a role for positron emission tomography with 18F-fluorodeoxyglucose in the initial staging of nodal negative oral and oropharyngeal squamous cell carcinoma. Head Neck **24**：345-349, 2002
13) Hyde NC, et al：A new approach to pre-treatment assessment of the N0 neck in oral squamous cell carcinoma：the role of sentinel node biopsy and positron emission tomography. Oral Oncol **39**：350-360, 2003
14) Murakami R, et al：Impact of FDG-PET/CT imaging on nodal staging for head-and-neck squamous cell carcinoma. Int J Radiat Oncol Biol Phys **68**：377-382, 2007
15) Gordin A, et al：The role of FDG-PET/CT imaging in head and neck malignant conditions：impact on diagnostic accuracy and patient care. Otolaryngol Head Neck Surg **137**：130-137, 2007

C 内視鏡診断

内視鏡診断に用いられる機器

　内視鏡には硬性鏡と軟性鏡があるが，内視鏡診断には主として軟性鏡が用いられる．近年，頭頸部癌の診断に利用される軟性鏡は，ファイバースコープと呼ばれるアナログの機器からデジタルの電子内視鏡（電子スコープ）に移行している．光源装置のみとの組み合わせで使用可能なファイバースコープと異なり，電子内視鏡は光源装置，ビデオプロセッサー，モニターとの組み合わせで成り立ち，これらを総称して「電子内視鏡システム」と呼ぶ．

　電子内視鏡システムでは，電子内視鏡の先端に内蔵された CCD から得たデジタル画像情報をビデオプロセッサーで処理してモニターに表示する．ビデオプロセッサーには画像強調機能が内蔵されており，その併用により，通常光では同定のむずかしい微細な癌や上皮内癌などが同定されやすくなる．耳鼻咽喉科電子内視鏡で使用可能な画像強調機能は Olympus 社では Narrow Band Imaging（NBI），Fujifilm 社では Flexible spectral Imaging Color Enhancement（FICE），Pentax 社では Optical Enhancement（OE）などがあり，各社でその詳細は異なる．消化器内視鏡ではさらに別の画像強調機能がある．

頭頸部表在癌

　近年の頭頸部領域の内視鏡診断において，表在癌の理解は欠くことができない．表在癌はもともと隣接する食道において先行して定義[1,2]された疾患概念である．頭頸部領域にもその存在が報告されるようになり[3,4]，2012 年 6 月発行の『頭頸部癌取扱い規約』（第 5 版）において，「咽頭，喉頭では癌細胞の浸潤が上皮下層（SEP）にとどまり，固有筋層（MP）に及んでいないものを"表在癌"と定義する．リンパ節転移の有無は問わない」と初めて定義された．これは最新の 2019 年 12 月発行の『頭頸部癌取扱い規約』（第 6 版補訂版）でも変わりがない[5]．頭頸部表在癌と食道表在癌を対比してシェーマ（図 1）に示す．

　なお，取扱い規約の定義上の記載はないが，咽

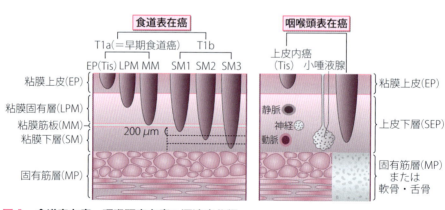

図1　食道表在癌，咽喉頭表在癌の深達度分類

下方に伸びる尖り帽子の先端が癌腫の深達度を示す．食道・咽喉頭とも，固有筋層（MP）に達しない癌を表在癌と定義する．食道には粘膜筋板（MM）があり，深達度が粘膜内（粘膜筋板まで）にとどまる病変を早期食道癌と呼び，食道表在癌の中でも深達度のより浅い癌として区別している．さらに粘膜下層にとどまる病変を T1b とし，粘膜下層を 3 等分して，上 1/3（200 μm までの浸潤）にとどまる病変を SM1，中 1/3 にとどまる病変を SM2，下 1/3 にとどまる病変を SM3 と細かく分類している．咽喉頭表在癌にはこのような細かい分類が存在しない．

[杉本太郎：口腔咽頭の臨床，第 3 版，日本口腔・咽頭科学会（監），医学書院，東京，p170-173, 2015 より許諾を得て転載]

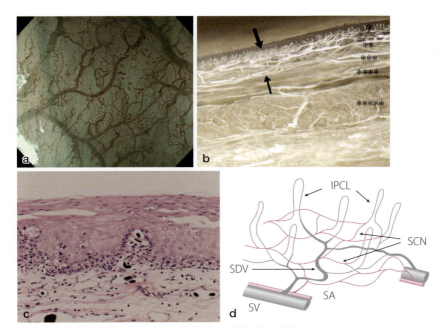

図2　正常食道粘膜のIPCLとその深層の樹枝状血管網（arborescent vascular network）

a：消化器拡大内視鏡で最大倍率（80倍）にて観察した正常食道粘膜の内視鏡所見（NBI）．線状の茶色の樹枝状血管網とそこから分岐するさらに細い茶色のIPCLが描出されている．

b：MICROFIL（Flow Tech社）を血管内に注入した正常食道粘膜の垂直断面像．樹枝状血管網とIPCLの関係が明瞭に描出されている．＊は（図1の）EP，＊＊はLPM，＊＊＊はMM，＊＊＊＊はSM，＊＊＊＊＊はMPに相当する．太い矢印はIPCL，細い矢印は樹枝状血管網を示す．

c：MICROFIL注入後の食道壁の組織切片．上皮乳頭とIPCLが観察される．

d：正常食道粘膜表層の血管網のシェーマ．SCNは粘膜上皮下の毛細血管網，SDVは粘膜上皮下の小静脈，SAは粘膜下層（SM）の動脈，SVは粘膜下層（SM）の静脈を示す．

[a, c は Dig Endosc 22：259-267, 2010；b は Endoscopy 34：369-375, 2002；d は Dis Esophagus 23：627-632, 2010 より許諾を得て転載]

喉頭には粘膜下に固有筋層がなく軟骨や舌骨のみ存在する部位があり[6,7]，シェーマに書き加えた．また，われわれの経験では口腔，特に口腔底にも表在癌が存在する[8,9]．頭頸部表在癌の定義は今後改変されていくと考えられる．

頭頸部表在癌の内視鏡による早期診断は食道表在癌に準じて行われる．食道の正常粘膜上皮には図2のごとく上皮乳頭内血管ループ（intra-epithelial papillary capillary loop：IPCL），その深層に樹枝状血管網が存在する．食道扁平上皮癌の早期癌や表在癌では，粘膜上皮内の樹枝状血管網が癌のある部位で消失し（観察できなくなり），IPCLが拡張，蛇行し，形状不均一となる．上部消化管内視鏡ではNBIなどを併用した拡大観察でこのIPCLの変化の詳細が同定可能で，癌の深達度診断に用いられている．頭頸部領域の粘膜は，図1に示したごとく粘膜筋板をもたないものの，食道粘膜と類似した構造をもち，頭頸部表在癌（扁平上皮癌）でも粘膜上皮内に同様の変化が生ずる．耳鼻咽喉科用の現存する電子内視鏡システムには拡大機能は存在しないのでIPCLの変化の詳細は同定できないが，画像強調機能を使用することにより，このIPCLの変化を「ドット状の異型血管の集簇（俗にBA：brownish areaと呼ぶ）」として同定することができ，樹枝状血管網の消失とともに特に表面型病変の表在癌の診断に有用である（表在癌の肉眼分類の詳細については文献5を参照）[8]．

頭頸部表在癌の早期発見と，後述するような特殊な体位保持下での病変の観察を無理なく容易に行えるようにするためには，観察機器としてはア

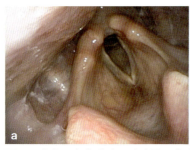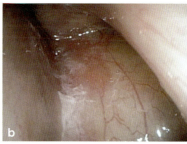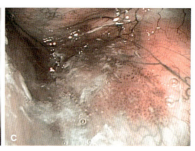

図3　白色の角化病変のすぐ脇に存在する下咽頭右梨状陥凹の表在癌
a：遠方からの通常光所見．右梨状陥凹の白色病変しか同定できない．
b：近接通常光所見．樹枝状血管網の途絶と角化病変の近傍に赤色の表在性病変が同定できる．
c：近接NBI所見．さらに近接させてNBIで観察すると，表在癌が明瞭な領域性のあるドット状血管の集簇として確認できる．

ナログのファイバースコープでは不十分で，電子内視鏡システムの使用が望ましい．特に，表在癌をはじめとした頭頸部癌の早期診断のためには電子内視鏡システムによる内視鏡診断は不可欠のものとなっている[8~10]．

頭頸部癌における内視鏡診断の意義

電子内視鏡では，モニターで拡大観察することにより小さな癌を，また画像強調機能を使用して観察することにより診断のむずかしい表在癌を，それぞれ同定することが容易となる．頭頸部癌における，画像強調機能を併用した電子内視鏡による内視鏡診断の意義は以下のとおりである．

①見逃しやすい小さな癌の同定：近接観察とNBIなどの画像強調機能の使用が有用である．モニターで拡大して観察することにより見逃しが減少する．
②上皮内癌を含む表在癌の同定（特に規約上0-Ⅱ型[5]と分類される表面型病変）：近接観察とNBIなどの画像強調機能の使用により同定しやすくなる．
③発赤した病変の鑑別診断（炎症か腫瘍性病変かの鑑別）：NBIなどの画像強調機能の使用により，領域性のある異型血管の集簇を認める表在癌と，そうでない炎症や単なる血管の集まりを区別することが可能である．
④生検至適部位の同定：粘膜下に進展している癌などでは正常粘膜に覆われた部位からの内視鏡下生検では診断がつかない．正常粘膜が欠損し異型血管を認める部位からの生検が有用である．
⑤癌の進展範囲の詳細な同定：表在癌のみならず，大きな癌の周囲に広がる表在性病変の広がりを同定し，病変範囲の詳細な同定が可能である．
⑥内視鏡手術における病変の進展範囲の同定：喉頭内腔などのルゴール染色が役立たない部位，放射線治療後の部位の観察などにおいては，ルゴールの不染帯ではなく，内視鏡所見で切除範囲を固定する[8,9]．

電子内視鏡による内視鏡診断のポイント

電子内視鏡を利用した観察時には，まず遠方からの通常光観察を行う．粗大な癌はこれで容易に同定が可能であるが，上皮内癌などの表在癌の場合はそれだけでは見逃すことがある．通常光観察で，発赤部位・白色の角化病変（白板症）・メラノーシスなどの異常所見を見つけることが重要でこれらの部位あるいはその近傍には癌が見つかることが多い．これらの異常所見を確認した部位に粘膜上皮の直下に存在する正常な樹枝状血管網がはっきり見えるくらいまで内視鏡を近接させた後に画像強調機能を利用すると，ドット状の異型血管の集簇した表在癌を同定することができる（図3）．

最新の内視鏡システムでは，以前のものに比較して画像強調機能使用時の画面がより明るくなってきているが，いまだ通常光に比べると画面が暗い．画像強調機能はより近接した観察でその効果を発揮することに留意して観察を行う．

「病変の境界が明瞭」「通常光での領域性のある発赤」「粘膜下の正常血管透見の途絶」「微細な小白苔の付着」「近接観察時の領域性のあるドット状血管の密な増生」などが表在癌を疑う所見である[8,9]．

また，内視鏡観察時の見逃しには2つの要因がある．1つは病変が微小，あるいは同定しづらい表在性病変であること，もう1つは観察しづらい，あるいは観察し忘れがちな部位（口腔底，喉頭蓋喉頭蓋舌面や喉頭蓋など）に病変が存在することである[10]．前者は電子内視鏡の扱いに習熟すればその頻度は減少するが，後者は観察しづらい，あるいは観察し忘れがちな部位を「意識して」観察する，あるいは特定の姿勢，発声動作，舌の突出などを患者に指示しないと見逃しの頻度は減少しない．

内視鏡診断の進め方

1 内視鏡検査の前に

内視鏡検査の前に，必ず口腔内を肉眼でよく観察する．特に舌の側縁，舌下面，口腔底，歯齦部（外側と内側），頬粘膜，口唇の内側など，舌圧子で舌や頬粘膜を押さえて観察しないと見えない部位は，たとえ内視鏡を口腔内から入れて観察しても内視鏡観察の盲点となりやすい．まず，これらの部位の腫瘍を見逃さないように留意する．

2 検査の前処置

検査にあたっては，観察領域を見えやすくする前処置が必須である．唾液貯留があると，当然病変は見えにくくなる．処置用内視鏡以外の吸引機能のついていない耳鼻咽喉科観察用内視鏡での観察時は，検査に先立って痰を喀出させる，水を少量嚥下させるなどの前処置を必ず行う．反射が強い症例では口腔から咽頭の表面麻酔を行うと観察が容易になる[8]．唾液の貯留が多く見づらい症例では処置用内視鏡で吸引しながら観察する．

3 内視鏡検査の順序とテクニック

耳鼻咽喉科では内視鏡検査は経鼻的に行うことが通常である．しかし，内視鏡検査を口腔内から行わないと病変が見えない部位（口腔・中咽頭上壁・中咽頭側壁の一部）と，口腔内から観察したほうが病変を同定しやすい部位（中咽頭後壁，口側の下咽頭後壁）がある．経鼻的な内視鏡観察だけで済ませようとすると，これらの部位の病変を見逃してしまう．また内視鏡観察では，垂直方向に近い角度で観察するほうが病変を同定しやすく優れている．特に中咽頭後壁は経鼻的に観察すると接線方向の観察となって0-II型の表面型病変[5]などを同定しづらく，経口的に垂直方向から観察したほうが病変を同定しやすい．経鼻的観察の前に，口腔と咽頭を経口的に観察することを習慣づける．

経口的に観察後，左右の鼻内を観察し，鼻腔腫瘍などの鼻内病変の有無を確認した後，経鼻的に上咽頭，中咽頭，下咽頭，喉頭を観察していく．

頭頸部癌の内視鏡診断の実際

1 口腔の観察

口腔内では，口腔底の観察を忘れないようにする．舌を奥に引っ込めて先端を挙上するように指示して観察する．口腔底の表在癌が時に認められ（図4），近接観察とNBIなどの使用がその同定に有用である[8,9]．頬粘膜は食事による物理的刺激が加わりやすいこと，舌は味蕾がその表面に存在することにより，表在癌の同定がむずかしい．口腔の各亜部位は舌を前後左右上下に動かすあるいは舌をガーゼなどで前方に牽引するなどの補助動作を指示すると，病変の見逃しが減少する．

有郭乳頭のすぐ前方など，舌の後方は経口的観察では接線方向の観察となって病変を見逃す可能性があり，経鼻的に内視鏡の先端を翻転させて中咽頭前壁と同時に観察するとより病変を同定しやすくなる．

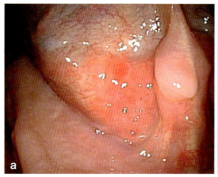
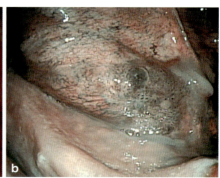

図 4　口腔底表在癌
a：通常光所見，b：NBI 所見．

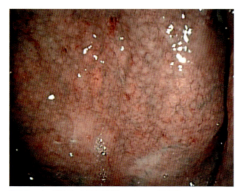

図 5　正常上咽頭粘膜の NBI 所見

2 鼻内の観察

　鼻腔内には鼻副鼻腔癌や嗅神経芽細胞腫などの悪性腫瘍が存在しうる．内視鏡の先端を動かして，嗅裂，副鼻腔自然口付近，鼻甲介の間などの病変を見逃さないように観察する．上顎洞自然口からの線状の出血を認めるときは上顎洞癌などの副鼻腔悪性腫瘍が存在する可能性があり，画像診断などの精査をさらに進める必要がある．

3 上咽頭の観察

　正常な上咽頭粘膜は NBI などで観察すると珊瑚状の形態を呈する場合が多い（図 5）．これが崩れている場合には癌が存在する可能性がある．上咽頭癌は頸部リンパ節転移があっても原発巣が同定しづらく，原発不明癌と診断されることがある．上咽頭にはいわゆるドット状の異型血管を呈する表在癌はほとんどない．当初，原発不明癌と診断された上咽頭癌例の内視鏡所見を提示する．ドット状の異型血管でなく，ひょろっと延びた血管が NBI で認められ，中下咽頭の表在癌とは異なった所見を呈する（図 6）．

4 中咽頭の観察

　前述したように，中咽頭側壁癌の一部（前口蓋弓癌，図 7）と上壁癌は口腔内からの観察でないと同定できない．また，中咽頭後壁癌も特に表面型の表在癌の場合，口腔内から観察すると病変を垂直方向から観察することになって，経鼻観察より同定しやすい．経鼻観察の際は中咽頭前壁（舌根・喉頭蓋谷）の観察を入念に行う．これらの亜部位は内視鏡観察の盲点となりやすい．舌を前方に突出させながら発声するように患者に指示し，内視鏡の先端を翻転して患者の前方に彎曲させて観察することが重要である．ただ漫然と観察するのでは病変が存在する亜部位そのものが見えてこない．左舌根癌の 1 例を示す（図 8）．

5 喉頭の観察

　喉頭も漫然と観察するのでなく，喉頭蓋舌面，喉頭蓋喉頭面，仮声帯，声帯，声門下と場所を移動しながら，内視鏡を近接観察させて，すべての亜部位をくまなく観察する．喉頭蓋舌面に存在する病変が見逃されやすいので注意が必要である（図 9）．

6 下咽頭の観察

　下咽頭の内視鏡検査では，検査時の姿勢が重要である．正しい姿勢をとると観察しやすくなり，

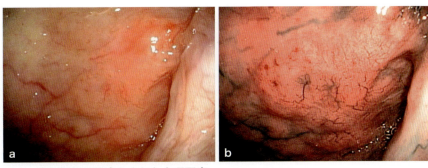

図6 当初原発不明癌とされた上咽頭癌
a：通常光所見，b：NBI所見．

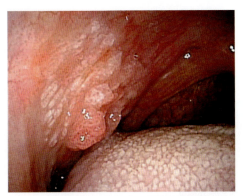

図7 右前口蓋弓表在癌の通常光所見

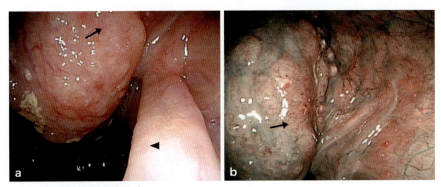

図8 左舌根外側の早期癌
a：通常光所見，b：より近接したNBI所見．
矢印が癌．矢頭は左の前口蓋弓．発声して舌を前方に突出するように指示し，ファイバーを強く彎曲させて観察する．この部位の病変は意図的に観察するようにしないと見逃すことが多い．

病変も発見しやすくなる．背中を椅子につけた状態ではなく，sniffing position（背中を丸め，顔を前に突き出し，顎を上に上げる姿勢）で観察することを基本とする．輪状後部やその対側の後壁，梨状陥凹深部などの下咽頭深部の観察の際はValsalva手技の併用，modified Killian法[11]を行うと，これらの部位がよく展開されて下咽頭癌の見逃しが減少する．背中を丸め，顎を引いて臍を覗きこむようにしながら上体を前傾させる姿勢をmodified Killian positionといい，このposition下でValsalsa手技や頸部捻転を行う下咽頭深部観察法をmodified Killian法という．modified Killian法のオリ

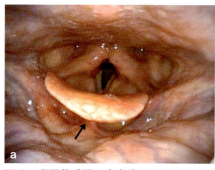
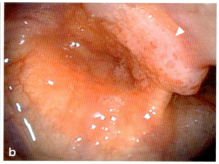

図9 喉頭蓋舌面の表在癌
a:遠方からの通常光所見,b:近接通常光所見
矢印の奥に癌があるが,遠方からの観察ではまったく癌の存在がわからない.喉頭蓋と舌根の間に内視鏡を挿入し近接観察してはじめて白矢頭の小隆起性病変が喉頭蓋舌面にあることがわかる.病変は右喉頭蓋谷にも広がっている.この部位の病変も意図的に観察するようにしないと見逃すことが多い.
[杉本太郎ほか:JOHNS 31:418-422, 2015 より許諾を得て転載]

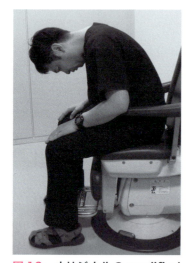

図10 オリジナルの modified Killian position
[杉本太郎ほか:ENTONI 192:116-120, 2016 より許諾を得て転載]

図11 われわれが下咽頭深部観察時に利用している,オリジナルより前傾が深い modified Killian position
下顎を挙上すると下咽頭深部がよりみえやすくなる場合が多い.
[杉本太郎ほか:ENTONI 179:165-175, 2015 より許諾を得て転載]

ジナルの姿勢は図10のごとくであるが,筆者はオリジナルより上体の前傾をかなり強くとり,さらに modify した姿勢(図11)で観察を行っている.下咽頭深部の癌の1例を示す(図12).下咽頭深部の観察時には,内視鏡を手元で捻転させて上部消化管内視鏡検査時と同じ観察条件(通常の耳鼻咽喉科内視鏡観察時と左右を反転させる)にすると,病変が同定しやすくなる場合がある.まれに全身麻酔下に観察しないと下咽頭深部の病変が見えない場合もある[12].

文献

1)日本食道学会(編):臨床・病理 食道癌取扱い規約,第10版補訂版,金原出版,東京,p13-14, p69,

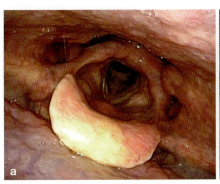
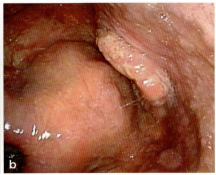

図12　下咽頭後壁深部の表在癌
a：遠方からの通常光所見．b：図11の姿勢でValsalva手技を併用した近接通常光所見．下咽頭深部の癌はただ内視鏡を挿入して観察しただけでは見えてこない．modified Killian法が非常に有用である．

2008
2) 日本食道学会（編）：食道癌診療・治療ガイドライン2012年4月版，金原出版，東京，p14-15，p97-98，2012
3) Muto M, et al：Squamous cell carcinoma in situ at oropharyngeal and hypopharyngeal mucosal sites. Cancer **101**：1375-1381，2004
4) Watanabe A, et al：Laryngoscopic detection of pharyngeal carcinoma in situ with narrow band imaging. Laryngoscope **116**：650-654，2006
5) 日本頭頸部癌学会（編）：頭頸部癌取扱い規約，第6版補訂版，p66，p86，金原出版，東京，2019
6) 杉本太郎：下咽頭癌・口腔咽頭の臨床，第3版，日本口腔・咽頭科学会（監），医学書院，東京，p170-173，2015
7) 杉本太郎ほか：頭頸部表在癌に対する経口的手術．頭頸部癌 Frontier **2**：4-8，2014
8) 杉本太郎ほか：ここまで進歩した内視鏡：ファイバースコープから最新のNBI内視鏡まで．がんを見逃さない―頭頸部癌診療の最前線：ENT臨床フロンティア，岸本誠司（編），中山書店，東京，p134-141，2013
9) 杉本太郎ほか：口腔・咽頭・喉頭の表在癌の早期診断．ENTONI **179**：165-175，2015
10) 杉本太郎ほか：見逃されやすい喉頭癌病変とその注意点．JOHNS **31**：418-422，2015
11) Sakai A, et al：A new technique to expose the hypopharyngeal space：the Modified Killian,s method. Auris Nasus Larynx **41**：207-210，2014
12) 杉本太郎ほか：下咽頭癌を見逃さない診療とは？ENTONI **192**：116-120，2016

4. TNM 分類

　2017年にUnion for International Cancer Control (UICC) がTNM分類8版を発表した．日本では頭頸部は甲状腺を除いてUICC分類を用いることになっており，わが国の『頭頸部癌取扱い規約』も2018年に改訂され第6版となった．ここでは『頭頸部癌取扱い規約』(第6版) の変更点について，UICC第8版を参照しながらその意義と実臨床での注意点について述べる．また，『甲状腺癌取扱い規約』も2019年に第8版へ改訂されている．『頭頸部癌取扱い規約』と分けて変更点，意義と実臨床での注意点を述べる．

1 『頭頸部癌取扱い規約』(第6版) および『頭頸部癌取扱い規約』(第6版補訂版)

　従来，TNM分類の病期は解剖学的に癌の広がりを示すものであったが，今回の改訂では予後予測因子を取り入れたものとなったのがポイントである．UICC第8版では腫瘍関連因子，患者背景因子，環境関連因子の3つの予後因子が加えられ，それぞれ重要度に応じて分類される．

　頭頸部癌の改訂においても口腔癌T分類の深達度 depth of invasion (DOI) 評価，中咽頭癌におけるHPV (p16) の評価，頸部転移リンパ節の節外浸潤 extra-nodal extension (ENE) のN分類への追加など予後にかかわるとされる因子が取り込まれている．

　わが国の『頭頸部癌取扱い規約』においても同様の変更がされており，変更点は以下のとおりである．

変更点

1 T分類

ⓐ 口唇，口腔癌（表1）

　T1からT3について原発巣の深達度 (DOI) の評価が追加された．またT4aの基準としてきた外舌筋浸潤については臨床的，病理学的に評価がむずかしいため判断基準から除外された．最大径2cm，4cmとDOI 5mm，10mmが基準となり分類される．これらの基準のもと最大径とDOIを組み合わせた6通りでT1からT4aまで分類したものとなっている．この点については2019年12月に『頭頸部癌取扱い規約』(第6版) の補訂版で追加修正された．

ⓑ 中咽頭癌

　p16陽性腫瘍と陰性腫瘍に分けられ，p16陽性腫瘍ではT1～T3は変わりないがT4でa, bの分類がなくなった．また，原発不明頸部転移でp16陽性腫瘍は中咽頭癌T0として扱われることになった．p16陰性腫瘍については以前同様の分類となっている．

ⓒ 上咽頭癌（表2）

　側頭下窩の進展の評価が変更された．T2の分類に内外翼突筋浸潤と椎前筋浸潤が追加された．T3の分類に頸椎，翼状突起の骨浸潤が追加された．T4の分類に耳下腺浸潤と外側翼突筋外側への進展が追加された．

2 N分類

　口唇および口腔癌，咽頭癌［中咽頭 (p16陰性)，下咽頭］，喉頭癌，鼻腔および副鼻腔癌，原発不明頸部転移癌，大唾液腺癌では節外浸潤を認めるものをN3bとして新たに分類することになった．臨床的に節外浸潤とされるのは皮膚浸潤や筋肉，軟

4. TNM分類　1.『頭頸部癌取扱い規約』(第6版)および『頭頸部癌取扱い規約』(第6版補訂版)

表1　口唇, 口腔癌のT分類

TX	原発腫瘍の評価が不可能
T0	原発腫瘍を認めない
Tis	上皮内癌
T1	最大径が2 cm以下かつ深達度が5 mm以下の腫瘍
T2	最大径が2 cm以下かつ深達度が5 mmをこえる腫瘍, または最大径が2 cmをこえるが4 cm以下でかつ深達度が10 mm以下の腫瘍
T3	最大径が2 cmをこえるが4 cm以下でかつ深達度が10 mmをこえる腫瘍, または最大径が4 cmをこえ, かつ深達度が10 mm以下の腫瘍
T4a	(口唇)下顎骨皮質を貫通する腫瘍, 下歯槽神経, 口腔底, 皮膚(オトガイ部または外鼻の)に浸潤する腫瘍*
T4a	(口腔)最大径が4 cmをこえ, かつ深達度が10 mmをこえる腫瘍, または下顎もしくは上顎の骨皮質を貫通するか上顎洞に浸潤する腫瘍, または顔面皮膚に浸潤する腫瘍*
T4b	(口唇および口腔)咀嚼筋間隙, 翼状突起, 頭蓋底に浸潤する腫瘍, または内頸動脈を全周性に取り囲む腫瘍

* 歯肉を原発巣とし, 骨および歯槽のみに表在性びらんが認められる症例はT4aとしない.

[日本頭頸部癌学会(編):頭頸部癌取扱い規約, 第6版補訂版, 金原出版, 2019より許諾を得て転載]

表2　上咽頭癌のT分類

TX	原発腫瘍の評価が不可能
T0	原発腫瘍を認めない
Tis	上皮内癌
T1	上咽頭に限局する腫瘍, または中咽頭および/または鼻腔に進展するが, 傍咽頭間隙への浸潤を伴わない腫瘍
T2	傍咽頭間隙へ進展する腫瘍, および/または内側翼突筋, 外側翼突筋および/または椎前筋に浸潤する腫瘍
T3	頭蓋底骨構造, 頭椎, 翼状突起, および/または副鼻腔に浸潤する腫瘍
T4	頭蓋内に進展する腫瘍, および/または脳神経, 下咽頭, 眼窩, 耳下腺に浸潤する腫瘍, および/または外側翼突筋の外側表面をこえて浸潤する腫瘍

[日本頭頸部癌学会(編):頭頸部癌取扱い規約, 第6版補訂版, 金原出版, 2019より許諾を得て転載]

部組織への固着, 臨床的な症状を認める神経浸潤などである. よってCTやMRIでわずかに周囲組織に浸潤しているような状況ではN3bとはせず, 明らかに視触診で判断できる場合とされている.

pN分類においては口唇および口腔癌, 咽頭癌[中咽頭(p16陰性), 下咽頭], 喉頭癌, 鼻腔および副鼻腔癌, 原発不明頸部転移癌, 大唾液腺癌において節外浸潤がある場合は単発, 3 cmが基準とされ, 同側単発リンパ節転移3 cm以下はpN2a, 多発や3 cmを超えるとpN3bとなる.

ⓐ 中咽頭癌(p16陽性)(表3)

節外浸潤の概念はなく, 偏側性, リンパ節の大きさによる. 対側転移, 大きさは6 cmが基準とされた. 一側性6 cm以下ならN1, 対側転移もしくは両側転移で6 cm以下ならN2, 6 cm以上ならN3となる.

pN分類においてはリンパ節転移の個数で分類され, 5個が基準となり1~4個がpN1, 5個以上でpN2と分類される.

ⓑ 上咽頭癌(表4)

N3aとN3bがN3に統一された. 鎖骨上窩リンパ節の定義の代わりに輪状軟骨尾側より尾側へ進展するものがN3と定義された.

3 Stage分類

ⓐ 上咽頭癌

N3はT分類にかかわらずStage ⅣA, 遠隔転移症例はStage ⅣBである.

表3　p16陽性中咽頭癌N分類

NX	領域リンパ節の評価が不可能
N0	領域リンパ節転移なし
N1	一側のリンパ節転移で最大径がすべて6cm以下
N2	対側または両側のリンパ節転移で最大径がすべて6cm以下
N3	最大径が6cmをこえるリンパ節転移

正中リンパ節は同側リンパ節である．
［日本頭頸部癌学会（編）：頭頸部癌取扱い規約，第6版補訂版，金原出版，2019より許諾を得て転載］

表4　上咽頭癌のN分類

NX	領域リンパ節の評価が不可能
N0	領域リンパ節転移なし
N1	輪状軟骨の尾側縁より上方の，一側頸部リンパ節転移および/または一側/両側咽頭後リンパ節転移で最大径が6cm以下
N2	輪状軟骨の尾側縁より上方の両側頸部リンパ節転移で最大径が6cm以下
N3	最大径が6cmをこえる頸部リンパ節転移，および/または輪状軟骨の尾側縁より下方に進展

正中リンパ節は同側リンパ節である．
［日本頭頸部癌学会（編）：頭頸部癌取扱い規約，第6版補訂版，金原出版，2019より許諾を得て転載］

表5　p16陽性中咽頭癌Stage分類

0期	Tis	N0	M0
Ⅰ期	T1, T2	N0, N1	M0
Ⅱ期	T1, T2	N2	M0
	T3	N0, N1, N2	M0
Ⅲ期	T1, T2, T3	N3	M0
	T4	Nに関係なく	M0
Ⅳ期	Tに関係なく	Nに関係なく	M1

［日本頭頸部癌学会（編）：頭頸部癌取扱い規約，第6版補訂版，金原出版，2019より許諾を得て転載］

ⓑ 中咽頭p16陽性癌（表5）

TN分類の変更に伴いStage分類も変更されている．T1, T2はN1まではStageⅠ，N2はT3まではStageⅡ，StageⅢがN3およびT4症例である．StageⅣは遠隔転移症例のみである．予後を反映したStage分類に変更となった．

4 原発不明頸部転移癌

今回の改訂から追加された．リンパ節からの組織検査によりEBVの検出もしくはp16陽性が検出された場合，それぞれ上咽頭癌T0，p16陽性中咽頭癌T0として扱う．EBVやp16が検出されない場合のN分類は節外浸潤の概念により節外浸潤を認めるものをN3bとする．

意義と実臨床での注意点

1 T分類

口腔癌において第7版AJCCのT分類とDOIを組み合わせた新しい分類が国際的な多施設共同研究の結果から提案された[1]．この分類で予後解析を

行った結果，粗生存率を第7版と比較すると第7版ではStage ⅡとStage Ⅲが同等であったが，DOIを加えたことでStage別に予後が反映されたとしている[2]．これがDOIをT分類に導入した意義である．DOIはリンパ節転移に関与する表在性，外方発育型と浸潤型を区別するための測定方法であり，病理学的には非腫瘍性扁平上皮の基底膜から腫瘍最深部までの距離である．腫瘍の厚みとは異なることに注意が必要である．また，臨床的には術前にDOIを測定する必要があるがその方法についての記載がなく，病理学的なDOIにできるだけ近い臨床的なDOIを画像から測定するのが妥当と考えられる[3]．

上咽頭癌においては進展部位と予後の関連を後方視的に検討した結果前述した変更がなされた[4]．原発巣進展の臨床的な評価のためにはCT，MRIが頭頸部癌取扱い規約では必須とされているが，特にMRIの重要性を加味した改訂となっている．

中咽頭癌においては，UICC第7版においてHPV関連中咽頭癌のN分類が過大評価され臨床的に予後予測がむずかしいことが指摘されてきた．国際的な多施設によるコホート研究がなされ第7版はStage分類，N分類において予後に有意差がなかったため，p16発現を基準とした提案がなされた[5]．また，節外浸潤の有無は予後因子にならないことも報告している．

2 N分類

N分類については節外浸潤（ENE）の有無が取り入れられた．節外浸潤は切除断端陽性とともに術後再発のハイリスク因子である．従来は病理的診断によるものであったが，今回の改訂で臨床的にも評価が必要となった．臨床的に節外浸潤とされるのは皮膚浸潤や筋肉，軟部組織への固着，臨床的な症状を認める神経浸潤を示す場合である．しかし，画像での節外浸潤の評価について記載はない．

2 『甲状腺癌取扱い規約』（第8版）

UICC第8版への変更点とほぼ同様であるが，本規約独自の分類であるEx分類がUICC第8版では浸潤臓器により定義されている．『甲状腺癌取扱い規約』（第8版）ではExの記載が残したものとなっている．

変更点

1 T分類

分化癌においてT3の中で甲状腺被膜内に限局し4cmを超えるものをT3a，甲状腺被膜外へ進展（前頸筋のみ）するものをT3bと細分化された．未分化癌についてはすべてT4であったが分化癌と同様の分類になった．T3とT4にはExの記載が残してある．

2 N分類

上縦隔リンパ節転移がN1bからN1aに分類された．

3 Stage分類（表6）

乳頭癌，濾胞癌については基準となる年齢が45歳から55歳へ変更された．55歳以上のT2N0M0はⅡ期からⅠ期へ変更された．T3やN1（N1a，N1bともに）はすべてⅡ期に分類された．55歳以上のT4aはⅣA期からⅢ期へ変更され，T4bはⅣB期からⅣA期へ変更，遠隔転移はⅣC期からⅣB期へ変更された．乳頭癌と濾胞癌については以前よりゆるい病期分類へ変更となった．

未分化癌では甲状腺内病変はⅣA期，甲状腺外伸展もしくは頸部リンパ節転移を認めるとⅣB期，遠隔転移はⅣC期になった．未分化癌については以前より厳しい病期分類となった．

髄様癌については以前の分類とTNM分類は変更ない．

表6 甲状腺乳頭癌，濾胞癌 55 歳以上の Stage 分類

Ⅰ期	T1a, T1b, T2	N0	M0
Ⅱ期	T3	N0	M0
	T1, T2, T3	N1	M0
Ⅲ期	T4a	Nに関係なく	M0
ⅣA期	T4b	Nに関係なく	M0
ⅣB期	Tに関係なく	Nに関係なく	M1

[日本頭頸部癌学会（編）：頭頸部癌取扱い規約，第6版補訂版，金原出版，2019 より許諾を得て転載]

意義と実臨床での注意点

甲状腺分化癌については多くの患者がダウンステージングとなりⅠ期，Ⅱ期が全体の 90％ 以上を占めるようになった[7,8]。これによるⅠ期，Ⅱ期の生命予後は低下しないと試算されており[6]，実際の症例を用いた検討でも疾患特異的生命予後は第7版と比較して各病期間の差がより明瞭になったと報告されている[8〜10]。注意点は，この病期分類は甲状腺癌による死亡するリスクを考慮したものであり，再発を予測するツールではないということである[6]。UICC 第8版の中には予後不良因子もリストアップされており，実臨床においては TNM 分類と同時に予後不良因子による生物学的特異性を理解して方針決定する必要がある[7]。『甲状腺腫瘍診療ガイドライン 2018』に甲状腺乳頭癌のリスク分類があるが，『甲状腺癌取扱い規約』（第7版）をもとに作成されたものでありガイドラインの更新が待たれる。実臨床においては，『甲状腺取扱い規約』（第8版）には Ex の記載が残してあるため参考とすることはできる．

『頭頸部癌取扱い規約』（第6版），『甲状腺癌取扱い規約』（第8版）の変更点，その意義と臨床上の注意点について述べた。変更点のみならず，意義や注意点をよく理解したうえで実臨床に臨むことが必要と考える．

文献

1) International Consortium for Outcome Research (ICOR) in Head and Neck Cancer, et al：Primary tumor staging for oral cancer and a proposed modification incorporating depth of invasion：an international multicenter retrospective study. JAMA otolaryngol Head Neck Surg 140：1138-1148, 2014
2) Lydiatt WM, et al：Head and neck cancers-major changes in the american joint committee on cancer eighth edition cancer staging manual. CA Cancer J Clin 67：122-137, 2017
3) 久野博文ほか：舌癌の術前画像診断．頭頸部癌 45：392-396, 2019
4) Pan JJ, et al：Proposal for the 8th edition of the AJCC/UICC staging system for nasopharyngeal cancer in the era of intensity-modulated radiotherapy. Cancer 122：546-558, 2016
5) O`Sullivan B, et al：Development and validation of a staging system for HPV-related oropharyngeal cancer by the International Collaboration on Oropharyngeal cancer Network for Staging (ICONS)：a multicenter cohort study. Lancet Oncol 17：440-451, 2016
6) Tuttle RM, et al：Updated American Joint Committee on Cancer/tumor-node-metastasis staging system for differentiated and anaplastic thyroid cancer (eighth edition)：What changed and why? Thyroid 27：751-756, 2017
7) Suh S, et al：Outcome prediction with the revised American joint committee on cancer staging system and American thyroid association guidelines for thyroid cancer. Endcrine 58：495-502, 2017
8) Ito Y, et al：Prognostic value of the 8th edition of the tumor-node-metastasis classification for patients with papillary thyroid carcinoma：a single institution study at a high volume center in Japan. Endocr J 65：707-716, 2018
9) Pontius LN, et al：Projecting survival in papillary thyroid carcinoma：A comparison of the seventh eighth editions of the American Joint Commission on Cancer/Union for International Cancer Control Staging System in two contemporary national patient cohorts. Thyroid 27：1408-1416, 2017
10) Perrier ND, et al：Thyroid differentiated and anaplastic thyroid carcinoma：major changes in the American Joint Committee on Cancer eighth edition cancer staging manual. CA cancer J Clin 68：55-63, 2018

第Ⅲ章
治　療

1. 治療方針決定の手順

　治療方針の検討は，既往症・併存症の有無，認知機能評価，家族背景・社会背景などの患者情報，また，各種検査による臓器機能の確認，細胞診断や組織診断による病理診断，画像検査や内視鏡検査による病期診断などの検査データの収集をもとにした治療実施可能性の評価から始まる（図1）．

　次に，個々の症例に適した方針を検討するため，頭頸部癌治療にかかわる医療者間での協議（キャンサーボード）を行うが，単にガイドラインに準じたdecision treeに沿うだけではなく，患者情報・検査データをもとにした症例ごとの綿密な協議が求められる．

　最終的には，施設における治療方針，他の治療選択肢を提示したうえで，患者とともに協議を行い，十分な理解と納得が得られたならば同意を取得し，患者にとって最良の医療となる治療方針を決定する．

患者情報および検査データ

　癌治療においては，年齢，性別，病歴などはもちろんのこと，精神状態や生活環境，挙児希望の有無などといった幅広い情報収集が必要である．一つひとつの情報を詳細に確認することで，後の治療方針の検討がよりスムーズなものとなるため，初期の診察が疎かにならないよう注意しなければならない．

　必要な患者情報および検査データについては，表1にまとめた．詳細は「第Ⅱ章-3-A．診断に至るまでの検査」を参照されたい．

1 検査データ

　各種臓器機能，糖代謝，感染症などの検査を行うが，確認すべきデータとその利用は，予定される治療方法によって異なるため，どの治療方法を選択することになっても困らないように備えなければならない．目的意識をもって各種検査を行うことで，追加検査や無駄な検査を控え，治療開始時期を遅らせることなく，十分な準備を整えることが可能となる．

a 心機能

　心筋障害や血管攣縮を誘発する薬剤，大量の補液を必要とする手術および癌薬物療法があるため，心疾患の既往・合併や検査異常を認めた場合，もしくは，侵襲の大きな手術を行う前には循環器内科との連携が必要である．

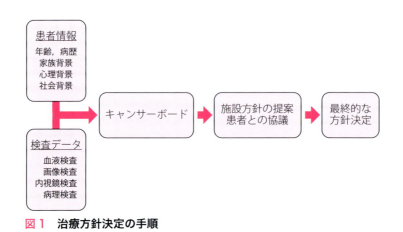

図1　治療方針決定の手順

表1　確認すべき患者情報と検査データ

	患者情報	検査データ
1	年齢，性別	心機能
2	全身状態	呼吸機能
3	病理診断，病期診断	腎機能
4	合併症，既往歴	肝機能
5	生活習慣（飲酒，喫煙）	骨髄機能・凝固能
6	アレルギー	糖代謝
7	精神状態，認知機能	感染症
8	生活環境（家族構成，職業）	腫瘍マーカー
9	その他（挙児希望の有無など）	その他

ⓑ 呼吸機能

　喫煙者の多くが慢性閉塞性肺疾患（COPD）を有しており，手術もしくは癌薬物療法により，増悪する可能性がある．間質性肺炎，肺線維症を有する症例では，放射線性肺臓炎，薬剤性間質性肺炎のリスクが高く，喘息やCOPDを有する症例は，手術麻酔による問題（抜管困難，術後喀痰量の増加）が予想されるため，リスク管理，周術期管理を念頭に呼吸器内科との連携が必要となる．また，癌薬物療法開始前には肺障害関連検査（KL-6，SP-D）も検討する．

ⓒ 腎機能

　加齢，生活習慣，合併症のために，治療開始前から腎機能障害を有する患者もおり，癌薬物療法前の腎機能検査は必須である．米国食品医薬品局（FDA）では，腎機能低下例での指標としてCockcroft-Gault（CG）式より算出されるCcr推定値を推奨しており，癌薬物療法を行う際にはCG式が勧められる．ただし，加齢に伴う体重減少や筋肉量減少による誤差について留意しなければならない．

ⓓ 肝機能

　飲酒による肝機能低下，アルコール性肝硬変を有する症例もあり，必要に応じて肝臓専門医にコンサルトする．肝機能低下例においては，手術時の急性肝不全，術後黄疸などのリスク，癌薬物療法時の薬剤による肝機能障害の悪化，代謝・排泄遅延による毒性の増強などが起こりうる．

ⓔ 骨髄機能・凝固能

　癌薬物療法のレジメンによっては，急激かつ高度の骨髄抑制を生じることがあるため，十分な骨髄機能を有していることを確認する．また，肝障害に伴う血小板減少や凝固因子の不足，薬剤性の凝固能低下などがあるため，手術前には必ず確認する．

ⓕ 糖・内分泌代謝

　糖尿病合併症例では，手術における感染症発症率の増加，創傷治癒遅延，癌薬物療法時の腎機能低下，ステロイド投与による血糖上昇・1型糖尿病発症のリスクがあり，周術期および化学療法時の血糖管理が重要である．治療開始前にベースラインとしての血糖値，HbA1cを測定すべきである．また，免疫療法を使用する際には内分泌障害が起こりうるため，甲状腺機能関連検査（TSH，FT_3，FT_4，抗TPO抗体，抗Tg抗体），下垂体機能関連検査（ACTH，コルチゾール）もあわせて行う．

ⓖ 感染症

　医療従事者側の感染予防はもちろんであるが，頭頸部癌の術後は喀痰飛散も多く，各種耐性菌の拡散を予防するために，術前の鼻腔細菌検査なども検討する．また，癌薬物療法を行う際には，B型肝炎ウイルス（HBV）持続感染者の劇症化のリスクがあるため，ガイドライン（図2）に準じた対応を行う[1]．

ⓗ 腫瘍マーカー

1）SCC抗原

　扁平上皮に広く分布し，頭頸部癌の診断補助，経過観察のモニターとして用いられるが，早期癌では陽性率が低く，スクリーニングには不向きである．

2）サイログロブリン

　甲状腺腫瘍が良性であっても，悪性であっても上昇することがあるため，鑑別診断目的には有用でない．ただし，分化型甲状腺癌に対する甲状腺全摘術後，または残存甲状腺アブレーション後のマーカーとしては有用である．

3）カルシトニン

　主として甲状腺の傍濾胞細胞から分泌されるホルモンであり，甲状腺髄様癌の診断補助，術後の経過観察においてきわめて有用な腫瘍マーカーで

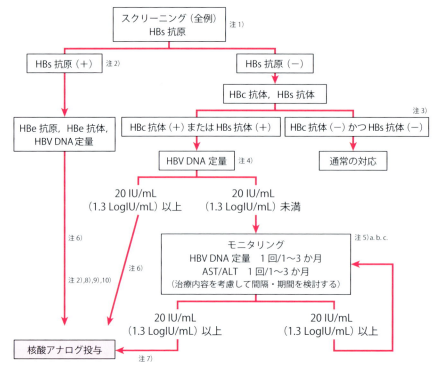

図2 免疫抑制・化学療法により発症するB型肝炎対策ガイドライン

補足：血液悪性疾患に対する強力な化学療法中あるいは終了後に，HBs抗原陽性あるいはHBs抗原陰性例の一部においてHBV再活性化によりB型肝炎が発症し，その中には劇症化する症例があり，注意が必要である．また，血液悪性疾患または固形癌に対する通常の化学療法およびリウマチ性疾患・膠原病などの自己免疫疾患に対する免疫抑制療法においてもHBV再活性化のリスクを考慮して対応する必要がある．通常の化学療法および免疫抑制療法においては，HBV再活性化，肝炎の発症，劇症化の頻度は明らかでなく，ガイドラインに関するエビデンスは十分ではない．また，核酸アナログ投与による劇症化予防効果を完全に保証するものではない．

注1) 免疫抑制・化学療法前に，HBVキャリアおよび既往感染者をスクリーニングする．HBs抗原，HBc抗体およびHBs抗体を測定し，HBs抗原が陽性のキャリアか，HBs抗原が陰性でHBs抗体，HBc抗体のいずれか，あるいは両者が陽性の既往感染かを判断する．HBs抗原・HBc抗体およびHBs抗体の測定は，高感度の測定法を用いて検査することが望ましい．また，HBs抗体単独陽性(HBs抗原陰性かつHBc抗体陰性)例においても，HBV再活性化は報告されており，ワクチン接種歴が明らかである場合を除き，ガイドラインに従った対応が望ましい．

注2) HBs抗原陽性例は肝臓専門医にコンサルトすること．また，すべての症例において核酸アナログの投与開始ならびに終了にあたって肝臓専門医にコンサルトするのが望ましい．

注3) 初回化学療法開始時にHBc抗体，HBs抗体未測定の再治療例および既に免疫抑制療法が開始されている例では，抗体価が低下している場合があり，HBV DNA定量検査などによる精査が望ましい．

注4) 既往感染者の場合は，リアルタイムPCR法によりHBV DNAをスクリーニングする．

注5)
  a. リツキシマブ・オビヌツズマブ(±ステロイド)，フルダラビンを用いる化学療法および造血幹細胞移植：既往感染者からのHBV再活性化の高リスクであり，注意が必要である．治療中および治療終了後少なくとも12か月の間，HBV DNAを月1回モニタリングする．造血幹細胞移植例は，移植後長期間のモニタリングが必要である．
  b. 通常の化学療法および免疫作用を有する分子標的治療薬を併用する場合：頻度は少ないながら，HBV再活性化のリスクがある．HBV DNA量のモニタリングは1～3か月ごとを目安とし，治療内容を考慮して間隔および期間を検討する．血液悪性疾患においては慎重な対応が望ましい．
  c. 副腎皮質ステロイド薬，免疫抑制薬，免疫抑制作用あるいは免疫修飾作用を有する分子標的治療薬による免疫抑制療法：HBV再活性化のリスクがある．免疫抑制療法では，治療開始後および治療内容の変更後(中止を含む)少なくとも6か月間は，月1回のHBV DNA量のモニタリングが望ましい．なお，6か月以降は3か月ごとのHBV DNA量測定を推奨するが，治療内容に応じて高感度HBs抗原測定(感度0.005 IU/mL)で代用することを考慮する．

注6) 免疫抑制・化学療法を開始する前，できるだけ早期に核酸アナログ投与を開始する．ことに，ウイルス量が多いHBs抗原陽性例においては，核酸アナログ予防投与中であっても劇症肝炎による死亡例が報告されており，免疫抑制・化学療法を開始する前にウイルス量を低下させておくことが望ましい．

注7) 免疫抑制・化学療法中あるいは治療終了後に，HBV DNA量が20 IU/mL (1.3 LogIU/mL)以上になった時点で直ちに核酸アナログ投与を開始する(20 IU/mL未満陽性の場合は，別のポイントでの再検査を推奨する)．また，高感

度 HBs 抗原モニタリングにおいて 1 IU/mL 未満陽性（低値陽性）の場合は，HBV DNA を追加測定して 20 IU/mL 以上であることを確認した上で核酸アナログ投与を開始する．免疫抑制・化学療法中の場合，免疫抑制薬や免疫抑制作用のある抗腫瘍薬は直ちに投与を中止するのではなく，対応を肝臓専門医と相談する．

注8) 核酸アナログは薬剤耐性の少ない ETV，TDF，TAF の使用を推奨する．

注9) 下記の①か②の条件を満たす場合には核酸アナログ投与の終了が可能であるが，その決定については肝臓専門医と相談した上で行う．
①スクリーニング時に HBs 抗原陽性だった症例では，B 型慢性肝炎における核酸アナログ投与終了基準を満たしていること．②スクリーニング時に HBc 抗体陽性または HBs 抗体陽性だった症例では，(1) 免疫抑制・化学療法終了後，少なくとも 12 か月間は投与を継続すること．(2) この継続期間中に ALT（GPT）が正常化していること（ただし HBV 以外に ALT 異常の原因がある場合は除く）．(3) この継続期間中に HBV DNA が持続陰性化していること．(4) HBs 抗原および HB コア関連抗原も持続陰性化することが望ましい．

注10) 核酸アナログ投与終了後少なくとも 12 か月間は，HBV DNA モニタリングを含めて厳重に経過観察する．経過観察方法は各核酸アナログの使用上の注意に基づく．経過観察中に HBV DNA 量が 20 IU/mL（1.3 LogIU/mL）以上になった時点で直ちに投与を再開する．

［日本肝臓学会 肝炎診療ガイドライン作成委員会 編「B 型肝炎治療ガイドライン（第 3.4 版）2021 年 5 月，P78-80, https://www.jsh.or.jp/medical/guidelines/jsh_guidlines/hepatitis_b.html（2021 年 10 月 27 日参照）］

ある．また，癌胎児性抗原（CEA）もカルシトニンと同様に甲状腺髄様癌の腫瘍マーカーとして有用であるが，臓器特異性は低く，他領域の腺癌でも陽性となるため，術後の経過観察に用いられる．

施設内における治療方針の検討（キャンサーボード）(図3)

1 キャンサーボードとは

　キャンサーボードとは，治療開始前の診療から治療後の経過観察までの一連の癌診療にかかわる専門的な知識および技能を有する医師を主体として，多面的な病状把握によるチーム医療を行うための看護師，薬剤師，各療法士（PT, OT, ST），栄養師，臨床心理士，医療ソーシャルワーカー（MSW）などの医療スタッフが一堂に集い，1 人の患者の診療方針を包括的に議論する場のことである．

2 頭頸部癌の特徴

　近年，すべての癌診療においてキャンサーボードが勧められているが，癌種による特性の違いを十分に理解したうえでの議論の場が必要である．

　頭頸部は多臓器の集合体であり，きわめて複雑な解剖と種々の重要な機能（呼吸・嚥下・咀嚼・発声など）を有しており，実施される治療によっては容姿変化，機能障害，社会生活の変化を生じうる．また，患者の多くは高齢で喫煙・飲酒歴が長く，さまざまな既往歴・併存症を有していることも多く，虚血性心疾患や COPD，肝障害，腎障害などの臓器障害をもち，さらには，原疾患による嚥下障害や呼吸障害，視力障害，発声障害などもあり，多種多様な症状・所見・経過を呈する疾患である．

　その治療においては，手術，放射線治療，癌薬物療法のいずれかの治療法だけでなく，複数を組み合わせる集学的治療が必要となることも多いため，合併症の管理，気道の管理，疼痛管理，食事の工夫などが必要である．

　また，治療後は機能障害への対策，社会的サポート（訪問診療，訪問看護，生活保護），心理的ケアの介入などを検討しなければならない患者も多い．

3 キャンサーボードの実際

　頭頸部癌の特徴を念頭に，十分な事前準備を行う．まずは病歴，生活状況，家族構成，本人と家族の理解度などの患者情報，全身の診察，各種検査などの検査データをそろえる．次に治療のゴール設定を行うが，そのゴールは患者ごとに異なり，たとえ容姿や機能が犠牲になっても生存率の向上をめざすのか，社会生活を考慮して機能温存を優先したいのか，病状の進行を抑えずとも症状の緩和さえできればよいのかなどの違いによって，方針は大きく異なるため，明確にしておかなければならない．以上の患者情報と検査データをもとに，治療のゴールに向けてのカンファレンスが行われることとなる．

　理想的なキャンサーボードでは，診療に携わる

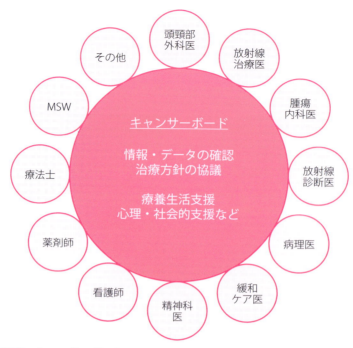

図3　キャンサーボード

すべての医療従事者の参加が求められ，頭頸部領域の検討においては，耳鼻咽喉科・頭頸部外科医，形成外科医，放射線科治療医・診断医，腫瘍内科医の参加，可能であれば歯科医，緩和ケア医，腫瘍精神科医，病理診断医，医療スタッフなどの参加も考慮すべきである．各専門家がそろうことで，診療科間の情報共有がスムーズに行われ，方針決定までの時間が短縮される．また，施設内でのコンセンサスが得られることで，医療者側の時間経過に伴う考えのブレや勘違いなどがなくなるとともに，患者自身も安心して施設方針を聞き入れる準備ができる．

一方，キャンサーボードを介さない各診療科のみでの検討では，医師の主観によって治療方針に大きな偏りが生じる可能性があり，必ずしも患者にとって最適な治療ではなく，医療者側にとって最良な方針（管理しやすい，慣れている，試してみたいなど）を選択してしまうことや診断そのものを間違える可能性もあるため，常に客観的に物事を決定できる公の場が必要である[2]．

チーム医療による治療方針の提供により，患者管理の充実，治療成績の改善が見込めることも報告されており，患者本位の最適な治療を提供するためにも，各診療科間での綿密な連携，自由な討論の場が治療方針決定の過程においてはきわめて重要である[3]．

以上を踏まえた治療方針の検討を行うことにより，エビデンスに基づいた有効かつ安全な治療法を選択し，疾患の種類や病期，併存症の病状，さらには患者の意思を尊重した最適で包括的な治療方針を提示・実践することが可能となる．

治療方針の提示と同意取得

病名，病状，各種検査結果を改めて説明した後に，キャンサーボードにおいて推奨する治療方針を患者へ提示する．頭頸部癌治療の多くは複数の治療選択肢を有することもあり，施設として推奨すべき第一選択肢とともに，他の治療選択肢についてもあわせて説明を行う．

各治療法の適応，生じる有害事象，治療後の機能障害の状況や生活状態，治療期間と費用，患者・家族の希望などを踏まえて，最終的な治療方針を患者とともに決定する．

表2 高齢者の特徴

	高齢者の特徴
身体機能の低下	日常生活動作（ADL）の低下 手段的日常生活動作（IADL）の低下
臓器機能の低下	肝腎機能低下 心肺機能低下 骨髄機能低下 消化管粘膜の萎縮
薬物代謝能の低下	肝体積および血流量減少によるクリアランスの低下 腎血流量減少による糸球体濾過率低下によるクリアランスの低下 体脂肪率や体内水分量の変化による薬剤分布容積の変化
心理的問題	認知機能障害 抑うつ
社会的問題	生活状況（独居，社会的孤立，経済的困窮） ソーシャルサポートの限界

　説明に対する理解度を確認しながら話を進め，一方的な話し合いにならないように心がけるべきであるが，理解力や決定力には個人差があるため，患者・家族のみでなく，医療スタッフも交えた協議や複数回の説明，説明方法の工夫も検討しなければならない．

　また，治療方法を説明する際に複数の治療選択肢があるならば，まずは標準治療を説明したうえで，他の治療選択肢についても説明するべきである．治療成績についても各施設のレトロスペクティブな少数例の成績などではなく，一般に認知されているデータや大規模な臨床試験の結果などをもとに説明すべきである．

　同意取得については，治療方針を提示した即日の回答を求めるべきではなく，考える時間を十分に与える．最終的には患者の自由な意思に基づく同意が不可欠であり，同意の強要や誘導があってはならない．

患者の年齢層にあわせた治療

1 高齢者に対する治療（表2）

　近年の高齢化に伴い，癌治療においても高齢者の治療方針を決定しなければならない場面が増加しているが，その判断は非常にむずかしい．高齢者年齢の定義はさまざまであるが，国際連合の世界保健機関（WHO）では，65歳以上を高齢者と定義しており，わが国においても頭頸部癌患者（口腔・咽頭・喉頭）の約64％が当てはまるため，その治療方針の検討は避けて通ることはできない[4]．一般に高齢者は，加齢に伴う個人差の大きな生理的変化に加えて，既往症・合併症，理解力の低下や抑うつ傾向などの精神・心理的な問題，家族形態や経済的困窮などの社会・環境問題が存在するため，身体機能の評価だけでなく，総合的な評価が求められる．

　高齢者の客観的かつ包括的な評価方法としては，高齢者総合的機能評価（comprehensive geriatric assessment：CGA）が提唱されているが，多数の評価項目があり，その評価には時間を要するため，実臨床では利便性に欠ける．簡便かつ有用な評価方法が求められており，わが国においても利用可能な高齢者評価の検討が行われている[5]．現時点において，高齢者・合併症を有する癌患者のみを対象としたエビデンスはない．臨床試験から得られる主なエビデンスは，20〜75歳，全身状態良好，臓器機能正常，重篤な合併症がないなどの限られた母集団に対するデータのみであるため，高齢者に対する治療の安全性・有効性は不明である．

　高齢者の特徴を十分に理解し，個々の症例に応じて多面的に治療方針を決定せざるをえないが，

表3 精巣機能障害と薬剤

薬剤名	影響
シクロホスファミド	無精子症が遷延，永続する
シスプラチン（>400 mg/m^2） カルボプラチン（>2 g/m^2）	無精子症が遷延，永続することがある
フルオロウラシル エトポシド メトトレキサート	一時的に造精機能が低下する
抗体薬 チロシンキナーゼ阻害薬 タキサン系薬剤	不明

表4 卵巣機能障害と薬剤

薬剤名	影響
シクロホスファミド 5 g/m^2（>40歳） 7.5 g/m^2（<20歳）	>70%が治療後に無月経となる
シクロホスファミド 5 g/m^2（30〜40歳）	30〜70%が治療後に無月経となる
シスプラチン	30〜70%が治療後に無月経となる
タキサン系薬剤 エトポシド	無月経となりうる
フルオロウラシル メトトレキサート ドキソルビシン	まれ
抗体薬 チロシンキナーゼ阻害薬	不明

治療のゴールを明確にし，最小限の侵襲で生活の質（QOL）を維持した患者本位の治療が目標となる．

2 若年者に対する治療（妊孕性）（表3, 4）

癌治療を受ける若年者や挙児希望者は，生命への恐怖，仕事への影響，生活変化への不安などとともに妊孕性低下の不安も伴う．

癌薬物療法による妊孕性低下の原因は，男性の場合は精子数の減少・運動障害などであり，女性の場合は原子卵胞の減少・ホルモンバランスの障害などである．その原因に影響する重要な因子は，年齢，薬剤の種類，総投与量，治療期間とされ，薬剤ごとのリスクに関する報告も行われている[6〜8]．

標準的な妊孕性温存法は，男性の場合は精子凍結保存，女性の場合は受精卵凍結であるが，配偶者の有無，採卵時期，卵巣過剰刺激症候群などの問題もあり，その施行は容易ではない．最優先にすべきは，癌治療であるものの，治療開始前にその影響と対応について，患者や配偶者，その家族へ伝えるべきであり，挙児希望があれば早急に生殖医療を専門とする医師と連携をとる[9]．なお，治療終了後の妊娠は，明確な基準はないものの数ヵ月程度の期間をあければ胎児への薬剤の影響を懸念する必要はない．出産に関しては，女性癌生存者で早産が増加するとの報告もあるが，奇形発生率の増加などはないとされている[10]．

📖 文献

1）日本肝臓学会 肝炎診療ガイドライン作成委員会（編）：B型肝炎治療ガイドライン，第3.4版．https://www.

jsh.or.jp/lib/files/medical/guidelines/jsh_guidlines/B_v3.4.pdf（2021 年 10 月参照）
2) Brunner M, et al：Head and neck multidisciplinary team meetings：effect on patient management. Head Neck **37**：1046-1050, 2014
3) Friedland PL, et al：Impact of multidisciplinary team management in head and neck cancer patients. Br J Cancer **104**：1246-1248, 2011
4) Matsuda A, et al：Cancer incidence and incidence rates in Japan in 2008：a study of 25 population-based cancer registries for the Monitoring of Cancer Incidence in Japan（MCIJ）project. Jpn J Clin Oncol **44**：388-396, 2014
5) 日本臨床腫瘍学会，日本癌治療学会（編）：高齢者のがん薬物療法ガイドライン，南江堂，東京，2019
6) Lee SJ, et al：American Society of Clinical Oncology recommendations on fertility preservation in cancer patients. J Clin Oncol **24**：2917-2931, 2006
7) Loren AW, et al：Fertility preservation for patients with cancer：American Society of Clinical Oncology clinical practice guideline update. J Clin Oncol **31**：2500-2510, 2013
8) Vakalopoulos I, et al.：Impact of cancer and cancer treatment on male fertility. Hormones **14**：579-589, 2015
9) 日本癌治療学会（編）：小児，思春期・若年がん患者の妊孕性温存に関する診療ガイドライン 2017 年版，金原出版，東京，2017
10) Fosså SD, et al：Parenthood in survivors after adulthood cancer and perinatal health in their offspring：a preliminary report. J Natl Cancer Inst Monogr **34**：77-82, 2005

2. 外科治療

A 総論

　癌治療においては生命予後の改善が第一の目的となる．そのため，切除においては十分な安全域をつけて腫瘍摘出することが求められる．しかし，頭頸部領域には咀嚼・嚥下機能，呼吸・構語機能，感覚機能，顔貌といったさまざまな機能が集約されており，切除が大きいほど術後の機能低下は避けられず，患者のQOLは低下する．同じ生命予後が得られる場合に，治療後のQOLを推測しながら治療法を選択する必要がある．

　機能温存の観点からは放射線治療が選択されることが多い．しかし，外科治療も放射線治療も局所治療であり，治療法選択においてはそれぞれの限界を認識しておく必要がある．手術療法においては切除後の機能喪失・変形は避けられず，生命予後の見込めない症例ではその意義が問われることとなる．一方，放射線治療では機能と形態温存が果たせるとされるが，組織型や腫瘍体積などから根治の見込めぬ限界がある．

　外科治療を計画する際には他の治療法と合理的な比較を行い，最善の治療が手術であると認められるときには万全の準備のもとで積極果敢に行うべきである．

頭頸部癌治療と外科治療の歴史

　頭頸部癌治療は外科的治療に始まっている．200年以上前より手術の報告がなされており，それに続いて放射線治療や化学療法，化学放射線療法，免疫療法と治療開発が行われてきた（図1）．

　手術療法における大きな変革の1つは再建術の開発と進歩である．頭頸部領域では1965年のBakamjianらのDP皮弁による咽頭再建に始まり，次々と咽頭や口腔の再建術が開発されてきた．それまで切除後に一次縫合閉鎖のできない症例では，主として放射線治療を行うか，さもなければ治療を

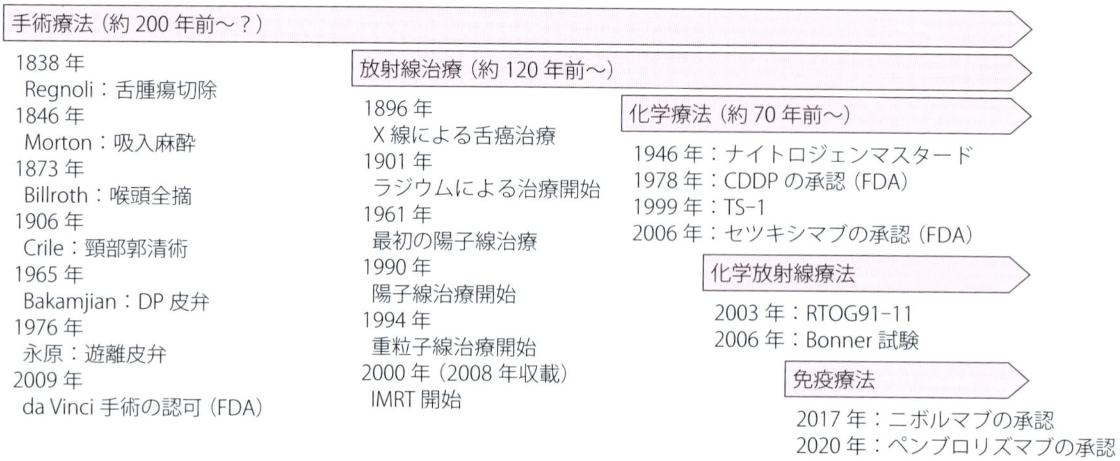

手術療法（約200年前〜？）
1838年　Regnoli：舌腫瘍切除
1846年　Morton：吸入麻酔
1873年　Billroth：喉頭全摘
1906年　Crile：頸部郭清術
1965年　Bakamjian：DP皮弁
1976年　永原：遊離皮弁
2009年　da Vinci手術の認可（FDA）

放射線治療（約120年前〜）
1896年　X線による舌癌治療
1901年　ラジウムによる治療開始
1961年　最初の陽子線治療
1990年　陽子線治療開始
1994年　重粒子線治療開始
2000年（2008年収載）　IMRT開始

化学療法（約70年前〜）
1946年：ナイトロジェンマスタード
1978年：CDDPの承認（FDA）
1999年：TS-1
2006年：セツキシマブの承認（FDA）

化学放射線療法
2003年：RTOG91-11
2006年：Bonner試験

免疫療法
2017年：ニボルマブの承認
2020年：ペンブロリズマブの承認

図1　頭頸部癌治療の歴史

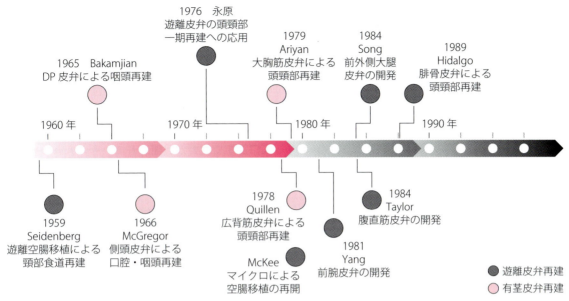

図2　頭頸部再建法の開発〜拡大切除と機能温存〜

あきらめるかの選択であったが，再建術の開発により治療適応の範囲が広がり，治療の質が向上した．さらに1970年代半ば頃からは，遊離組織皮弁移植術が頭頸部再建の術式として開発されてきた．これは1960年代に手術用顕微鏡が開発されたことによる．1980年代には次々と有用な遊離皮弁開発がなされ，今日の再建術式の基礎が築かれた（図2）．また，外科領域の癌手術が拡大手術一辺倒に向かって行った時代に，術後QOLをも考えた頭頸部癌手術治療の哲学は，今日すべての癌外科手術において求められている「機能温存」の土台になったと考えられる．

時を経てさらなる変革はロボット支援手術の登場である．Computer Motion社によって開発されたZEUSやIntuitive Surgical社によって開発されたda Vinciが21世紀に入り登場してきた．Computer Motion社がIntuitive Surgical社に吸収合併されたことより，現在da Vinciがロボット支援手術のスタンダードとして世界中に普及している．近年，da Vinciの主要特許が期限を迎え，さまざまな企業が手術支援ロボット開発に参入してきた．わが国においてもメディカロイド社が「hinotori」を開発し，2020年8月に製造販売承認を得た．世界では，頭頸部領域をターゲットとした経口的手術支援ロボットの開発・販売も行われており，わが国でも近い将来にこうした手術が普及することになると思われる．

「低侵襲」と「機能温存」

21世紀における外科治療のキーワードは「低侵襲」と「機能温存」である．他領域の外科手術において，これらを旗印とした鏡視下手術（胸腔鏡や腹腔鏡下での手術）やロボット支援手術の普及は目を見張るばかりである．施設によっては開腹・開胸術をほぼ行わなくなった所もあるという．頭頸部癌治療においても「低侵襲」と「機能温存」を求めて，さまざまな手術治療法が開発されてきた．

1 頭頸部癌に対する低侵襲手術

「低侵襲手術」とは，手術に伴う痛みや発熱，出血などをできるだけ少なくし，身体に対する侵襲度が低い医療機器を用いた手術である．外科においては腹腔鏡や胸腔鏡などの内視鏡手術が代表的であり，エネルギーデバイスなど手術器具の進歩や解剖学の理解の向上，手技の定型化により一般的な手術となっている．こうした手術は従来の外切開手術に比べて患者の身体的負担が少なく，回

復も早いとされる．入院期間の短縮により医療費の削減も図れるようになってきた．

さて，内視鏡手術は「胸腔」や「腹腔」など「腔」を利用して術野を展開・確保することで成り立っている．頭頸部領域においては「腔」は鼻腔・口腔・咽頭腔など経鼻・経口的にスペースを求めることができる部位がある一方で，頸部には「腔」がなく，作業スペースをつくり出さなければならない．甲状腺手術では頸部皮下に空間をつくり出して内視鏡手術を行うことができるようになったが，こうした手術は「高精度」ではあるものの，一部の患者ニーズに応える審美的なものであり，決して「低侵襲」とはいえない．そのため，頭頸部癌に対する低侵襲手術はもっぱら咽喉頭癌に対する経口的なアプローチで発展してきており，最近では手術機器や技術の発展に伴い経鼻的な頭蓋底手術が開発されてきている．また，経口的ロボット支援手術も保険収載に向けての作業が続けられている．

a 内視鏡手術の現状

1) 咽喉頭部

複雑な形態をとる咽喉頭部に対する経口的手術では，いかにして展開を行い，作業を行う空間をつくるかが重要である．「腔」をつくり出すために，直達喉頭鏡や彎曲型喉頭鏡が用いられている．直達喉頭鏡使用下では transoral laser microsurgery（TLM）やその流れを組む transoral videolaryngoscopic surgery（TOVS）が行われ，彎曲型喉頭鏡下では endoscopic mucosal resection（EMR：内視鏡的粘膜切除）や endoscopic submucosal dissection（ESD：内視鏡的粘膜下層剥離），消化器内視鏡医と頭頸部外科医との共同で行う endoscopic laryngo-pharyngeal surgery（ELPS：内視鏡的咽喉頭手術）が行われ，これら経口的手術は「完全喉頭機能温存」が果たせる術式として多く用いられるようになった．

TLM は顕微鏡とレーザーを用いて筒状の直達喉頭鏡下に病変を切除する手術であり，大きな病変の場合は分割切除となる．癌手術としては異例の概念であることから，わが国では分割せずに切除可能な早期の声門癌に対して行われている．これに対し，塩谷らが開発した TOVS では，拡張型喉頭鏡，ビデオ喉頭鏡，腹腔鏡手術鉗子などを用いて行われ，腫瘍の一塊切除が可能である．適応症例は中下咽頭癌や声門上癌で，Tis/T1/T2/一部のT3 病変および（化学）放射線治療後の rT1，一部の rT2 病変である．また，リンパ節転移陽性例では頸部郭清術があわせて行われている[1]．

一方，佐藤式彎曲型喉頭鏡を用いて咽喉頭展開を行うと，1 つの「腔」として喉頭・下咽頭・食道入口部まで視野が展開される．その大きな空間では食道癌切除と同様に EMR や ESD を行うことができる．これらの適応は表在癌であり，EMR では大きさは 1 cm 程度の病変，ESD ではより広範囲の病変が一括切除可能である．佐藤らが開発した ELPS は，内視鏡補助下で経口的に鉗子を挿入し，上皮下層を剥離する方法である[2]．経口的に挿入した鉗子でカウンタートラクションをかけながら電気メスで病変を一塊に切除することができ，表在癌のみならず浸潤癌に対しても適応となる．彎曲したデバイスの取り扱いや消化器内視鏡と手術器具が干渉するため手技習得がむずかしいとされるが，トレーニングやカウンタートラクションのかけ方の工夫でより広範囲の一括切除が可能である[3,4]．本法における治療成績は良好で，表在癌に対する疾患特異的生存率は 100％に近い数字が多数報告されている．また，下咽頭表在癌に対しては音声機能も術前後の音響分析などで有意差を認めず，機能温存の点でも優れている[5]．

2) 咽喉頭部以外

咽喉頭癌以外では，鼻副鼻腔癌ならびに甲状腺癌に対する内視鏡下手術が行われ始めている．近年，急速に発達した鼻内内視鏡下手術は，副鼻腔炎やポリープなどの炎症性疾患に行われるのみならず，鼻副鼻腔腫瘍への適応が広がっている．鼻腔という非常に狭い空間であり，分割切除や内視鏡下での頭蓋底再建など新たな工夫がなされている[6]．一方，頸部に「腔」をつくり手術を行う甲状腺内視鏡手術は 1997 年に始まり，わが国では清水らが video-assisted neck surgery（VANS）法を開発した[7]．内視鏡下甲状腺手術は 2016 年に良性疾患に対して保険収載となり，2018 年に甲状腺癌の一部に適応が認められた．皮膚挙上を要する本術式は低侵襲とは言いがたいが，高倍率かつ鮮明な画像により反回神経や副甲状腺の温存が今まで以上に

高精度に行えると期待されている．腫瘍に対するアプローチもさまざまに開発され，頸部に切開創を置かない remote access surgery よりは，hybrid-type endoscopic thyroidectomy（HET）法（Tori 法）[8]や VANS 法をベースに，下顎部に小ポート創を置いて craniocaudal approach による気管周囲郭清を行う bidirectional approach of video-assisted neck surgery（BAVANS）法[9]などが，わが国より報告されている．

b ロボット手術の現状

欧米では 1999 年に Intuitive 社の da Vinci Surgical System（以下，ダ・ヴィンチ）が導入され，前立腺全摘術で有用性が証明された．わが国でも 2009 年に機器薬事承認が得られ，2012 年には前立腺悪性腫瘍手術に対して支援機器加算が保険収載されている．頭頸部領域へのダ・ヴィンチの導入は，2007 年に Weinstein らが報告した中咽頭癌・下咽頭癌・喉頭癌をターゲットとした経口的ロボット支援手術（transoral robotic surgery：TORS）に始まる．現在，ロボット手術では TORS が世界的な標準手術法となっている．わが国でも 2011 年から東京医科大学での臨床研究としてのロボット支援手術が始まり，2014 年から先進医療 B として承認された．その後，京都大学と鳥取大学をあわせた 3 施設での臨床試験を行い，薬事承認申請を果たした．近い将来，頭頸部癌に対しても保険収載されると思われる．

2 機能温存：完全喉頭機能温存とは

頭頸部領域の機能温存において一番のポイントとなるのは「喉頭機能」である．

「喉頭機能温存手術」では，術後に喉頭の三大機能である発声，嚥下，呼吸機能がそれぞれ保たれることが求められる．これらの機能は患者の QOL においてきわめて重要であるが，手術治療を行った場合には大なり小なり機能障害が生じることが避けられない．こうした術後の機能障害を患者に説明する際に，医療者（術者）側と患者側とでなかなかイメージを共有することがむずかしい．そこで目標とする機能レベルについて，「電話での会話」が可能であること（発声機能），「外食」が可能となること（咀嚼・嚥下機能），「肩まで入浴」ができること（鼻呼吸機能）を設定することを勧める．これを基準として機能を予測すると，「家人との電話はだいたい通じるだろうが，他人とはむずかしいだろう」とか，「家庭で軟食を口から食べられるだろうが，外食はできないだろう」といった具体的なイメージを患者と共有することができる．「電話ができること」「外食ができること」「肩まで風呂に入れること」の 3 つの機能を保つことができれば，旅行や出張が可能となり完全な日常生活への復帰が可能である．これらが可能となる状況を「完全喉頭機能温存」と定義している．

頭頸部癌に対する手術治療は肉眼での外切開手術が中心となっている．しかし，他の外科領域では画像機器と手術器具の進歩により鏡視下手術へと移り変わってきている．8 K 画像など機器の進歩は，人間の目で見えるものを超え，きわめて微細な組織構造を大画面で提示してくれる．手術器具の開発が進めば，あたかも体内にいるような感覚での look up 手術を可能にするだろう．こうした拡大視効果によって得られる良好な視野は，精度の高い癌手術を可能にするのみならず，術後機能損傷を最小にできると考える．また，蓄積される画像データは次世代の頭頸部外科医を育てるための重要な教育資源となる．われわれは既存の概念にとらわれず，テクノロジーの進化を積極的に取り入れた次世代の手術を求めていかなければならない．

文献

1) 荒木幸仁ほか：咽喉頭癌に対する経口的鏡視下腫瘍切除術．頭頸部外 **24**：243-248, 2014
2) 佐藤靖夫ほか：下咽頭表在癌の手術治療 内視鏡的咽喉頭手術（ELPS）の経験．日耳鼻会報 **109**：581-586, 2006
3) 佐藤靖夫ほか：咽喉頭癌に対する経口的切除術 咽喉頭癌に対する ELPS 偶発症・後遺障害の予防対策 PGA シートによる被覆法と練習モデルによる ELPS トレーニングの試み．頭頸部癌 **37**：514-519, 2011
4) 松浦一登ほか：ダブル・スコープ法による内視鏡的咽喉頭手術（ELPS）について．頭頸部癌 **36**：466-472, 2010
5) Tateya I, et al：Voice outcome in patients treated with endoscopic laryngopharyngeal surgery for superficial hypopharyngeal cancer. Clin Exp Otorhinolaryngol **9**：70-74, 2016
6) 花澤豊行ほか：経鼻内視鏡下手術を行った鼻副鼻腔悪性腫瘍症例の臨床的検討．頭頸部外 **24**：249-253, 2015

7) Shimizu K, et al：Video-assisted neck surgery：endoscopic resection of benign thyroid tumor aiming at scarless surgery on the neck. J Surg Oncol **69**：178-180, 1998
8) Tori M：Hybrid-type endoscopic thyroidectomy（HET：Tori's method）for differentiated thyroid carcinoma including invasion to the trachea. Surg Endosc **28**：902-909, 2014
9) Nakajo A, et al：Bidirectional approach of video-assisted neck surgery（BAVANS）：endoscopic complete central node dissection with craniocaudal view for treatment of thyroid cancer. Asian J Endosc Surg **10**：40-46, 2017

B 切除術

1 口腔

適応と術式選択のポイント

口腔癌は口腔領域に発生する癌の総称であり，解剖学的に頬粘膜，上歯肉，下歯肉，硬口蓋，舌，口腔底の亜部位に分けられる．2017年度の頭頸部癌全国悪性腫瘍登録[1]によれば，原発巣別で口腔癌は最多の26.9%（3,366/12,535人）を占める．亜部位別頻度がもっとも高いのは舌であり，53.5%（1,801人）を占めている．よって，これらは日常診療で遭遇することの多い疾患である．

NCCNのガイドライン（Version 3. 2021）[2]によると，Stage I / IIの口腔癌の治療には手術と放射線治療が併記されているが，手術が好ましいと記載されている．放射線治療（外照射）は治療期間が長く，放射線粘膜炎，味覚障害，晩期障害である下顎骨壊死，また放射線誘発癌などの問題点がある．またT4bを除くStage III以上においても手術が推奨されており，放射線治療はあくまでも術後補助療法として考慮される．

わが国の『頭頸部癌診療ガイドライン2022年版』[3]によれば，すべての進行度において手術が標準となっている．T1-3N0に関しては組織内照射（小線源療法）が併記されているが，線源の管理の問題などにより，組織内照射が可能な施設はごく一部に限られてきている．このように，およそすべての進行度において手術が標準的な治療である．

Stage I / II（T1-2N0）では原発巣切除（±頸部郭清術）が施行される．Stage I / II症例に対する予防的頸部郭清術（Level I〜III）は深部浸潤が高度な症例に対して行われることが多いが，適応基準については必ずしも一定の見解は得られていない[4]．

一般に腫瘍の深達度が大きいほど転移の頻度が高くなると報告されている[5]．また腫瘍の深達度は予後に関連することから[6]，UICC-TNM分類第8版[7]への改訂ではT因子を規定する要素として，浸潤の深さ（depth of invasion：DOI）が新たに加わった．このため診断時に触診（必須），MRI/CT，USなどを用いてDOIを把握する必要がある．DOIが10 mmを超えれば腫瘍最大径が4 cm以下であってもT3と評価され，腫瘍最大径が4 cmを超え，かつDOIが10 mmを超える場合はT4aと評価される（「第II章-4．TNM分類」参照）．

T3以上の病変であればリンパ節転移の有無によらず原発巣切除＋頸部郭清術が行われる．切除範囲が大きい場合，遊離組織移植による再建術を併施するため，移植床血管を頸部に求める目的を兼ね，予防的頸部郭清術（Level I〜III）が行われることが通常である．また血管茎を通すスペースも必要となるため，pull-through法（頸部郭清術とともに原発巣を一塊として切除する方法）によって原発巣切除が行われる．

初発時に頸部リンパ節転移を伴う場合や，初発時に頸部リンパ節郭清術を行わずに頸部リンパ節再発した場合には，治療的郭清として全頸部郭清術（Level I〜V）が行われる．Level IのみのN1症例に対してLevel Vを省略したextended SOHND（Level I〜IV）を適応することを許容する[3]という考え方もある．原発巣が正中近くまで達する場合には，健側に転移がない場合でも選択的郭清術（Level I〜III）が行われる．

口腔癌の手術規模は癌の占居部位によって多岐にわたるが，次のa，b，c，の内容の組み合わせによって表記される[8]．

a. 舌の切除：舌部分切除術，舌可動部半側切除術，舌可動部（亜）全摘出術，舌半側切除術，舌（亜）全摘出術
b. 下顎の切除：下顎辺縁切除術，下顎区域切除術，下顎半側切除術，下顎亜全摘出術
c. 合併切除：口唇切除，口腔底切除，下歯肉切除，頬粘膜切除，皮膚切除，その他

再建手術は，舌可動部半側切除術程度では，直接縫合や薄い皮弁による再建が推奨される．切除による欠損が大きく，術後の誤嚥が問題視される症例では，遊離腹直筋皮弁のような容積のある再建材料を選択する[9]．舌癌以外の頬粘膜癌や口腔底癌では切除後の再建方法が多岐にわたる．

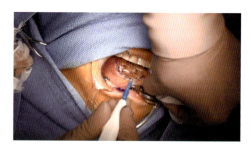

図1　粘膜に緊張を与え切開する

術式各論

1 舌部分切除術

舌部分切除術は口内法（経口的な切除）が原則である．

a 切除範囲の設定

舌尖部付近に丸針で牽引糸をかける．健側に軽く牽引し，患側の腫瘍をよく観察し，また触診を行い腫瘍の進展範囲を確認する．原発巣切除に際しては，切除安全域の確保に努め，十分に安全域を確保できる部位では，肉眼的に腫瘍から約 10 mm の安全域を設定する．またルゴール染色を行い，上皮異形成の範囲を認識し，これを切除範囲に含むようにするが，浸潤癌に対する切除安全域とは区別して考えるべきである．これらを認識して予定切開線をマーキングする．牽引によって見かけの距離が変化するため，牽引を解除した状態でも安全域が適切であるか注意が必要である．

b 切　除

牽引糸で舌を軽く牽引する．1％Ｅキシロカインの倍希釈液を粘膜下に局注する．止血効果だけでなく，切開に必要な組織への緊張を与える目的である．切開部位に対してトラクション（鑷子や用指による）を与えることはさらに重要である（図1）．

粘膜切開は術後の病理標本における断端の評価を妨げないよう電気メスの切開モード（あるいは放電を抑えた凝固モード）にて切開する．筋層については凝固モードで切開を行う．腫瘍摘出の際には深部浸潤の範囲を常に想定した切除を心がける．用指的に優しく腫瘍を触診しながら確認し，適切な安全域を確保する．必要に応じて切除断端を術中迅速病理診断にて確認する．

c 欠損部の処理

切除による欠損部は原則的に縫合を行い一期縫縮とする．縫縮後に舌尖が前方に突出してしまわないよう，舌の牽引を解除して，舌が自然な位置に収まるように縫合位置を決定する．また死腔を生じないよう縫合のバイトを調節する．口腔底側には舌神経が位置するためこれを留意する．

表在性病変で切除範囲の広い場合に縫縮がむずかしいことがある．このような場合にポリグリコール酸（PGA）を材料とした吸収性縫合補強材（ネオベール®）をフィブリン糊にて固定し，創部を保護する方法が汎用されている．時に感染や術後出血をきたすことがあり，術後の創部には注意深い観察が必要である．

2 Pull-through 法による切除

「適応と術式選択のポイント」で述べたように進行舌癌に対しては pull-through 法による原発巣切除が行われる．

a 切除範囲と操作手順の設定

口腔底と頸部とは口腔底の筋群，舌下腺，口腔底粘膜で隔てられる．画像所見をもとに腫瘍の進展範囲にあわせて切除すべき構造物と切離面を把握する（図2）．

- 舌中隔をどの位置で見いだすのか，口腔底筋群の切除ラインとどうつなげるか．
- 患側/健側のオトガイ舌筋，オトガイ舌骨筋の起始部（オトガイ棘）での切離が必要か．

b 頸部操作

頸部から下顎内前方に付着する筋群を切離する．顎二腹筋前腹が切除される場合，喉頭挙上術も考慮される．顎舌骨筋を切除ライン正中側で切離し，舌下腺も同じく切離結紮する．多くの場合，患側のオトガイ舌骨筋，オトガイ舌筋は切除側に含ま

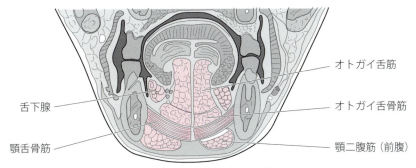

図2 口腔底と頸部を隔てる解剖学的構造（冠状断）

（ラベル：オトガイ舌筋、オトガイ舌骨筋、顎二腹筋（前腹）、舌下腺、顎舌骨筋）

れる．ここから舌中隔へは容易に到達する．

下顎内側方で顎舌骨筋を切離する．思ったよりも後方まで付着している場合もあり，目視で確認する．ここまでの操作で頸部と口腔底は口腔底粘膜，舌下腺などの粘膜下組織のみで隔てられた状態となる．

ⓒ 口腔内操作

頸部から口腔底に向かってガーゼを挿入し，口腔底を膨隆させておく．口腔内の操作に戻り，口腔内から口腔底粘膜を適切な位置で切離する．切離部は皮弁縫着部となるため，愛護的に操作を行い，またできるだけ縫着が容易で安全なものとなるよう留意する．

次いで口腔内から舌の切除範囲を設定する．口腔内から可能な限り切開を進めておくことがpull-throughを容易にする．

腫瘍に安全域を付着させて内舌筋を切離する際，Harmonic FOCUS®などのエネルギーデバイスも有用である．健常組織であることを確認しながらパッドおよびブレードを挿入でき，止血能に優れ，通電による筋収縮も起こらない．舌中隔は切除の際のよいメルクマールである．

Pull-throughを行う際に，口腔底粘膜が前口蓋弓方向に大きく裂けてしまう可能性がある．これを防ぐため，口腔内から切除範囲を見極め，後方の切除ラインを内側に向けて切離しておくことが望ましい．

ⓓ Pull-through

ここまでの準備が済んだら，pull-throughを行う．アングルワイダーや万能開口器を外し，舌尖部にかけた糸を口腔内から頸部に向かってゆっく

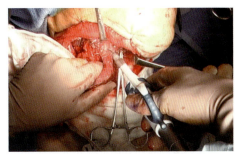

図3 Pull-through法による切除

りと引き出す．十分なpull-throughができれば，腫瘍深部の触診が可能となる．腫瘍を手のうちに，さらに指で安全域を把持するように確保して切除を完了する（図3）．

3 予防的頸部郭清術（Level Ⅰ～Ⅲ）

頸部郭清術については別項でも述べられるが，ここでは早期口腔癌に対する予防的頸部郭清術（Level Ⅰ～Ⅲ）として行われる肩甲舌骨筋上郭清について述べる．

ⓐ 本術式を行う目的

あくまで予防的な術式であり，潜在的な転移を対象としている．よって極力保存的に郭清を行うことが合目的である．治療の郭清より皮膚切開が小さく済み，神経温存もより容易である．適切に手術を行うことで患者負担を軽減しようとするものである．

ⓑ 皮膚切開

RSTL（relax skin tension line）に沿った（直線に近い）きわめてゆるやかな弧状切開（図4a）．オトガイ先端方向への切開は拘縮をきたしやすいため

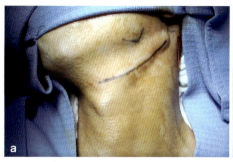
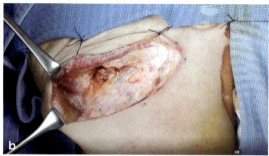

図4　皮膚切開
a：RSTLに沿う皮膚切開．直交するオトガイ先端方向への切開は避ける．
b：筋鈎でオトガイの皮膚を挙上し，ワーキングスペースを確保する．

避けている．大きなカーブを描いてオトガイ先端に至るような弧状切開は整容的にも好ましくないと考えている．オトガイ部は皮膚を筋鈎で挙上すれば，十分な視野とワーキングスペースが得られる（図4b）．

c 下顎縁枝の同定

下顎縁枝が下顎角において咬筋下端を通過することを目安とする．十分な張力のもと，メスで顎下筋膜を切離し，細くてもよいから下顎縁枝と思われる神経線維を剖出する．丹念に中枢側に追跡すれば残すべき下顎縁枝が明らかとなる．顎下筋膜をいきなりモスキートで捌くことは避けている．追跡の起点となる極細の神経線維が容易に損傷されるからである．末梢側に追跡する際のポイントは，血管前および血管後のリンパ節を郭清に含めることである．

d 顎下部の処理

顎舌骨筋に分布するオトガイ下動脈の分枝をエネルギーデバイスなどにて凝固しながら郭清組織を挙上・分離することで出血なく操作を終える（図5）．
次いで顎舌骨筋を筋鈎で牽引する．舌神経のループを視認したら，その下方で顎下神経節をクランプ切離する．次いでワルトン管付近の組織を鑷子で牽引挙上し，舌下神経を同定保存する．鑷子で牽引した組織を，先ほど顎下神経節を処理した部分までまとめてクランプすればここの操作は完了する．

e 副神経の保存

頸神経に次いで副神経を露出する．操作の際，副神経を筋鈎で牽引してはいけない．できる限り

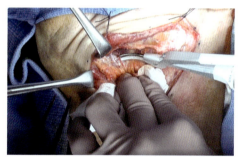

図5　顎舌骨筋に分布するオトガイ下動脈の分枝を処理

副神経にノータッチで操作する．操作上，神経を避ける必要があれば神経鈎を用いて愛護的に行う．副神経の障害を避けることは本術式にとって重要な課題である．

f 郭清下端の設定

肩甲舌骨筋上郭清の名のごとく，内頸静脈と肩甲舌骨筋の交わる高さを郭清下端とする．

g 頸動脈鞘の処理

迷走神経を露出し，頸動脈を剥離する．頸動脈鞘を徹底して郭清する必要はない．内頸静脈壁の前面にいくつか細い分枝が出現するが，これを処理する．

h 舌下神経，総顔面静脈，上甲状腺動脈周囲の処理

頸部操作は上前方に戻る．顎二腹筋下縁以下の郭清組織を下方に牽引する．左手で十分な牽引をかけながら，メスを軽く，滑らすように用いると神経，静脈を保存しながら適切な郭清が可能である．
舌骨・上甲状腺動脈付近では特に左手の牽引の

度合（押し付け方）を強め，付近の脂肪組織をきちんと郭清する．

📖 文献

1) 日本頭頸部癌学会：全国登録2017年度初診症例の報告書．http://www.jshnc.umin.ne.jp/pdf/HNC_2017report.pdf（2021年10月参照）
2) NCCN Clinical Practice Guidelines In Oncology Head and Neck Cancers. https://www.nccn.org/professionals/physician_gls/pdf/head-and-neck.pdf（2021年10月参照）
3) 日本頭頸部癌学会（編）：頭頸部癌診療ガイドライン2022年版，金原出版，東京，2022
4) Hanai N, et al：Controversies in relation to neck management in N0 early oral tongue cancer. Jpn J Clin Oncol **49**：297-305, 2019
5) Huang SH, et al：Predictive value of tumor thickness for cervical lymph-node involvement in squamous cell carcinoma of the oral cavity：a meta-analysis of reported studies. Cancer **115**：1489-1497, 2009
6) International Consortium for Outcome Research (ICOR) in Head and Neck Cancer, et al：Primary tumor staging for oral cancer and a proposed modification incorporating depth of invasion：an international multicenter retrospective study. JAMA Otolaryngol Head Neck Surg **140**：1138-1148, 2014
7) UICC TNM Classification of Malignant Tumours, 8th Ed., Wiley-Blackwell, 2016
8) 日本頭頸部癌学会（編）：頭頸部癌取扱い規約，第6版補訂版，金原出版，東京，2019
9) Kimata Y, et al：Postoperative complications and functional results after total glossectomy with microvascular reconstruction. Plast Reconstr Surg **106**：1028-1035, 2000

2 鼻腔・副鼻腔

適応と術式選択のポイント

日本頭頸部癌学会における頭頸部悪性腫瘍全国登録（2016年）によると[1]，鼻・副鼻腔癌は887例で全体の7.6%を占めるに過ぎない．この中でもっとも多いのは上顎洞癌467例で鼻・副鼻腔癌の52.6%を占めている．『頭頸部癌取扱い規約』では上顎洞癌手術法を以下の4つに分類している[2]．①上顎部分切除術，②上顎全摘術，③上顎拡大全摘術，④頭蓋底郭清術である．これらのうち基本となるのは上顎全摘術である．本書によると上顎全摘術は，上顎骨全体に加え，頬骨・骨周囲に付着する咀嚼筋群，鼻骨，固有鼻腔内容，篩骨蜂巣などの一部を含めて摘出する術式．進展範囲によっては翼状突起も合併切除する，と定義されている．筆者は翼状突起の合併切除を基本としている．上顎部分切除術は上顎全摘術よりも小さい範囲の切除，たとえば眼窩下壁を温存するなどの術式，上顎拡大全摘術は眼球を含めた眼窩内容を合併切除する術式である．頭蓋底郭清術は頭蓋底の骨もしくは頭蓋内に浸潤した腫瘍に対する切除術式である．頭頸部悪性腫瘍全国登録（2016年）によると[1]，上顎癌ではT1 4例（0.8%），T2 27例（5.7%），T3 88例（18.8%），T4 310例（66.3%）であり，T3およびT4をあわせた進行癌が全体の85.1%を占めた．よって，ほとんどの症例が上顎全摘術の適応となる．一方で上顎部分切除術が適応となるのは，上顎洞の下方に腫瘍が限局する症例や口腔癌に分類されるが上歯肉癌に対して，硬口蓋の切除のみを行うようなケースがほとんどである．上顎拡大全摘術は腫瘍が眼窩下壁を破壊し眼窩内に大きく進展し眼球突出を認める症例などが適応となる．頭蓋底郭清術は腫瘍の上方への進展，つまり頭蓋底骨，頭蓋内への進展例，また後方への進展例，つまり翼状突起，眼窩尖端，蝶形骨大翼などへの進展例が適応となる．

術式各論

ここでは上顎洞癌に対する標準的術式である上顎全摘術について述べる．

1 上顎全摘術

a 皮膚切開

Weber-Ferguson切開を用いる．外側鼻切開の部分と眼瞼下方の水平切開の交わる角が鋭角になると，後に血流不全をきたすことがあるので，できるだけ尖らないデザインにする．また，眼瞼下方の水平切開を外側に延ばしすぎると顔面神経頬骨枝を損傷する危険性があるので，眼窩外側縁付近でとどめることが重要である（図1）．上顎洞前壁を破壊して腫瘍が皮下に進展しているケースでは，顔面皮膚剝離の際に腫瘍に切り込まないように注意する．

b 骨切り前の準備

下顎筋突起の上にある咬筋を切離する．次いで筋突起に付着する側頭筋を切離する．筋突起を切離して取り出す．次に上顎骨への主たる血液供給源である顎動脈を結紮する．顎動脈は通常外側翼突筋の上で横方向に走行している．手指にて拍動

図1　Weber-Ferguson切開
角を尖がらせない．外側に延ばしすぎない．

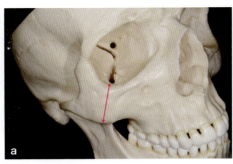 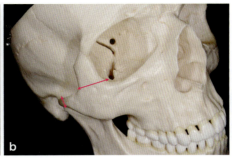

図2 外側骨切り
a：垂直切離．上顎洞前壁外側の骨破壊がないケースが適応となる．
b：水平切離．すべての症例で可能である．

を確認して二重結紮後切離する．続けて外側翼突筋を高周波凝固装置などで切離する．さらに内側翼突筋も同様に切離する．この付近は翼突筋静脈叢が発達しており，これらの操作の最中に出血点が確認困難な静脈性出血を認めることがしばしばある．焦らずにサージセル®などを詰めて，しばらく圧迫し出血が治るのを待つことが重要である．決して血溜まりの中で，操作を進めてはいけない．これらの操作を進めていくことにより翼状突起の外側板を触知できるようになるので，できるだけ外側板の表面に付着する筋を剥離しておく．また，頬骨上縁および下縁に付着する，側頭筋および咬筋を切離して頬骨も剥き出しにしておく．ここまでの操作が済んだら，ガーゼを側頭下窩に詰めておく．次に眼窩骨膜を眼窩下壁から剥離する．骨膜が破れてしまうと眼窩脂肪が飛び出てきて操作がしづらくなる．いきなり眼窩内で骨膜を剥離しようとしないで，眼窩下縁よりほんのわずか下方の上顎骨前壁から剥離を進めると，骨膜を破らずに剥離を進めやすい．外側では下眼窩裂の先端部分まで剥離を進める．内側方向を剥離していくと鼻涙管が走行しているので，メスを用いて鋭的に切離する．下準備の最後に口内の操作を行う．まず硬口蓋の粘膜を正中外側で垂直方向に硬口蓋後端まで切離する．次いで硬口蓋と軟口蓋の間を水平方向に切離する．軟口蓋を接線方向に切離してしまい，なかなか上咽頭側に到達できないということにならないように，電気メスが軟口蓋に垂直に当たるように先端を軽く曲げておく．ついでに総鼻道の底部の粘膜をブラインドになるが電気メスで切離しておく．

c 骨切り

骨切りは出血が少ない部分から始める．まずは下眼窩裂先端部分から骨切りを始める．筆者はレシプロブレードを用いる．眼窩内容を脳ベラで軽く上方に持ち上げることにより視野，術野を確保する．下眼窩裂先端から垂直方向に骨切りする方法（図2a）と水平方向に骨切りをする方法（図2b）がある．aの方法は上顎洞前壁外側の破壊がないようなケースで適応になる．頬骨が残るので術後の顔面の変形が少ないという利点があるが，摘出時に上顎骨を外側に翻転しづらいという欠点もある．bのように頬骨を切離してしまう場合は，aの欠点は解消され上顎骨を外側に翻転しやすくなるという利点があるが，術後の顔面の変形が大きくなるという欠点がある．2番目に眼窩の内側を切離する．やはり脳ベラを用いて眼球を保護して，骨切りを行う．一般的な骨切り線は鼻涙管を処理した辺りから，上顎骨前涙嚢稜〜涙骨後涙嚢稜〜篩骨眼窩板（紙様板）を結ぶ線である．上顎骨〜涙骨までサジタルブレードを用いる．後方はスペースが狭く，ブレードを用いて切離するのは危険なので両刃の平ノミを用いて少しずつ切離を行う（図3）．3番目に再びレシプロブレードを用いて硬口蓋を垂直方向に切離する（図4）．最後に翼状突起を両刃の平ノミを用いて切離する．この際にはノミを頭蓋底の方向に向かないように気をつけて切離を行う（図5）．ここまでで骨切りは一通り終了する．

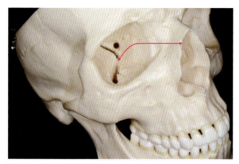

図3　眼窩内側骨切り
涙骨，篩骨眼窩板は平ノミで切離する．

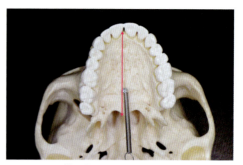

図4　硬口蓋骨切り

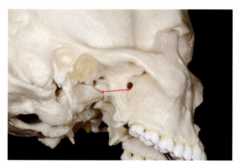

図5　翼状突起骨切り
平ノミの先端が上を向かないように注意する．

d　再び軟部組織の切離

　上顎骨を外側に翻転することにより，鼻腔内が広く見えるようになる．鼻腔の後方の軟部組織を電気メスで切離する．下鼻甲介の後端，耳管の前方を垂直方向に切離する．粘膜下の結合組織が比較的しっかりしているので，その部分までを切離すると標本の可動性はさらに増す．軟部組織でまだ切離されていない部分があれば適宜電気メスで切離して標本を摘出する．標本摘出後は止血を確実に行う．特に翼突筋静脈叢からの出血のコントロールが重要である．筆者はサージセル®をフィブリン糊を用いて貼付して，さらに圧迫で止血を完全なものにしている．

文　献

1) 日本頭頸部癌学会：全国登録 2016 年初診症例の報告書．http://www.jshnc.umin.ne.jp/pdf/HNCreport_2016.pdf（2021 年 10 月参照）
2) 日本頭頸部癌学会（編）：鼻腔および副鼻腔．頭頸部癌取扱い規約，第 6 版補訂版，金原出版，東京，2019

3 上咽頭

適応と術式選択のポイント

1 上咽頭癌の進展形式

上咽頭は頭蓋底部に近接しており，同部位には神経や血管が通過する多くの経路や間隙が存在する．Rosenmüller 窩後方の咽頭頭底筋膜（pharyngobasilar fascia）は，強固な筋膜であり上咽頭癌の深部進展における障壁となるが，上咽頭収縮筋との接合部において耳管軟骨および口蓋帆挙筋が貫通する欠損（Morgagni 洞）があり，深部浸潤の経路になりやすい．上咽頭周囲の解剖学的特徴から腫瘍の直接浸潤により各種脳神経麻痺をきたしやすいとされ，脳神経麻痺（T4）は予後不良因子の1つとされる[1]．

上咽頭癌の深部進展として，以下に述べる経路を念頭におく必要がある[2]．

① Rosenmüller 窩から上方に位置する破裂孔あるいは錐体蝶形裂に沿って海綿静脈洞へ進展する経路
② Rosenmüller 窩あるいは側壁粘膜から副咽頭間隙へ進展する経路
③ 鼻腔外側後上方の蝶口蓋孔を経由して翼口蓋窩および正円孔へ進展する経路
④ 翼口蓋窩後方から側頭下窩，中頭蓋底へ進展する経路

2 上咽頭癌の病期分類と治療適応

『頭頸部癌診療ガイドライン』においては，治療の主体は放射線治療あるいは化学放射線療法が標準とされ，初回治療として手術が選択される症例は非常に少ない[3]．一次治療後の局所再発・残存例や放射線感受性の低い癌腫では手術治療が選択されることがあるが，適応となる症例は限られる[4]．一般的に手術適応となるのは腫瘍が上咽頭にほぼ限局し，周囲組織への深い浸潤がない症例である．原発巣進展については 2018 年に TNM 分類が改訂されており，新分類では外側浸潤に関して定義が明確されている．旧分類では側頭下窩や咀嚼筋間隙に進展する腫瘍をまとめて T4 としていたが，内外側翼突筋に浸潤する腫瘍は T2 に，翼状突起に浸潤する腫瘍は T3 に，外側翼突筋外側や耳下腺に浸潤する腫瘍は T4 と定義された[5]（「第Ⅱ章-4. TNM 分類」参照）．周囲組織に進展した場合には手術を適用できないことも多いが，翼状突起（T3）や翼突筋（T2）のごく一部に進展していても後述する複合アプローチで内外側から切除範囲を明視下に置くことで対応可能となる場合も想定される．ただし，翼状突起根部に進展があれば T3 であっても中頭蓋底アプローチを用いない限り一塊切除は不可能である．後方では斜台や椎前筋，椎体への浸潤，上方では頭蓋底骨や蝶形骨洞後・側壁浸潤，海綿静脈洞浸潤，側方では副咽頭間隙への深い浸潤，脳神経麻痺などがあれば，根治切除の適応はないとされる[6,7]．

術式各論

1 上咽頭へのアプローチ法

上咽頭は深部に位置し，視野と操作性を得るために多くのアプローチ法が報告されてきた．アプローチ法は腫瘍の進展範囲に応じて，犠牲となる健常組織と視野の確保の必要性を勘案して適宜選択する必要がある．

下方からのアプローチ法として経口蓋法（transpalatal approach），正面からのアプローチ法として経上顎洞法，LeFort Ⅰ型骨切り法，上顎スイング法（maxillary swing approach），外側下方からのアプローチ法として経翼突法，外側上方からのアプローチ法として経側頭下窩法，中頭蓋窩法などがあげられる．

a 経口蓋法

口蓋粘膜骨膜弁を挙上，もしくは口蓋垂を正中切開して硬口蓋へ至り，さらに硬口蓋骨を除去して口腔内より上咽頭にアプローチする．この方法は外切開を要さず，頭蓋底近傍の神経や血管を避けて，正面からアプローチできるという利点があ

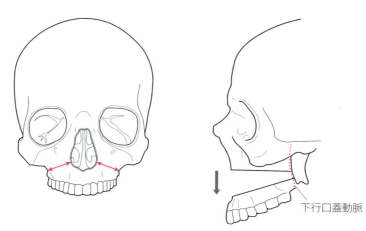

図1　LeFort I型骨切り法
口蓋骨を下方へ若木骨折させて視野を確保する．

るが，術野が狭く，手術操作にも制限があるので，上咽頭後壁に限局し，上方や側方の進展が軽度な小さな腫瘍に適応となる．

ⓑ 経上顎洞法

主として Denker 法にて上顎洞内側壁および後壁を削除して正面から上咽頭にアプローチする．外側鼻切開＋歯齦部切開＋上口唇切開や Weber-Ferguson などの顔面皮膚切開法を併用することが多い．経上顎洞法は比較的侵襲が少なく，翼状突起を前方から明視化におくことも可能である．鼻中隔後端を除去することにより対側まで広く腫瘍切除することが可能であり，蝶形洞を開放して上方からの操作を加えることも可能である．ただし，翼状突起よりも外側へ腫瘍が進展している場合には適応に限界がある．また，後壁浸潤や，上方への進展に対しては十分な視野と操作性を得ることができない．

ⓒ LeFort I 型骨切り法

左右の梨状口縁から上顎結節部に向かう水平な骨切りを行い，それを上下に拡大して上咽頭にアプローチする方法である（図1）．経上顎洞法と同様に側方への術野展開は不良であるが，上咽頭天蓋から後壁，斜台にかけては良好な術野が確保される．両側口腔前庭切開にて粘膜切開を行い，上顎結節を外側方から離断後，上顎骨前壁，内側壁，鼻中隔を離断して，口蓋骨を下方へ若木骨折させる．口蓋骨は軟口蓋や頬粘膜と連続しており，下行口蓋動脈からの血流により血行が維持される．欠点としては術中出血や咬合不全があげられる．

ⓓ 上顎スイング法[4]

上顎骨を翻転することにより，さらに側方の視野を確保することが可能である．Weber-Ferguson の顔面皮膚切開後，眼窩下縁に沿って前頭突起から上顎骨前面を水平に骨切りし，さらに頬骨体部を垂直に骨切りする（図2a）．次に硬口蓋を矢状断に骨切りした後，上顎結節を曲ノミで離断する．遊離した上顎骨を顔面皮膚とともに外側方へ翻転することで上咽頭側壁の視野も確保することが可能になる（図2b）．遊離した上顎骨は顔面皮膚からの血行のみで栄養されることになるため，上顎骨前壁から皮膚を必要以上に剝離しないことが重要である．また，上顎結節・翼状突起間の切離操作が盲目的となるため出血量が多くなる点が難点であることから，岸本らは Wei らの原法を改変し，上顎骨後部の骨切りラインを前方にシフトする partial maxillar swing approach を報告している[8]（図2c）．

ⓔ 経翼突法

頸部郭清の術野から副咽頭間隙へ操作を進め，内頸動脈を頭蓋底部まで追跡し，その内側の上咽頭収縮筋や椎前筋から剝離温存したのち，副咽頭経由で上咽頭側壁へ下側方からアプローチする方法である[9]．頸部切開からのアプローチでも茎突下顎靱帯を切離することで一定の副咽頭操舵が可

a. 上顎スイング法の骨切ライン　b. Wei 原法　c. partial maxillar swing approach

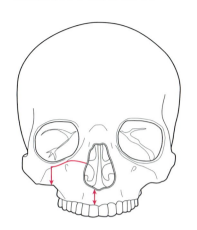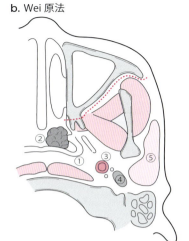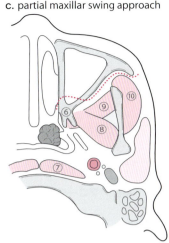

図2　上顎スイング法
① Rosenmüller 窩，② 上咽頭癌，③ 内頸動脈，④ 内頸静脈，⑤ 耳下腺，⑥ 翼状突起，⑦ 椎前筋，⑧ 外側翼突筋，⑨ 内側翼突筋，⑩ 咬筋．

［岸本誠司：日耳鼻 108：308-310, 2005 をもとに作成］

能であるが，さらに上咽頭にアプローチするには視野的な限界がある．その場合は下顎骨を正中離断あるいは側方離断したほうが視野を得やすい．内頸動脈を頸部から連続して追跡できるので腫瘍の進展が側方に及んでいる場合，十分な視野を得ながら安全に操作できる利点がある．欠点として下顎骨の離断を必要とする点があげられる（図3a）．

f 経側頭下窩法

側頭下窩の処理が必要で，外頭蓋底までの操作で安全域が確保できる場合に適用される．冠状頭皮切開と Weber-Ferguson などの顔面皮膚切開を加えることで下顎骨，頬骨，中頭蓋底の操作が容易となる．副咽頭間隙や側頭下窩に側方から操作を加えることが可能となるが，他のアプローチ法と組み合わせて用いることが多い．頬骨弓切除もしくは眼窩頬骨到達法（orbito-zygomatic approach）で骨切を行い，さらに下顎骨筋突起の骨切りを追加して側頭筋を筋突起に付着させたまま上方へ翻転もしくは筋突起を切除すると側頭下窩，卵円孔，翼状突起根部まで明視下に置くことができる（図3b）．

g 複合アプローチ法（経上顎法＋下口唇正中切開＋側頭下窩法）

上咽頭から翼状突起の一部（T3），後鼻孔（T1），

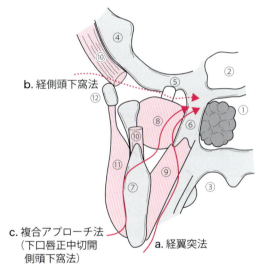

図3　外側からのアプローチ
① 上咽頭癌，② 蝶形洞，③ 中咽頭，④ 中頭蓋底骨，⑤ 卵円孔・三叉神経第3枝，⑥ 翼状突起，⑦ 下顎骨，⑧ 外側翼突筋，⑨ 内側翼突筋，⑩ 側頭筋，⑪ 咬筋，⑫ 頬骨弓．

翼突筋の一部（T2）に進展しており，翼状突起，内外側翼突筋も合併切除を必要とする場合には，上述するアプローチ法単独では視野の確保や安全域の設定が困難である．その際には経上顎法に加えて，側頭下窩からもアプローチすることで上咽頭側と

a. 水平断イメージ　　　b. 皮膚切開線　　　c. 切除イメージ

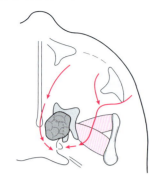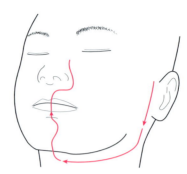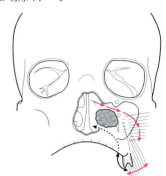

図4　複合アプローチ法

外側から腫瘍を包み込むように切除する（図4a）．下口唇切開から歯肉頬粘膜移行部を臼後部まで粘膜切開し，皮膚切開は下口唇・オトガイから顎下部弧状切開を耳前部まで延長して皮弁を下顎骨筋突起上方まで挙上する（図4b）．側頭筋を切離したのち，筋突起を骨離断して除去すると翼突筋群が明視下に置かれる．一方，上口唇切開から外側鼻切開を加え，さらに歯齦部切開を加えることで上顎骨前面，梨状口を露出し，前壁骨を鉗除する．鼻腔側壁も下鼻甲介を含めて切除開放すると後鼻孔から上咽頭が明視下に置かれる．さらに腫瘍伸展のない範囲で上顎骨後壁から側壁まで鉗除を進めていくと翼状突起根部，内外側翼突筋付着部までの一連の構造が前方からも把握できるようになる．ここまでの操作で咽頭腔側に加えて前方，側方からの多方向からアプローチできるようになり，腫瘍の進展範囲を確認しながら切除することが可能となる（図4c）．切除後の死腔や粘膜欠損に対しては，その範囲に応じて脱上皮を組み合わせた遊離皮弁などの併用を考慮する．

h 中頭蓋窩法

中頭蓋底骨を切除範囲に含める場合には，前頭側頭開頭もしくは側頭開頭による中頭蓋底手術が必要となるが，上咽頭癌でそのような進展例での手術適応はまれである．頭蓋内操作での切除限界は海綿静脈洞外側から卵円孔に至るラインとなるが，上咽頭癌の頭蓋内進展経路は破裂孔や蝶錐体裂を経路とすることが多く，その場合には手術適応から外れる[7]．上咽頭癌における中頭蓋窩法の適応は一般には腫瘍が頭蓋内までは進展していないが，側頭下窩法による外頭蓋底処理では安全域を確保できない場合に限られる．

2 上咽頭癌手術における留意点

それぞれのアプローチ法の選択に際しては，腫瘍の根治切除に必要な視野や操作性と侵襲の大きさを勘案することが大切である．上咽頭癌手術においてはそれぞれの利点を生かしながら複数のアプローチ法を組み合わせる必要もあり，確実な手術手技の習得と深部立体構造の正確な理解が不可欠である．

文献

1) Farias TP, et al：Prognostic factors and outcome for nasopharyngeal carcinoma. Arch Otolaryngol Head Neck Surg **129**：794-799, 2003
2) 古川　仭：上咽頭癌の進展様式と症状．耳鼻臨床 **86**：305-310, 1993
3) 日本頭頸部癌学会（編）：上咽頭癌．頭頸部癌診療ガイドライン2022年版，金原出版，東京，2022
4) Wei WI, et al：New approach to the nasopharynx：the maxillary swing approach. Head Neck **13**：200-207, 1991
5) 日本頭頸部癌学会（編）：頭頸部癌取扱い規約，第6版補訂版，金原出版，東京，2019
6) 米川博之ほか：上咽頭癌．JOHNS **20**：1365-1367, 2004
7) 川端一嘉ほか：上咽頭癌頭蓋内進展例の根治手術適応と限界．JOHNS **14**：1611-1618, 1998
8) 岸本誠司：頭蓋底病変の外科：顔面深部へのアプローチ．日耳鼻会報 **108**：308-310, 2005
9) 湯本英二ほか：顔面深部へのアプローチ：上咽頭・副咽頭腔から外頭蓋底へのアプローチ―経翼突法．頭頸部腫瘍 **28**：580-586, 2002

4 中咽頭

適応と術式選択のポイント

中咽頭癌に対する手術は経口的切除と外切開による切除の2通りに大別される．近年HPV関連中咽頭の増加に伴い，経口的切除術の対象となる症例は増えている．初回治療として（化学）放射線療法を選択する症例が増加しているが，化学療法不耐や放射線治療後の再発，あるいは放射線治療の晩期有害事象を回避する目的，といった症例もあり，安全確実な術式選択が必要である．

経口的切除の適応は，病変の部位，範囲，深部浸潤を考えたうえで，症例ごとに考える必要がある．あわせて頸部郭清を併施する場合，口腔内と頸部が交通するか否かなど，多方面からの検討が必要である．外切開による腫瘍切除が適応となる疾患は多くの場合深部浸潤が強い症例や放射線治療が行えない症例が該当し，遊離組織移植が必要になることが多い．

どのようなアプローチをとったとしても，断端陰性での切除は常に求められている．術前の画像診断，内視鏡診断はもちろんのこと，術中の腫瘍の進展範囲に関してヨード染色ならびに狭帯域光法（NBI）を用いて腫瘍の浸潤範囲を可視化しながら，過不足ない切除が癌の根治手術に必須となっている．切除断端に関しては術中迅速組織診を併用することも大切である．その際には切除部位との位置関係を病理医と密に連携をとりながら，時には切り出し図との確認が必要となる．なお，舌部分切除における術中迅速組織診は摘出物組織から提出したほうが最終的な断端陰性率が優れているとされる[1]．

術式各論

1 経口的切除

経口的切除は，まずは腫瘍ならびに断端に対して良好な視野を得ることが何よりも大切である．適切な開口器の選択が必要であり，筆者は歯科用の万能開口器，Davis式開口器，FK-WOリトラクターを腫瘍の局在によって使い分けている．視野の選択に関しては手術用ルーペや先端可動式の硬性鏡を使い分けているが，現在の内視鏡/硬性鏡では拡大鏡での3Dが優れていると考え，直視下できる場所に関してはヘッドライドを併施して行うことが多い．今後，da Vinciなどの経口ロボット手術の適応拡大が考えられ，手術支援機器の進歩に応じて柔軟に対応することも大切である．

経口的手術の合併症として出血が報告されている．切除後2週間が出血のリスクと報告されており，舌動脈あるいは顔面動脈の分枝からの出血が多い．出血時には患者にはなるべく頭を起こし，下を向いて血液の誤嚥を予防すること，全身麻酔下の止血術あるいは動脈塞栓などの適切な止血処置をとることが肝要である．経口切除の合併症リスクとして，術後出血の発生率は低下しないものの，出血時の大出血予防の方法として舌動脈/顔面動脈の結紮術の報告[2]があり，著者は頸部郭清併施する経口切除の場合には好んで舌動脈ならびに顔面動脈を予防的に結紮している．

ⓐ 上 壁

中咽頭の亜部位の中でもっとも体表に近く，そのため経口的切除がもっとも容易な部分である．多くの場合，万能開器により明瞭な視野が得られ，直視下での手術操作が可能である．軟口蓋上咽頭面の粘膜浸潤に関しては画像評価がむずかしいことが多く，術前，術中の内視鏡による評価が大切となる．切除後の再建も不要なことが多いが，軟口蓋半切以上の切除の場合術後に鼻咽腔閉鎖が困難となるため，歯科補綴具の作成が必要になることがある．上壁癌の原発が小さいといっても，その予後は必ずしも良好ではないという報告[3]もあり，経口切除で切除できる病変でも後発リンパ節転移を外来で慎重にサーベイランスを行うことが大切である．

ⓑ 側 壁

中咽頭の亜部位の中ではもっとも頻度が高く，近年のHPV関連癌の増加も相まって経口的なアプ

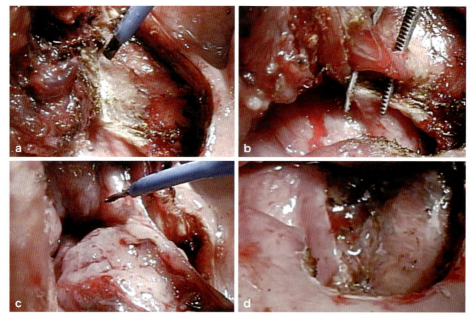

図1　経口的中咽頭側壁切除中の術中写真
a：上咽頭収縮筋下で剝離を行う．
b：途中茎突舌筋を同定し，切断している．
c：FK-WO リトラクターで咽頭展開しているため，舌根の粘膜切除ライン設定の際にも良好な視野が得られる．
d：切除後の術野．特に粘膜の被覆は必要ない．本症例は断端陰性で術後照射は行わず，その後 5 年無再発生存した．

ローチの重要性が増している分野である．2005 年に Transoral lateral oropharyngectomy として報告された[4]術式が，現在ではさまざまな手術支援機器を用いて広く行われている．本術式は画像診断上，深部浸潤が軽微な側壁癌に対して適応となる．視野展開は Davis 式開口器でも不可能ではないが，尾側の視野展開がむずかしく，FK-WO リトラクターを用いたほうが圧倒的に容易である．本術式は扁桃に生じた悪性腫瘍に対して，軟口蓋粘膜ならびに上咽頭収縮筋に包まれた層で，扁桃，口蓋舌筋，口蓋咽頭筋を一塊切除する術式である（図1）．上咽頭収縮筋を貫く茎突舌筋，舌咽神経咽頭枝，茎突咽頭筋を術中に正しく同定切断し，上咽頭収縮筋の層を誤らないことが肝要である．上咽頭収縮筋の同定に難渋する場合には咽頭後壁を切開し同定するのが容易である．上咽頭収縮筋を越えて内側翼突筋，副咽頭間隙の脂肪層まで深部方向へ拡大切除する術式や，舌根や臼後部方向へ拡大した経口切除法も報告されている[5]が，術後の開口障害などの有害事象には留意すべきで，特に HPV 関連癌は化学放射線療法による制御成績が良好であるので手術術式選択は慎重にすべきと考えられる．

c 後　壁

中咽頭癌の亜部位としては頻度が高くない亜部位ではあるが，上部消化管内視鏡の際に最初に正面視される場所でもあるため，表在癌として指摘されることが増加した．耳鼻咽喉科・頭頸部外科の内視鏡検査では接線方向となる亜部位であるため，重複癌スクリーニングの際には経口からの観察，内視鏡検査が必要となる．表在癌に対する経口的切除の詳細は他項に譲るが，表在性の後壁癌に対する経口切除は咽頭展開の際に頸動脈が内側へ変位することがあり，咽頭後壁の拍動に気をつけながら切除を行うのがよい．

d 前　壁

経口的切除を行うにはもっともむずかしい亜部位であり，術前の内視鏡による視野と術中の開口

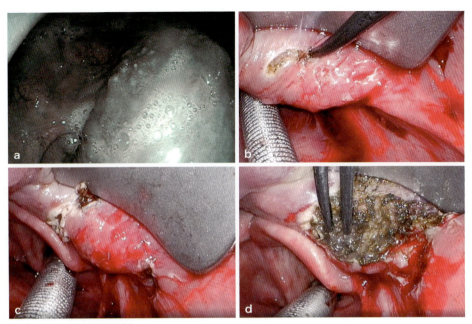

図2　経口的舌根切除例
a：術前の Narrow band imaging（NBI）画像により指摘された舌根やや右寄りの病変.
b：FK-WO リトラクターをかけた図．ファイバー写真とはかなり景色が異なる点に注意．
c：途中リトラクターをかけ替えて尾側と口側の切除縁をつなげている．
d：切除後にバイポーラを用いて止血している．

器をかけたときの視野が異なり，適切な切除範囲をとった経口的切除には経験を要する．適応として深い深部浸潤がある症例は外切開による切除，または化学放射線療法がよいと考えている．前壁は他の亜部位とは異なり，舌扁桃の組織が分布しているため，局注による深部組織と腫瘍組織の剝離（いわゆる water dissection）は困難なことが多く，舌動脈の分枝の出血によりクリアな術野を維持することがむずかしいこともある．FK-WO リトラクター使用時には，前壁癌の場合頭側の切除ラインと尾側の切除ラインを設定する際にリトラクターをかけ替えるなど，切除面での明瞭な視野を得るように心がける（図2）．経口切除をスタートした際に深部からの出血に難渋しないよう，リガシュアやハーモニックなどのエネルギーデバイスを用いた深部切除も有効である．

2 外切開による中咽頭切除

中咽頭進行癌に対して外切開による中咽頭切除と化学放射線療法を比較した場合，生存成績には有意な差を認めなかった一方で，手術群のほうが合併症の頻度が高かったという報告[6]があってから，海外においては中咽頭進行癌に対しての外切開切除再建術の頻度は少なくなっているが，高容量 CDDP 投与が困難な腎機能障害症例や放射線治療後の再発例など，外切開による切除術が唯一の根治治療である症例も存在する．本項では中咽頭手術の基本である上側壁切除と，前壁切除について記述する．

a 上側壁

1）皮膚切開

遊離組織移植が必要になることがほとんどであることもあり，頸部郭清をまず併施する皮膚切開をデザインする．頸部の皺に沿い，なるべく整容面に配慮した切開線が望ましいが，翼状突起や口蓋の切除を行う場合には出血の制御を行いながら良好な視野での切除が求められるため，下口唇正中切開のような顔面皮膚切開が選択される．その一方で，広範な骨切除を行わない中咽頭切除であれば，口腔粘膜を頰歯槽溝に沿い切開を加え，Visor 皮弁として頰粘膜を挙上することで中咽頭にアプローチすることも可能であり，その場合下口唇正

中切開を置かない皮膚切開も選択できる．

2）頸部操作

頸部リンパ節転移に応じた範囲の頸部郭清を施行する．患側のⅠ～Ⅲあるいは I～Ⅴの範囲を郭清する施設が多いと思われるが，頸部郭清の範囲についての記述は「第Ⅲ章-2-B-10．頸部郭清」に譲る．中咽頭の拡大手術では咽頭上方まで切除側に含まれるため，頸部上方での上甲状腺動脈，舌動脈など，複数の動脈を同定し，なるべく抹消に追って吻合血管の候補とする．舌動脈，顔面動脈は結紮切断したほうが切除時の出血がコントロール容易である．頸部操作の際に下顎骨裏面に付着する筋肉，特に内側翼突筋の下顎枝の付着部を剝離し，原発切除が容易になるように準備する．副咽頭間隙方向への腫瘍の進展が疑われる場合には，茎突下顎靱帯を切断しておいたほうが頸部操作での副咽頭間隙へのアプローチがしやすい．上記処理をしたのち，顎二腹筋後腹ならびに茎突舌骨筋を切断したのち，外頸動脈，内頸動脈，舌下神経，迷走神経をそれぞれ血管テープなどで保護し，可及的上方へ追求しておく．

3）咽頭へのアプローチ

進行側壁癌の場合，粘膜切除部として舌扁桃溝の粘膜ならびに深部組織をマージンとして十分に含めるために，進行中咽頭癌切除の場合，筆者は下顎辺縁切除を併施している．切除範囲は臼後部中心だが，腫瘍の進展範囲に応じて前方切除ラインに大臼歯を含めたり，後方切除ラインに筋突起を含めたりすることもある．この下顎辺縁切除のラインを決める際に舌扁桃溝の粘膜切除ライン，あわせて可能な限りの舌根の切除ラインを明示しておくと，その後の原発切除の際に切除ラインを設定しやすい．下顎辺縁切除後に切除側の骨片を内側に落とし込んだ際に，内側翼突筋をはじめとする粘膜下組織を深部マージンとして十分につけることが進行中咽頭癌の外科的切除による制御につながると考えている．

4）原発巣切除

原発巣切除の場合，頸部を過伸展した体位をとっていると軟口蓋の視野が思いのほか悪く，切除に手間どることが多い．この場合無理をせず肩枕を外して，良好な口腔内の視野を得てから原発巣の切除を開始するのがよい．中咽頭の解剖は立体的に複雑なため，まずは術前診察での視野から切除を始め，軟口蓋切除から開始する．軟口蓋を切断し，軟口蓋上咽頭面への腫瘍の浸潤を視触診にて確かめながら，過不足ない範囲での切除を進める．軟口蓋を切除したのちは咽頭後壁の粘膜に移行するため，中咽頭切除の場合，多くは咽頭後壁を垂直に切除ラインを下すことで内側の粘膜切除ラインとなることが多い．腫瘍の上側方への進展範囲によっては硬口蓋粘膜，あるいは口蓋骨を合併切除することもあり，その場合には上顎大臼歯を抜歯のうえ，歯齦部切開を加え，上顎洞を開洞し，上顎洞後壁をバーで落としたのち，翼状突起を水平にノミで落とすのがよい．翼突筋方向での再発は救済できないと考え，術前の画像診断で翼突筋をどの程度含めた切除とするか，詳細に検討したうえで手術に臨む必要がある．先の舌扁桃溝の切除ラインと軟口蓋からの切除ラインがつなげられたら，腫瘍の硬結を触れながら咽頭収縮筋などの粘膜下組織を含めながら切除を進める．この際に先ほど上方へ追求しておいた内外頸動脈との位置関係を把握しながら進めるのがよい．最終的に尾側の切除ラインは pull-through 法として切除した軟口蓋～収縮筋の組織，下顎骨切除部をまとめて頸部巣へと引き抜き，舌根ならびに下方の切除ラインとする（図 3）．原発巣切除後の再建については別項に譲る．

ⓑ 前　壁

1）舌根切除＋喉頭挙上を伴う縫縮手術

本術式は経口的切除では深部マージンが不十分と判断される一方で，舌骨を越えた浸潤はなく，水平方向では喉頭蓋谷や口部舌への進展がない，ある程度限局した，左右の局在がはっきりしている前壁癌が対象となる．皮膚切開は甲状軟骨レベルでの正中を越えた皮膚切開を加え，頸部郭清をまず行う．のちに舌下神経は抹消まで追い，血管テープをかけて舌根部を遊離しておく．腫瘍の浸潤範囲にもよるが，舌骨への浸潤がない場合には患側の舌骨を摘出する．次いで健側の喉頭蓋谷から咽頭へとアプローチし，腫瘍を明視下に置いたのち，腫瘍と適切なマージンをとって頸部郭清の術野へ向けて切除を進めていく．切除後には皮弁

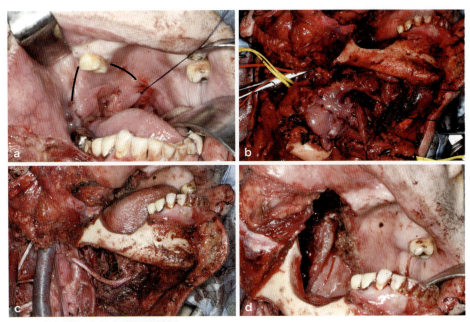

図3　外切開による中咽頭切除例
a：本症例では下口唇正中切開を加えてのアプローチとした．口蓋垂に牽引する糸をかけ，軟口蓋および翼突下顎縫線に沿った切除ラインを設定した．
b：下顎骨辺縁切除を行い，軟口蓋切除を行ったのち，pull-throughして舌根切除ラインを設定している．
c, d：切除後の術中写真．舌下神経を温存し，軟口蓋ならびに咽頭後壁の切除ラインを示す．

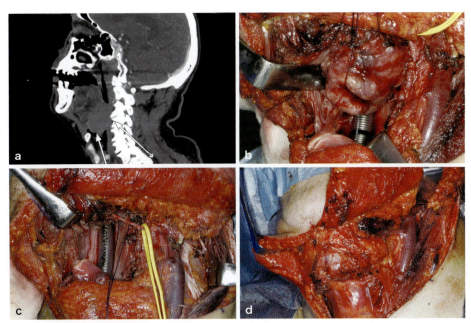

図4　喉頭温存舌根切除例
a：舌根に外向発育型の扁平上皮癌を認めた．
b：健側より舌骨部から咽頭へアプローチし，腫瘍の茎部を明視下に入れ切除した．
c：切除後．舌下神経を温存した切除が可能であった．
d：粘膜は一期縫縮し，喉頭挙上を併施して縫合部の緊張をとり，嚥下機能低下を防止した．本症例では術後照射は行わず，その後5年無再発生存した．

を移植するのではなく，舌骨下筋群を切断し，喉頭の可動性を得たのち，咽頭粘膜を一期縫縮しながら下顎骨と甲状軟骨を縫合することで喉頭挙上し，粘膜縫合部の緊張をとりつつ嚥下機能低下を予防するのがコツである（図4）．

2) 舌喉頭全摘

本術式は舌根のみならず，喉頭に浸潤している進行癌が対象となる．切除術式は喉頭を摘出するため単純で，舌下神経を両側切断後，下顎骨前方に付着する口腔底筋肉群を切断し，口腔底粘膜を切断したのち，舌ごと下方へ引き抜き，pull-through 法として舌喉頭全摘術とする．このような切除を余儀なくされるような進行癌では，患側の舌根の深部から副咽頭間隙方向へと腫瘍が伸展していることがあり，上側壁切除のように頸動脈を追求し，十分に翼突筋を切除側に含めるのがよいと考えている．切除後の機能としては音声機能の喪失に加えて嚥下機能も失われ，代用音声の獲得も不可能となる．本術式の適応については患者の意向も十分に確認する必要がある．

文 献

1) Amit M, et al：Improving the rate of negative margins after surgery for oral cavity squamous cell carcinoma：A prospective randomized controlled study. Head Neck 38 Suppl **1**：E1803-E1809, 2016
2) Gleysteen J, et al：The impact of prophylactic external carotid artery ligation on postoperative bleeding after transoral robotic surgery（TORS）for oropharyngeal squamous cell carcinoma. Oral Oncol **70**：1-6, 2017
3) Espinosa Restrepo F, et al：T1-T2 squamous cell carcinoma of the uvula：a little big enemy. Otolaryngol Head Neck Surg **146**：81-87, 2012
4) Holsinger FC, et al：Transoral lateral oropharyngectomy for squamous cell carcinoma of the tonsillar region：I. Technique, complications, and functional results. Arch Otolaryngol Head Neck Surg **131**：583-591, 2005
5) De Virgilio A, et al：Anatomical-based classification for transoral lateral oropharyngectomy. Oral Oncol **99**：104450, 2019
6) Parsons JT, et al：Squamous cell carcinoma of the oropharynx：surgery, radiation therapy, or both. Cancer **94**：2967-2980, 2002

5 下咽頭

適応と術式選択のポイント

1 目的

下咽頭癌の診療において目的は癌の制御となるが，嚥下，発声といった重要な機能を癌の制御を妨げない範囲で温存することも求められる．

2 治療選択

下咽頭癌に対する治療は複数あるが根治とともに長期間の喉頭機能温存を検討する必要があるが，手術と非手術を含めた前向きランダム化試験は行われていない．いわゆる"field cancerization"として知られるように，下咽頭癌患者は食道癌や他の頭頸部癌を重複することが多く，下咽頭癌の治療前に他癌で頭頸部に手術歴や放射線治療歴があることもめずらしくない．総合的に治療方法を検討する必要がある．本項では外科治療について述べる．

3 術式の選択

a 全身状態

呼吸器疾患の有無は重要である．慢性閉塞性肺疾患（COPD）などで肺機能が低下している症例では喉頭温存手術を慎重に検討する必要がある．高齢患者が増えている現在の日本社会においては単に暦年齢で判断するのではなく，高齢者総合的機能評価（comprehensive geriatric assessment：CGA）を用いて，病態把握に加えて患者が有する身体的・精神的・社会的な機能を多角的に評価する．失声や嚥下機能低下が予測される場合は治療後の生活をイメージできるよう社会復帰の環境を整える．

b 局所評価

CT，MRI，内視鏡などを用いて病変の進展範囲（喉頭，中咽頭，食道，甲状腺など）を評価する．生検を行い，病理学的評価を行う．放射線治療や他癌の治療歴がある場合は，特に嚥下機能を慎重に評価する．

病変が表在性であれば経口的切除術を検討する．浸潤癌の場合や頸部転移症例，喉頭浸潤があっても声門上部にとどまっていて肺機能に問題がなければ，喉頭温存・下咽頭部分切除術を検討する．病変が梨状陥凹尖端まで達する場合や梨状陥凹喉頭側〜輪状後部への深部浸潤例，舌根浸潤例では喉頭機能温存がむずかしいことが多い．

再建術の要否は欠損部位とその大きさによる．欠損が披裂〜披裂喉頭蓋ヒダ〜喉頭蓋に及ぶ場合は三次元的な形成を行い，食塊の喉頭流入を防ぐ工夫が必要である．

術式各論

1 経口的切除術

表在病変や限局した浸潤病変に対して行われる．全身麻酔下に咽喉頭を展開し拡大内視鏡や狭帯域内視鏡，ルゴール染色を用いて病変範囲を確実に判断して切除を行う．詳細は「第Ⅲ章-2-B-11．経口的手術」を参照されたい．

2 喉頭温存・下咽頭部分切除術

喉頭に浸潤を認めない下咽頭病変はよい適応である．一期縫縮可能な病変では術後の嚥下機能は問題ない．梨状陥凹外側から後壁の病変で切除範囲が大きく一期縫縮できない場合は，空腸弁や皮弁による再建を検討する．喉頭に浸潤するもののうち，梨状陥凹癌で披裂喉頭蓋ヒダに浸潤するもの，限局した輪状後部癌などでは切除とともに披裂および披裂喉頭蓋ヒダの高まりを再建して喉頭機能温存を図る．甲状軟骨の破壊を伴う病変であっても，甲状軟骨正中を越えずに喉頭の前後径が保たれるのであれば喉頭温存手術を検討可能なことがある．

下咽頭以外の悪性腫瘍に対して頸部に放射線照射歴をもつ下咽頭癌患者について，喉頭温存下咽頭部分切除術は有用である．一方で下咽頭癌に対

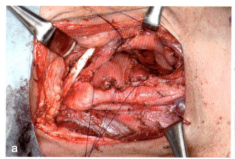
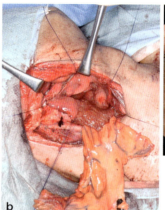
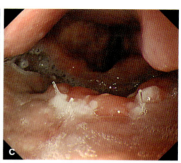

図 1　咽頭腔閉鎖
a：下咽頭後壁の扁平上皮癌を切除．
b：下咽頭後壁に空腸を縫い付けている．
c：術後 4 週の内視鏡写真．誤嚥なく経口摂取可能．

する放射線治療後の救済手術としての喉頭温存下咽頭部分切除術では，喉頭機能温存できる割合が少ないことが報告されている．下咽頭癌放射線照射後の救済手術として喉頭温存下咽頭部分切除術の適応は慎重に検討する必要がある．

局所病変のみでなく，全身状態，肺機能，嚥下リハビリに対する理解力などをあわせて検討する．

ⓐ 咽頭粘膜切開線の設定
必要であれば全身麻酔下に直達喉頭鏡で咽喉頭を展開し，咽頭粘膜の切開線を置いておく．

ⓑ 皮膚切開
頸部郭清の範囲によって異なるが，舌骨および甲状軟骨の外側縁にアプローチできる切開が必要である．

ⓒ 舌骨・甲状軟骨の切除
梨状陥凹癌では腫瘍の深部断端を確実に切除するため，後壁癌であっても良好な術野の確保と遊離組織移植を行う場合に血管茎への圧迫を解除するために甲状軟骨の外側を切除する．咽頭腔へ入る際や中咽頭への進展がある場合には患側の舌骨大角部分を切除する．舌動脈や舌下神経を可能な限り温存しながら切除を行う

ⓓ 咽頭切除
咽頭切開部より腫瘍を明視下において切除を進める．適宜支持糸をかけて牽引すると術野の展開が容易となる．喉頭浸潤を伴う場合は広がりに応じて喉頭蓋や披裂喉頭蓋ヒダ，披裂を切除することになる．

ⓔ 咽頭腔閉鎖
咽頭壁の欠損が小さければ一次縫合を行う．欠損に応じて局所皮弁や遊離組織による再建を行う．平面的な欠損に対しては遊離空腸パッチや前腕皮弁など薄い再建組織を用いる．欠損が披裂〜披裂喉頭蓋ヒダに及ぶ場合はナイロン糸で披裂から舌根方向へ前腕皮弁を牽引し，披裂から披裂喉頭蓋ヒダの形態を再構築することにより嚥下機能の維持を図る（図 1）．

3 下咽頭・喉頭全摘出術

喉頭温存・下咽頭部分切除術が困難な症例が対象となる．多くの T4 病変では下咽頭・喉頭全摘出術が必要となる．食道病変によっては食道全摘も併施する．

ⓐ 皮膚切開
頸部郭清を行う範囲に応じて U 字型もしくは Y 字の切開を行う．頸部郭清については本項では割愛する．

ⓑ 内頸静脈，総〜外頸動脈の温存
腫瘍浸潤がなければ内頸静脈は温存する．下咽頭頭側からのリンパ流は舌骨甲状間膜から上喉頭神経血管束に沿って流出する．リンパ流を念頭に内頸静脈内側をしっかり郭清する．上喉頭神経お

よび動静脈は結紮する．甲状腺温存側の上甲状腺動脈は温存する．上甲状腺動脈を再建に利用する場合は周囲をしっかりと郭清したうえで病変から十分離して切断する．腫瘍浸潤によっては無理に上甲状腺動脈を長く残して利用せずに，頸横動脈の利用も検討する．

ⓒ 甲状腺および気管傍の処理

前頸筋群を切断し甲状腺および気管を露出する．気管傍および気管前の郭清を行う．甲状腺葉を温存する場合は副甲状腺の血流も意識しながら甲状腺尾側の静脈を可及的に温存する．温存甲状腺の気管剝離面から術後出血をきたすことがあるため，十分に止血する．放射線照射後の救済手術の場合は，気管血流維持のために甲状腺を温存することも検討する．

ⓓ 喉頭と気管の処理

腫瘍からマージンをとりつつ，椎前筋から咽頭および食道を剝離する．気管切断の高さは頸部食道病変の浸潤範囲に規定される．気管を切断し挿管チューブを入れ替える．気管の血流は下甲状腺動脈と気管支動脈からの分枝から入っており，両動脈は交通して気管固有鞘下にネットワークを形成している．下甲状腺動脈からの血流は遮断されることが多い．気管固有鞘の温存に留意し気管食道間の不要な剝離は控える．

舌骨を露出し，舌骨上から咽頭腔へ入る．腫瘍および咽頭粘膜を明視下に置き，適宜ルゴール染色を併用しながら粘膜切開線を決定する．

ⓔ 標本摘出

頭側で咽頭粘膜を全周切開する．頭側に切り上がる場合は舌動脈の損傷に注意する．腫瘍浸潤により片側の舌動脈合併切除はやむをえないが，両側切断すると舌血流不全と再建組織との接着不全をきたすことがある．咽喉頭を頭側に牽引して食道を頸部に引き出す．十分な郭清と止血処置を行い，食道を切断して標本摘出とする．頸部食道内腔を確認し必要であればルゴール染色を行い，追加切除を行う．咽頭および食道粘膜は再建組織との吻合に用いるため愛護的に扱う

ⓕ 咽頭後リンパ節郭清

術前の画像で切除可能な咽頭後リンパ節腫脹がある場合はもちろんであるが，後壁癌など咽頭後リンパ節転移がハイリスクである場合は郭清を検討する．咽頭後側壁を椎前部から剝離翻転し頸動脈鞘内側にある咽後間隙にアプローチし郭清を行う．

ⓖ 再建術

詳細は割愛する．遊離空腸による再建が多く行われてきたが，前外側大腿皮弁などの fasciocutaneous flap による再建も報告されている．

ⓗ 永久気管孔作成

気管が細い場合や，低位切断により気管が引き込まれて狭窄が予測される場合などでは，狭窄予防のため気管に切開を入れて皮膚を挿し込む（double-Z plasty），気管と鎖骨骨膜に糸をかけて気管を引き上げるなどの工夫を行う．気管軟骨を皮膚で覆うように縫合し軟骨炎を予防する．十分な大きさの気管孔が作成されていれば術後にカニューレは必要としない．

6 喉頭

適応と術式選択のポイント

喉頭癌は適切な治療を行えば良好な予後が期待できるため，喉頭機能温存の可能性を考慮し，各症例にあった治療方針を立てる必要がある．早期癌に対しては，以前から喉頭温存治療戦略のガイドラインが提示されてきたが[1]，内視鏡の進歩により微小な表在病変の診断が可能となったことから，標準治療である放射線治療よりもより低侵襲な経口的切除術の適応となる症例が増加している．一方，進行癌に対しても喉頭機能温存をめざした化学放射線療法や導入化学療法が標準治療の1つとなっているため[2]，非制御例に対する救済手術としての役割は重要である[2]．

喉頭癌に対する手術は，経口的切除術，喉頭部分切除術，喉頭亜全摘出術，喉頭全摘出術，その他に大別され，経口的切除術の中に，内視鏡的切除術，内視鏡的咽喉頭手術 (endoscopic laryngo-pharyngeal surgery：ELPS)，ビデオ喉頭鏡手術 (transoral videolaryngoscopic surgery：TOVS)，レーザー手術などが含まれている[3]．

経口的切除術は，内視鏡の発達と種々の手術機器の改良により，低侵襲な喉頭機能温存治療として適応の拡大が進んでいる[4]．喉頭入口部（舌骨上喉頭蓋～披裂喉頭蓋ヒダ～披裂部）を中心とする声門上部の表在性病変は，内視鏡的切除術，ELPS，TOVSのよい適応である．内視鏡的切除術は，喉頭鏡を用いて術野を展開したのちに，消化器内科医や内視鏡医が高周波ナイフなどを用いて切除を行うため，熟練した消化器内科医や内視鏡医の協力が不可欠である．ELPSは彎曲型喉頭鏡で術野を展開し，上部消化管内視鏡を用いて病変を詳細に確認しながら，頭頸部外科医が彎曲した鉗子と専用電気メスなどを用いて切除を行う．TOVSは拡張型直達喉頭鏡で術野を展開し，硬性ビデオ内視鏡を用いて病変を確認しながら手術操作を行うため，頭頸部外科医のみで治療が可能である．また，声帯膜様部に限局する声門癌や上皮内癌が疑われる白斑病変は，レーザー切除術のよい適応であり，切除範囲に応じて術式が分類されている[5,6]．切除範囲に応じて嗄声などの機能障害が大きくなるため，放射線治療よりも治療後のQOLが高いことが予想される症例を選択する．

外切開による喉頭温存手術（喉頭部分切除術，喉頭亜全摘出術）の適応は，大部分のT1・T2とT3症例の一部であるが，これらはすべて放射線治療や化学放射線療法の適応でもある．腫瘍の浸潤範囲が各術式の定型的な切除範囲内であれば，確実な切除により高い局所制御が期待できるが，術後機能障害の点と化学放射線療法の治療成績向上により，初回治療で第一選択となる症例は限定的である[7,8]．早期癌の放射線治療や化学放射線療法後の再発例に対する救済手術として有用である[2]が，創傷治癒不良であることを前提とした対応を考えておく．

喉頭全摘出術は，喉頭温存治療の適応とならない症例に対する根治治療の最後の切り札である．T4のような進行癌症例や化学放射線療法が行えないような全身状態の悪い症例，放射線治療や化学放射線療法後の再発例で喉頭温存手術が行えない症例などが適応となる．

術式各論

代表的な術式として，経口的切除術のTOVSと喉頭部分切除術の垂直部分切除術および喉頭全摘出術について手術手順とポイントを述べる．

1 経口的切除（代表的術式：TOVS）

舌骨上喉頭蓋の病変の場合には，経鼻挿管で全身麻酔の導入を行うと手術操作が行いやすい．FK-WOリトラクターのブレード先端を舌根部にかけて喉頭展開を行う．先端彎曲ビデオスコープがあれば，鉗子類との干渉を避けながら死角なく操作が容易である．喉頭蓋舌面や咽頭側への進展の有無についてヨード染色を行って不染帯の範囲を確認し，電気メスで腫瘍周囲に切除安全を設定してマーキングを行う．摘出側を鉗子で把持しなが

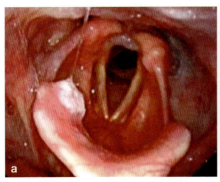
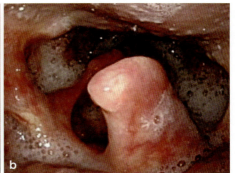

図1 舌骨上喉頭蓋原発の声門上癌
a：術前の喉頭所見，b：TOVS 後の喉頭所見

ら，剪刀および電気メスで喉頭蓋軟骨ごと切除を行うことが可能である（図1）．

経口的切除術では，いずれの術式においても良好な術野を展開することが重要であり，病変の部位に応じて喉頭鏡のブレード先端を最適な位置に調整することに十分な時間をかけることがポイントである．また，喉頭蓋前間隙や傍声門間隙などの深部に切開が及ぶ場合には，サクションコアグレーターや血管クリップを用いて確実な止血操作が必要である．

2 喉頭垂直部分切除術（代表的術式：前側方切除術 frontolateral partial laryngectomy）

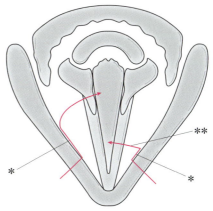

図2 垂直部分切除術の切除ラインのシェーマ（軸位断面）
＊：内軟骨膜と甲状軟骨翼との間を剥離．
＊＊：声帯の長軸方向に直行するように切離．

一期的に喉頭閉鎖を行う術式もある[9]が，喉頭内腔に壊死組織が生じた場合には創傷処置に難渋する．頸部皮弁を用いて喉頭瘻孔を作成し二期的に閉鎖を行う術式では，救済手術で創傷治癒不良時にも対応しやすいため，この術式について述べる．

ⓐ 切 開

経口挿管で全身麻酔の導入を行う．その後，S字状の皮膚切開をデザインし皮弁を挙上する．前頸筋を正中から左右に分けて喉頭を露出し，甲状軟骨の正中部分を合併切除するように左右の甲状軟骨翼板を頭尾側方向に軟骨鉗子で切離する．そこから後方に向かって甲状軟骨翼と内軟骨膜との間を剥離することで，内軟骨膜ごと傍声門間隙の組織が切除可能となる（図2）．

ⓑ 摘 出

声門下進展に応じ，甲状軟骨下縁または輪状軟骨上縁で輪状甲状膜を切開し喉頭に入る．健側の声門下（輪状甲状膜）から声門上部に向かって，術前に想定した位置（図3）で剪刀を用いて切離する．喉頭内腔を明視下に置き，患側の声門上部および声門下部を後方に切離し，進展範囲に応じた内軟骨膜および声帯突起を切離して摘出する．

ⓒ 縫 合

切除後の欠損部は，外軟骨膜で甲状軟骨断面を被覆したのち，前頸部のS字状皮弁を後方から縫着して喉頭瘻孔を形成して終了する．喉頭瘻孔は，創部が安定した2〜3ヵ月後に局所麻酔下に hinge flap で閉鎖する．

ⓓ 注意するポイント

・術前の病変の進展範囲の評価：喉頭部分切除

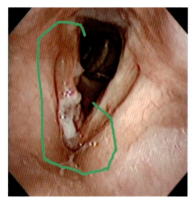

図3 垂直部分切除術の切除ラインのシェーマ（術前内視鏡写真）

術では喉頭内を切除していくため，病変の進展範囲の正確な評価が重要．再発は絶対避けなければならないが，過剰な切除による術後機能の低下も避けなければならない．過剰な切除安全域をとらないために，術前の喉頭内視鏡検査，CT 検査などを用いた病変の境界を正確に把握しておくことが必須である．

- 喉頭に入る位置と声帯の切除面の角度：健側声帯の切離は完全な明視下には行えないため，術前に切離する位置を決めておく必要がある（声帯膜様部の中央あたりとか，前連合を少し越えればよいとかのように）．想定した位置で声帯の長軸方向に直行するように剪刀で切離する必要があるが，過剰な切除にならないためには，剪刀の切離面は術野では水平に近くなる（図2の左側の矢印）イメージが重要である．
- 傍声門間隙の欠損が大きい場合には，前頸筋による死腔充填も考慮する．放射線治療後の救済手術では，充填組織の壊死を避けるため，前頸筋を上方茎や下方茎とせず bipedicle として用いたほうが安全である．

3 喉頭全摘出術

喉頭全摘出術は，外喉頭筋，上喉頭神経などの神経や上喉頭動静脈などの血管を切離し，咽頭から切離を行う定型的な手術であるが，腫瘍の進展範囲に応じて，舌骨や甲状腺の扱いによりバリエーションが生じる．

a 切 開

気道狭窄があれば局所麻酔下に気管切開を行い全身麻酔の導入を行うが，それ以外は経口挿管のほうが術中の気管周囲の操作が行いやすい．皮膚切開は縦切開や横切開でも可能であるが，頸部郭清術を併施する場合にはT字かU字切開が広く用いられている．皮弁挙上後，尾側では舌骨下筋群を胸骨上縁で切離し頭側へ翻転して甲状腺を同定する．声門癌で声門上進展がなければ，舌骨下縁で舌骨下筋群を切離し舌骨の温存が可能である．声門上進展例や声門上癌では舌骨上縁で舌骨上筋群を切離し舌骨を合併切除するが，その際に舌動脈を損傷しないよう注意が必要である．

b 摘 出

甲状腺が温存可能な場合には，峡部を切離し咽頭収縮筋との間を剥離したのち，上喉頭動静脈を切離して上甲状腺動静脈ごと外側へ翻転させて温存する．高度の声門下進展がある場合には咽頭収縮筋との間を剥離せず，気管周囲の郭清組織とともに甲状腺の合併切除を行う．上喉頭神経を切離したのち，喉頭を対側へ翻転しながら甲状軟骨翼外側縁で咽頭収縮筋を切離する．梨状陥凹に進展がない症例では，甲状軟骨翼から梨状陥凹粘膜を用指的に剥離しておくと，後の梨状陥凹の切開が容易となる．気管を適切な位置で離断し，後連合への進展がなければ，喉頭を頭側に翻転しながら輪状後部との間を用指的に剥離する．経口挿管の場合には術野で気管内挿管に変更を行う．

頭側で健側喉頭蓋谷から咽頭に入り，梨状陥凹を尾側に切離して腫瘍の進展範囲を明視下に置く．患側の梨状陥凹も尾側に切離を行いながら喉頭を尾側に翻転させ，左右の切開線を輪状後部で連続させて周囲組織と一塊に摘出する（図4）．

c 縫 合

残存咽頭粘膜を縫合して咽頭腔を閉鎖し，左右の咽頭収縮筋を縫合して補強を行う．気管断端と皮膚を縫合して永久気管孔を作成する．持続吸引ドレーンを留置し，生理食塩水で十分洗浄したのちに閉創する．

d 注意するポイント

- 喉頭全摘出術後の局所再発を避けるため，喉頭外に進展したT4症例では周囲組織を十分に

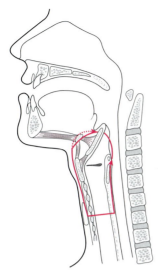

図4 喉頭全摘出術の切除範囲のシェーマ
実線：舌骨温存の際の切除ライン.
点線：舌骨合併切除時の切除ライン.

合併切除する．喉頭蓋谷への浸潤例で舌根の合併切除が必要となる場合や，後方の輪状軟骨浸潤例で輪状後部の合併切除が必要となる場合には，十分な切除を行うことで残存咽頭粘膜による一次閉鎖が困難となることがあるため，皮弁などでの再建も考慮する．また，すでに緊急気管切開が行われている場合には，気管孔周囲の瘢痕組織を合併切除し，気管切開部より尾側で気管を離断して一塊切除を行うことで，気管孔周囲の再発を避ける．

- 咽頭腔の閉鎖は，一直線に縫合すると緊張がかかる場合には無理をせずT字型に縫合閉鎖を行う．瘻孔形成を防ぐためには，Gambee縫合などにより粘膜下組織を面として密着させて，縫合間隔が密になりすぎないように数mm〜1 cm間隔で粘膜縫合を行うことが重要である[10].
- 気管孔狭窄を防ぐために種々の工夫が報告されているが，皮膚を丸く切除して気管断端に縫合するのがもっとも簡便な方法の1つである．

文献

1) American Society of Clinical Oncology：American Society of Clinical Oncology clinical practice guideline for the use of larynx-preservation strategies in the treatment of laryngeal cancer. J Clin Oncol **24**：3693-3704, 2006
2) 日本頭頸部癌学会（編）：頭頸部癌診療ガイドライン 2018年版，金原出版，東京，2017
3) 日本頭頸部癌学会：頭頸部癌取扱い規約，第6版補訂版，金原出版，東京，2019
4) Tateya I, et al：Transoral surgery for laryngo-pharyngeal cancer - the paradigm shift of the head and cancer treatment. Auris Nasus Larynx **43**：21-32, 2016
5) Remacle M：Endoscopic cordectomy. a proposal for a classification by the Working Committee, European Laryngological Society. Eur Arch Otorhinolaryngol **257**：227-231, 2000
6) Remacle M：Proposal for revision of the European Laryngological Society classification of endoscopic cordectomies. Eur Arch Otorhinolaryngol **264**：499-504, 2007
7) 藤井 隆ほか：喉頭がん（T2，T3）治療法の選択：「手術」側の立場から．頭頸部癌 **34**：345-351, 2008
8) Campo F, et al：Laser microsurgery versus radiotherapy versus open partial laryngectomy for T2 laryngeal carcinoma：a systematic review of oncological outcomes. Ear Nose Throat J **100**：51S-58S, 2021
9) 三浦弘規：喉頭癌の手術．頭頸部手術カラーアトラス，改訂第2版，がん研究会有明病院頭頸科（編）．永井書店，大阪，p96-117, 2011
10) 藤井 隆：喉頭全摘出術：咽頭粘膜の切除と縫合．イラスト手術手技のコツ耳鼻咽喉科・頭頸部外科 咽喉頭頸部編，改訂第2版，村上 泰，久 育男（監），東京医学社，東京，p298-300, 2017

7 甲状腺

適応と術式選択のポイント

甲状腺癌には乳頭癌，濾胞癌，未分化癌，髄様癌などの病理組織型があるが，わが国では乳頭癌が90%以上を占める[1]．乳頭癌の多くは予後良好な低リスク癌であるが，一部に転移や浸潤が激しく，最終的に遠隔転移の進行や未分化転化によって原病死する高リスク癌が存在する．治療方針の決定においては，個々の患者のリスクに応じた選択をすることが重要である．低リスク癌には通常，葉切除と中心領域リンパ節郭清を行うが，腫瘍径1 cm以下で転移や浸潤を認めない超低リスク乳頭癌に対しては積極的経過観察も選択肢となる．一方，高リスク癌については甲状腺全摘と選択的・治療的リンパ節郭清を行ったうえで，放射性ヨウ素内用療法および甲状腺刺激ホルモン抑制療法を施行する[2]．隣接臓器に浸潤する高リスク癌では，適切な浸潤臓器合併切除と機能保存のための再建手術を行う．

甲状腺手術では反回神経麻痺や副甲状腺機能低下，上喉頭神経外枝（EBSLN）麻痺，術後出血やリンパ漏といった合併症に留意する．最近では術中神経モニタリングを反回神経やEBSLNの走行と健全性の確認のために用いることが多い[3]．整容性に配慮した内視鏡手術も症例を選んで行われるようになった．

術式各論

1 通常法による甲状腺全摘

a 術前準備

襟状切開の予定線は術前起座位にて，鎖骨頭のわずかに頭側で，嚥下運動によってあまり動かない高さに決めておく．経口挿管による全身麻酔後，肩枕を入れて頸部を伸展させ，手術台をヘッドアップにして，甲状腺の位置が高くなるようにする．

b 皮膚切開と皮弁挙上

皮膚表面に対し垂直に切開し，広頸筋直下の層を上下に剥離する．前頸静脈の損傷に注意する．頭側は輪状軟骨上縁の高さまで，尾側は鎖骨頭を触れるまで皮弁を挙上する．

c 甲状腺の露出

前頸筋群（胸骨甲状筋，胸骨舌骨筋）を正中白線で左右に開排する．側頸部郭清を行う場合や，再手術で正中部に癒着がある場合には胸鎖乳突筋と胸骨舌骨筋の間からの側方アプローチを用いる．

胸骨甲状筋は甲状腺の側面まで回りこんでおり，癌の浸潤を受けやすい．また，濾胞癌の場合など胸骨甲状筋と甲状腺の間に血管増生が著しいことがある．こうした場合，胸骨甲状筋を甲状腺につけたまま切除する．

d 甲状腺上極の処理

甲状腺葉の外側面を胸骨甲状筋から剥離し，中甲状腺静脈を処理したのち，甲状腺上極の処理に移る．上甲状腺動静脈の処理の際には，EBSLNを保存することが重要である．EBSLNは輪状甲状筋の運動神経で，損傷すると高音が出せなくなる．甲状腺上極を外側下方へ牽引して，輪状甲状筋と甲状腺上極の間のavascular spaceを開放するとEBSLNを確認しやすい．上甲状腺動静脈の結紮切離は結合組織を除去し，分枝ごとに甲状腺近傍で行う．ただし，エネルギーデバイスを用いる場合は結合組織を含めて処理する（図1）．

e 反回神経の温存

迷走神経から分枝する反回神経は，左では大動脈弓を前から後ろへ回り気管食道溝に沿って，ほぼ垂直に上行して輪状軟骨下縁で喉頭内へ入る．右反回神経は鎖骨下動脈を前から後ろへ回って上行するので，頸部下部では気管外側縁からやや離れて，斜めに外側から内側へと走り，輪状軟骨下縁に到達する．

甲状腺葉を脱転し，胸骨甲状筋から甲状腺背側面に至るfasciaを切開して，下甲状腺動脈，総頸動脈，気管のつくる三角の中で反回神経を探す（図2ab）．神経を確認するまで，下甲状腺動脈や付近の索状物は切離しない．

反回神経は喉頭進入前に知覚枝と運動枝に分岐

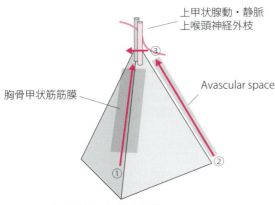

図1 甲状腺上極の処理（右葉）
甲状腺上極を頂点とする錐体と捉え，腺葉外側の胸骨甲状筋筋膜（①），次いで甲状腺上部正中側と輪状甲状筋間のavascular space（②）を切開し，頂点をめざす．露出した上極を尾側に引きながら，上喉頭神経外枝を確認（術中神経モニタリングが有用）したうえで，上甲状腺動静脈を分枝ごとに甲状腺寄りで結紮切離する（③）．エネルギーデバイスを用いる場合は，動静脈をまとめて結合組織とともに処理できるが，血管に対して直角に処理することを心がける．

向かって分枝する非反回下喉頭神経となる．

反回神経に癌浸潤を認める場合でも，術前麻痺がない場合は，鋭的剝離により温存するよう努める．やむをえず反回神経を切離した場合には神経再建（頸神経ワナとの吻合など）を行う．

f 副甲状腺の温存

上副甲状腺は甲状腺を脱転し，咽頭甲状腺筋膜を開くと見つかることが多い（図2ab）．下副甲状腺の位置はさまざまで，胸腺内に存在することも少なくない．

副甲状腺は主要栄養動脈である下甲状腺動脈からの枝をつけたまま，その場に残す（Capsular dissection）のが基本である．Berry 靱帯付近の甲状腺を1～2g程度，上副甲状腺とともにその場に残す準全摘術（near total thyroidectomy）を行うこともある．やむをえず副甲状腺を切除した場合は胸鎖乳突筋，大胸筋などに自家移植する．

g Berry 靱帯の処理

甲状腺は上極後面の両側にある分厚い結合組織であるBerry 靱帯によって気管に固定されている．反回神経はBerry 靱帯の中に進入することはない．Berry 靱帯には小さな血管が豊富にあり，止血の際に神経を牽引しすぎないよう細心の注意が必要である．

h 閉　創

術後出血が起こると気道圧迫，喉頭浮腫による

することがある．たいていは前枝が運動枝である．反回神経が甲状腺実質内に進入することはないが，時にZuckerkandlの結節と呼ばれる甲状腺の側後方の先天的な突起が反回神経を覆い隠すことがある（図2c）．まれに右鎖骨下動脈が左鎖骨下動脈の分岐後の大動脈弓から直接わかれ出る変異の場合，右反回神経は迷走神経から直接喉頭へ

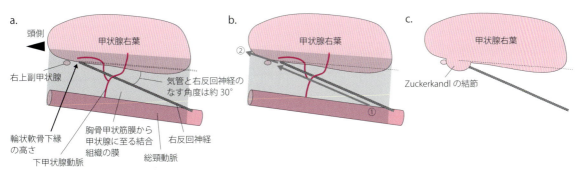

図2　甲状腺右葉後面の処理：反回神経と上副甲状腺の温存
a：甲状腺上極の処理後，腺葉を腹側，次いで正中側に牽引したのち，前頸筋群を外側に引き，甲状腺背側面を露出する．胸骨甲状筋膜から甲状腺背面に至るfasciaの向こうに反回神経が存在する（右では気管と約30°の角度をなして，輪状軟骨下縁に向かう）．
b：fasciaを切開して，下甲状腺動脈，総頸動脈，気管のつくる三角の中で反回神経を確認する（①）．上副甲状腺は甲状腺上極背面から咽頭収縮筋に至るfasciaを開くと見つかることが多い（②）．
c：甲状腺の側後方にZuckerkandlの結節と呼ばれる先天的な突起がある場合，反回神経や上副甲状腺が覆い隠されることがある．

窒息をきたす危険があるので，止血は十分に行う．特に，前頸静脈，上下甲状腺動静脈に注意する．閉創は形成外科的手法により行う．

文 献

1) 日本内分泌外科学会，日本甲状腺病理学会（編）：甲状腺癌取扱い規約，第8版，金原出版，東京，2019
2) 甲状腺腫瘍診療ガイドライン作成委員会：甲状腺腫瘍診療ガイドライン 2018．内分泌甲状腺外会誌 35（Suppl 3）：1-87, 2018
3) 杉谷　巌：甲状腺の手術．新版頭頸部手術カラーアトラス，がん研有明病院頭頸科（編），ぱーそん書房，東京，2021

8 唾液腺

適応と術式選択のポイント

1 術前診断

　唾液腺癌の病理組織はWHO分類では20種類程度あり，その悪性度もさまざまである．術式の決定の際には，切除の範囲，特に周辺の神経の扱い，予防郭清の必要性などにおいて，悪性度の診断が非常に重要となる．そのためには吸引細胞診だけではなく，針生検などによる組織採取を行うことが推奨される．生検材料を用いることで免疫染色が可能になり，より確定的な術前診断が導かれる．近年の報告では唾液腺導管癌が耳下腺癌でもっとも頻度の高い病理組織として報告されているが，これもARなどの免疫染色が普及した結果といえる．術前に病理診断が確定されることで，推奨されるべき術式につき患者と必要な情報を共有できる．

2 耳下腺低悪性度癌

　術前の画像や細胞診や生検で良性腫瘍とされていても，実際に切除した標本では低悪性度癌と判明する場合がある．したがって，多形腺腫の術前診断であっても低悪性度癌である可能性も考慮しながら，腫瘍被膜にある程度の正常な耳下腺組織をつけて切除することが好ましい．ただし，顔面神経に近接している場合は，鋭的な操作などで神経を保存できればそれでよく，それ以上の安全域は不要である．深葉を含む残葉を全摘したり予防的頸部郭清を行ったりすることに関しても，低悪性では不要である．

3 耳下腺高悪性度癌

　基本的には安全域を含めた切除が必要になる．耳下腺全摘がもっとも根治性が高いが，腫瘍の位置，径によっては顔面神経や深葉の保存も可能であり，術前に顔面神経麻痺のない患者では保存が本当に不可能かどうか，十分に検討されるべきである．周辺組織に浸潤を認める場合は，臨床所見や画像などの情報に沿って拡大切除を行う．頸部については積極的な予防郭清が推奨される．範囲は浅頸部も含めたレベルⅠb，Ⅱ，Ⅲ，Ⅴaを郭清する．転移が明らかな場合ではⅣ，Ⅴbまで郭清を行う．多発転移例は術後照射の適応を検討する．

4 顎下腺癌

　耳下腺同様に悪性度とStageに応じた手術術式の決定が必要である．ただし，一般に顎下腺癌では耳下腺癌より予後が悪く，浸潤した周辺組織は確実に切除することが求められる．特に顎下神経節から舌神経に到達する浸潤経路には注意を要する．安全域が不十分な場合や多発転移を認める場合は，術後照射の適応を検討する．

5 舌下腺癌

　口腔底原発の悪性腫瘍の切除術に準じる．

術式各論[1]

1 耳下腺浅葉（部分）切除

ⓐ 皮膚切開

　S字切開が好んで使われる．耳介尾側を通って後方に向かい乳様突起直上を通過して尾側に向かうラインは，あまり急なカーブを描くと血流不全をきたすことがあるので注意を要する．また，頸部郭清を行わないことが確実である腫瘍であれば，後方に向かうS字切開でも十分な視野が得られ，整容的な満足度が高い（図1）．

ⓑ 皮弁挙上

　耳下腺の被膜上で皮弁を上げていくことになるが，慣れないと層が見つけにくい．尾側で広頸筋の層を見つけ，広頸筋筋層を挙上側につける形で頭側に剝離を進めていけば，比較的容易に耳下腺の被膜の層に入ることができる．慣れないうちはメスを用いるのが無難である．うまく被膜の層に入ると出血は少ない．後方は乳様突起と外耳道軟骨が十分に術野に入るまで剝離する．外頸静脈は

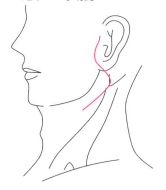
a. 通常のS字切開

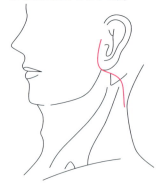
b. 後方に向かうS字切開

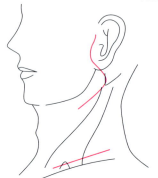
c. 頸部郭清の際のMacfeeの皮切

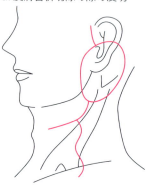
d. 皮膚合併切除の際の皮切

図1 耳下腺癌で使用される皮膚切開

結紮する．大耳介神経は保存できることもあるが，腫瘍に近接していれば切除もやむをえない．

c 顔面神経本幹同定

耳下腺の尾部を胸鎖乳突筋から剝離し，頭側に拳上していく．顎二腹筋の後腹が見えてくれば乳様突起の方向にさらに耳下腺組織を持ち上げていく．顔面神経の本幹は顎二腹筋の深さより浅側にはないため，乳様突起と外耳道軟骨の浅い部分はモノポーラの電気メスでの剝離が可能であるが，本幹に近づくにつれてバイポーラによる止血のほうが無難である．本幹はルーズな脂肪組織の中に存在する．したがって，外耳道軟骨から乳様突起までの広い範囲を剝離した状態で，十分な緊張を加えながらその間の深部の剝離を進めていけば，結合組織の切離後に自然と結合の弱い部分が出てきて顔面神経本幹の場所を教えてくれる．

d 耳下腺切除

顔面神経を温存しながらの腫瘍切除の場合は，顔面神経にモスキートペアンの先端の腹の部分をしっかり当てて顔面神経に沿わせ，耳下腺の正常部分を抜き取り左右に分けて結紮する．不十分であると出血ばかりか唾液漏の原因になる．

2 耳下腺全摘

皮膚切開や皮弁拳上は浅葉切除と同様である．耳下腺の前縁で顔面神経の各枝を咬筋の筋膜上で確認する．顔面神経本幹の同定は同じである．顔面神経の麻痺がない場合でも，茎乳突孔付近に腫瘍径の大きな高悪性度癌が存在するときは神経の温存が困難な場合が多いが，それ以外にはまずは保存できる可能性がある．たとえ本幹や枝が切除された場合でも，頸神経などを利用して神経縫合を行うことが推奨される．顔面神経縫合の回復の可能性は高齢者では限界があるが，術後照射の有無には影響されないという報告が多い．

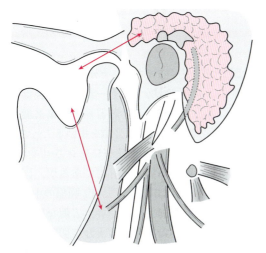

図2 拡大切除の1例
下顎骨関節突起を合併切除し，乳頭洞は削開され顔面神経管が開放されている．

3 拡大耳下腺全摘

　腫瘍が浸潤していて皮膚合併切除になる場合は，必要な皮膚切除に加えてそこから垂線を立ち上げる形で皮膚切開ラインを設定する．咬筋，下顎骨の関節包・関節突起・上行枝，乳様突起など，必要に応じた合併切除が必要である．特に術前より顔面神経麻痺を認める場合は必要に応じて乳突洞削開を行い，顔面神経管を削って顔面神経を露出させ，迅速診断で陰性となるまで追跡する必要がある（図2）．このような場合は，いずれにして

も術後照射が必須になる．外耳道軟骨までの浸潤は高頻度にあり，合併切除を行う．骨部外耳道まで浸潤した症例は，少なくともその部分の骨切除を行うことになるが，そのような症例では外科的な尾側深部の安全域を十分に得ることはむずかしくなる．必要に応じて遊離皮弁で再建する．

4 顎下腺全摘

　低悪性度癌の場合は，顎下腺ごと切除できればそれでよいが，被膜の損傷には十分に気をつけなければならない．悪性度にかかわらず，腫瘍が顎下神経節に近接する場合は断端を迅速検査に提出し，陽性なら舌神経をさらに切除して迅速病理で断端評価を行う必要がある．特に，中枢側では卵円孔近くまで神経を追って切除する．顔面神経下顎縁枝および舌下神経も癒着がないかどうか，術前および術中に慎重に判断されるべきである．高悪性度癌の場合は患側頸部の予防的郭清が推奨されるので，顎下部領域は郭清組織とともに切除し，必要により周辺組織の合併切除も行う．口腔底粘膜に近接する場合は，合併切除および再建も検討する必要があり，下顎骨も場合によって骨膜切除や辺縁切除も考慮しなければならない．

文献

1) 別府　武ほか：耳下腺腫瘍の手術・顎下腺腫瘍の手術．新版頭頸部手術カラーアトラス，がん研有明病院頭頸科（編），ぱーそん書房，東京，p223-243，2021

9 聴器

適応と術式選択のポイント

聴器癌は希少疾患であり，罹患率は100万人に1人程度とされる．そのため統一された病期分類はなく，Pittsburgh分類[1]を使用することが多いため，本項でもこれを用いる．組織型は扁平上皮癌が多いが腺様嚢胞癌など分泌腺由来のものもみられる．標準治療は確立されていないが，手術治療をベースに放射線治療や化学療法を組み合わせて治療を行う[2]．腺様嚢胞癌では一般的に放射線や化学療法に抵抗性であり手術に加え，粒子線治療なども考慮される．

外耳道皮膚に限局するT1腫瘍の場合，外耳道骨膜までの部分切除で切除可能であることもあるが，切除マージンをしっかりとるためにT1，T2の早期癌（外耳道に限局する）には外側側頭骨切除術（lateral temporal bone resection）を行う．T1，T2に対しては手術で高い治癒率が得られる[3]．外側側頭骨切除術は外耳道を筒状に外耳道骨で包んだまま鼓膜までを一塊に切除する術式である（図1a）．T3（中耳進展など）やT4（側頭骨外進展）には通常側頭骨亜全摘術（subtotal temporal bone resection）が必要となるが（図1b），深部への進展がなく，耳介方向への進展や顎関節への進展によりT4と判断される症例では，外側側頭骨切除を拡大した切除範囲で切除が可能であることがある．そのため，T分類と手術術式は必ずしも一致せず，腫瘍の進展範囲によって決定する．聴器癌の腫瘍進展方向による病期分類である岸本分類を用いることで，腫瘍進展部位とT分類，術式がリンクさせやすく，術式の判断の際に用いると有用であるが，国際的にはあまり用いられていない[4]．T4腫瘍の中で，内頸静脈や内頸動脈周囲への進展，広範な硬膜進展や脳への進展がある場合には十分な切除マージンがとれず，切除不能と考えている．T3以上の進行癌，特に切除不能症例を対象にTPF 3剤併用化学放射線療法が行われており，比較的良好な治療成績が報告されている[5]ことから，進行癌に対する治療の中心は放射線治療にシフトしていく可能性がある．

聴器癌はリンパ節転移や遠隔転移の頻度は比較的少ないが，特に外耳道の前下方に腫瘍が進展している場合には耳下腺への直接浸潤や耳下腺リンパ節転移の可能性を考慮する必要がある[3]．T1では転移の可能性はきわめて低いが，T2では耳下腺浅葉切除を考慮し，T3，T4では耳下腺全摘を考慮する．頸部リンパ節転移がある場合には頸部郭清を併施する．

外側側頭骨切除術，側頭骨亜全摘術について手術操作の手順と注意点を概説する．

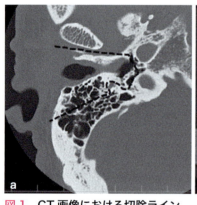 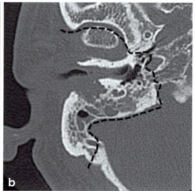 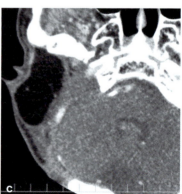

図1　CT画像における切除ライン
a：外側側頭骨切除術の切除ライン
b：側頭骨亜全摘術の切除ライン
c：側頭骨亜全摘術後のCT画像

術式各論

1 外側側頭骨切除術

側頭骨への大きな浸潤がない症例に適応される術式．T1，T2 症例が主な対象であるが，深部の骨への進展が乏しく，耳介方向の皮膚への進展で T4 となる症例もこの術式の対象となる．外耳道を筒状に外耳道骨で包んだまま，鼓膜までも一塊に切除する術式である．

a 皮膚切開

通常の耳科切開より大きめの耳後切開（large C）を行う．外耳道入口部を切開し，耳介とともに皮弁を挙上し，入口部の切除断端は縫合閉鎖しておく．皮弁挙上は腫瘍に切り込まないよう道上棘の手前で終える．側頭筋上は側頭筋膜を温存しながら挙上することで，顔面神経を温存する．

b 顎関節開放

外耳道前下方で顔面神経本幹を同定し，耳下腺浅葉切除を行ったのちに顎関節窩に入る．関節包を後方より周囲の骨と剝離し，下顎関節突起が半脱臼された状態にする．外耳道前方の骨破壊がある場合には関節包をあけて後方の軟骨をつけて切除する．

c 乳突削開

通常の乳突削開よりも広めに行う．特に後方はS状静脈洞の後方から削開し鼓室前方，後鼓室の観察をしやすくする．キヌタ骨を確認し，I-S joint を外してキヌタ骨を除去する．続いて顔面神経の第 2 膝部から垂直部を同定し，中鼓室から下鼓室の開放を行い，下鼓室の下方の削開を進めるが，頸静脈球や内頸動脈に近く，骨量も多いため慎重に進める．ここで鼓膜張筋腱を切断しておくとよい．次いで，上鼓室を前方に向かって削開していくと顎関節窩に入り，関節窩内の観察が容易となる．顎関節の深部は骨面が水平面に近づき，耳管が出るまで削開し，確実に同定する．外耳道前方を尾側に削開を進め，鞘状突起の基部を削除する．

d 腫瘍摘出

過去室から下方の骨削開と上鼓室から顎関節窩内の削開が進むと，摘出組織が動揺し始める．ここで下鼓室に向けてノミを入れておく．摘出組織を顎関節側に倒すと，側頭骨と離断され，腫瘍が摘出される．

e 外耳道形成

術後照射を要しない症例では皮膚管を用いて外耳道を形成することで，聴力温存を試みる[6]．放射線治療を予定する場合は皮膚管の壊死の可能性があるため外耳道形成は行わず，摘出部に側頭筋弁などを充填して外耳道入口部を縫縮し，閉鎖する．

2 側頭骨亜全摘術

側頭骨の大部分を中耳，内耳を含め，切除する術式．深部では内頸動脈，頸静脈を温存し，下位脳神経を温存する．腫瘍の進展部位に応じて頭側，尾側，皮膚側に拡大切除を行うこともあり，側頭後頭開頭の上で硬膜や下顎骨，皮膚，耳介，耳下腺などを合併切除することがある．顔面神経は基本的に切断するため，可能であれば神経再建を行う．切除後は遊離皮弁による再建を行う．ここでは腫瘍が側頭骨外に進展していない場合の切除について解説する．

a 皮膚切開

頸部から耳介後方を回り，前頭部毛髪線まで皮膚切開を行い，外耳道孔周囲の皮膚は切除部につけて皮弁を挙上する．頸部郭清を併施する際には頸部で内頸動静脈，IX，X，XI，XII脳神経を同定しておく．

b 耳下腺全摘

顔面神経の末梢枝を同定，切断しておく．顔面神経の再建を行うときは切断した末梢枝をマーキングしておく．顎二腹筋，茎突舌骨筋を切断し，耳下腺は下方から挙上していき，側頭骨に集めておく．

c 翼口蓋窩の開放，外頭蓋底操作

咬筋，内側翼突筋を下顎より剝離し下顎関節突起，頰骨弓を切断し，関節円板とともに摘出する．外側翼突筋を付着部で切断する．頭蓋底に沿って深部に剝離を進め，V3 を卵円孔で同定し切断する．ここの操作では静脈叢からの出血に注意する．中硬膜動脈，V3 と交叉して走行する耳管軟骨を切断する．頸静脈孔まで内頸静脈を頭側に向かってできるだけ追跡しておく．

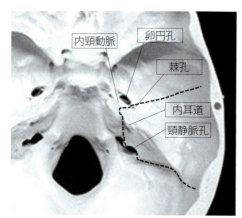

図2 側頭骨亜全摘術の内頭蓋底切除ライン

d 内頭蓋底操作

側頭後頭開頭を行う．テント上，テント下を開頭する．中頭蓋窩硬膜を挙上し棘孔，卵円孔を確認し，中硬膜動脈，V3を切断する．腫瘍の硬膜進展がある場合は硬膜を合併切除する．Glasscock三角部を削開し内頚動脈水平部を確認する．内頚動脈を近位に向けて露出していき，骨部外耳道，鼓膜張筋を切断し，錐体骨入口部まで露出する．中頭蓋底の骨切り（図2）を卵円孔，棘孔の間で行い，内耳道を露出していく．

次に後頭蓋窩でS状静脈洞を露出し，頚静脈球に向けて削開を進める．錐体骨後面の硬膜を剥離し，内側で内耳道に至って中頭蓋窩からの骨切りにつなげる．内耳道でⅦ，Ⅷを切断する．顔面神経の再建を行う場合はⅦの断端をマーキングしておく．

e 腫瘍摘出

頚動脈管垂直部外側を削開し，頚静脈孔と連続させる．内頚静脈と骨付着軟部組織を剥離し，側頭骨を一塊に切除する．下錐体静脈洞から出血がみられるため，下位脳神経に注意しながら止血処置を行う．顔面神経を，腓腹神経などを用いて再建する．

遊離腹直筋皮弁などを用いて，欠損部を再建する．開頭部の骨片を戻し，閉創を行う．側頭骨亜全摘術後のCT画像を図1cに示す．

文献

1) Moody SA, et al：Squamous cell carcinoma of the external auditory canal：an evaluation of a staging system. Am J Otol **21**：582-588, 2000
2) Homer JJ, et al：Management of lateral skull base cancer：United Kingdom national multidisciplinary guidelines. J Laryngol Otol **130**（S2）：S119-S124, 2016
3) Shinomiya H, et al：Clinical management for T1 and T2 external auditory canal cancer. Auris Nasus Larynx **46**：785-789, 2019
4) 岸本誠司：側頭骨原発悪性腫瘍：治療方針決定までの効果的な方策．頭頚部外科 **7**：57-62, 1997
5) Shiga K, et al：Multi-institutional survey of squamous cell carcinoma of the external auditory canal in Japan. Laryngoscope **131**：E870-E874, 2021
6) Fujita T, et al：Reconstruction of the external auditory canal using full-thickness rolled-up skin graft after lateral temporal bone resection for T1 and T2 external auditory canal cancer. Auris Nasus Larynx **48**：830-833, 2021

10 頸部郭清

適応と術式選択のポイント

頸部郭清術は頭頸部癌治療において欠かすことのできない外科的療法である．1906年にCrileによって発表された根治的頸部郭清術（radical neck dissection：RND）は，次第に機能障害や変形の軽減を目的とし，1967年のBoccaによる保存的頸部郭清術（modified RND），やがて選択的頸部郭清術（selective ND）へと術式を多様化させてきた．

頸部亜区域をAmerican Academy of Otolaryngology-Head and Neck Surgery（AAO-HNS）分類（図1，表1）[1]で示すと，全頸部郭清ではレベル I～Vの5領域を郭清し，選択的頸部郭清では5領域未満の郭清を行う．全頸部郭清には胸鎖乳突筋，内頸静脈，副神経をすべて合併切除する根治的頸部郭清術と，いずれかを温存する保存的頸部郭清術が含まれる．選択的頸部郭清術には，主に口腔癌に対する肩甲舌骨筋上郭清術（レベル I～Ⅲ），咽喉頭癌に対する側頸部郭清術（レベル Ⅱ～Ⅳ），中心領域郭清術（レベルⅥ）がある．

1 選択的頸部郭清術の適応

頭頸部癌における頸部リンパ節転移は，原発巣の局在によって転移を生じやすい亜区域が異なる．そのため，リンパ節転移が限定的な症例では，周囲臓器の温存とともに郭清範囲の縮小を考慮してよい．逆にリンパ節転移が著明な症例では，周囲臓器の合併切除や郭清範囲の拡大を躊躇するべきではない．

口腔癌ではレベル I～Ⅲへの転移が多く，咽頭癌や喉頭癌ではレベル Ⅱ～Ⅳへの転移が多いことが，前述の選択的頸部郭清術の根拠となっている．甲状腺癌ではレベルⅣやⅥへの転移を考慮する必要があり，耳下腺癌ではレベル ⅡやⅢとともにⅤAへの転移も多い．

2 早期口腔癌における予防的頸部郭清の適応

臨床的に頸部リンパ節転移のない早期口腔癌の2～4割には潜在的リンパ節転移が存在する．このような潜在的転移に対してwatchful waitingとするか予防的に選択的頸部郭清術を行うかについて長らく議論されてきたが，2015年にD'Cruzらが大規模無作為化比較試験によって選択的頸部郭清術の優位性を示し，予防的頸部郭清が標準治療とされてきた[2]．しかしながら，頸部郭清術による頸部の疼痛，線維化による絞扼感，副神経麻痺などにより，QOLを損なうことが懸念される．

センチネルリンパ節（sentinel lymph node）とはリンパ流路に入った腫瘍細胞が最初に到達するリンパ節を指す概念であり，センチネルリンパ節生検（sentinel node biopsy：SNB）による転移有無によって系統的郭清の必要性を判断する治療体系が，皮膚悪性黒色腫や乳癌の治療においては保険収載され普及している．わが国のHasegawaらは，未治療の早期口腔癌を対象とし，標準治療である選択的頸部郭清群（ND群）に対するセンチネルリンパ節生検ナビゲーション手術群（SNB群）の非劣性を検証する第Ⅲ相試験を実施した[3]．その結果，SNB群は3年全生存率においてND群に対して非劣性であり，術後1年までの頸部機能はより良好であった．フランスにおいても早期口腔癌・中咽

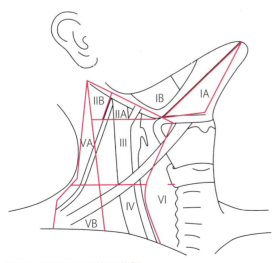

図1 頸部リンパ節の分類

表1　頸部リンパ節の分類

レベル	上縁	下縁	内側縁	外側縁
ⅠA	下顎下縁	舌骨体部	対側顎二腹筋前腹	顎二腹筋前腹
ⅠB	下顎下縁	顎二腹筋後腹	顎二腹筋前腹	茎突舌骨筋
ⅡA	頭蓋底	舌骨下縁レベル	茎突舌骨筋	副神経
ⅡB	頭蓋底	舌骨下縁レベル	副神経	胸鎖乳突筋外側縁
Ⅲ	舌骨下縁レベル	輪状軟骨下縁レベル	胸骨舌骨筋外側縁	胸鎖乳突筋外側縁 頸神経叢知覚枝
Ⅳ	輪状軟骨下縁レベル	鎖骨	胸骨舌骨筋外側縁	胸鎖乳突筋外側縁 頸神経叢知覚枝
ⅤA	胸鎖乳突筋外側縁と僧帽筋前縁の交点	輪状軟骨下縁レベル	胸鎖乳突筋後縁 頸神経叢知覚枝	僧帽筋前縁
ⅤB	輪状軟骨下縁レベル	鎖骨	胸鎖乳突筋後縁 頸神経叢知覚枝	僧帽筋前縁
Ⅵ	舌骨	胸骨上縁	総頸動脈	総頸動脈

〔Robbins KT, et al：Arch Otolaryngol Head Neck Surg 128：751-758, 2002 より引用〕

頭癌を対象とした臨床試験が行われ，SNB 群と ND 群の2年頸部リンパ節無再発生存率は同等で，術後6ヵ月時点の頸肩後遺症は ND 群が有意に不良と，同様の結果が報告されている[4]．今後，watchful waiting が再評価される可能性もあるが，口腔癌では潜在的な舌内リンパ節転移や健側リンパ節転移など SNB を用いなければ早期発見が困難である症例も存在する．センチネルリンパ節生検ナビゲーション手術は，侵襲性と根治性のバランスがとれた合理的な治療選択肢であると考えられる[5]．

術式各論[6〜9]

1 保存的頸部郭清術

現在もっとも一般的に実施されている保存的頸部郭清術について述べる．郭清範囲は根治的頸部郭清術と同様であるが，胸鎖乳突筋，内頸静脈，副神経のすべてあるいは一部を保存する術式である．

原発巣から所属リンパ節へのリンパ流を考慮すると，郭清検体を尾側から頭側へ（あるいは外側から内側へ），すなわち原発巣から見て遠方をまず切離してから原発巣側に集めるほうが合理的とも考えられるが，実際は操作を進めやすい順で実施して問題ないと考えている．また，すべてを鋭的切離することにこだわらず，ガーゼやツッペルによる鈍的剝離を適宜加えることにより，むしろ正しい層での剝離や時間短縮につながる．手技にはさまざまな好みが反映されるが，共通する目的は，非リンパ組織を温存しながらリンパ節とリンパ管を含む脂肪織を被膜に包んで摘出することである．想定した郭清縁に対して，角を丸めたり，辺を波打たせたりしないように留意する．そのためには，助手や術者のcounter-traction を一定にすることと，浅層を広く長く切開してから各部の深層・裏面の操作を行うことを心がけるとよい．

ⓐ 皮膚切開，皮弁挙上

大別してY（T）字型，U字型，平行横切開型（MacFee's）がある．縦切開線は瘢痕拘縮をきたしやすいため，曲線状にすることが望ましい．重要なことは，頸動脈直上を切開しないこと，皮弁の血流を保つために三点部の各先端を鋭角にしないこと，郭清外の領域の展開を可能な限り避けるデザインにすることである．また，後の原発巣救済手術の可能性を考えたデザインとしておく配慮も必要である．

皮膚切開後は広頸筋裏面で皮弁を挙上していくが，転移リンパ節の状況によっては広頸筋や皮膚を合併切除する．外上方では皮膚から胸鎖乳突筋に直接移行するので層を誤りやすい．大耳介神経

や外頸静脈を目安として胸鎖乳突筋膜を露出していけばよい．

ⓑ レベルⅠ（顎下部，オトガイ下部リンパ節）の郭清

浸潤がない限りは顔面神経下顎縁枝を温存するが，神経に近接して顎下リンパ節が存在することが多いので，転移リンパ節の状況によっては神経を合併切除する．顎舌骨筋にはオトガイ下動静脈が細かく分布し，術中出血や術後ドレーン排液の増加につながるので，先行止血を心がける．

通常，顎下腺は合併切除される．顎下腺の深側は結合織が疎なので，ガーゼなどによる鈍的操作により容易に剝離され，舌骨舌筋膜と舌下神経が透見できるはずである．舌下神経や舌神経の合併切除が必要な状況は多くない．顔面動脈は二重結紮して切離する．

ⓒ 胸鎖乳突筋の展開

胸鎖乳突筋の前縁で筋膜を切開し，筋体裏面を展開していく．微小な血管が多いが，止血を怠って断端が筋内に引き込まれた後の止血操作は煩わしいため，先行止血を心がける．前縁からのアプローチだけではレベルⅤの郭清が不十分と判断すれば，胸鎖乳突筋の後縁も切開して筋体を bipedicle 状に挙上してもよいが，術後の拘縮が強くなる可能性がある．

ⓓ レベルⅤ（副神経リンパ節）の郭清

浸潤がない限り，副神経を確実に温存する．レベルⅤで副神経をもっとも同定しやすい部位は，大耳介神経が胸鎖乳突筋を迂回する箇所（Erb's point）であり，やや頭側の脂肪組織を分けていくと副神経が存在する．また，胸鎖乳突筋の前方からアプローチし，筋体裏面がある程度展開された時点で触診することによっても同定可能である．ただし，これは乳突筋枝であるので，僧帽筋枝の分岐を確認して温存することが必要である．

転移の状況にもよるが，上方の処理よりも後下方から鎖骨上の郭清縁を先に決定し，深頸筋膜上で郭清物を中枢側に集めておくほうが操作は容易になると思われる．下方のほうが深頸筋膜の同定が容易なことと，その後の胸鎖乳突筋の展開がよくなるためである．

ⓔ レベルⅡ～Ⅳ（深頸リンパ節）の郭清

郭清上縁の内頸静脈の同定は，環椎（C1）横突起を目安にする．副神経は内頸静脈の浅側を走行することが多いが，静脈の深側や，静脈の二叉を通過することも少なくないので，視認できるまではすべての可能性を念頭に置いて粗大な操作を避ける．レベルⅡで内頸静脈の外側には副神経以外の重要臓器はないが，まれに蛇行した内頸動脈が現れることがあるので，術前画像で確認しておくことと，同部の脂肪織を電気メスで切離する前にはよく触診することを勧める．

レベルⅣでは内頸静脈は浅層に現れ，前頸筋外側縁と内頸静脈の表層はほぼ同レベルにあるので，不用意な損傷に注意する．鎖骨上では深頸筋膜上の結合織は疎であり，ガーゼやツッペルなどによる鈍的操作によって容易に剝離される．この時点で頸横動脈を温存できれば，より深層の横隔神経を損傷する可能性は低くなる．また，鎖骨上神経の中枢側を早めに切断しておくと，横隔神経を挙上してしまったり無理な緊張をかけなくて済む．前斜角筋上の筋膜は温存する．静脈角の処理では，リンパ管を露出して結紮するよりも，周囲の脂肪織を含めて刺通結紮するか，エネルギーデバイスでシーリングするほうがよい．

頸動脈鞘から内頸静脈壁の剝離方法は，メス，箭刀，モスキートケリーなどによる鈍的剝離，電気メスなど種々あるが，いずれの方法も身につけたうえで使い分けることができれば理想的である．転移巣に近接する場合は，メスあるいは箭刀が適すると考える．郭清の最後の段階では，頸動脈三角部で郭清物を牽引しながら切離していると甲状腺動静脈も挙上されてくるため，これらを損傷しないよう注意する．

ⓕ 止　血

温めた生理的食塩水で血餅を洗浄し，組織を用手的にしごいたり圧迫を加えたりして負荷をかけながら，確実な止血を確認する．静脈角部から鎖骨上窩にかけては，リンパ漏がないか再確認する．麻酔科に依頼して胸腔内圧を上げることにより，念入りに確認するのもよい．

文献

1) Robbins KT, et al：Neck dissection classification update：revisions proposed by the American Head and Neck Society and the American Academy of Otolaryngology-Head and Neck Surgery. Arch Otolaryngol Head Neck Surg **128**：751-758, 2002
2) D'Cruz AK, et al：Elective versus therapeutic neck dissection in node-negative oral cancer. N Engl J Med **373**：521-529, 2015
3) Hasegawa Y, et al：Neck dissections based on sentinel lymph node navigation versus elective neck dissections in early oral cancers：a randomized, multicenter, and noninferiority trial. J Clin Oncol **39**：2025-2036, 2021
4) Garrel R, et al：Equivalence randomized trial to compare treatment on the basis of sentinel node biopsy versus neck node dissection in operable T1-T2N0 oral and oropharyngeal cancer. J Clin Oncol **38**：4010-4018, 2020
5) 日本頭頸部癌学会：頭頸部癌診療ガイドライン2018年版の「口腔癌」に追記すべき臨床試験の結果について（2021年6月）
6) 大山和一郎：頸部郭清術．新癌の外科：手術手技シリーズ8頭頸部癌，垣添忠生（監修），メジカルビュー社，東京，p80-89，2003
7) 岸本誠司ほか：頸部郭清術．イラスト手術手技のコツ 耳鼻咽喉科・頭頸部外科 咽喉頭頸部編，改訂第2版，村上　泰，久　育男（監修），東京医学社，東京，p450-464，2017
8) 米川博之，吉本世一：頸部郭清術．新版頭頸部手術カラーアトラス，がん研有明病院頭頸科（編），ぱーそん書房，東京，p7-35，2021
9) 藤井　隆：頸部郭清術：鋭的剝離を中心に．日耳鼻会報 **121**：766-770, 2018

11 経口的手術

適応と術式選択のポイント

頭頸部癌には多くの亜部位があり，口腔癌や中咽頭の上壁にあたる軟口蓋の癌などは，これまでも経口的な切除術が適応となり行われてきた．ここでは近年になり経口的手術が注目されている中咽頭から下咽頭さらには喉頭領域における内視鏡的咽喉頭手術（endoscopic laryngo-pharyngeal surgery：ELPS）に絞り記述を進めていく．

経口的手術の適応と選択のポイントは大きく分けて，腫瘍深達度診断と占拠する部位（亜部位）さらには開口条件などの患者の状態の3つがあげられる．以下に詳細を示す．

1 腫瘍深達度

経口的手術が適応となる癌は，上皮内にとどまる上皮内癌や粘膜下浸潤を認めるものの筋層浸潤していない頭頸部表在癌であり，筋層浸潤のない表在癌であることは経口的手術選択の重要なポイントの1つである．特に表在癌の広がりに関して，長径が4 cmを超えない場合には比較的安全に経口的手術で切除できる．長径が4 cmを超え，粘膜下浸潤を伴うT分類のT3相当のものであっても，占拠部位（占拠する亜部位）によっては安全に切除可能なことがあり，適応とすることがある．また，筋層浸潤を認める癌であっても筋層浸潤部位が小さくかつ浅い場合で，水平方向の広がりが限局している場合にも経口的手術を選択することがある．この際にもっとも参考となる画像診断はMRIである．術前にMRIでの深部浸潤の有無を確認することは経口的手術選択の大切なポイントである（術式各論の図1参照）．次に深部浸潤の評価と経口的手術選択の参考になると思われるのは，鉗子などを用い直接腫瘍に触れ，さらにその深部に生食を注入することで腫瘍が浮き上がるかどうかであるが，経口的手術前に全身麻酔で組織検査が可能な場合にはぜひとも確認すべき所見である．もちろん，腫瘍に十分な可動性があり，粘膜下注入で腫瘍が浮き上がる場合には経口的手術が選択できる可能性が高くなる（術式各論症例1を参照）．

2 腫瘍占拠部位（亜部位）

腫瘍占拠部位も経口的手術適応/選択ポイントにあげられる．下咽頭では，梨状陥凹から後壁は比較的に視野展開しやすいことから経口的手術が選択されることが多い．しかし，輪状後部は展開が困難なことがある．さらに輪状後部では腫瘍の遠位端が確認できないこともあり，慎重に適応を決めるべきである．下咽頭から頸部食道近くまで進展している腫瘍の場合は経口的手術の器具が届かないことや，内視鏡と器具が干渉しあって手術が困難なこともある．術前に腫瘍の広がり（特に遠位端）を十分に把握して経口的手術を選択する必要がある．中咽頭では上壁，後壁，側壁（扁桃など）では視野展開しやすいものの，前壁（舌根など）では咽頭展開がむずかしくなることがある．後述の患者の開口などの条件とあわせて検討することが肝要となる．喉頭では喉頭蓋から仮声帯までに限局している声門上癌では咽頭のときと同様な検討で手術選択できる．声帯に限局した腫瘍の場合にはCO_2レーザーを用いた経口的手術を検討することが多い．

3 患者の状態

開口障害の有無や下顎骨の大きさ，頸椎症などの頸椎の疾患の有無などは必ず術前に把握しておくべき条件である．開口障害では経口的手術の視野をつくることができず，下顎骨が小さい人でも同様に視野をつくることが困難なことがある．頸椎症では頸部伸展が制限されることがあり，同様に視野をつくれないことがある．また，切除を予定している部位に対する放射線治療の既往も確認しておくべき条件である．放射線治療既往のある部位では創傷治癒に時間がかかるので，術後の創感染なども考慮する必要がある．この場合，抗生剤投与を通常よりも長期にするなどを考えて適応の判断と経口的手術選択をする．

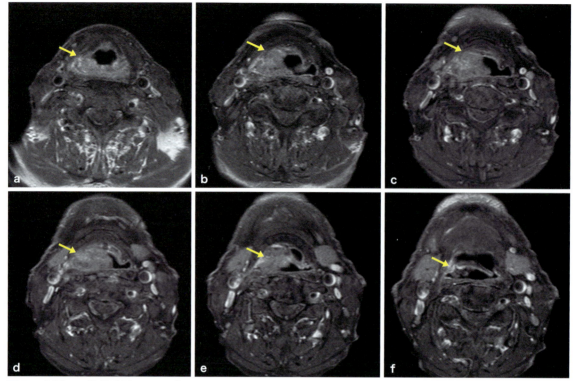

図1 症例1の術前造影MRI画像
矢印は腫瘍を示す.
数字の1から6へとなるにつれ3mmスライス幅で尾側から頭側の画像となっている.
a：披裂軟骨レベルの画像で腫瘍（矢印）は披裂軟骨浸潤は認めなかった.
b：甲状軟骨と腫瘍（矢印）が認められ，明らかな甲状軟骨浸潤は認めなかった.
c, d, eと舌根粘膜深部浸潤を認めなかった.
f：舌骨レベルの画像で，舌骨浸潤は認めなかった.

術式各論

ここではELPS手技を用いた経口的手術の症例をもとに解説する. 下咽頭梨状陥凹深部浸潤を認める腫瘍に対する経口的手術例, 舌根から喉頭蓋舌面さらには喉頭蓋喉頭面・梨状陥凹まで進展した癌に対する経口的手術例を用いて実際の手術手技を示す.

1 症例1：下咽頭右梨状陥凹癌喉頭進展例のELPS（図1～3）

下咽頭右梨状陥凹に大きな腫瘍を認め，喉頭内にまで進展し呼吸困難のために前医にて気管切開を受けていた. 術前の造影MRI検査にて甲状軟骨浸潤なく，披裂軟骨浸潤なしと診断された（図1）. 組織検査は全身麻酔下に彎曲喉頭鏡を用いて行われた. 腫瘍の水平方法への進展範囲はヨード染色で確認され，彎曲鉗子による触診では腫瘍の可動性が良好であった. さらに粘膜下注射で腫瘍が浮き上がることを確認したことより，経口的手術による切除可能と判断し経口的手術・ELPSが行われた.

彎曲喉頭鏡のブレードを舌根にかけ咽頭を広く展開し（図2a），ヨード染色後に水平方向の腫瘍の広がりを確認後，切除範囲を決めるマーキングを行った（図2b, c）. 切開は表在癌の切除時と同様に粘膜下注射を行い切開する手順で行った. 喉頭内腔から披裂喉頭蓋ヒダを越え下咽頭梨状陥凹へと進め全周切開を終えた（図2d, e）. 次いで下咽頭梨状陥凹側から深部切開を行った（図2f）. この際に舌骨と甲状軟骨の間を走行する上甲状腺動脈の枝を確認できたのでクリップにて遮断後に

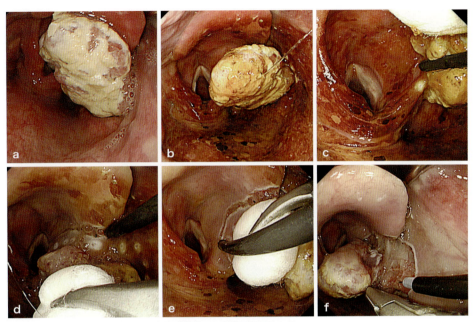

図2　症例1（下咽頭右梨状陥凹癌例）の手術所見その1
a：右梨状陥凹から披裂部に表面壊死組織を伴った腫瘍を認めた．
b：ヨード染色にて隆起部周囲はよく染色された．
c：切除範囲を決めるべく，電気メスにてマーキングを行った．
d，e：全周切開は喉頭内腔から初め，披裂喉頭蓋ヒダさらに梨状陥凹へと行った．
f：病変の切除は梨状陥凹側（外側）から始めた．

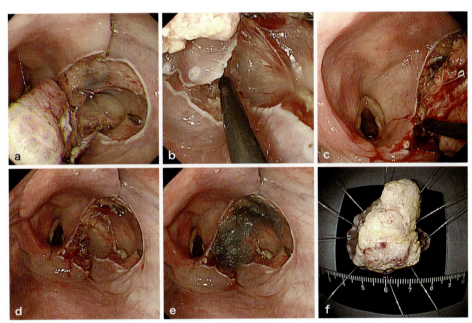

図3　症例1（下咽頭右梨状陥凹癌例）の手術所見その2
a：舌骨と甲状軟骨の間を走行する上甲状腺動脈の枝を確認し，クリップにて遮断した．
b：粘膜下注入と切開を繰り返し，外側から内側へ切除を進めていった．
c：披裂喉頭蓋ヒダ部を切開し腫瘍を一塊で摘出した．
d：完全摘出後の写真を示した．
e：切除部にポリグリコール酸シートを置き，フィブリン糊を散布した．
f：切除標本は表在癌時と同様にゴムボード上にたわまないようにピンで広げた．

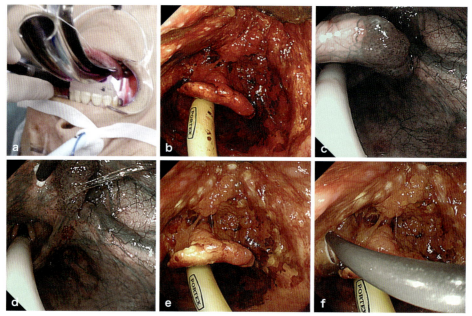

図4 症例2（中咽頭前壁癌）の手術所見その1
a：彎曲喉頭鏡は上歯プロテクターの正中を高めた部分に置くようにした．
b：腫瘍は舌根から喉頭蓋谷，さらには喉頭蓋にまで広がり，ヨード染色で不染帯として示された．
c：腫瘍は喉頭蓋喉頭面にまで進展していた．
d：喉頭蓋喉頭面の切除を決めるマーキングはNBI下で行われた．
e：喉頭蓋喉頭面以外の切除のためのメーキングはヨード染色で決めた．
f：全周切開は左披裂喉頭蓋ヒダ部より始めた．

切断した（図3a）．粘膜下注射と切開を繰り返すことは表在癌の切除手技と同様であるが，太めの血管処理が必要となるため常に術野をきれいに保ち，止血を意識した操作が肝要であると思われる（図3b）．表在癌切除時と同様に粘膜下注入を行い，きれいな粘膜下層や筋層を画面で確認しながら切除することで深部断端陰性の切除となる．本症例では最後に披裂喉頭蓋ヒダ部に腫瘍切除を進め，一塊切除を行えた（図3c, d）．切除後にヨードに対する中和剤としてチオ硫酸ナトリウムを散布し，止血を確認した．また，切除が広範になり術後の狭窄を予防するためにステロイドの局所注入を行い，その後に創の保護のためにポリグリコール酸シートを置き，フィブリン糊を散布した（図3e）．切除標本はゴムボード上でピンを用いて広げて病理へ提出した（図3f）．本症例の病理組織検査では水平断端・深部断端とも陰性で完全切除できていた．

2 症例2：中咽頭前壁癌のELPS（図4〜6）

本症例は舌根から喉頭蓋舌面・喉頭蓋喉頭面・右梨状陥凹に広がる大きな腫瘍（図4b, c）であるが，術前のMRI検査では腫瘍の深部浸潤なく，経口的手術が選択された．

経鼻挿管（咽頭の前方の切除の際には経鼻挿管で行うことで挿管チューブが手術操作の妨げにならないようにする）にて全身麻酔を行った（図4a）．歯牙プロテクターの正中部に高まりをつける（舌根や扁桃を切除する際に用いている）ことで中咽頭を広く展開し手術操作がしやすくなる（図4b）．喉頭蓋喉頭面はヨード染色性が悪く，ここの切除はNBI下で切除範囲を決める（図4d）．その他はヨード染色により不染帯を確認して切除範囲を決める（図4e）．全周切開は粘膜下注入と切開を繰り返すようにして行うが（図4f），喉頭蓋喉頭面は粘膜下組織が薄く粘膜が浮き上がることがむずかしいため軟骨をあわせ切除した．全周切開後（図5a）

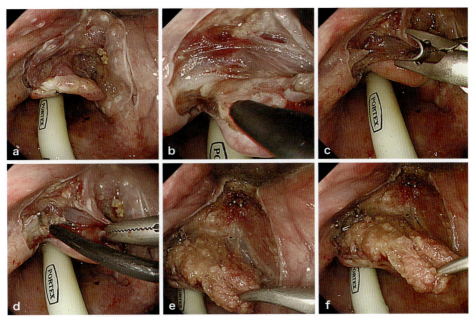

図5　症例2（中咽頭前壁癌）の手術所見その2
a：全周切開後の写真を示した．
b：病変の切除は左舌根部から始めた．
c, d：外側から上甲状腺動脈の枝を確認しクリップにて遮断して切除を進めた．
d：喉頭蓋喉頭面の切除を決めるマーキングはNBI下で行われた．
e, f：舌根部の切除は粘膜からリンパ組織の層まで切開し，筋層との間で剥離を進めた．

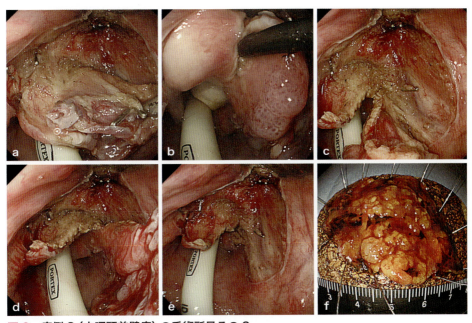

図6　症例2（中咽頭前壁癌）の手術所見その3
a：喉頭蓋舌面は腫瘍と軟骨が容易に剥離され軟骨を温存した．
b：喉頭蓋喉頭面は軟骨と腫瘍を一塊で切除した．
c：右梨状陥凹部の切除も喉頭蓋側に進めるようにした．
d：病変を右喉頭蓋部に集約し，右披裂喉頭蓋ヒダから喉頭蓋部を切除し一塊切除できた．
e：完全切除後の咽喉頭所見を示す．
f：切除標本はコルクボード上で粘膜がたわまないように伸ばしピン固定した．

に左舌根部から深部切開を行い（図 5b），外側から上甲状腺動脈の枝と思われる血管を同定し，クリップにて遮断して切除を進めた（図 5c, d）．さらに舌根部では粘膜下のリンパ組織と舌筋の境界部を確認するまで切開を深く行い（図 5e, f），筋層の表面で剥離切開を進めた．喉頭蓋舌面は癌の浸潤なく軟骨膜上で剥離を進め（図 6a），喉頭蓋喉頭面の切除ラインで喉頭蓋軟骨をあわせ切除するようにした（図 6b）．右梨状陥凹の粘膜切除も外側から喉頭側に剥離を行い（図 6c）腫瘍を右披裂部に集約し（図 6d）一塊で腫瘍切除できた（図 6e）．止血を確認後に胃に栄養チューブを入れ手術を終了した．切除標本はコルクボード上でピンを用いて広げ病理に提出した（図 6f）．本症例の病理組織検査では水平断端も深部断端とも陰性で完全切除でき，追加治療は必要としなかった．

経口的手術は手術侵襲も少なく，患者の QOL を損なうことが少ない手術として今後も注目され発展する手術手技の 1 つであると思われる．この術式の適応と選択には術前の診断がとても大切であることを強調したい．さらには経口的手術の際のトラブル対処と完遂できない際のその後の対応方法なども考慮に入れて手術に臨むことが必要であることは論を俟たないと強調したい．

C 形成・再建術

　頭頸部には，咀嚼・嚥下・構音・呼吸などの重要な機能が集中するとともに，個人の顔貌を特徴づける整容的に重要な構造物も存在している．頭頸部癌の切除術においては，これらの機能性や整容性が失われる場合が多い．頭頸部癌治療における形成・再建外科の役割は，腫瘍の切除により生じた欠損を被覆するだけではなく，これらの機能性や整容性を回復することにある．再建術を担当する医師は，頭頸部の機能と解剖学的特徴を十分に理解することが必要である．また近年では治療法の進歩に伴い長期生存例も増加している．これに伴い二次的な形成外科手術が行われる機会も増加しており，初回治療から将来の二次修正術を見越した再建術が求められている．

　本項においては，頭頸部癌のさまざまな部位ごとに，再建術に必要な基本的事項について述べる．

適応と術式選択のポイント

1 切除範囲の確認と術式の選択

　再建術にあたっては，まず欠損の部位と大きさを確認する必要がある．欠損の大きさにあわせて皮弁を移植することで，必要最低限の再建は可能となるが，良好な機能と整容性を再現するためには，欠損の大きさだけではなく，切除により失われる機能を的確に把握することが必要である．さらに皮弁の容量や性状，硬組織再建の要否なども検討する必要がある．これらの要素を的確に判断するためには，術前に患者を直接診察して，視診，触診などの理学所見をもとに原発巣の状態を確認することが重要である．さらに，CTやMRIなどの術前の画像を評価し深部組織の切除範囲を検討することも必要である．

　切除範囲については頭頸部外科医が手術中に最終的な決定をするので，事前の評価どおりの切除範囲になるとは限らないが，術前に頭頸部外科医と十分な打ち合わせを行っておく．また原発巣の評価だけでなく，頸部リンパ節転移の評価も必要である．これは頸部郭清の有無やリンパ節転移の状態は，移植床血管の選択や術後治療の有無に影響を与えるからである．

　皮弁の選択にあたっては，移植皮弁を採取する部位も実際に診察を行うことが必要である．これは，患者により皮弁の厚みや皮膚の性状などの状況が異なることと，採取部位に手術や外傷の既往，静脈瘤の存在など皮弁採取を妨げるものがないかの確認が必要なためである．以上のように，さまざまな情報を勘案したうえで移植皮弁を選択することで，適切な再建術を行うことが可能となる．

2 患者の全身状態および機能の評価

　社会の高齢化に伴い，頭頸部癌で治療を受ける患者も高齢化しており，近年では80歳以上の手術患者もめずらしくはない．高齢者では一見すると身体的な問題はないように思われても，全身能力や嚥下機能が潜在的に低下している場合も多い．単純に暦年齢のみで，機能予後が不良であると判断することはできないが，術後の誤嚥による嚥下性肺炎は，予備力の低下している患者では致命的となるため十分に注意する．また，過去に脳血管疾患の既往を有する症例や，術前に不顕性の誤嚥が疑われる症例ではさらにリスクが高くなる．このような症例では，手術時に喉頭を温存した場合でも，術後に気管チューブの離脱が困難な場合や，喉頭摘出を要する可能性があることにも留意する必要がある．普段の食事内容や日常生活動作の情報も，家族への問診を含め丁寧な確認が必要である．また皮弁採取部の選択にも配慮が必要で，具体的には術前から歩行機能が低下している症例においては，下肢からの皮弁採取を回避するなど，皮弁採取による機能的損失についても検討して移植皮弁を選択する．

3 手術手順

　周術期においては，皮弁壊死，感染，瘻孔形成

などの創部合併症や，術後肺炎などの全身合併症を回避することは非常に重要である．過去の報告では 80 歳以上の高齢者では術後合併症の発生率が増大することや[1]，手術が長時間に及ぶと合併症が増加することが報告されている[2,3]．したがって，再建手術にあたっては手術に要する時間をできるだけ短くする努力が必要である．そのためには個々の手術手技に習熟することは当然であるが，手術手順についても十分な打ち合わせを行っておくことが重要である．具体的には，腫瘍の切除と同時進行で皮弁挙上が可能な皮弁を選択し 2 チームアプローチを行う．遊離空腸移植や頭蓋底手術のように多数の科が参加する場合は，可能な限り手術手順を同時に行い，また術者の交代のタイミングをうまく図るなどの工夫により，手術時間の短縮を図ることが有効である[4]．

術式各論

1 上顎癌切除後の再建

上顎癌切除後の欠損では，眼位の保持による眼球機能の維持，鼻腔と口腔の遮断による口蓋機能の維持，残存歯牙またはインプラントを含む顎義歯による咀嚼機能の維持，そして頬部形態の再建による整容性の維持が，主として考慮すべき課題である．

一般的な上顎全摘術の場合は，硬口蓋の 1/2 の欠損（図 1）に，眼窩底の骨の切除，前歯部の歯列弓の切除，頬骨隆起の切除などが加わることが多く，何らかの再建術が必要となる．上顎全摘でも眼窩底の骨と頬骨隆起および前鼻棘が温存されている有歯顎症例であれば，軟部組織移植のみの再建で，機能的にも整容的にも要求が満たされる．このような軟部再建のみの場合，当院（岩手医科大学）では主に 2 皮島の腹直筋皮弁による再建を行っている．その際には鼻側壁および硬口蓋を各皮島で再建し，口蓋正中部は縫合閉鎖して鼻腔と口腔を遮断する．切除範囲が同等で無歯顎の症例では，皮島を 2 分割せずに口蓋正中部にスリット状の隙間を残しておく．術後に，このスリットを利用して，適切な形態の顎義歯を作成することに

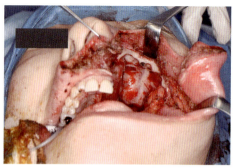

図 1　上顎癌切除後の欠損
眼窩底の骨は温存され，口蓋の約 1/2 の欠損を認める．

より，術後の咀嚼機能の回復を得ることができる[5]．鼻側壁の再建にあたって，筋体を露出させた raw surface として再建する方法も報告されている[6]．しかし，粘膜面の上皮化までに創が収縮し，瘢痕拘縮により鼻変形や，軟口蓋の拘縮による機能障害をきたす恐れがあるので注意する．

眼窩底の骨が切除された場合には，眼窩内容が保持できないと，複視による機能障害および眼位異常や眼球陥凹など整容的問題が生じる．これらを回避するためには眼窩底の硬性再建を行う必要があるが，その適応は Cordeiro らによれば眼窩底の 75％ の欠損，または眼窩底に加えて内側壁または外側壁の切除を伴う場合とされる[7]．眼窩底硬性再建の選択肢としては，チタンメッシュ，遊離骨，血管柄付き骨移植が考えられるが，上顎癌の治療においては，手術，化学療法，放射線治療による 3 者併用療法で，放射線照射が行われることが多い．照射部位における人工物や遊離骨の使用については，感染などのリスクを考え慎重に検討する必要がある．血管柄付き骨移植は有用なツールであり，われわれは腓骨皮弁（図 2）を用いることが多い．頬骨隆起および歯列弓部の硬性再建を行うことで，軟部組織単独再建における皮弁の下垂を回避でき，術後の顎義歯を安定的に保持する観点から，有用な方法と考えられる．骨の配置にあたっては Buttress 理論に基づいて骨を配置すること[8]，また術後のインプラント義歯の埋入も考えて歯列弓に相当する部位に骨を配置することが重要である（図 1〜3）．

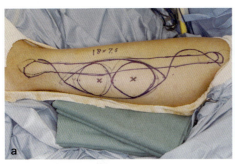
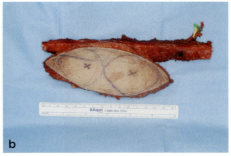

図2　腓骨皮弁
a：左腓骨皮弁のデザイン
b：摘出した腓骨皮弁．皮島内の×印は穿通枝の位置を示す．

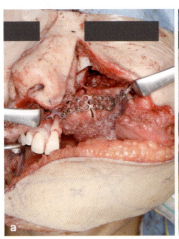
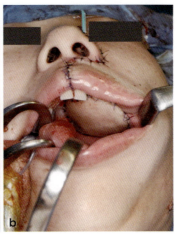

図3　骨皮弁移植時の所見
a：移植骨は2ヵ所で骨切りし，歯列弓に沿って配置し，前方は上顎骨断端，後方は頬骨隆起断端に固定してある．
b：鼻腔内および口腔内に皮島を配置し，縫合してある．

　実際の手術にあたっては，移植床血管として浅側頭動静脈や顔面動静脈を用いることが多い．その選択にあたっては，頸部郭清により顔面動静脈が切除されていないか，過去に動注化学療法が行われていないかなどの点に注意する．これらの血管が選択できない場合は，皮弁の血管柄をできるだけ長く採取し頸部まで到達できるようにするなどの配慮が必要な場合もある．

2 舌癌切除後の再建

a 舌癌切除

　舌癌切除後には，その欠損範囲に応じて術後の機能障害の程度が左右される．一般的に舌半側切除より小さい欠損では，欠損部位の粘膜同士を縫合することで，機能障害をほとんど残すことなく，日常生活に復帰可能である．

b 舌半側切除

　これに対し舌半側切除の場合は，一次縫合も可能であり，皮弁による再建の要否は判断が分かれるところである．しかし，Hsiaoら[9]は舌半側切除症例について検討し，皮弁による再建の優位性を指摘しており，われわれも同様の観点から皮弁による再建を行っている．舌半切の場合は，術後の嚥下構音機能は残存舌の動きにより保たれる．したがって，再建術にあたっては残存舌の可動性を損なわない再建を行うことが重要であり，皮弁の選択にあたっては，前腕皮弁や前外側大腿皮弁などの薄くてしなやかな皮弁を選択する．大きすぎ

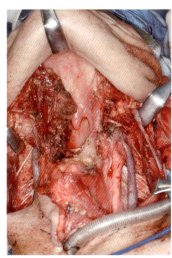

図4 舌亜全摘後の所見
左側舌亜全摘により可動部舌の大部分と舌根の約2/3が切除され，右側の舌根が残存している．

る皮弁を移植した場合は，逆に残存舌の可動性が障害されることに注意する．

c 舌亜全摘以上

　舌亜全摘以上の切除の場合（図4）は，欠損部は一次縫合不可能であること，また残存する口腔機能が著しく低下することから，皮弁による再建は必須である．このような場合，皮弁の選択にあたっては，腹直筋皮弁などできるだけ皮下脂肪組織の容量が大きい皮弁を選択し，再建する舌の形態を隆起型に再建する[10]．これにより口峡部を狭く作成することで，嚥下圧の生成が容易となる．注意点としては，容量確保の目的で筋体を移植すると，術後の廃用性萎縮により筋体が縮小し，これに伴って嚥下機能が低下するため，筋体による充填は行わないようにする．るいそう患者で皮弁容量が十分確保できない場合には，2皮島の腹直筋皮弁[11]を用いるなどの工夫を行う（図4〜6）．皮弁を縫着する際の注意点としては，縫合糸の間隔を残存粘膜1に対して移植皮弁1.2〜1.3程度で縫い付け縫合部がプリーツ状になるように工夫する．

　また，通常では舌亜全摘以上の場合は喉頭挙上（下垂防止）術を追加しており，われわれは下顎下縁と舌骨上縁の間が約3 cmとなるようにsuspensionしている．比較的若年の症例ではこれらの配慮に加えて，術後の摂食嚥下訓練を行うことで，社会復帰可能な程度まで摂食，嚥下，会話機能が回復することが多い．しかし，70歳以上の高齢者，術前から嚥下機能低下がみられる症例，舌亜全摘に加えて下顎，中咽頭などが合併切除される症例などでは，術後の機能回復がむずかしい．このような症例では，輪状咽頭筋切開または切除を加えるようにしている．

　また，頸部郭清後の顎下部の死腔を充填することは，術後の瘻孔形成や感染を予防するために重要である．顎下部の死腔は，血流の良い組織で充填する目的で，適切な容量の筋組織を移植皮弁に含めて再建を行っている．

3 中咽頭癌切除後の再建

　中咽頭癌切除後の欠損は軟口蓋から側壁中心の切除と，側壁から舌根中心の切除で再建方法を分けて考えると理解しやすい．軟口蓋から側壁の欠損では鼻咽腔閉鎖機能の再建が重要である．一方，側壁から舌根中心の欠損では舌亜全摘に準じた嚥下機能の再建が重要である．

　軟口蓋から側壁中心の軟口蓋全創欠損の再建法として，Kimataら[12]は側壁に皮弁を縫着したのちにその一部を脱上皮し軟口蓋断端を同部に縫着するDenude法などと，軟口蓋の鼻腔側粘膜断端と中咽頭後壁粘膜断端を縫縮し，残る欠損部に皮弁をパッチ状に縫着するGehanno法を比較し，Gehanno法の有用性を報告しており，われわれもGehanno法を採用している（図7）．Gehanno法が利用できない程度に欠損が大きい場合は，咽頭後壁に上方茎の咽頭弁を作成して鼻咽腔を狭く形成している．

　舌根部から側壁の広範囲欠損では，舌癌切除後の再建方法に準じてvolumeを補完するような再建を行い，舌根と中咽頭後壁が接触しやすい形態とし，嚥下圧形成が十分となるようにする．舌根に加えて側壁が切除される欠損の場合は，側壁にやや厚みのある皮弁を移植し，舌根の断端に接する部分を脱上皮して，舌根と皮弁の縫合を行うとよい（図8）．これによって舌根と側壁を二葉弁として再建した場合に比して，皮弁の屈曲を回避することが可能で，かつ舌根部のvolumeを補完す

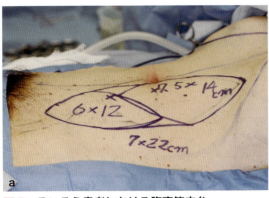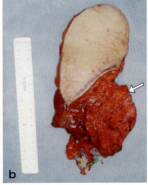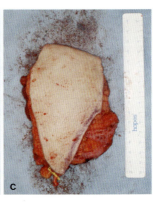

図5　るいそう患者における腹直筋皮弁
a：2皮島腹直筋皮弁のデザイン．
b：2皮島の内尾側の皮島を脱上皮（矢印）．
c：頭側の皮島の裏面に配置することで，移植組織の容量を補充している．

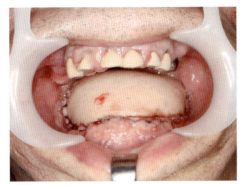

図6　皮弁縫合後の所見
十分な容量の皮弁により，隆起型の舌が再建可能であった．

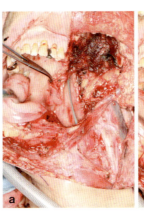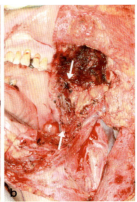

図7　Gehanno法施行時の所見
a：軟口蓋の約1/3が全層で切除され中咽頭後壁断端と軟口蓋鼻腔面の断端が確認できる．
b：中咽頭後壁断端と軟口蓋鼻腔面断端を縫縮してある（矢印）．

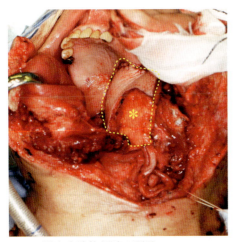

図8　脱上皮法施行時の所見
皮島（破線で囲まれた部分）を中咽頭後壁から軟口蓋に縫着した後，皮島の一部を扇形に脱上皮（*）してある．同部に舌根側の断端を縫着する．

るとともに側壁の粘膜欠損の再建が可能となる[13]．この場合でも喉頭蓋に近い部分から口蓋垂下端の高さまでの範囲では，側壁側の粘膜断端と舌根側の粘膜断端を縫い上げておくと，喉頭周囲での知覚回復に有用で，誤嚥防止につながると考えている．中咽頭癌切除後の再建では，通常は喉頭挙上などの追加手術は必要ない．

4　下顎骨区域切除後の再建

　頭頸部癌の切除に伴い下顎骨が切除された場合，基本的には血管柄付き骨移植による下顎再建術が第一選択となる．しかし切除範囲，残存歯牙

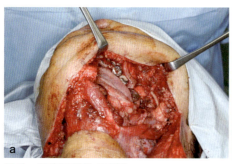
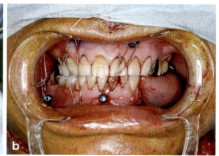

図9 腫瘍切除後の所見
a：下顎区域切除左下第一小臼歯部から下顎角までの欠損を示す．
b：一時的な顎間固定で咬合をあわせている．

による咬合状態，年齢，術後治療の有無，患者の合併症など，さまざまな因子を検討したうえで術式を選択する．血管柄付き骨移植以外の選択としては，金属製の下顎再建プレートによる硬性再建に軟部組織移植を併用する方法と，硬性再建を行わない軟部組織のみの再建が考えられる[14]．これらの使い分けはおおむね以下のような点を考慮して行っている．咬合可能な歯牙が術後も多く残る場合は可能な限り血管柄付き骨移植を採用する．このような症例に下顎プレート再建を行うと，咀嚼による金属疲労でプレートの破折を生じやすいためである．一方，無歯顎で術前から十分な咀嚼が困難な症例では硬性再建は必須ではなく，軟部組織移植のみによる再建を選択してもよい．軟部組織のみの再建は，側方型の小範囲の下顎骨欠損がよい適応とされるが[15]，症例によりやや大きめの欠損でも適応する場合がある．

a 血管柄付き骨移植による再建

以下に代表的な3種類の血管柄付き骨移植による再建の特徴を述べる．

- 腓骨皮弁は第一選択となり，下顎骨の欠損が長い場合も対応可能で，複数個所の骨切りが可能，インプラント植立にも対応可能などの利点がある．
- 肩甲骨皮弁は腓骨皮弁に比して採取可能な骨の長さが短いが，高齢者で骨皮弁を使用したい場合には有用である．
- 腸骨皮弁は骨切りを行わずに下顎角の再建が可能という利点を有するが，同時に挙上する皮島の血流が不安定かつ皮下脂肪が厚すぎるという欠点を有する．

実際に骨移植による再建を行う場合は，まず残存する歯牙の咬合をあわせた位置で仮の顎間固定を行う．移植骨を必要に応じて骨切りして，下顎の形態を再現した形状で骨固定を行い，残存する下顎骨同士を架橋する（図9，10）．近年では3D骨モデルやCAD-CAMを利用した下顎骨形成の進歩が著しく，良好な下顎骨の形態を簡便に再現できるようになってきている[16]．骨固定後には顎間固定を解除して，再建した下顎の開閉がスムーズかどうか確認する．骨固定終了後に血管吻合を行い，さらに皮島を口腔粘膜欠損に縫着する．

b 下顎プレートと軟部組織移植による再建

あらかじめ作成した3D下顎骨モデルにあわせて下顎プレートを彎曲させておくと，手術時間が短縮できる．下顎再建プレートの術後感染リスクを低減するために，当院（岩手医科大学）ではNo-touch technique[17]を採用しており，まず軟部組織移植を行い頸部と口腔内を遮断し術野を洗浄する．次に口部をフィルムドレッシングで被覆し，唾液への曝露を最小限としてから下顎プレートを術野に出して手術操作を行うことで感染予防に努めている．

軟部組織のみの再建の場合は皮弁の容積を用いて，残存下顎骨の偏位が最小となるようにする目的で腹直筋皮弁を用いることが多い．十分に欠損部を皮弁で充填し皮弁の縫合を行うとよい．また下顎骨断端と軟部組織の接合部には死腔ができやすいので，下顎骨断端に小孔をあけて軟部組織を固定している．

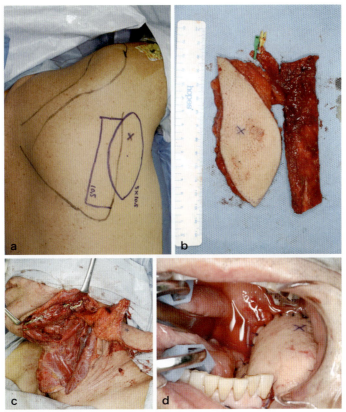

図10 肩甲骨皮弁による再建
a：骨皮弁採取のデザイン．b：採取した肩甲骨皮弁．
c：肩甲骨をミニプレートで固定してある．
d：皮島を口腔内に縫着したところ．

5 下咽頭癌切除後の再建

　下咽頭進行癌の標準的切除術は，下咽頭喉頭頸部食道全摘術（TPLE）である．この場合，下咽頭から頸部食道までの欠損に対して，管状構造を再建し，飲食物の通り道を再建することで，経口摂取が可能となる．わが国では遊離空腸を管状のまま移植する術式が標準的と考えられる（図11）．その際に頭尾方向を逆向きに吻合しないように注意する．また，空腸を頭尾方向に直線状になるように緊張させて移植する術式が，術後の嚥下障害の発生率を有意に低下させることが，わが国初の頭頸部再建における前向き多施設共同研究で明らかにされている[18]．腸管吻合の順序は咽頭空腸吻合，空腸食道吻合どちらを先に行ってもよいが，われわれは口側の吻合を先に行っている．口側の咽頭欠損部と移植空腸の間には，口径差はKimataら[19]の報告に準じて移植空腸の前壁に縦切開を入れ口径差をあわせている．口側の吻合が終了したら，移植空腸を尾側に牽引して頭尾方向に緊張させ，実際に移植する空腸の長さを決定する．通常は口側，食道側とも腸管吻合が終了したのちに血管吻合を行い血流再開するが，手術操作中に移植空腸の阻血時間に留意しながら，血管吻合のタイミングを決める．

　遊離空腸移植においては，皮下に埋没した移植腸管の血流の確認が容易になるよう，モニタリング用の腸管を作成して体表面に出しておく．管状再建については皮弁をロール上に丸めて縫合する再建方法も可能であるが，術後瘻孔形成などの合併症率が高いと報告されており[20]，当院（岩手医科大学）では原則として行っていない．

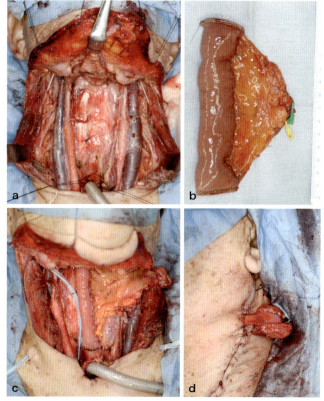

図11 遊離空腸移植による再建
a：TPLE 後の所見.
b：採取した遊離空腸.
c：閉創直前の状態.
d：モニター腸管を頸部の創から体表化してある.

　比較的早期の下咽頭癌では，下咽頭部分切除が行われることもあるが，その適応や切除範囲は腫瘍の局在や大きさ，実施施設により異なる．このような欠損の場合は，遊離空腸パッチグラフトまたは前腕皮弁を用いて，欠損部にパッチを当てる形状での再建が行われる．下咽頭部分切除の場合は喉頭に切除が及ばない場合は遊離空腸パッチグラフトを行い，披裂や披裂喉頭蓋ヒダに切除が及ぶ場合は，前腕皮弁を用いて再建を行う[21]．

文献

1) Tanaka K, et al：Analysis of operative mortality and post-operative lethal complications after head and neck reconstruction with free tissue transfer. Jpn J Clin Oncol **41**：758-763, 2011
2) Serletti JM, et al：Factors affecting outcome in free-tissue transfer in the elderly. Plast Reconstr Surg **106**：66-70, 2000
3) Gang Z, et al：Intraoperative Fluid Mangemaent implies insignificant influence to surgical outcomes in head and neck microvascular reconstruction cases. Plast Reconstr Surg **147**：627e-633e, 2021
4) 櫻庭　実ほか：切除と再建：QOL向上を目指した seamless collaboration：頭頸部再建における切除と再建の連携：再建の立場から．頭頸部癌 **34**：245-248, 2008
5) Sakuraba M, et al：Simple maxillary reconstruction using free tissue transfer and prosthesis. Plast Reconstr Surg **111**：594-598, 2003
6) Ahmed Djae K, et al：Temporalis muscle flap for immediate reconstruction of maxillary defects：review of 39 cases. Int J Oral Maxillofac Surg **40**：715-721, 2011
7) Cordeiro P, et al：Reconstruction of total maxillectomy defects with preservation of the orbital contents. Plast Reconstr Surg **102**：1874-1884, 1998
8) Yamamoto Y, et al：Surgical management of maxillectomy defects based on the concept of buttress reconstruction. Head Neck **26**：247-256, 2004
9) Hsiao HT, et al：Swallowing function in patients who underwent hemiglossectomy：comparison of pri-

mary closure and free radial forearm flap reconstruction with videofluorography. Ann Plast Surge **50**：450-455, 2003
10) Kimata Y, et al：Analysis of the relationship between the shape of the reconstructed tongue and postoperative functions after subtotal or total glossectomy. Laryngoscope **113**：905-909, 2003
11) Sakuraba M, et al：A new flap design for tongue reconstruction after total or subtotal glossectomy in thin patients. J Plast Reconstr Aesthet Surg **62**：795-799, 2009
12) Kimata Y, et al：Velopharyngeal function after microsurgical reconstruction of lateral and superior oropharyngeal defects. Laryngoscope **112**：1037-1042, 2002
13) 櫻庭　実ほか：口腔・中咽頭癌の機能温存を目指した手術：脱上皮法による中咽頭側壁癌切除後の再建術. 耳鼻と臨 **61**：S48-S54, 2015
14) 櫻庭　実ほか：下顎再建の方法：選択と問題点. 日マイクロ会誌 **20**：287-292, 2007
15) Hanasono MM, et al：A prospectice analysis of bony versus soft tissue reconstruction for posterior mandibular defects. Plastic Reconstr Surg **125**：1413-1421, 2010
16) Yang WF, et al：Three dimensional printing of patient-specific surgical plates in head and neck reconstruction：a prospective pilot study. Oral Oncol **78**：31-36, 2018
17) Fujiki M, et al：A "no-touch technique" in mandibular reconstruction with reconstruction plate and free flap transfer. Microsurgery **36**：115-120, 2016
18) Tachibana S, et al：Efficacy of tensed and straight free jejunum transfer for the reduction of postoperative dysphagia. Plast Reconstr Surg Glob Open **28**：e1599, 2017
19) Kimata Y, et al：Simple reconstruction of large pharyngeal defects with free jejunal transfer. Laryngoscope **110**：1230-1233, 2000
20) Nakatsuka T, et al：Comparative evaluation in pharyngo-oesophageal reconstruction：radial forearm flap compared with jejunal flap. A 10-year experience. Scand J Plast Reconstr Surg Hand Surg **32**：307-310. 1998
21) Sakuraba M, et al：Three dimensional reconstruction of supraglottic structures after partial pharyngolatyngectomy for hypopharyngeal cancer. Jpn J Clin Oncol **38**：408-413, 2008

D 救済手術

　局所進行頭頸部癌治療における化学放射線療法（CRT）は，臓器温存が期待できる標準治療の1つである．しかし，CRTによって根治できず，残存・あるいは再発をきたす症例に対して，予後の改善を期待できる治療手段の1つが救済手術である．CRTが広く普及した現在，救済手術の需要は高い．救済手術に関する報告は多くみられ，その有効性もよく知られているが，術後合併症の罹患率が高く，適応や合併症予防など，検討の余地は多い．ここでは，CRT後の再発・残存病変に対する外科的治療を救済手術として，最新の情報を交えて述べる．

救済手術と予後

　救済手術は，施行できず経過観察となった症例と比較し，その予後を改善することがわかっている．CRT後救済手術における2年全生存率（OS）は26.7～71％，救済手術後の局所領域再発では25～47％，遠隔再発のみでは，8～21％といわれる[1]．救済手術と維持化学療法・緩和治療とを比較すると，有意な差をもって，救済手術が優れている[1]（図1）．原発部位別に見た救済手術における5年OSは，中咽頭癌では49～70％，喉頭癌では72～76％，下咽頭癌では40.6～50％とされる．原発部位別に生存率を比較しても，同様の結果が出ている[1]（図2）．

原発部位別に見ると，下咽頭癌がもっとも低い生存率になるが，局所制御率は他部位と比較しても大きな差はない．術後の遠隔転移が生存率低下に影響していると考えられる．救済手術後の予後不良因子は，初診時N3，またはStage Ⅳ，または手術不能，局所領域同時再発，救済手術時断端陽性またはリンパ節節外浸潤陽性といわれる．切除断端については，救済手術後の断端陽性率は40％と高く，術中迅速診断を駆使し，拡大切除に努めたとしても20％に断端陽性がみられる[2]．救済手術前の臨床的な腫瘍範囲を術後病理検査の結果と比較した結果，up stagingとなった症例はなく[3]，放射線治療による組織伸縮性の喪失が，通常よりもマージン確保を困難にしているのかもしれない．手術の際は，必要十分な切除となる方法を事前によく検討する必要がある．

　また残存・再発形式を，局所のみ，領域のみ，局所＋領域同時再発・残存の3群に分類し，その予後を比較すると，局所・領域に同時に再発・残存する群が予後不良となっていた[1]．二次再発を防ぐために，高リスク症例に対して救済手術の前後に化学療法を施行すべきとの考えもあるが，その効果はいまだ不明である．救済手術後の追加再照射を検討した報告では，結果として局所制御率の改善はみられるも，OSは改善せず，有害事象も増えていた[4]．

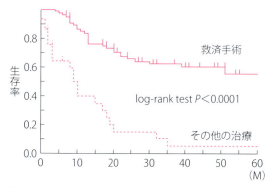

図1　救済手術とそれ以外の治療における生存率
[Maruo T, et al：Jpn J Clin Oncol 50：288-295, 2020 をもとに作成]

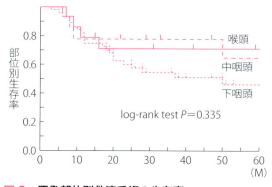

図2　原発部位別救済手術の生存率
[Maruo T, et al：Jpn J Clin Oncol 50：288-295, 2020 をもとに作成]

表1 救済手術における合併症の頻度

著者	発行年	症例数	合併症発生数	合併症発生率（%）
Lavertu	1998	11	7	64
Agra	2003	14	12	86
Proctor	2004	16	11	69
Morgan	2007	13	3	23
Tan	2010	38	24	63
Esteller	2011	24	9	38
Leon	2014	16	10	62
合計		132	76	57.6

[León X, et al：Auris Nasus Larynx 42：145-149, 2015 をもとに作成]

救済手術と頸部郭清

CRT後の頸部郭清についてはこれまでに多く議論され，報告されてきた．郭清の利益，郭清範囲や時期，診断方法が主な議論点になっている．これまでの報告について，救済手術における予防郭清の場合と，再発・残存病変が明らかな場合について分けて述べる．

1 救済手術における予防郭清

今のところ定まった方針はない．初回治療時にN2～3で，CRTによりCRに至ったとしても22～29%に残存があるとする報告や，逆に10%以下だったとする報告も多数みられる．原発部位や原発の進行度によって異なるといわれ，T1～2以上の進行癌や，喉頭癌における声門上癌は予防郭清が必要とされる[5]．また初回治療時N0症例は，現在のところ予防郭清は不要とされている[6]．潜在的なリンパ節転移は，初回治療のCRTで消失に至っていると考えられている．ただ，残存病変の存在は予後を悪化させるため，適切に適応を決めることが重要である．これまでの報告を総合的に判断すると，原発で救済手術が必要になった声門上癌，中咽頭癌，下咽頭癌のN2以上の症例は，転移があった側の予防郭清を行う．

2 頸部再発・残存に関する救済頸部郭清

施行時期や施行範囲で意見が分かれる．特に，計画的頸部郭清（planned neck dissection）については，多くの報告があり，その効果は定まっていない．近年報告された多施設共同第Ⅲ層非劣性試験[7]では，計画的頸部郭清とPETでの詳細なフォローを比較しており，生存には差がなかったとしている．現状，計画的頸部郭清を積極的に推奨する報告のほうが少ない．

救済頸部郭清の範囲については，病変を含む側の選択的頸部郭清術（selective neck dissection：SND）が妥当だとされている[8]．少なくとも原発病変が中咽頭だった場合においては，SNDよりもさらに小さい範囲を郭清する，超選択的頸部郭清術（super-selective neck dissection）でもよいのかもしれない[9,10]．最近の報告[11]では，中咽頭・喉頭・下咽頭癌における救済手術で，さらに郭清範囲を絞ったtargeted neck dissectionを行った場合の成績が報告され，生存に関連する頸部再発はみられず，3年無病生存率は66%だったとしている．

救済頸部郭清後の合併症は郭清範囲に依存し，郭清範囲が少ないほうが合併症は少ない．より低侵襲に効果が出せる郭清範囲の検討が今後も望まれる．

術後合併症

一般的に救済手術後の合併症は高率であるといわれている（表1）．全体として23～86%，特に原発切除に限定すると，43.8～59%といわれる．CRT

終了後から救済手術までの期間と術後合併症との関連がいわれており，初回治療終了後，52週以前の救済手術に，合併症発生が多い（77% vs. 23%）[1]．

合併症で多くみられるのが，創部感染，縫合不全，組織壊死，再建皮弁壊死である．縫合不全に関していえば，CRT後の救済手術では高確率で咽頭の縫合不全が生じる．特に喉頭癌に対する救済手術では，縫合不全の発生確率は，24〜32%と報告されており[12〜15]，咽頭への照射の有無が関与する．過分割照射後や早期再発・残存，また局所領域同時再発・残存などのハイリスク症例に対して，摘出手術と同時に大胸筋皮弁などを充填する手術法を当院では推奨している．再発・残存の状況，術前の皮膚の状況も含め，総合的に手術法を選択する必要がある．

一方で，下咽頭癌に対する救済手術は，咽頭喉頭頸部食道全摘（TPLE），遊離空腸再建術がわが国では一般的である．照射が当たった範囲がほとんど切除されること，血流のよい空腸組織が入ることから，初回手術症例と比較しても合併症発生は変わらない[1]．

中咽頭は頭頸部の中でもQOLに直結する機能が集中しており，解剖学的にも複雑である．CRT後に再発・残存した場合，他部位と同様，救済手術が可能であれば予後は改善される．しかし，CRT後の原発再発に対して，救済手術が可能なのは20〜30%といわれ，他部位に比べ救済手術の適応は少ない．局所と領域に同時再発する率が高く，また遠隔転移が多く，結果として66.7%に二次再発がみられる．術後機能に関しても，術後経管栄養依存率が高いため，救済手術が敬遠される条件がそろっている[1]．

術後合併症を減らすには血流のよい組織を充填すること，無駄なデッドスペースをつくらないことが重要である．当院では，皮膚切開線から皮膚弁挙上まで，なるべく無駄な剝離を行わないように注意し，皮膚弁挙上も血流が悪くならないように厚く上げるようにしている．また，再建を要する術式の場合は，筋皮弁を過不足なく充填できるような皮弁の選択，そして再建術式を，形成外科と事前によく相談している．

救済手術は化学放射線療法が普及するとともに，予後を改善する手段として広く行われるようになった．しかし，困難な手術になることが多く，合併症発生率も高い．救済手術の際は，合併症を減らすための工夫や，適切な予防的頸部郭清の追加など，侵襲と予後改善へのバランスを十分に検討し，望む必要がある．

文献

1) Maruo T, et al：Comparison of salvage surgery for recurrent or residual head and neck squamous cell carcinoma. Jpn J Clin Oncol **50**：288-295, 2020
2) Tan HK, et al：Salvage surgery after concomitant chemoradiation in head and neck squamous cell carcinomas - stratification for postsalvage survival. Head Neck **32**：139-147, 2010
3) Rovira A, et al：Salvage surgery after head and neck squamous cell carcinoma treated with bioradiotherapy. Head Neck **39**：116-121, 2017
4) Janot F, et al：Randomized trial of postoperative re-irradiation combined with chemotherapy after salvage surgery compared with salvage surgery alone in head and neck carcinoma. J Clin Oncol **26**：5518-5523, 2008
5) Sanabria A, et al：Is elective neck dissection indicated during salvage surgery for head and neck squamous cell carcinoma? Eur Arch Otorhinolaryngol **271**：3111-3119, 2014
6) Stenson KM, et al：Planned post-chemoradiation neck dissection：significance of radiation dose. Laryngoscope **116**：33-36, 2006
7) Mehanna H, et al：PET-NECK：a multicentre randomised Phase III non-inferiority trial comparing a positron emission tomography-computerised tomography-guided watch-and-wait policy with planned neck dissection in the management of locally advanced (N2/N3) nodal metastases in patients with squamous cell head and neck cancer. Health Technol Assess **21**：1-122, 2017
8) Robbins KT, et al：Consensus statement on the classification and terminology of neck dissection. Arch Otolaryngol Head Neck Surg **134**：536-538, 2008
9) Sandhu A, et al：Role and extent of neck dissection for persistent nodal disease following chemo-radiotherapy for locally advanced head and neck cancer：how much is enough? Acta Oncol **47**：948-953, 2008
10) Robbins KT, et al：Efficacy of super-selective neck dissection following chemoradiation for advanced head and neck cancer. Oral Oncol **48**：1185-1189, 2012
11) Okano W, et al：Extent of salvage neck dissection following chemoradiation for locally advanced head and neck cancer. Head Neck **43**：413-418, 2021
12) Weber RS, et al：Outcome of salvage total laryngectomy following organ preservation therapy：the Radiation Therapy Oncology Group trial 91-11. Arch Otolaryngol Head Neck Surg **129**：44-49, 2003
13) Furuta Y, et al：Surgical complications of salvage total laryngectomy following concurrent chemoradiotherapy. Int J Clin Oncol **13**：521-527, 2008

14) Ganly I, et al：Postoperative complications of salvage total laryngectomy. Cancer **103**：2073-2081, 2005
15) Lavertu P, et al：Comparison of surgical complications after organ-preservation therapy in patients with stage Ⅲ or Ⅳ squamous cell head and neck cancer. Arch Otolaryngol Head Neck Surg **124**：401-406, 1998

3. 放射線治療

A 総論

放射線治療の基本

　頭頸部癌は，放射線に感受性の高い扁平上皮癌が多く，また嚥下，発声などの生体機能や美容上の面から，機能と形態の温存できる放射線治療のよい適応となる．頭頸部癌は，鼻腔，副鼻腔，上咽頭，中咽頭，下咽頭，喉頭，口腔，頸部食道，甲状腺などの部位からなり，発生部位によって治療方針が異なる．また，放射線治療に伴う合併症も無視できず，急性期は，粘膜炎，皮膚炎，味覚障害，白血球減少など，晩期では，唾液腺障害，皮膚の繊維化，喉頭壊死，嚥下困難，甲状腺機能低下，骨壊死などの合併症が発症する．また，経過観察においては重複癌が多い点にも注意が必要である．

　放射線治療では，一般的に照射線量が多くなれば，腫瘍の局所制御率も高くなる．しかし，同時に病巣周辺の正常組織に対する線量も多くなるため，合併症の頻度も高くなる．従来の放射線照射法では，標的体積に近接したリスク臓器の耐容線量を超えて照射を行うことができないため，腫瘍の局所制御に必要な線量を投与できず，結果として満足できる治療成績が得られない場合があった．

　放射線治療の成績を向上させるには，①空間的線量分布の改善により病巣に高線量を集中する，②時間的線量配分の改善により照射期間を短縮し，照射期間中の腫瘍再増殖を抑制する，③放射線の効果を化学療法あるいは分子標的治療薬などで増強するなどの方法がある．ここでは頭頸部癌に対する放射線治療の進歩を上記3つの観点から概説する．

空間的線量分布の改善

　咽頭癌に対する放射線治療では，全頸部照射が基本となり，従来の照射法では耳下腺にも高線量の放射線が照射されるため，晩期合併症として唾液腺障害が必発していた．このため，患者の食事，咀嚼，消化，会話，睡眠などさまざまな生活の質の低下は避けられず，大きな問題点であった．

　これまで行われていた三次元原体照射は，各放射線ビームの強度が均一であったが，強度変調放射線治療（intensity modulated radiation therapy：IMRT）は，不均一な線量強度を有する多方向あるいは回転ビームで照射し，腫瘍にあわせた形状の線量分布をつくることができる．比較的小さな病変に限局的に高線量照射する定位放射線治療とは異なり，全頸部照射などの広い領域への照射も可能である．

　IMRTでは，標的体積およびリスク臓器の形状にあわせた線量を照射できるため，正常組織への影響を最小限に保ちつつ，腫瘍に対しては高線量照射が可能となる．図1に頭頸部癌に対するIMRT線量分布図を示す．標的体積には十分な線量を照射し，耳下腺や脊髄への線量は低減できている．この線量分布の良さが臨床成績に反映されるかは臨床試験で証明されなくてはならない．Ⅱ～ⅣB期上咽頭癌に対してシスプラチン併用IMRTの多施設臨床試験（JCOG1015）が行われた．その結果，対象75例の3年全生存割合は88％［95％ CI：78～94％］であり，期待3年全生存割合の75％を大きく上回ることが示された[1]．グレード2以上の口腔乾燥発生割合は，IMRT開始後2年および3年時点でそれぞれ12％および9％であり，IMRTに

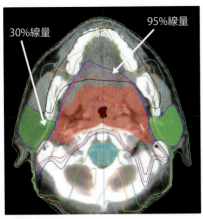

図1 IMRTの線量分布
標的体積（赤）は95％線量域に囲まれ，脊髄や耳下腺への線量は低減できている．

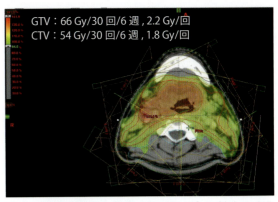

図2 舌根部扁平上皮癌（T2N0M0）に対するSIB法の線量分布
肉眼的腫瘍体積（GTV）には1回2.2 Gy，周囲の臨床標的体積（CTV）には1回1.8 Gy照射する．

よる唾液腺障害の低減効果が確認できた．

頭頸部癌では，耳下腺以外にも，脳，脊髄，眼球，内耳など放射線障害をきたすと大きく患者の機能を損なう重要なリスク臓器が病巣の近傍に存在する．IMRTでは，脳壊死，脊髄麻痺，失明などの重篤な晩期合併症をきたすことなく標的体積に合計70 Gy/35回の根治線量を照射でき，良好な局所制御率が得られるようになっている．現在，IMRTは頭頸部癌に対する標準的な照射法である．

IMRTの特徴として，ターゲット内に意図的な線量勾配をつくることが可能となった．同時部分追加照射（simultaneous integrated boost：SIB）法では，肉眼的腫瘍体積（GTV）には1回2.2 Gy，周囲の臨床標的体積（CTV）には1回1.8 Gy照射が行える（図2）．従来の照射法では重篤な晩期合併症が増加するため1回線量を大きくすることは危険を伴ったが，IMRTではGTVの形状にあった選択的な高線量域をつくることができるため，比較的安全に1回線量を増加することができる．

局所進行頭頸部癌では，照射により原発巣および頸部リンパ節転移巣が縮小することに加え照射中の体重減少のため，標的体積やリスク臓器の変位や体輪郭の変形が起きる[2]．この結果，脊髄や唾液腺などのリスク臓器への線量増加や，標的体積への線量低下となる危険がある．

この問題点に対応するため，照射期間中に治療計画CTを再撮影し，再治療計画を行うのがtwo-step法IMRTである．46〜50 Gy/23〜25回の全頸部IMRTののち，原発巣および転移リンパ節には合計70 Gy/35回までのブーストIMRTを行う[1,2]．Two-step法は，照射期間中の臓器変位や体輪郭の変形に対応する適応放射線治療（adaptive radiotherapy）の1つである．

時間的線量配分の改善

頭頸部癌などの比較的増殖の早い扁平上皮癌を放射線単独で治療した場合，照射期間が延長すると局所制御率が減少することが知られている．Withersらは[3]，多数の頭頸部癌の文献を分析し，照射期間が4週間を超えると腫瘍制御に必要な線量が増加することを示し，頭頸部扁平上皮癌では照射開始4週目から腫瘍の急速再増殖が起こるためと結論した．

全照射期間は頭頸部癌に対する放射線治療における重要な治療因子であることが判明し，頭頸部扁平上皮癌に対して照射期間を短縮する加速照射の意義を明らかにする臨床試験が多数行われた．以下に代表的な臨床試験を解説する．デンマークでは頭頸部扁平上皮癌1,476例を対象に，週5日照射群あるいは週6日照射群に分けて比較試験を行った[4]．両群とも合計線量は66〜68 Gyで，一方全照射期間中央値はそれぞれ46日と39日であった．その結果，全生存率では有意差がなかったも

のの，5年局所領域制御率は週6日照射群が有意に良好であった（図3）．また晩期合併症の頻度も両群に差がなかった．

同様にポーランドでは，頭頸部扁平上皮癌100例を，週5日照射群あるいは週7日照射群に分ける比較試験を行った[5]．当初，1回線量2Gyで開始したが，週7日照射群の急性期合併症が重篤化したため，途中から両群とも1回線量1.8Gy，合計線量68～72Gyに減量している．その結果，局所領域制御率はもちろん，全生存率でも週7日照射群が有意に良好であった．

わが国ではT1,2N0M0声門癌に対する1回線量2.4Gyを用いた寡分割照射（60～64.8Gy/25～27回）と通常分割照射（66～70Gy/33～35回）のランダム化比較試験が行われた（JCOG0701）[6]．その結果，3年無再発生存期間は通常照射群79.9％，寡分割照射群81.7％で，統計学的に非劣性は証明されなかったものの，急性期および晩期合併症の頻度はいずれも同等で，加速照射の1つである寡分割照射は，臨床的に有用であることが明らかになった．以上多くの臨床試験で，頭頸部扁平上皮癌に対する加速照射の有効性が証明されている．

米国では頭頸部癌に対する最適な線量分割法を明らかにするために，Radiation Therapy Oncology Group（RTOG）がⅢ～Ⅳ期頭頸部扁平上皮癌1,113例を対象に，通常分割70Gy/35回/7週（SFX），超分割照射81.6Gy/68回/7週（HFX），連続加速過分割照射72Gy/42回/6週（AFX-C），休止期間を挟む加速過分割照射67.2Gy/42回/6週（AFX-S）の4群に分け，ランダム化比較する試験（RTOG 9003）を行った[7,8]．2000年に発表された第1報では[7]，全生存率には4群間に有意差がなく，HFXとAFX-Cの局所領域制御率がSFXに比較して有意に良好であった．2014年に報告された最終報告では[8]，HFXのみがSFXに比較して有意に良好な局所領域制御率と5年全生存率を示し（図4），晩期合併症も増加していなかった．1回1.2Gy程度の線量を1日2回照射し，合計線量を80Gy程度に増加させるHFXの有効性は他のランダム化比較試験でも明らかにされている．これらの結果にもかかわらずHFXが標準照射法になっていないのは，①化学放射線療法が標準となり化学放射線療

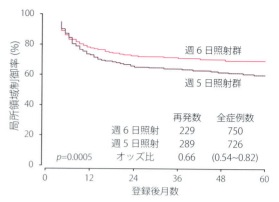

図3　週5日照射群（726例）あるいは週6日照射群（750例）のランダム化比較試験
週6日照射群の局所領域制御率が有意に良好である．
［Overgaard J et al : Lancet 362 : 933-940, 2003］

法ではHFXの有効性が示されていない，②IMRTの時代になりIMRTを1日2回実施することの煩雑さなどが理由となっていると考えられる．

放射線増感の進歩

抗癌薬あるいは抗EGFR（epidermal growth factor receptor）抗体などの分子標的治療薬による放射線増感法も大きく進歩した．これらの薬剤と放射線の同時併用により放射線単独に比較すると局所制御率と生存率が有意に向上した．ただし，化学放射線療法で注意しなくてはならないのは，治療強度の増加に伴い急性期および晩期合併症が増加する点である．

晩期合併症の低減を目的に，治療成績のよいヒトパピローマウイルス（HPV）陽性の中咽頭癌に対して，シスプラチン併用放射線治療と，より毒性が低いとされる抗EGFR抗体セツキシマブ併用放射線治療との比較試験が2件行われた[9,10]．いずれの試験でも，セツキシマブ併用群で生存率，局所制御率が低下し，合併症の頻度も同等であった．これらの試験で，頭頸部癌に対する治療強度低減の困難さが明らかになった．

現在，頭頸部癌に対する標準的放射線治療は，シスプラチンと根治線量IMRTの同時併用である．放射線腫瘍医はここで述べた3つの方面から，晩期合併症を増加させることなく，局所領域制御率

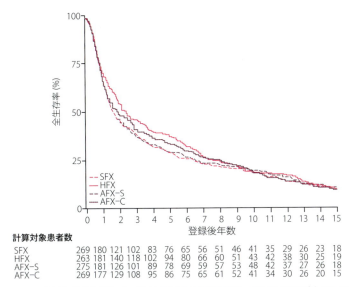

図4 通常分割70 Gy/35回/7週（SFX），超分割照射81.6 Gy/68回/7週（HFX），連続加速過分割照射72 Gy/42回/6週（AFX-C），および休止期間を挟む加速過分割照射67.2 Gy/42回/6週（AFX-S）のランダム化比較試験（RTOG 9003）

SFXに比較してHFXのみが有意に良好な5年全生存率を示す．

[Beitler JJ et al：Int J Radiat Oncol Biol Phys 89：13-20, 2014]

および生存率のさらなる向上をめざしている．

文献

1) Nishimura Y, et al：A phase Ⅱ study of adaptive two-step intensity-modulated radiation therapy (IMRT) with chemotherapy for loco-regionally advanced nasopharyngeal cancer (JCOG1015). Int J Clin Oncol 25：1250-1259, 2020
2) Nishi T, et al：Volume and dosimetric changes and initial clinical experience of a two-step adaptive intensity modulated radiation therapy (IMRT) scheme for head and neck cancer. Radiother Oncol 106：85-89, 2013
3) Withers HR, et al：The hazard of accelerated tumor clonogen repopulation during radiotherapy. Acta Oncologica 27：131-146, 1988
4) Overgaard J, et al：Five compared with six fractions per week of conventional radiotherapy of squamous-cell carcinoma of head and neck：DAHANCA 6 and 7 randomised controlled trial. Lancet 362：933-940, 2003
5) Skladowski K, et al：Continuous accelerated 7-days-a-week radiotherapy for head-and-neck cancer：long-term results of phase Ⅲ clinical trial. Int J Radiat Oncol Biol Phys 66：706-713, 2006
6) Kodaira T, et al：Results of a multi-institutional, randomized, non-inferiority, phase 3 trial of accelerated fractionation versus standard fractionation in radiation therapy for T1-2N0M0 glottic cancer：Japan Clinical Oncology Group study (JCOG0701). Ann Oncol 29：992-997, 2018
7) Fu KK, et al：A Radiation Therapy Oncology Group (RTOG) phase Ⅲ randomized study to compare hyperfractionation and two variants of accelerated fractionation to standard fractionation radiotherapy for head and neck squamous cell carcinomas：first report of RTOG 9003. Int J Radiat Oncol Biol Phys 48：7-16, 2000
8) Beitler JJ, et al：Final results of local-regional control and late toxicity of RTOG 9003：a randomized trial of altered fractionation radiation for locally advanced head and neck cancer. Int J Radiat Oncol Biol Phys 89：13-20, 2014
9) Mehanna H, et al：Radiotherapy plus cisplatin or cetuximab in low-risk human papillomavirus-positive oropharyngeal cancer (De-ESCALaTE HPV)：an open-label randomised controlled phase 3 trial. Lancet 393：51-60, 2019
10) Gillison M, et al：Radiotherapy plus cetuximab or cisplatin in human papillomavirus-positive oropharyngeal cancer (NRG Oncology RTOG 1016)：a randomised, multicentre, non-inferiority trial. Lancet 393：40-50, 2019

B 外部照射

外部照射装置

　外部照射は，体外より電離放射線を患部に照射する治療方法である．使用する放射線により電子線，X線，粒子線などがあるが，本項ではその代表的な方法である深部治療用のX線照射装置を用いた治療法を中心に解説する．

　外部照射装置は，電子を加速してタングステンなどの重金属に衝突させ4～21 MVの超高圧X線を発生させる装置を内在し，発生した間接放射線を治療に使用する．そのX線発生のメカニズムより直線加速器またはリニアックと呼ばれる．X線発生装置から出力されたX線はjawやマルチリーフコリメータと呼ばれる金属ブロックを用いて照射野形状を調整する（図1）．マルチリーフコリメータは自由度の高い照射野の形状を作成するだけでなく，個々のコリメータの複雑な動的制御により後述する強度変調放射線治療（intensity modulated radiation therapy：IMRT）が実現できる．

　治療に際し放射線治療を行う部位の位置照合を行うが，一般には治療室のレーザーポインタで機械の基準位置と体表部の印を照合して，リニアックグラフィを撮影し適切な位置を確認して照射を行う．近年，治療機により高精度な画像照合システムを有した画像誘導放射線治療（image-guided radiotherapy：IGRT）が進歩し，透視画像や治療機に内蔵したCT画像取得で，より高精度な位置照合が可能な治療機が主流となってきた．IMRTや定位放射線照射・定位放射線治療などの高精度治療では精度の高い位置照合が必須であり，このような治療技術が支援している．高精度治療に特化した治療機もあり，代表的な治療機を紹介する．

ⓐ サイバーナイフ

　小型の直線加速器をロボットアームに搭載し制御することで三次元的な方向からの照射を可能とした定位照射に重点をおいた治療装置である．X線透視システムのIGRT機能を利用し，動体追尾照射が可能である．

図1　照射野の形状を調整するマルチリーフコリメータ

マルチリーフコリメータと呼ばれる金属ブロックをビーム出力部に設置し照射野の形状を調整する．また，このブロックをダイナミックに移動させビームの強度変調を行い，IMRTが可能になる．治療機器の高度の物理精度管理が要求される．

ⓑ トモセラピー（Radixact）

　小型直線加速器をCT方式でヘリカル走査して照合画像取得ができ，かつヘリカルCT方式で照射を行う．広範囲に複雑な形状の標的にIMRTを実施できる特徴がある．物理検証に関しても大幅に効率化されておりIMRTの実施に有用な装置である（図2）．近年動体追跡機能を有する機能が利用可能となった．

ⓒ MRI掲載型リニアック

　IGRT機能としてMRIを掲載しており，CTに比し組織コントラストの高い照合画像取得が可能である．位置情報に加えMRIの利点である機能画像情報を応用した高精度な画像評価の利点があることが期待されている．

　本項では粒子線治療装置については割愛する．

治療計画の実際

1 診察時の留意事項

　頭頸部癌の放射線治療では，ほとんどの症例で

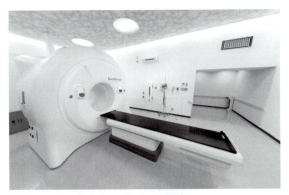

図2　ヘリカルトモセラピーの概観
CTやMRIのようなドーム型の構造をもつIMRTの専用装置である．頭頸部癌のIMRTは内容や精度管理が複雑であり，治療計画や検証を効率的に行える利点がある．

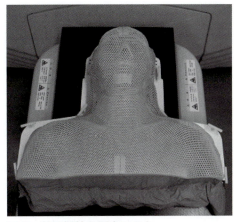

図3　熱可塑性の固定マスク
患者ごとに作成し治療計画時と毎回治療時の固定に使用する．IMRTでは肩関節の固定も重要となるため広い範囲をカバーできる固定具を使用する必要がある．

口腔領域に中等度〜高度の線量が投与される．放射線照射後は歯・歯肉，顎骨への放射線の直接効果に加え，歯肉の再生力が著しく低下する．そのため，抜歯により歯周病の増悪，骨壊死，腐骨形成などのリスクが著しく増大する．治療前に歯科・口腔外科への受診を行い感染のリスクが高い患歯は事前に抜歯することが重要である．また，治療計画時には歯冠周囲の散乱線影響への対処などを考慮し，抜歯窩の回復状態によって治療開始の延期が必要な場合があり，歯科担当医と密に連携することが必要である．

放射線治療後には，唾液腺障害によりう歯，歯周病が増悪しやすい．そのため，放射線照射中・照射後の口腔ケアは，摂食状態や栄養状態の維持，患者の生活の質（QOL）の改善に重要な役割をもつ．

2 固定具撮影と治療用画像の取得

放射線治療の開始前には必ず治療計画画像を撮影する．頭頸部では固定器具を作成してCT撮影を行い，治療計画装置に画像情報を転送して治療計画を行う．

熱可塑性のマスクを作成し再現性の高い頭頸部の固定を行い，治療中と同じ条件で計画用画像を撮影する（図3）．マスク固定前に義歯はあらかじめ外し，固定精度を向上するため木片などを用いて顎関節の位置を固定することが有効である．照射野から可動部舌を照射野外へ圧排して避けるため，木片などのくわえ固定具を作成する場合もある．

三次元治療計画では，側方からのビームが肩関節を通過しないようにするためできるだけ肩を足方に下げた姿勢となるように留意する．喉頭，下咽頭部へ限局した照射を行う場合には，下顎を挙上することで下顎骨への余剰な照射を回避できる．一方，上咽頭，頭蓋底への照射で視神経や視交叉を避けるために眼窩を水平な位置に保つことを考慮する．水晶体を照射野から回避したい場合，閉眼で眼球を上転させ影響の回避を考慮する．

治療計画時には，可能であれば造影CTでより詳細な画像情報を収集し，標的体積の設定に反映させる．

3 標的体積の設定

治療計画CT画像を用い標的体積と正常臓器の輪郭入力を行い，この画像情報を用い放射線治療計画を立案する

a 肉眼的腫瘍体積（gross tumor volume：GTV）

視触診や画像により明確に腫瘍が存在すると考えられる部位である．GTVの決定には，視触診の進展度診断，喉頭・咽頭内視鏡による粘膜病変の把握，頸部超音波断層画像，頸部造影CT，頸部造影MRIを主に参照し，必要に応じPET情報も

表1 CTV prophylactic 設定の例

リンパ節レベル	Ia/b	II	III	IVa/b	Va/b/c	VIb	VIIa/b
口腔癌　限局期（Ⅰ～Ⅱ）	片側	片側	片側				
進行癌（Ⅲ～Ⅳ期）	両側	両側	両側	両側	両側		両側
上咽頭癌　限局期（Ⅰ～Ⅱ）		両側	両側	両側	両側		両側
進行癌（Ⅲ～Ⅳ期）		両側	両側	両側	両側		両側
中咽頭癌　限局期（T1-2N0-1）		両側	両側	片側			両側
進行癌（Ⅲ～Ⅳ期 T1-2N1 除く）		両側	両側	両側	両側		両側
下咽頭癌　限局期（Ⅰ～Ⅱ）		両側	両側	両側	両側		両側
進行癌（Ⅲ～Ⅳ期）		両側	両側	両側	両側	両側	両側
喉頭（声門）　限局期（Ⅰ～Ⅱ）							
進行癌（Ⅲ～Ⅳ期）		両側	両側	両側	両側	両側	
喉頭（声門上）　限局期（Ⅰ～Ⅱ）		両側	両側	両側	両側		
進行癌（Ⅲ～Ⅳ期）		両側	両側	両側	両側	両側	

［Grégoire V, et al：Radiother Oncol 110：172-181, 2014 をもとに作成］

加味して決定する．粘膜病変の進展範囲を適切に評価するためには，narrow band imaging による評価も参考にする．治療前精査に際し，耳鼻科医，頭頸部外科医との密接な連携を図り，病変の進展度診断を共有することが重要である．導入化学療法が行われたのちに放射線治療を行う場合は，治療開始前の腫瘍体積を肉眼的標的体積として十分に含めることが推奨され，化学療法前に放射線腫瘍医も診察を行うことが必要である．

浸潤リンパ節は，一般的にCT，MRI，超音波断層画像などで短径が 10 mm 以上のものを陽性とするが，中心壊死，節外浸潤所見，球状の腫大，PET での高 SUV 値を示す場合，また触診などの臨床所見も加味して浸潤リンパ節の判定を行う．導入化学療法の反応を考慮して浸潤リンパ節の判断の参照とする場合もある．

ⓑ 臨床標的体積（clinical target volume：CTV）

GTV の周囲に顕微鏡的な潜在的進展範囲を加味した CTV を設定する（CTV boost）．このほかに原疾患や臨床病期，組織型などの臨床情報から潜在的な癌の広がりを考慮したリンパ節の領域を CTV に設定する（CTV prophylactic）．後者は手術での予防的頸部郭清範囲に相当するものであり，施設の耳鼻咽喉科・頭頸部外科での手術指針を参照に領域を設定することが推奨される．

CTV boost は GTV（原発巣および浸潤リンパ節）に 5～10 mm 程度のマージンを付与し作成する．その際，病巣部が臨床的に周囲臓器に浸潤していない場合は，解剖学的な広がりを考慮し自動的にマージンを付与しないようにする（例：椎体，下顎骨）．周辺臓器の浸潤を伴う場合には，臨床情報から総合的に判断し CTV を作成する．節外浸潤を伴う浸潤リンパ節は隣接する筋肉を含む軟部組織に浸潤する傾向があるので，適切なマージンをとる．

CTV prophylactic については対象疾患や病期に応じて設定する（表1）．三次元治療計画に比較すると，IMRT では線量分布作成の自由度が高いため，施設の指針とも照らし合わせ，適宜，設定範囲を調整することが推奨される．

ⓒ 計画標的体積（planning target volume：PTV）

PTV＝CTV＋5～10 mm 程度と設定するのが一

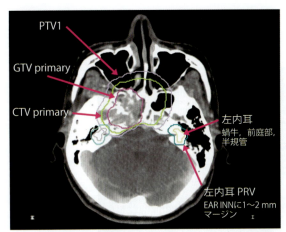

図4　上咽頭癌での輪郭入力の例

表2　正常臓器の線量制約指標

	最大線量（Gy）	平均線量（Gy）
脊髄	45	—
脊髄 PRV	50	—
脳幹部	54	—
脳幹部 PRV	64	—
視神経	54	—
視交叉	54	—
網膜	45	—
咽頭収縮筋	—	54〜60
喉頭	—	45〜50
水晶体	—	6〜10
内耳	—	30
蝸牛	—	45〜50
涙腺	—	30
耳下腺	—	26〜30
下顎骨	60〜70	—
腕神経叢	60	—

PRV：planning organ at risk.

般的である（図4）．固定法，照合法や装置固有の誤差により位置精度は異なるため，これらの情報も設定の参考にする．従来の体表面のマークから位置照合を行う方法に比べ，高精度な位置照合手法である IGRT は X 線像，CT 画像を用いて三次元的に位置照合を行う技術であり，この方法で PTV を縮小できる．そのほかに治療方法（三次元治療計画，IMRT）に関係する線量分布なども考慮して set up margin は施設ごと，治療内容ごとに適切に設定する．また，喉頭，下咽頭，舌根部は嚥下運動による internal motion が生じるので PTV の設定において配慮が必要となる．

体表から数 mm の皮膚および皮膚直下は，通常の三次元照射法においては物理的に線量が不足しやすい．4〜6 MV の低いエネルギーの X 線を使用し，必要に応じ体表面にボーラスをのせて不足線量を担保することを検討する．逆に，IMRT 計画では皮膚直下を PTV に含めると IMRT の最適化計算の過程で皮膚表面線量が過剰となるリスクが伴うため，PTV から皮膚直下 2〜5 mm 程度を除外した評価用 PTV を用い治療計画を行う．

4 正常臓器の設定

放射線治療の有害事象はそのほとんどが確定的影響（基準線量を超えた場合に有害事象の割合が増加するもの）が中心であるため，指標となる閾値をもとに安全性への配慮を行う．臓器の耐容線量として最小耐容線量 TD 5/5，TD 5/50（照射後5 年以内の有害事象発生率が5％，50％以下の線量）を指標とすることが一般的である．現在では三次元治療計画により作成した線量体積ヒストグラム（DVH dose volume histogram）をもとに，投与された線量と有害事象発生割合の分析から経験則的な指標線量のコンセンサスを得ている（表2）．脊髄，脳幹部などの臓器は最大線量の基準値を治療計画時の指標とすることが多く（例：脊髄の最大線量 45 Gy 以下），一方で線量と照射される体積の関係を指標にする臓器もある（例：肺，肝臓，腎臓などの実質臓器）．

5 照射法

頸部全域を覆う固定具を用いて取得した治療計画 CT 画像を用い，治療計画が行われる（2. 固定具撮影と治療用画像の取得，参照）．早期声門癌のように限局した照射野の治療では三次元治療計画で十分であるが，大部分の症例は局所進展例として診断され全頸部照射が必要となる．全頸部照

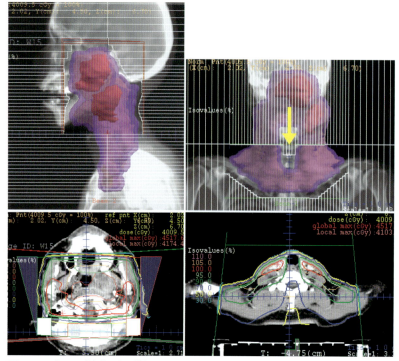

図5 三次元照射（つなぎ位置を用いる方法）
下顎部で脊髄の過線量を避けるため照射野にカットが入っている（矢印）．

射においては，頭頸部の解剖学的特徴からPTV内の線量分布は不均一になりやすく，かつ近接する脊髄，脳幹，下顎骨，唾液腺などの正常臓器の線量遵守も重要になるため，最低でも三次元治療計画が必須である．上・中咽頭，鼻腔副鼻腔癌の治療では原則IMRTによる治療計画を考慮する．

ⓐ 三次元治療計画

CTシミュレータにより取得したCT画像情報をもとに，三次元治療計画装置上で治療ビームを設定して処方線量を決定する．計画者が治療ビームの子細を決定し治療計画を行うことより，forward planningと呼ばれる．一方，IMRTでは標的体積や正常臓器の線量制約を設定し，治療計画装置がビーム情報を逆計算し計画作成する手順からinverse planningと呼称される．治療計画装置上で三次元的な線量分布作成を行い，標的体積や正常臓器の線量規準を参照して評価を行う．

もっとも汎用頻度の高い全頸部照射の具体的な照射方法を紹介する．典型的な照射野は，ハーフフィールド法を用いたつなぎ照射法と，field in field法を用いたV字型照射法が一般によく用いられる．

1) つなぎ照射法

肩関節上縁をつなぎ位置として設定し，これより頭方は左右対向2門照射法を用い，これより足方の下顎部および鎖骨上窩には前方1門または前後2門法で全頸部への放射線治療を行う（図5）．つなぎ位置は重なりを回避するためにハーフフィールド法を用いるが，つなぎ位置は20Gy程度で位置を変更するか，脊髄の重なり部分の過線量を避けるため下方の照射野上縁で脊髄部分をカットするなどの調整を行う．接合面レベルの脊髄が過線量になることや，つなぎ位置のPTVの線量不足を避けるために必要な工夫である．

2) Field in field法を用いたV字型照射法

つなぎ位置が原発巣や浸潤リンパ節と重なる場合には同部への線量が不足するデメリットが大きく，V字型に全頸部をカバーする照射野を組み合わせる方法が有効である（図6）．横対向2門から肩関節を避けるよう留意し，ビーム入射角度を20°

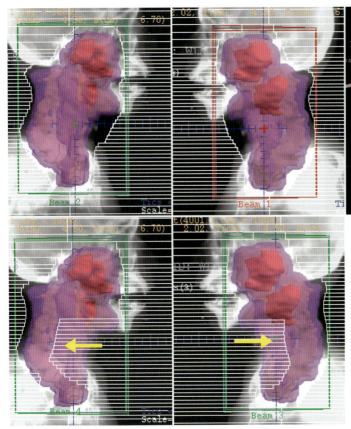
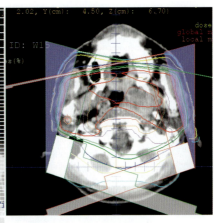

図6 三次元照射（V字照射とfield in field法を併用した例）
喉頭部の過線量を避けるため高線量領域への照射野を削った小照射野を組み合わせて線量分布を作成する（矢印）.

ほど前方に振った照射野を組み合わせ，治療計画を行う．患者の前側で線量分布が高くなる領域が生じやすく，治療計画装置上で表示した高線量部分を照射野から除外した修正ビームを併用し，線量の均一性を補正する方法が有効である（field in field法）．このほかにウェッジフィルターや補償フィルターを用いて線量分布の改善を行う方法がある．

CTV prophylactic は，細胞レベルの病巣を制御するため，1回2 Gyで40〜46 Gy程度の中等量の線量を投与する．脊髄の耐容線量を考慮して40 Gy程度を目安に照射野から脊髄を回避するよう照射方法の変更を行う．変更後もリンパ節予防域へ46 Gyまで追加照射する場合は，脊髄を遮蔽した左右対向2門のX線照射と電子線を接合しCTV prophylactic に対し残りの線量を処方する．CTV boostには縮小し追加照射を行う．脊髄，脳幹，下顎骨，唾液腺などに耐容線量を超えた線量の投与を避けるために，斜め対向2門や多門照射などの照射方法を利用する．これらの複数の治療プランは三次元治療計画装置または画像支援ソフトを用い合計した線量分布評価とDVHにより標的体積と正常臓器が線量規準を適切に満たすよう留意する．

b IMRT

IT機器の発展を背景にした放射線治療機器の革新的な進歩の支援により開発された治療技術である．IMRTは欧米ではすでに頭頸部癌の標準的な治療技術と考えられ，NCCNガイドラインによると上咽頭癌，中咽頭癌，鼻腔・副鼻腔癌，甲状腺癌に関してはIMRTが推奨される照射技術である．わが国でも多くの施設で使用される施設が増加してきた．

上咽頭癌を中心に7つのランダム化試験をもとにしたIMRTの有効性を示すメタアナリシスの報告がある[1]．グレード2以上の唾液腺障害はIMRT群で有意に減少しており，上咽頭癌のサブグループに限ると生存率や局所制御率も有意に改善して

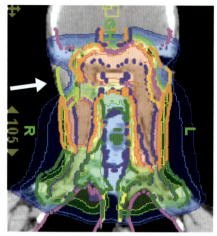

図7 上咽頭癌に対してのIMRTの線量分布例
治療はSIB法を用い原発巣と浸潤リンパ節に70 Gy，予防域に54 Gyの線量を処方した．IMRTを用い耳下腺の線量低減が可能であった（矢印）．

いた．『頭頸部癌診療ガイドライン2022年版』においても，放射線治療の記載には晩期毒性の軽減に有用な治療法であると紹介されており[2]，クリニカルクエスチョン4-1では「上咽頭癌の放射線治療において強度変調放射線治療を行うよう推奨する（推奨の強さ：強く推奨する，エビデンスの確実性B，合意率100%）」との記載がある[2]．図7にIMRTの線量分布例を示す．IMRTにより耳下腺の線量低減が達成できる．

IMRTには三次元治療と同様に，CTVを2段階で縮小するtwo-step法と，1つのプランにより複数のCTVに対し異なる線量を同時に投与するsimultaneous integrated boost（SIB）法に大きく大別される．

Two-step法は1回2 Gyの標準分割法のスケジュールを用い治療するため，治療効果や副作用予測が従来法の経験を適応できる利点がある[3]．IMRTは標的体積や正常臓器に対して急峻な線量勾配を作成するため，治療経過中の解剖学的変化は線量分布に大きく影響する．そのため，治療経過中の解剖学的変化を補正した治療プラン作成で治療精度が向上する．このような治療経過の変化を修正する手技をadaptive radiotherapy（ART）と呼ぶが，治療効果や晩期毒性の点で有利と報告されている．two-step法では全例でARTが行われ，適切に治療経過中の変化を補正できる利点がある．一方，追加プランは患者およびスタッフへの負担が増加する欠点がある．

SIB法は1回の治療計画で全期間治療をカバーする治療法で，手順が簡略化され負担は軽減される．逆に治療経過中の線量分布変化に随時対応する必要があることが短所となる．

IMRTは物理精度管理が重要で，医学物理士，品質管理士が専従で物理精度管理を行う体制が望ましい．わが国でIMRTが標準治療となるためには，放射線腫瘍医と医療機器の精度管理を担う医学物理士，品質管理士の充足が急務である．IMRTの方法論は本書の趣旨から外れるため，放射線治療ガイドラインなどの専門書を参照されたい．

6 治療スケジュール

a 根治照射に用いる標準スケジュール

一般に70 Gy/35回/7週の通常分割照射法である．頭頸部癌の多くは扁平上皮癌であり，生物学的に放射線開始4週で加速再増殖と呼ばれる現象が生じ放射線抵抗性を獲得するため，治療期間短縮は治療効果を改善すると考えられている．

治療期間を短縮した加速照射法はこの理論を応用した治療法で，JCOG 0701試験では370例のT1-2N0の声門癌に1回2.4 Gyを用いた加速照射を1回2 Gyの標準分割照射に対しランダム化して非劣性を検証した[4]．加速照射法はわずかな差で非劣性を示すことはできなかったが，有効性・安全性は同等以上と思われ，臨床上の利便性も考慮して治療オプションと考えられている．また，過分割照射，加速過分割照射などのaltered fractionation（AF）法は，メタアナリシスの結果でその局所効果と生存にメリットがあることが示された[5]．なかでも，サブセット解析では過分割照射（1.1～1.2 Gy程度を1日2回）がより有用性が高い結果であった．一般に過分割照射による処方線量は72～74 Gy程度が採用される．米国では同時boost法と呼ばれる治療後半に加速過分割照射法を併用した74 Gy/42回/6週の治療スケジュールも有効と報告されている．一方，AF法は通常分割照射に比較し粘膜炎や皮膚炎などの急性有害事象が増強す

ることも報告されている.

ⓑ 化学療法併用

進行頭頸部癌の標準治療であるが,併用療法では通常分割法の使用が推奨される[6].化学療法とAF法併用では急性期毒性が増強する.RTOG 0129試験では化学療法に同時boost法を併用した試験治療を標準分割法による化学放射線療法と比較したが有効性は示されなかった[7].

ⓒ CTV subclinicalへの照射線量

標準分割法では40〜46 Gyを処方するが,IMRTのSIB法の場合は54〜56 Gyを33〜35回で照射する(5.照射法-b,参照).

ⓓ 術後照射

切除断端陽性,節外浸潤陽性のハイリスク例に対して66 Gy/6.5週の治療スケジュールを考慮する.ハイリスク症例に対する化学放射線療法を用いたJCOG1008試験では,主にIMRTを用いこの線量分割法が使用された.これ以外に術後照射の適応として,リンパ節高度転移,進行T分類,脈管浸潤,神経浸潤の報告があるが,エビデンスに基づいた適切な処方線量の指標は示されていない.また術後照射では,遊離空腸や再建皮弁などの手術操作部への配慮が必要となるが,これらの適切な線量指標についての情報は不足している.施設のキャンサーボードなどで,頭頸部外科医,耳鼻科医,形成外科医と密な情報共有を行って,放射線治療内容につき検討することが推奨される.

7 経過観察

頭頸部癌では放射線治療は手術と並ぶ代表的な頭頸部癌の根治的局所療法であり,一方で放射線治療に特徴的な晩期有害事象が一部の症例で発症することより,放射線腫瘍医も経過観察に積極的に参与することが必要である.

照射開始から3ヵ月までの時期の有害事象は早期反応と分類し,治療経過中に徐々に増強し治療後よりゆっくりと回復する.また皮膚炎,粘膜炎などの照射野内の早期反応はほとんどの症例に発症する.さらに化学放射線療法の治療では,治療中の早期反応が増強する.代表的な症状は粘膜炎,皮膚炎,味覚障害,唾液腺障害などであるが,同時に疼痛や摂食障害を併発するため治療中の患者の全身状態,栄養状態が不良となる.治療中の支持療法により,治療中断を回避することが期待され,治療効果の改善につながる.放射線治療を担当する医療者は,これらの有害事象について十分な知識をもち,注意深く治療経過を観察し適切な診療支援を行うことが必要である.

3ヵ月以降の有害事象を晩期反応と定義するが,これらの発生時期は数ヵ月から数年後までと多彩であるのがその特徴である.また多くは限られた頻度であるが,いったん発症すると不可逆的である特徴がある.口腔乾燥症状,味覚異常,う歯,歯周病,嚥下障害,喉頭浮腫,聴力障害,視力障害,白内障,ドライアイ,脳壊死,脊髄症など,留意が必要である.正常臓器への投与線量,脳神経障害により発症リスクは大きく異なる.唾液腺障害は,IMRT使用時は一般に半年前後より回復が進み,3年程度までは徐々に回復する.頸部リンパ節進行例では唾液腺線量の増加で有害事象は増加し,年齢の影響など個人差も大きいことは留意が必要である.味覚異常については6ヵ月〜1年程度で回復することが多い.

治療後の経過観察では歯科処置の制限に留意が必要であり,中等量以上の線量が照射された歯肉は抜歯後の腐骨,骨壊死,骨髄炎のリスクが高いため,できるだけ照射範囲の抜歯を回避し保存的な対応を基本とする.放射線治療後の抜歯処置の判断には歯科医の経験に大きな差があり,放射線治療設備を有する病院の歯科・口腔外科の受診をまず考慮する.またこれらの重度の有害事象は,経年的にリスクが下がらないことを患者へ周知する必要がある.

下頸部照射の症例は数年後に10〜20%程度で甲状腺機能低下症が発症する.上咽頭癌では他の頭頸部癌よりリスクが多いと考えられ留意が必要である.症状のみでは発見,治療の機会が遅れる可能性が高く,年に1〜2回程度の甲状腺ホルモンのチェックを考慮したほうがよい.

発癌は確率的な有害事象である.頻度は10年生存例の1%程度と考えられリスクは否定できないが,放射線治療の利点が明らかに上回ると一般に考えられている.頭頸部癌は重複癌の発生が多いため適宜スクリーニングを考慮することも必要

である．

　以上，外部照射の手順や治療計画の実際を，従来の標準的治療である三次元治療計画と，近年の臨床的な普及がめざましいIMRTを中心に解説した．粒子線治療に関してもわが国では設置が広く進んでいるが，わが国から今後適切な方法に基づいた強度変調陽子線治療による優れた治療成績が示されることを期待している．

文　献

1) Gupta T, et al：Systematic review and meta-analyses of intensity-modulated radiation therapy versus conventional two-dimensional and/or or three-dimensional radiotherapy in curativeintent management of head and neck squamous cell carcinoma. Pros One 13：e0200137, 2018
2) 日本頭頸部癌学会（編）：頭頸部癌診療ガイドライン 2022年版，金原出版，東京，p23, p133-134, 2022
3) Nishimura Y, et al：A phase II study of adaptive two-step intensity-modulated radiation therapy（IMRT）with chemotherapy for loco-regionally advanced nasopharyngeal cancer（JCOG1015）. Int J Clin Oncol 25：1250-1259, 2020
4) Kodaira T, et al：Results of a multi-institutional, randomized,non-inferiority, phase III trial of accelerated fractionation versus standard fractionation in radiation therapy for T1-2N0M0 glottic cancer：Japan Clinical Oncology Group Study（JCOG0701）. Annals of Oncol 29：992-997, 2018
5) Lacasa B, et al：Role of radiotherapy fractionation in head and neck cancers（MARCH）：an updated meta-analysis. Lancet Oncol 18：1221-1237, 2017
6) Pignon JP, et al：Meta-analysis of chemotherapy in head and neck cancer（MACH-NC）：an update on 93 randomised trials and 17, 346 patients. Radiother Oncol 92：4-14, 2009
7) Nguyen-Tan PF, et al：Randomized phase III trial to test accelerated versus standard fractionation in combination with concurrent cisplatin for head and neck carcinomas in the Radiation Therapy Oncology Group 0129 trial：long-term report of efficacy and toxicity. J Clin Oncol 32：3858-3866, 2014

C. 小線源治療

小線源治療とは小さな放射性物質（線源）を病変内部あるいは近傍に留置し，病変に放射線を直接照射する治療方法である．他の放射線治療と比べて線量集中性に優れており，また外部照射と異なり照射中の病変の動きに対しても線源が追従して動くため，それに関する対策の必要もない．このため，限局した病変に対して強い抗腫瘍効果を発揮するとともに，周囲臓器に対する障害を最小限に抑えることができ，美容・機能が生活に大きくかかわる頭頸部領域において有力な癌治療方法である．しかし一方で，線源供給や術者の被曝の問題，特殊な装置，治療室の整備，術者の技術習得という点で，どの施設で誰もが施行できる治療法というわけではない．

頭頸部癌の小線源治療に関して，成書によれば上咽頭や鼻腔の癌に対しても施行されているが，現在では通常，口腔および中咽頭癌に対する治療法として知られている．また，子宮癌や前立腺癌などの治療に用いられる高線量率イリジウム（Ir）線源を用いての小線源治療も行われているが，本項では治療成績や副作用などの点で長期データのある，低線量率γ線を放射する線源を用いた口腔・中咽頭癌の小線源治療について記述する．

口腔・中咽頭癌小線源治療に用いる線源

1 ^{192}Ir（イリジウム）線源

ワイヤー様の線源で，ヘアピンおよびシングルピンが用いられる（表1，図1a）．一時装着用線源として舌癌の治療に用いられる．軟らかく舌に直接挿入することができないため，まずガイドピンを刺入し，それに沿わせて線源を挿入する．

2 ^{198}Au（金）線源

粒子様の線源で，永久挿入線源あるいはモールド治療用の線源として用いる．挿入する際には専用の挿入器具（ルナー針）を用いる（表1，図1b）．口腔・中咽頭癌全般の小線源治療に使用でき，挿入が容易で患者の負担も少ないため，高齢者や合併症が多い患者にも安全に施行できる．

小線源治療の適応

1 臨床病期 T1〜T2 の口腔・中咽頭癌

- 表在型あるいは外向型病変
- 舌癌で内向型の場合，厚さ8mm程度まで
- その他の内向型癌では厚さ5mm程度まで
- それ以上の厚みがある場合には30〜40 Gy の外部照射あるいは抗癌薬を用いて縮小が得られれば適応となる

（厚みがある場合には2平面挿入や立体挿入が必要になるが，治療効果に比べ潰瘍や萎縮，骨壊死などの有害事象の危険が高く，手術に比べて小線源治療の優位性を示しにくい）

2 一部の臨床病期 T3 の口腔・中咽頭癌

- 表在型あるいは外向型病変

表1　線源の放射線特性

線源	形状	放射能（MBq）公称値	γ線の平均エネルギー（MeV）	物理的半減期	鉛半価層
^{192}Ir	ヘアピン シングルピン	740 370	0.38	73.8 日	0.3 cm
^{198}Au	粒子	185	0.41	2.7 日	0.25 cm

[Suntharalingan N, et al：Brachytherapy：physical and clinical aspects. Radiation oncology physics：A handbook for teachers and students, Podgorsak EB, et al（eds.）, IAEA, Vienna, 2005 より引用]

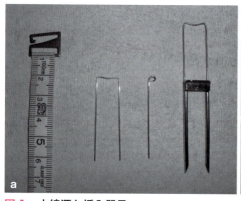

図1　小線源と挿入器具
a：^{192}Ir線源とガイドピン．
b：^{198}Au線源とルナー針．

3 術後断端陽性

なお，頸部リンパ節転移や遠隔転移がないことが原則であるが，頸部リンパ節転移に郭清術が予定されている場合や，遠隔転移はあるが症状もなく原発巣をコントロールすることでQOLを維持できると判断した場合には小線源治療を施行する場合もある．

ただし，表2においては非適応となる．

UICC第8版で口腔・中咽頭癌のTNM分類が変更されたが，小線源治療の適応についてはこれまでと同様である．

表2　小線源治療の非適応患者

- 管理区域内での生活が困難
  - 治療期間中の一定期間，放射線管理区域内に設置された治療病室への入院が必要．個室であるとともに身の回りのことは患者本人が行う必要がある
- 同意が得られない
- 妊娠中

小線源治療の実際

1 ^{192}Ir線源を用いた舌癌小線源治療

ⓐ 治療計画と事前準備

前もってParis法あるいはPaterson-Parker法を応用した方法での線源配置と線量の計画を立てる．小線源単独治療の場合，処方線量は60〜70 Gy/5〜7日とする．

線源挿入当日までに下顎骨骨髄炎防止のスペーサーの作成を行う．また線源挿入前日には経鼻的経管栄養チューブを挿入し，患者本人による薬物や栄養投与の練習を行う．

ⓑ 線源挿入

硫酸アトロピンの注射で唾液分泌量を減らして，ピオクタニンなどで線源挿入部位にマーキングした後に局所麻酔（エピネフリン入りリドカイン）を行う．

計画した線源配置部位にガイドピンを挿入する．透視でガイドピンの配列を確認したのち，^{192}Ir線源に置き換え，ガイドピンを抜去する．線源は舌に直接縫い付け，スペーサーを装着し手術を終了する．

ⓒ 線量評価と線源抜去

線源挿入後，透視装置で2方向のX線像を撮影し，専用ソフトを用いて線量計算を行う．処方線量が腫瘍を十分に取り囲みつつ，高線量域が広がらないよう，線源挿入期間を調整し，線源抜去の日時を決定する（図2）．

線源の抜去に麻酔や鎮痛薬が必要となることはほとんどなく，線源抜去後1時間程度で経口摂取でき，また退院も可能となる．

2 ^{198}Au線源を用いた小線源治療

ⓐ 治療計画

Paterson-Parker法に基づき線源個数と配置を計画する．永久崩壊で80〜90 Gyを処方線量とする．

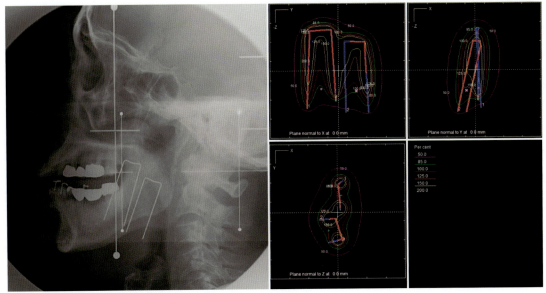

図2 舌癌 ^{192}Ir ヘアピン挿入後の X 線像と線量分布図

線源の挿入が困難な硬口蓋や歯肉癌の場合には，^{198}Au グレインを埋没させたモールドを作成し装着するモールド治療が適している．その場合には，5〜7 日間で 70 Gy を処方するように線源配置と個数を決定する．

b 線源挿入

^{198}Au グレイン挿入後も食事の経口摂取は可能であるため，鼻管の挿入などの準備は必要ない．舌癌に行う場合にはスペーサーを作成する．

線源挿入時には必要に応じて硫酸アトロピンを使用し唾液分泌を制御のうえ，ピオクタニンなどで治療計画に応じた線源挿入部位をマーキングし，局所麻酔（エピネフリン入りリドカイン）を行う．線源挿入の専用器具であるルナー針を，線源をセットした状態で粘膜下 5 mm まで挿入し，線源を留置する．

モールド治療の場合にはあらかじめ作成しておいたモールドを装着するのみの治療で，食事のとき以外には予定日時までモールドを装着する．

c 線量評価と退室基準

線源挿入後，3 方向から X 線像を撮影し専用ソフトで線量計算を行う．挿入した線源は取り出すことができないため線量計算は分布の確認のみとなる（図3）．

線源の脱落を考慮し，線源挿入後少なくとも 3 日間の放射線治療病室への入院が必要となる．モールド治療の場合には算出した予定の日時にモールドを外し退室可能となる．

治療成績と有害事象

東京医科歯科大学で ^{192}Ir 線源を用いて 1997〜2006 年に小線源治療を行った T1〜T2 舌癌 151 例の 5 年局所制御率は 83％，10 年局所制御率は 80％であった（図4a）．また，^{198}Au グレインを用いて小線源治療を行った T1〜T2 口腔・中咽頭癌 219 例の 5 年局所制御率は 82％，10 年局所制御率は 81％であった（図4b）．舌以外の口腔癌の部位別の成績を Shibuya や Takeda らが報告しており，頬粘膜癌では 13％の局所再発率，口腔底癌では 20％の局所再発率，口蓋および歯肉癌では 26％の局所再発率であった[1〜3]．

小線源治療による患者の生活の質（QOL）の変化をアンケート（QLQ-C30 と QLQ-H&N35）を用いて 1 年にわたって調べると機能面，症状面のいずれにおいても QOL の改善が認められ，特に感情や社会性，嚥下や体重減少においては治療前と比べて治療後 3 ヵ月時点ですでに著しい改善が認められていた[4]．

QOL に強い影響を及ぼすのが有害事象であるが，

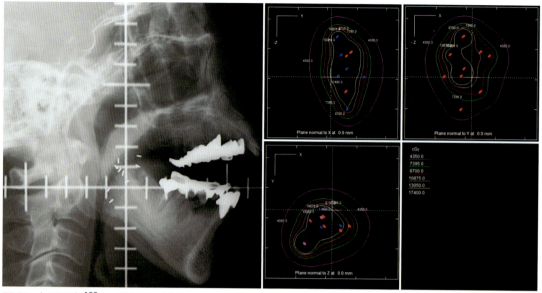

図3 中咽頭癌 ^{198}Au グレイン挿入後のX線像と線量分布図

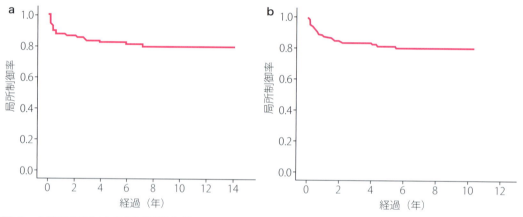

図4 小線源治療による局所制御曲線
a：^{192}Ir 線源を用いた舌癌 T1～T2 例の局所制御曲線.
b：^{198}Au 線源を用いた口腔・中咽頭癌症例の局所制御曲線.

小線源治療後の一般的な経過として，線源挿入より2週間ほど経過したのちに治療部位および近傍に粘膜炎が出現し，3週間目前後でピークに達し，その後，2～3ヵ月かけて消褪する．治療中よりアズレンスルホン酸ナトリウム水和物（アズノール®うがい液）による頻回の含嗽を促し，十分な栄養をとるとともに刺激物の摂取は避けるよう指示する．

小線源治療後の有害事象は多くが急性期の限局した症状であるが，3％程度に食事摂取が困難となる口腔潰瘍が発症する．また下顎骨障害は，舌癌でスペーサーを用いた場合にはほとんど生じない

が，口腔底癌や歯肉癌の治療後に生じることがあり，2％程度に腐骨除去などの外科治療が必要になる．

局所再発と後発頸部リンパ節転移への対応

後方視的にデータを解析すると，小線源治療後の局所再発と頸部リンパ節転移の多くは治療後2年以内に発見されている．局所再発が小さな時点で発見された場合には ^{198}Au グレインを用いた再度の小線源治療が可能である．しかし局所制御率

は約50%であり，また8%にグレード3〜4の口腔潰瘍や組織壊死，下顎骨骨髄炎が認められた[5]．

後発頸部リンパ節転移はT1〜T2N0の口腔癌でも30%前後に生じる．頸部リンパ節転移は予後に強く影響するため発見時は早急に治療を行うべきであり，その際の治療の第一選択肢は郭清術である．手術が行えない場合に放射線治療が選択されるが，治療成功率は手術の半分程度である．また口腔癌患者における頸部予防照射に関しては45〜50Gyの照射でも1/3程度の低下にすぎず，逆に郭清術時の弊害になるのではないかとも考えられており，小線源治療の際に予防照射を行う十分な検討はされていない[6〜8]．

今後の展開

癌の厚みは口腔・中咽頭癌に対する小線源治療の強い予後因子となる．今までのデータからは厚みのある口腔・中咽頭癌の患者には小線源治療での手術以上のメリットを見いだせないとして適応から除外してきたが，昨今，それでも手術以外の治療法を求める患者が後を絶たない．小線源治療だけでなく外部照射や抗癌薬など手術以外のモダリティを集学的に用いて安全に治療する方法を確立する必要がある．

文献

1) Shibuya H, et al：Brachytherapy for non-metastatic squamous cell carcinoma of the buccal mucosa. Acta Oncol 32：327-330, 1993
2) Matsumoto S, et al：T1 and T2 squamous cell carcinomas of the floor of the mouth：results of brachytherapy mainly using Au-198 grains. Int J Radiat Oncol Biol Phys 34：833-841, 1996
3) Takeda M, et al：The efficacy of gold-198 grain mold therapy for mucosal carcinomas of the oral cavity. Acta Oncol 35：463-467, 1996
4) Yoshimura R, et al：Quality of life of oral cancer patients after low-dose-rate interstitial brachytherapy. Int J Radiat Oncol Biol Phys 73：772-778, 2009
5) Yoshimura R, et al：Repeat brachytherapy for patients with residual or recurrent tumors of oral cavity. Int J Radiat Oncol Biol Phys 83：1198-1204, 2012
6) 渋谷 均ほか：口腔癌の放射線治療．JOHNS 20：225-229, 2004
7) Shibuya H, et al：Brachytherapy for stage Ⅰ＆Ⅱ oral tongue cancer：an analysis of past cases focusing on control and complications. Int J Radiat Oncol Biol Phys 26：51-58, 1993
8) Fujita M, et al：Interstitial brachytherapy for stage Ⅰ and Ⅱ squamous cell carcinoma of the oral tongue：factors influencing local control and soft tissue complications. Int J Radiat Oncol Biol Phys 44：767-775, 1999

D 粒子線治療（陽子線・重粒子線・BNCT）

近年，陽子線治療，重粒子線治療，ホウ素中性子捕捉療法（boron neutron capture therapy：BNCT）といった粒子線治療と呼ばれる放射線治療が注目を浴びている．陽子線治療および重粒子線治療は，通常の放射線治療（X線治療）と同じ外部照射に分類されるが，BNCTはまったく異なるメカニズムの治療法なので，本項では陽子線・重粒子線とBNCTに分けて解説する．なお，一般的に"粒子線治療"という用語は，陽子線・重粒子線の総称として用いられることが多いため，本項でもそれにならいたい．

陽子線・重粒子線（狭義の粒子線治療）

1 粒子線治療について

a 粒子線治療とは

粒子線治療とは放射線治療の一種であるが，通常の放射線治療で使用するビームはX線であるのに対し，粒子線治療は陽子線や炭素イオン線といったまったく性質の異なるビームを使用する．なお，炭素イオン線は単に炭素線とも呼ばれ，臨床現場で用いられる重粒子線と同義である．

X線は光子線と呼ばれる光の波で電荷や質量をもたないが，荷電粒子線である陽子線や重粒子線は電荷や質量をもつ（図1）．光子線は体表近くで線量が最大になり，深部に行くに従って減衰していくのに対し，粒子線は体表近くでは比較的低線量であるが，深部で停止する直前に最大のエネルギーを放出する（Bragg peakと呼ばれる）という物理特性をもつ．このBragg peakを腫瘍の位置・サイズにあわせて拡大すると（spread-out Bragg peak：SOBP），周囲の正常組織への線量は低く保ったまま，腫瘍へ高線量を照射することができる（図2）．

重粒子線は電離密度が高い高線エネルギー付与（linear energy transfer：LET）放射線に分類され，直接作用によるDNA損傷の比率が高いため，DNA二重鎖切断（修復されにくく，細胞死の原因となる）をより引き起こしやすい．このことにより，①生物学的効果比（relative biological effectiveness：RBE）が大きく，等物理線量を照射した場合，X線の1.2〜3.5倍の効果（RBE＝1.2〜3.5：SOBPの位

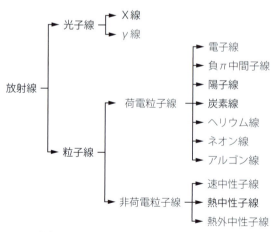

図1 放射線の種類
X線は光子線と呼ばれる光の波で電荷や質量をもたないが，荷電粒子線である陽子線や炭素線は電荷や質量をもつ．熱中性子線は非荷電粒子線に分類される．

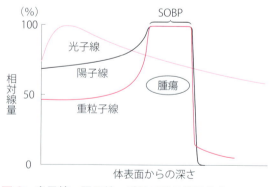

図2 光子線・陽子線・重粒子線の線量分布
光子線が体表近くで線量が最大となり，深部に行くに従って減衰していくのに対し，陽子線や重粒子線は体表近くでは比較的低線量で，腫瘍にあわせたspread-out Bragg peak（SOBP）をつくることにより腫瘍に対する高い線量集中性を得ることができる．

図3 兵庫県立粒子線医療センターの粒子線治療装置
X線リニアックと比べて非常に巨大かつ複雑である。イオン源で発生させた陽子または炭素イオンを線形加速器、次いでシンクロトロンで加速したのち、各照射室まで輸送する。固定ポート室を3室、回転ガントリー室を2室備える。

置による)、②酸素増感比が小さく、X線が効きにくい低酸素細胞にも有効、③細胞周期依存性が小さく、X線が効きにくいS後期細胞にも有効、といった生物特性を示すため、X線抵抗性腫瘍にも効果が期待できる。なお、陽子線の生物効果はX線とほぼ同等（RBE＝1.1）とされてきたが、近年の再検証にてSOBP遠位ではRBEが1.7程度まで上がることが示唆されている[1]。

b 粒子線治療装置

X線リニアックと比べて非常に巨大かつ複雑である。図3に兵庫県立粒子線医療センターの粒子線治療装置を示す。イオン源で発生させた陽子または炭素イオンを線形加速器、次いでシンクロトロンで光速の70％まで加速した後、各照射室まで輸送する。シンクロトロンの直径が30m、垂直照射ポートおよび45°照射ポートへのビーム輸送ラインの高さが20m、回転ガントリー（陽子線専用）の直径が11mである。固定ポート室を3室、回転ガントリー室を2室備えるが、ビームは1室ずつにしか輸送できないため、各室で患者セットアップを効率よく行い、ビームを次々と切り替えて照射していく。近年、粒子線治療装置（特に陽子線）のコンパクト化が進んでいるが、敷地面積のとれない都市部の施設が増えてきており、加速器室と照射室を縦置きにすることで解決している。また、粒子線の照射方法も進歩しており、従来はブロードビーム法という不必要な"ツノ"状の高線量域が発生してしまう方法が主流であったが、最新のスキャニング法ではターゲットを塗りつぶすような照射が可能なため、複雑な形状のターゲットにも対応可能で、特に頭頸部癌においてはスキャニング法が有利である（図4）。これら最新の粒子線治療装置の特徴を備えた兵庫県立粒子線医療センター附属神戸陽子線センターの装置を図5に示す。

陽子線治療装置は回転ガントリー（360°回転し、任意の角度から照射可能）を標準装備するが、重粒子線治療装置は固定ポートが標準である。また、加速器やビーム輸送系が陽子線のほうがコンパクトで済むので、導入コストは陽子線治療施設が約50〜100億円であるのに対し、重粒子線治療施設は約150億円である。

2021年4月現在、粒子線治療が可能な施設は世界に約100施設あるが、わが国では24の粒子線治療施設が稼働中（陽子線17、重粒子線6、両方1）で、粒子線治療大国といえる。

2 頭頸部癌に対する粒子線治療

『頭頸部癌診療ガイドライン2022年版』において、粒子線治療がアルゴリズムに掲載されている疾患はない（ただし、嗅神経芽細胞腫については、希少疾患のためアルゴリズムはないものの、粒子線治療の有用性に関する記載がある）。しかし、放射線治療が掲載されている疾患は多く、その一部には粒子線治療が適用できると考えられる。特に、クリニカルクエスチョンにも示されているように、上顎洞癌（CQ3-2）、唾液腺癌（CQ9-5）、小児の頭頸部悪性腫瘍（CQ12-4）に対しては、有用な治療選択肢となりうる。

2018年4月に、頭頸部悪性腫瘍（口腔・咽喉頭の扁平上皮癌を除く）に対する陽子線治療および重粒子線治療が保険収載された。なお、口腔・咽喉頭の扁平上皮癌については、陽子線治療では先進医療の対象となっているが、重粒子線治療ではそうなっておらず、どうしても受けたい場合は自由診療となる。

粒子線治療は、すべての疾患において、日本放射線腫瘍学会が定めた統一治療方針に則って治療

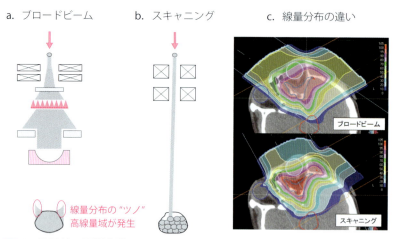

図4 粒子線の照射方法
ブロードビーム法では不必要な"ツノ"状の高線量域が発生してしまうが（a）、スキャニング法では複雑な形状のターゲットにも対応可能である（b）。上咽頭から鼻副鼻腔、頭蓋底まで広範に浸潤した腺様嚢胞癌症例におけるブロードビーム法とスキャニング法の線量分布の違い（c）。スキャニング法のほうがよりターゲット（左眼窩部の青線で描かれた病変）の形に沿った線量分布となっており、特に左側頭葉や左眼球で大きな違いがみられる。

図5 兵庫県立粒子線医療センター附属神戸陽子線センターの粒子線治療装置
敷地面積の取れない都市部にあるため、加速器室と照射室を縦置きにし、また、コンパクトなシンクロトロンおよびガントリーを備える。さらに、最新のスキャニング法に対応する。

が行われている[2]。頭頸部腫瘍における統一治療方針を**表1**にまとめた。粒子線の単位はGy（RBE）を用いるが、これはX線では〜Gy相当という意味である。また、重粒子線治療には涙腺癌および脈絡膜悪性黒色腫の記載もあるが、本項の読者との関連は薄いと考え、割愛した。まず、陽子線治療と重粒子線治療の大きな違いとして、陽子線は根治照射と術後照射の両方に対応しているのに対し、重粒子線は根治照射のみである。つまり、画像上腫瘍を指摘できない場合（術後に限らず、薬物療法が著効し、complete responseに至った場合も含む）、重粒子線は適応とならないことに注意が必要である。次に、陽子線はX線治療の延長として治療開発されてきた歴史があるため、1回線量は2〜2.7 Gy（RBE）と低めで、分割回数が多め（悪性黒色腫の週3回法を除く）、また疾患によるバリエーションがみられる（ちなみに、悪性黒色腫でも非扁平上皮癌の線量分割で治療することは許容される）。それに対して、重粒子線は当初より寡分割照射を掲げて治療開発されてきたため、1回

表 1　頭頸部腫瘍における統一治療方針

医療制度		陽子線治療	重粒子線治療
保険診療	扁平上皮癌（口腔・咽喉頭以外）	根治：70～74/35～37, 70.2/26 術後：66/33	57.6～64/16（週4回法） 根治照射のみ
	悪性黒色腫	根治：60～60.8/15～16（週3回法） 術後：30/5（週3回法）	
	嗅神経芽細胞種	根治：65～70.4/26～32 術後：66～70/33～35	
	腺様嚢胞癌	根治：65～70.2/26, 70.4～74.8/32～34 術後：66～70/33～35	
	唾液腺腫瘍	根治：65～70.2/26 術後：66～70/33～35	
	非扁平上皮癌	根治：65～70.2/26, 70.4～74.8/32～34 術後：66～70/33～35	
先進医療	扁平上皮癌（口腔・咽喉頭）	根治：70～74/35～37, 70.2/26 術後：66/33	

注1：数字は総線量（Gy [RBE]）/回数
注2：眼科腫瘍は割愛
[日本放射線腫瘍学会：粒子線治療について. https://www.jastro.or.jp/medicalpersonnel/particle_beam/（2021年4月閲覧）を参考に作成]

線量は3.6～4 Gy（RBE）と高く，分割回数は16回（週4回）固定，疾患によるバリエーションはなく，非常にシンプルである．

3 粒子線治療のエビデンス

これまでに頭頸部癌に関する粒子線治療の論文は多数報告されているが，それらのシステマティックレビュー（SR）も複数出ている．Ramaekersらは，さまざまな頭頸部癌においてX線・陽子線・重粒子線を比較するSRおよびメタアナリシス（MA）を行い，①悪性黒色腫において重粒子線の全生存はX線（従来法）と比べて有意に高い，②鼻副鼻腔癌において陽子線の局所制御はX線（強度変調放射線治療：intensity-modulated radiation therapy：IMRT）と比べて有意に高い，③コンピューターシミュレーションを用いた研究（in-silico study：ISS）では陽子線の有害事象はX線と比べて少ない傾向にある，と結論づけている[3]．鼻副鼻腔癌については，PatelらもX線・陽子線・重粒子線を比較するSRおよびMAを行い，①粒子線（陽子線・重粒子線）の全生存および無病生存はX線と比べて有意に高いが，局所領域制御は差がない，②陽子線の無病生存および局所領域制御はIMRTと比べて有意に高い，と報告している[4]．有害事象について，van de Waterらは正常組織保護の観点からX線と陽子線を比較したISSのSRを行い，①陽子線はX線と比べて，同等あるいは優れたターゲットカバーを保ちつつ，正常組織の線量を有意に低下させることができる，②スキャニング法による強度変調陽子線治療（intensity-modulated proton therapy：IMPT）が最善で，有害事象の可能性を大幅に下げることができる，と結論づけている[5]．頭頸部癌の再照射は放射線腫瘍医にとってもっとも困難な治療の1つであるが，Vermaらは陽子線治療のSRを行い，陽子線再照射による有害事象発生率はIMRT再照射と比べて優れており，さらにはIMRT初回照射と比べても優れている可能性があると報告している[6]．

重粒子線治療施設は世界的にもまだ少なく，その大半はわが国にあるため，わが国における多施設データが事実上の世界標準といえる．頭頸部癌においては，組織型別・部位別に多数の報告がなされているが，代表的な組織型である悪性黒色腫および腺様嚢胞癌について紹介する．Kotoらは悪

性黒色腫 260 例について，最多部位は鼻腔の 178 例（68％），観察期間中央値 22 ヵ月で 2 年全生存率 69％，無増悪生存率 40％，局所制御率 84％と報告している[7]．急性期有害事象は，粘膜炎グレード（G）3 が 49 例（19％），皮膚炎 G3 が 5 例（2％），晩期有害事象 G3 以上は 33 例（13％）（視力障害 18 例，顎骨壊死 8 例，粘膜炎 3 例，聴力障害 2 例，脳壊死 2 例など）であった．Sulaiman らは腺様嚢胞癌 289 例について，最多部位は鼻副鼻腔の 122 例（42％），観察期間中央値 30 ヵ月で 2 年全生存率 94％，無増悪生存率 68％，局所制御率 88％と報告している[8]．急性期有害事象は，粘膜炎 G3 が 84 例（29％），皮膚炎 G3 が 11 例（4％），晩期有害事象 G3 以上は 43 例（15％）（顎骨壊死 16 例，視力障害 15 例，脳壊死 6 例，出血 6 例，粘膜炎 3 例など）であった．

ホウ素中性子捕捉療法（BNCT）

1 BNCT とは

BNCT とは，患者に点滴投与したホウ素化合物（p-boronophenylalanine：BPA）が腫瘍細胞に取り込まれた状態で非荷電粒子線である熱中性子線（図 1）を照射すると，ホウ素（^{10}B）と中性子の核反応により高 LET 放射線である α 線およびリチウム粒子（^{7}Li）が発生し，腫瘍細胞を破壊するという治療法である（図 6）．最大の特徴は，α 線・リチウム粒子の飛程は約 100 μm と腫瘍細胞の直径とほぼ一致しているため，BPA を取り込んだ腫瘍細胞のみ選択的に破壊し，周囲の正常細胞にはほとんど影響を与えないということである．

従来は原子炉で発生させた中性子を使用していたが，患者を病院から原子炉施設まで搬送しなければならないという大きなデメリットを抱えていたため，病院に設置が可能な BNCT 用小型中性子発生装置の開発が進められ，2008 年に BNCT 用加速器が誕生した．

もともとは米国で始まった治療法であるが，わが国でも 1960 年代から臨床研究が行われ，2014 年までに 500 例を超えた．2012 年には世界初の加速器による BNCT の治験が始まり（まず脳腫瘍，

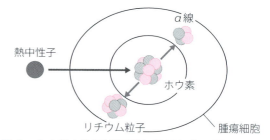

図 6　ホウ素中性子捕捉療法（BNCT）の原理
ホウ素化合物が腫瘍細胞に取り込まれた状態で熱中性子線を照射すると，ホウ素と中性子の核反応により α 線およびリチウム粒子が発生し，腫瘍細胞を破壊する．α 線・リチウム粒子の飛程は約 10 μm と腫瘍細胞の直径とほぼ一致しているため，ホウ素化合物を取り込んだ腫瘍細胞のみ選択的に破壊し，周囲の正常細胞にはほとんど影響を与えない．

次いで頭頸部癌），2020 年 6 月に切除不能な局所進行または局所再発の頭頸部癌に対する BNCT が保険収載された．わが国が世界をリードしている治療法といえる．

2 外部照射にはない利点

BNCT は放射線治療の大部分を占める外部照射（X 線・陽子線・重粒子線）にはない利点をもっている．

①治療効果の予測ができる：BNCT を希望する患者は，まず，BPA にフッ素（^{18}F）をラベルした ^{18}F-BPA を用いた PET-CT 検査を行う．この検査で腫瘍に一定以上の ^{18}F-BPA 取り込みがみられない場合は，治療を行わない．取り込みが多ければ多いほど治療効果が期待できる．

②1〜2 回の照射で終了できる：上述のごとく BNCT は腫瘍細胞のみ選択的に破壊し，周囲の正常細胞にはほとんど影響を与えない治療法であるため，1 回に大量の中性子を照射することができる．よって，頭頸部癌の場合，X 線治療だと 30〜35 回の照射が必要であるのに対し，BNCT では 1〜2 回の照射でよい．

③外部照射後の再発腫瘍に対しても使うことができる：外部照射の場合，X 線・陽子線・重粒子線を問わず，腫瘍近傍の正常臓器は腫瘍と同等の線量かその臓器の耐容線量を被曝することになり，そのダメージは基本的に一生

残るため，同一部位への再照射は非常にリスクが高くなる．しかし，BNCTの場合，外部照射後の再発腫瘍であっても特に問題なく治療することができ，これはリスク臓器の多い頭頸部癌の放射線治療において，非常に強力な武器になる．

3 BNCTのエビデンス

BNCTは上記③の利点があることから，初回治療に放射線治療が用いられた再発脳腫瘍や再発頭頸部癌を主な対象として治療開発が行われてきた．しかし，まだ施行可能施設が少なく，また，スループットが低い原子炉治療の時代が長かったため，論文数はそれなりにあるものの，まとまった症例数の報告は少ない．

頭頸部癌については，Barthらが研究グループごとの臨床成績をまとめている[9]．症例数は多いものでも62例にとどまり，その他は6～31例である．奏効率は良好で，70～90％の研究が多い．しかし，生存期間中央値（症例数が比較的多い研究のみ算出）は7.9～13ヵ月と十分とはいえない．また，Hiroseらは再発または局所進行の頭頸部癌に対する加速器ベースBNCTの第Ⅱ相試験の結果について報告している[10]．再発扁平上皮癌8例（全例に放射線治療歴あり）および再発/局所進行非扁平上皮癌13例が登録された．奏効率は71％，観察期間中央値24.2ヵ月で2年全生存率は再発扁平上皮癌が58％，再発/局所進行非扁平上皮癌が100％であった．急性期有害事象は，リンパ球減少G3が2例（10％），口腔粘膜炎G3が1例（5％），皮膚炎G3が1例（5％），頭蓋内感染G3が1例（5％），晩期有害事象G3以上は2例（10％）（頭蓋内感染1例，顎骨壊死1例）であった．

頭頸部癌に対する粒子線治療は，（一部の疾患に対してとはいえ）陽子線・重粒子線・BNCTが保険収載され，新たな段階に入ったといえる．しかし，これらの治療を受けられる施設はまだまだ限られているため，各治療のメリット・デメリットを理解し，適切な治療を適切な時期に患者に提案することが求められる．放射線腫瘍医のみならず，すべての頭頸部癌治療医にとって本項が理解の一助になれば幸いである．

📖 文 献

1) McNamara AL, et al：A phenomenological relative biological effectiveness (RBE) model for proton therapy based on all published in vitro cell survival data. Phys Med Biol **60**：8399-8416, 2015
2) 日本放射線腫瘍学会：粒子線治療について．https://www.jastro.or.jp/medicalpersonnel/particle_beam/（2021年4月閲覧）
3) Ramaekers BL, et al：Systematic review and meta-analysis of radiotherapy in various head and neck cancers：comparing photons, carbon-ions and protons. Cancer Treat Rev **37**：185-201, 2011
4) Patel SH, et al：Charged particle therapy versus photon therapy for paranasal sinus and nasal cavity malignant diseases：a systematic review and meta-analysis. Lancet Oncol **15**：1027-1038, 2014
5) van de Water TA, et al：The potential benefit of radiotherapy with protons in head and neck cancer with respect to normal tissue sparing：a systematic review of literature. Oncologist **16**：366-377, 2011
6) Verma V, et al：Systematic assessment of clinical outcomes and toxicities of proton radiotherapy for reirradiation. Radiother Oncol **125**：21-30, 2017
7) Koto M, et al：Multicenter study of carbon-ion radiation therapy for mucosal melanoma of the head and neck：subanalysis of the Japan Carbon-Ion Radiation Oncology Study Group (J-CROS) study (1402 HN). Int J Radiat Oncol Biol Phys **97**：1054-1060, 2017
8) Sulaiman NS, et al：Multicenter study of carbon-ion radiation therapy for adenoid cystic carcinoma of the head and neck：subanalysis of the Japan Carbon-Ion Radiation Oncology Study Group (J-CROS) study (1402 HN). Int J Radiat Oncol Biol Phys **100**：639-646, 2018
9) Barth RF, et al：Current status of boron neutron capture therapy of high grade gliomas and recurrent head and neck cancer. Radiat Oncol **7**：146, 2012
10) Hirose K, et al：Boron neutron capture therapy using cyclotron-based epithermal neutron source and borofalan ((10) B) for recurrent or locally advanced head and neck cancer (JHN002)：an open-label phase Ⅱ trial. Radiother Oncol **155**：182-187, 2021

化学放射線療法

頭頸部扁平上皮癌における化学放射線療法（chemoradiotherapy：CRT）は，根治的治療または外科治療の補助的手段として広く用いられている．放射線治療（radiotherapy：RT）のスキルに加えて薬物療法のマネジメント能力も求められ，必然的に多職種連携を要求される難度の高い治療手段の1つである．本項ではCRTについて総論および実臨床での注意点を含めた各論について述べる．

1 標準治療としての同時併用化学放射線療法（表1）

CRTの原点はRTである．1980年代はRTもしくは外科治療にRTを組み合わせたものが根治的治療の主流であったが，局所進行癌に対する治療成績は5年生存率20％未満と満足できるものではなかった．そこで化学療法をRTに組み合わせるというアイデアが生まれ，盛んに行われるようになった．当時は必ずしもRTと同時に行う方法だけでなく，RTの前に行う導入化学療法（induction chemotherapy：IC），もしくはRTの後に行う補助化学療法（adjuvant chemotherapy）も試行されていた．

1990年代はRTに対してどのタイミングで化学療法を行うかというのが臨床的疑問であった．CRTについてもいくつかの大規模な臨床試験が行われていたが，標準治療と位置づけされるには至らなかった．

Pignonらは，これらの臨床試験をまとめてメタアナリシスを行い，局所進行頭頸部癌の治療としてRTに比してもっとも生存上乗せ効果が高い手法は化学療法を同時に併用することであると結論づけ，CRTは非外科的治療としての標準治療と位置づけられるようになった．この結果は，後にRTとCRTを比較した第Ⅲ相試験で正当性を証明されることとなり，現在のエビデンスの根幹となっている．

a 切除可能頭頸部癌に対する喉頭温存治療としての化学放射線療法

切除は可能であるが喉頭全摘出術を避けたいという喉頭温存希望の患者に対する標準治療はCRTである．喉頭全摘が必要な局所進行喉頭癌を対象にシスプラチン（CDDP）とRTの同時併用療法群（CRT群），CDDPとフルオロウラシル（5-FU）のPF療法によるIC後のRT単独群（IC-RT群）およびRT単独群（RT群）の3群比較試験（RTOG 91-11試験）が行われ，主要評価項目である2年喉頭温存率においてCRT群がRT群に比較して有意差を

表1 標準治療にかかわる代表的な臨床試験一覧

試験名	対象	対象数	治療	主要評価項目			補足
RTOG 91-11	根治切除可能 LA-HNSCC（喉頭癌）	547	RT	2-y LPR	70%		
			CDDP-RT		88%	$P=<0.001$	
			IC→RT		75%	$P=0.27$	
Intergroup 0126	根治切除不能 LA-HNSCC	295	RT	OS	23%	—	#1 PF-RTはSpritあり
			CDDP-RT		37%	0.014	
			PF-RT#1		27%	N.S	
JCOG 1008	術後再発高リスク LA-HNSCC	261	CDDP-RT	3-y OS（非劣性）	59%	HR：0.69 (0.37〜1.27) $P=0.00272$	早期中止〈事前規定 margin〉HR：1.32 $P=0.00433$
			Weekly CDDP-RT		72%		

RT：放射線治療，CDDP：シスプラチン，IC：導入化学療法
PF：白金製剤＋5-FU，LPR：Laryngeal preservation rate，OS：生存率

もって高かったため（CRT群：88％，IC-RT群：75％，RT群70％），喉頭温存を目的とする場合はCRTが最善であることが示された[1]．本試験の追跡結果では，5年生存率（overall survival：OS）は3群間に差がないことがわかっている．これは対象が切除可能例であり，再発・遺残後の外科治療により救済されているためと解釈される．

一方，喉頭が温存されても機能が保持されない場合も臨床では見受けられ，これは従来の喉頭温存率には反映しない．その後，新たな喉頭温存の指標として気管食道機能温存率（laryngoesopha-geal-dysfunction-free survival）が提唱されており，喉頭や食道を形態だけでなく機能を温存して生存することを反映する指標として注目されている．今後，これらの新たな指標を用いることによって新規治療がCRTを優越する可能性はある．

ⓑ 切除不能頭頸部癌に対する根治治療としての化学放射線療法

外科切除が困難であり，非外科的治療しか残されていない切除不能例に対する根治治療としての標準治療は，Pignonらのメタアナリシスに加えIntergroup0126試験[2]の結果からCRTとされている．本試験はRT単独をコントロールアームとした3群比較試験である．

　A群：RT単独
　B群：CDDP（CDDP 100 mg/m^2，3週ごと，3コース）-RT
　C群：PF（CDDP 70 mg/m^2，4週ごと，3コース，5-FU 1,000 mg/m^2，4日間持続点滴，4週ごと，3コース）- split course RT

主要評価項目である生存率において，B群はA群に対して有意差をもって高く，C群とA群には有意差が認められなかったため（A群：生存期間中央値12.6ヵ月，3年OS 23％，B群：生存期間中央値19.1ヵ月，3年OS 37％，C群：生存期間中央値13.8ヵ月，3年OS 27％），切除不能例においてもCRTが標準治療であることが認められた．それと同時にCRT開始後にいったん治療を休止し，治療効果に応じて治療戦略を再考するsplit course RTは否定された．

ⓒ 根治術後の補助療法としての化学放射線療法

術後に補助的な治療を加えるかどうかについては，1990年代まではわが国と海外での方針に大きな開きがあり，わが国では一般的には術後補助RTはあまり行われていなかった．現在では世界的な趨勢にわが国が沿う形となっているため，海外での標準治療の変遷について解説する．

海外ではFletcherらが術後補助RT，もしくは術後再発に対するRTの成績を報告して以来，術後補助RTが実臨床で行われるようになったといわれている．1990年代に入りLundahlらが術後補助RTについて解析し，レトロスペクティブながら術後RTが再発の防止や生存の延長に寄与していることを証明し標準治療となった．この時期，局所進行癌においてCRTがRT単独を優越するという報告が出始めていたため，術後補助RTの領域でも化学療法併用による上乗せ効果を見込んだ試験が行われた．しかしながら，結果は否定的なものと肯定的なものが混在し，決定的なエビデンスは創出できなかった．

2000年代に入り，米国腫瘍放射線治療グループ（RTOG）と欧州がん治療研究機構（EORTC）がそれぞれ術後再発ハイリスク例に対する術後補助RTと術後補助CRTを比較する第Ⅲ相試験を行った．

RTOG 95-01試験は再発ハイリスク因子を，①顕微鏡的切除断端陽性，②リンパ節節外浸潤陽性，③2個以上の多発頸部リンパ節転移の3つのうちいずれかを有するものと定義し，主要評価項目を局所領域制御率（loco-regional control：LRC）と設定した．結果は2年LRCが術後補助CRT群で82％，術後補助RT単独群で72％であり，ハザード比0.61（95％ CI 0.41～0.91，$p=0.01$）をもって術後補助CRTが有意に局所領域の再発を抑止することがわかった．しかし，OSは両群に差はなく生存には寄与しなかった．

EORTC 22931試験は再発ハイリスク因子を，①顕微鏡的切除断端陽性，②リンパ節節外浸潤陽性，③神経浸潤あり，④静脈血栓形成あり，⑤中咽頭癌/口腔癌でレベルⅢ～Ⅳリンパ節領域に転移がある，⑤Stage Ⅲ～Ⅳ，のいずれかに当てはまるものと定義し，主要評価項目を無病生存率（disease-free survival：DFS）に設定した．結果は5年DFSにおいて，術後補助CRT群47%，術後補助RT群36%（HR 0.75，95% CI 0.52〜0.99，p＝0.04）であり，術後補助CRTが有意に再発を抑止することがわかった．本試験では生存においても術後補助CRTが有意に良好であった．

Bernierらはこれらの試験を統合解析し，術後補助CRTを行うことによって生存に上乗せ効果が期待できる因子は，切除断端陽性とリンパ節節外浸潤陽性のいずれかを有する症例であると結論づけた．これらはmajor riskと呼ばれ，他のリスク因子とは区分される．また，神経浸潤陽性など他のリスク因子については，それらが複合してある場合にはCRTが考慮される．

現在は，JCOG1008試験（詳細は後述）[3]の結果を受けて，わが国においても術後の再発ハイリスク症例に対してはCRTを行うことが一般的である．

2 放射線治療に併用する細胞障害薬

これまでに述べたCRTに関する臨床試験では，主にCDDP単剤がRTとの併用に用いられており，現在の実臨床でも一番多く使用されている．一方，欧州の一部ではCBDCA＋5-FUを標準的なレジメンと位置づけている国もある．わが国でも食道癌で用いられていたCDDP＋5-FUを頭頸部領域に応用するなど，CDDP単剤以外のレジメンも存在する．さまざまな事情を鑑み，現在ではCDDP単剤がもっともエビデンスレベルの高いレジメンであることを前提に，実臨床では白金製剤ベースのレジメンであれば許容範囲内というのが国際的な認識である．

CDDPの用量については，実臨床においてfull dose（300 mg/m^2）投与できる患者の割合は限られるため，少なくとも総投与量が200 mg/m^{2}以上となるように調節することは妥当であると考える．特段の根拠がなければ100 mg/m^2，3週ごとの投与が推奨されているが，海外では外来化学療法をベースに40 mg/m^2，毎週投与を汎用している地域もある．

a シスプラチン（CDDP）

前述のとおり，実臨床では主に100 mg/m^{2}の3週毎投与（tri-weekly），もしくは40 mg/m^{2}の毎週投与（weekly）の2つの投与スケジュールが用いられており，その優劣については，レトロスペクティブなコホート分析および無作為化比較試験の結果が報告されている．レトロスペクティブな研究では，weeklyのtri-weeklyに対する同等の有効性と優れた毒性プロファイルが示唆されている．しかし，これらの間接的な比較の解釈はさまざまな条件の違いがあるため，最終的な結論は出ていない．術後補助CRTについては，無作為化比較試験の結果より，weeklyのtri-weeklyに対する非劣勢と良好な毒性プロファイルが報告されている．

- 3600人以上の患者を登録した前向き研究のレトロスペクティブな比較分析：weeklyとtri-weeklyの両群ともLRC，2年無増悪生存率（progression free survival：PFS），グレード3以上の毒性は同程度であった．別のメタアナリシスでは，4,000人以上の患者を登録したプロスペクティブ試験において，生存率と奏効率は2つの投与スケジュール間で同等であったが，毒性（骨髄抑制，悪心・嘔吐，腎毒性など）はweeklyのほうが低頻度であった．局所進行癌の米国退役軍人約3,000人を対象としたコホート研究では，傾向スコアを用いて潜在的なバイアスを調整した結果，tri-weeklyはweeklyに比べて生存率の改善には関連せず（HR 0.94，95% CI 0.80〜1.04），腎障害，好中球減少，脱水・電解質異常，難聴のリスクを増加させた．

- JCOG1008試験[3]：局所進行頭頸部癌の中で，術後の再発リスクの高い（切除断端陽性/リンパ節節外浸潤陽性）患者を対象に，術後補助療法としてのtri-weekly CDDP（100 mg/m^2，q3w，3コース）に対するweekly CDDP（40 mg/m^2，qw）のOSにおける非劣性を検証した第II/III相試験であり，中間解析により早期にweekly CDDPの非劣勢が示されたため中止となった．3年OS（72% vs. 59%，HR 0.69，95% CI 0.37〜1.27），無再発生存率（recurrence free survival：RFS）（64% vs. 53%，HR 0.71，95% CI 0.48〜1.06），局所無再発生存率（locoregional recurrence free survival：LRFS）（70% vs. 60%，HR 0.73，95% CI

表2 カルボプラチンを同時併用した臨床試験一覧

試験名	対象	対象数	治療		主要評価項目		補足
GORTEC 94-01	LA-HNSCC	226	RT	3年OS	31%	P=0.02	
			CBDCA+5-FU-RT		51%		
GORTEC 99-02	LA-HNSCC	840	CBDCA+5-FU-RT	3-y PFS	38%	—	#1 加速放射線療法 #2 超加速放射線療法
			CBDCA+5-FU-RT #1		34%	HR：1.02 (0.84〜1.23) P=0.88	
			RT#2		32%	HR：0.82 (0.67〜0.99) P=0.04	
GORTEC 2007-01	LA-HNSCC	406	Cmab-RT	3-y PFS	41%	HR：0.73 (0.57〜0.94) P=0.015	
			CBDCA+5-FU+Cmab-RT		52%		

CBDCA：カルボプラチン，Cmab：セツキシマブ，PFS：無増悪生存率
CBDCA：70 mg/m^2，4日間，3週ごと，3コース
5-FU：600 mg/m^2，4日間，3週ごと，3コース
Cmab：400→250 mg/m^2，1週ごと

0.47〜1.13)のいずれにおいても weekly の良好な結果が報告されている．また，weekly CDDP は tri-weekly CDDP と比較して，より良好な毒性プロファイルを有しており，グレード3以上の毒性も，好中球減少（35% vs. 49%），嚥下困難（12% vs. 18%），悪心（5% vs. 13%），感染（7% vs. 12%）などと低かった．

ⓑ カルボプラチン（CBDCA）（表2）

CBDCA は CDDP よりも骨髄抑制が強いが，神経毒性，腎毒性，悪心・嘔吐が少ない．また，CDDP ほど有効ではないことを示唆する報告もあり，放射線増感剤として CDDP と同等の効果をもつかどうかは不明である．

PS が良好で CDDP に禁忌のある患者において，weekly CBDCA（AUC 1.5〜2）は RT との同時併用が許容できる薬剤と考えられている．また，CBDCA+5-FU は，CDDP が使用できない場合のもう1つの選択肢である．ただし，高齢者や重大な併存疾患のある患者は CRT ではなく，RT のみで治療するべきである．

- GORTEC 94-01 試験[4]：局所進行頭頸部癌患者を対象に，RT 単独に対する CBDCA（70 mg/m^2, day1〜4, q3w, 3コース）+5-FU（600 mg/m^2, day1〜4, q3w, 3コース）-RT の OS における優越性を検証した第Ⅲ相試験である．3年OS，3年DFS（42% vs. 20%，p=0.04），LRC（66% vs. 42%，p=0.03）のいずれにおいても CRT 群が優れていた．また，グレード3以上の粘膜炎の発生は，CRT 群で有意に高く（71% vs. 39%），血液毒性も CRT 群で高かったが，皮膚毒性は両群間で差がなかった．
- GORTEC 99-02 試験[5]：局所進行頭頸部癌患者を対象に，従来の CBDCA（70 mg/m^2, day1〜4, q3w, 3コース）+5-FU（600 mg/m^2, day1〜4, q3w, 3コース）-RT に対する CBDCA（70 mg/m^2, day1〜5, q3w, 2コース）+5-FU（600 mg/m^2, day1〜5, q3w, 2コース）-加速放射線療法，または超加速放射線療法の PFS における優越性を検証した第Ⅲ相試験である．従来の CRT と比較して，加速化学放射線療法の有益性は認められなかった．また，従来の CRT は，超加速放射線療法に比べて良好な傾向であった．グレード3以上の急性期毒性についても従来の CRT 群での発現ももっとも低い結果となった．
- GORTEC 2007-01 試験は，局所進行頭頸部癌患者を対象に，セツキシマブ（Cmab：400→250 mg/m^2, qw)-RT に対する CBDCA（70 mg/

表3 セツキシマブを同時併用した臨床試験一覧

試験名	対象	対象数	治療	主要評価項目			補足
Bonner	LA-HNSCC	424	RT	局所領域制御期間	14.9 m	HR：0.68 (0.52〜0.89) $P=0.005$	
			Cmab-RT		24.4 m		
RTOG1016	LA-HNSCC HPV＋中咽頭癌	849	CDDP-RT	5-y OS (非劣性)	85%	HR：1.45 (1.03〜2.04) $P=0.5056$	
			Cmab-RT		78%		
De-ESCALaTE	LA-HNSCC HPV＋中咽頭癌	334	CDDP-RT	重篤な毒性 (1 患者あたり)	4.81	$P=0.98$	
			Cmab-RT		4.82		
ARTSCAN III	LA-HNSCC	298	CDDP-RT	3-y OS	88%	HR：1.63 (0.93〜2.86) $P=0.086$	対象の 90% が中咽頭癌
			Cmab-RT		78%		

HPV：ヒトパピローマウイルス
Cmab：400→250 mg/m^2，1 週ごと
RTOG1016 の CDDP：100 mg/m^2，1 週ごと
De-ESCALaTE と ARTSCAN III の CDDP：100 mg/m^2，3 週ごと，3 コース

m^2，day1〜4，q3w，3 コース)＋5-FU (600 mg/m^2，day1〜4，q3w，3 コース)＋Cmab (400→250 mg/m^2，qw)-RT の PFS における優越性を検証した第Ⅲ相試験である．3 年 PFS，LRC (HR 0.54，95% CI 0.38〜0.76，$p<0.001$) ともに CBDCA＋5-FU 併用群で優れており，有意差はないものの，3 年 OS もよい傾向 (61% vs. 55%，HR 0.80，95% CI 0.61〜1.05) にあった．ただし，治療中の重度粘膜炎，栄養チューブ挿入，入院発生率が高かった．

これらの結果は，放射線増感剤としての CBDCA＋5-FU の役割を支持するものであり，CDDP が使用できない際の代替レジメンとして選択されることがある．

3 放射線治療に併用する分子標的治療薬（表3）

現在，頭頸部癌扁平上皮癌に対して効果が認められている分子標的治療薬はセツキシマブのみである．作用機序などについては割愛するが，基礎的実験で放射線に対する増感作用も示されている．

a セツキシマブ

セツキシマブ (Cmab) を併用した RT は，大規模な第Ⅲ相試験の結果から有用なレジメンの 1 つと考えられていたが，その後の検証試験の結果より，その位置づけは以前と比べ変化している．

- Bonner 試験[6]：局所進行頭頸部癌患者を対象に，RT 単独に対する Cmab (400→250 mg/m^2，qw)-RT の局所領域制御期間における優越性を検証した第Ⅲ相試験である．局所領域制御期間中央値だけでなく，OS (49.0 月 vs. 29.3 月，HR 0.74，95% CI 0.57〜0.97，$p=0.03$)，PFS (17.1 月 vs. 12.4 月，HR 0.70，95% CI 0.54〜0.90，$p=0.006$) も有意に優れていた．グレード 3 以上の毒性については，ざ瘡様皮疹および infusion reaction を除いて両群間に有意差は認められなかった．なお，レトロスペクティブなサブセット解析では，Cmab-RT の有益性は，65 歳以下，KPS 90〜100，中咽頭癌に限られることが示唆された．さらに，別のサブセット解析では，中咽頭癌の中でも p16 陽性群でより顕著であった．また，65 歳以上および KPS 60〜80 の患者では，有意差はなかったものの，RT 単独のほうが OS において有利な傾向が認められた．

Cmab-RT は，RT に伴う毒性を増加させることなく，効果において優越性を示したため，CDDP-RT に代わる新治療として期待されたが，積極的には使用されていない．Bonner 試験では RT 単独に Cmab を追加することで OS が改善されたが，

この試験では CDDP に不適格な患者が除外されていたため，この集団における Cmab の有効性は直接評価されていない．また，Cmab-RT の有効性は，CBDCA をベースにした他のレジメンとも直接比較されていない．さらに，高齢者や重篤な合併症を有する患者に対する Cmab-RT を支持するデータはなく，そのような患者には RT 単独が推奨される．

近年，Cmab-RT と CDDP-RT の大規模な比較試験の結果が相次いで報告されており，Cmab-RT の有用性が期待された集団に対しても CDDP-RT が標準治療であることが示されており，Cmab-RT の使う場面は限られつつある．

- RTOG1016 試験[7]：局所進行 HPV 陽性中咽頭癌患者を対象に，標準治療である CDDP（100 mg/m^2, q3w）-RT に対する Cmab（400→250 mg/m^2, qw）-RT の OS における非劣勢を検証した第Ⅲ相試験である．5 年 OS の非劣勢は証明されず，5 年 PFS（67% vs. 78%，HR 1.72, 95% CI 1.29〜2.29, $p=0.0002$），5 年 LRC（10% vs. 17%，HR 2.05, 95% CI 1.35〜3.10, $p=0.0005$）の悪化が報告されている．中等度から重度の急性および晩期毒性の発生率は同程度であり，消化管毒性，骨髄抑制，腎障害，難聴は少なかったが，皮膚毒性は多かった．局所進行 HPV 陽性中咽頭癌に対する Cmab-RT は CDDP-RT に対して OS における非劣性を示すことはできず，Cmab は CDDP が使用できない際の 1 つの選択肢ではあるが，CDDP が標準レジメンである．

- De-ESCALaTE 試験[8]：予後良好な局所進行 HPV 陽性中咽頭癌患者（非喫煙者または喫煙歴 10 パック年未満）を対象に，標準治療である CDDP（100 mg/m^2, q3w, 3 コース）-RT に対する Cmab（400→250 mg/m^2, qw）-RT の重篤な毒性の発生における優越性を検証した第Ⅲ相試験である．主要評価項目である治療終了後 24 ヵ月までのグレード 3 以上の重篤な毒性のイベント数は，CDDP-RT 群で 1 患者あたり 4.81, Cmab-RT 群で 4.82 であり，有意差を認めなかった（$p=0.98$）．また，明らかな 2 年 OS の低下（89% vs. 98%, HR 5.0, 95% CI 1.7〜14.7, $p=0.001$），2 年再発率の増加（16% vs. 6%, HR 3.4, 95% CI 1.6〜7.2, $p=0.0007$）が示された．Cmab-RT は CDDP-RT に比べ毒性の軽減が得られず，OS においても劣っていたため，予後良好な HPV 陽性中咽頭癌においても CDDP を用いるべきである．

- ARTSCAN Ⅲ試験[9]：局所進行頭頸部癌患者（約 90% が HPV 陽性中咽頭癌）を対象に，標準治療である CDDP（100 mg/m^2, q3w, 3 コース）-RT に対する Cmab（400→250 mg/m^2, qw）-RT の OS における優越性を検証した第Ⅲ相試験である．本試験は，予定外の中間解析の結果に基づいて早期に終了しており，Cmab-RT の CDDP-RT に対する優越性は確認できなかった．3 年 OS の優越性は証明されず，3 年局所領域再発（23% vs. 9%, HR 2.49, 95% CI 1.33〜4.66, $p=0.0036$）の増加が示された．急性毒性の発現率は類似しており，CDDP 群では，悪心，嘔吐，急性腎障害，好中球減少，嚥下障害の発生率が高く，Cmab 群では，粘膜炎，皮膚障害，ざ瘡様皮疹の発生率が高かった．

以上より，局所進行性頭頸部癌に対する Cmab-RT は，標準治療である CDDP-RT に比べて有用であることを証明することはできておらず，白金製剤が選択できない際の選択肢の 1 つではあるが，使用される機会は以前にも増して限られてきている．

4 CRT の治療効果に影響する因子

前述のとおり，CRT は臨床試験上では，局所進行癌，術後再発 major risk 例と広い範囲で RT に対して優越性を示しているが，実臨床でこれを再現するにはいくつかの条件を満たす必要がある．

a 薬剤の総投与量

RTOG 0129 試験の二次解析では，CDDP が 1 回しか投与されていない群は 2 回以上投与された群に比して生存成績が劣っており，逆に CDDP を 2 回投与された群は 3 回投与された群と比較して生存成績は劣らないという結果が出ている．CRT の治療効果は併用する CDDP の用量に依存することが多

表4　化学放射線療法と導入化学療法の比較

	局所領域制御 ハザード比（95% CI）	遠隔転移制御 ハザード比（95% CI）
導入化学療法	1.03（0.95〜1.13）	0.73（0.61〜0.88）
同時併用療法	0.74（0.70〜0.79）	0.88（0.77〜1.00）

このメタアナリシスの結果から同時併用化学放射線療法は局所制御に大きく貢献し，遠隔転移の制御に対しては局所制御ほどの恩恵はないことがわかる．

数報告されてり，少なくとも総投与量が200 mg/m^2を超えることが望ましいといわれている．

一方，CBDCA＋5-FUなどの多剤併用の白金製剤ベースのレジメンを使用する際，白金製剤の用量を減量した場合にCRTとしての効果を維持できるものなのか不明である．この理由から，白金製剤単剤より毒性が増強し減量する機会が多くなってしまう多剤併用よりもCDDP単剤のほうが推奨される．

ⓑ 施設の体制整備

RTの一定期間内での完遂，もしくは化学療法の必要用量以上の投与ができない一番の理由は，重篤な毒性の出現である．不可避なものもあるが皮膚炎，粘膜炎，悪心，嘔吐などは毒性管理で重篤化を避けることができるため，施設内で完遂の重要性を認識し協力体制をつくることが不可欠である．具体的な対策は別項に譲る．

5　化学放射線療法の課題と取り組み

本治療法は従来の治療に比べ治療成績を向上させ，従来の治療では達成できなかった進行癌の根治も可能になったが，依然としてさまざまな問題点を抱えており，標準治療とはいえ完全な治療ではない．ここではCDDP-RTの課題と新たな取り組みについて述べる．

ⓐ 晩期有害事象の懸念

全般的な毒性に関しては他項に譲るが，CRTの場合は，嚥下障害，皮膚・軟部組織障害，発声障害などの晩期有害事象が問題視されている．RTOG 91-11試験の長期追跡報告では，RT単独群の死亡原因のうち癌による死亡が48.4％，癌に関連しない死亡が16.9％であったのに対して，CRT群の死亡原因のうち癌による死亡が29.2％，癌に関連しない死亡が30.8％であった．癌に関連しない死亡には，嚥下障害による誤嚥性肺炎の繰り返しによる感染症で亡くなった患者も含まれる可能性が高く，CRTにより癌は制御できているにもかかわらず，晩期毒性によって間接的に寿命を縮めている可能性が示唆された．特に喉頭温存を目的としてCRTを選択した患者にとっては非常に不本意な結果であり，解剖学的に喉頭が温存されればよいという喉頭温存率よりも喉頭の機能も残すべきとする喉頭機能温存率のほうが効果の指標として重要であるという議論にも至っている．長期的な生存率はRT単独群，CRT群ともに同等であるため，治療開始前の患者状況に応じてRT単独も考慮すべきである．

現在，CRTによる晩期有害事象低減を目標に新たな大規模な臨床試験が開始されている．JCOG 1912試験は，局所進行頭頸部癌患者を対象に，CRT時の標準的な予防照射線量（56 Gy）に対する低減した予防照射線量（40 Gy）の治療成功期間における非劣勢を検証する国内多施設共同第Ⅲ相臨床試験である．併用薬の用法・用量の工夫だけでなく，照射方法の工夫による晩期有害事象の低減が試みられている．

ⓑ 遠隔転移に対する抑制効果（表4）

薬物療法と放射線治療によるそれぞれの局所領域の腫瘍制御効果だけでなく，相乗効果による遠隔転移の抑制効果が期待されるが，Pignonらのメタアナリシスの続報[10]では，ICは遠隔転移を有意に制御（HR 0.73，95% CI 0.61〜0.88）するが，同時併用CRTは遠隔転移を制御できるとはいえない（HR 0.88，95% CI 0.77〜1.00）．現時点では，同時併用で用いられる薬物療法に期待される効果は局所領域制御のための増感作用であるとの考えが

表5 現在進行中の免疫療法を併用した臨床試験一覧

試験名	対象	対象数	治療		主要評価項目	補足
JAVELIN H&N 100 (NCT02952586)	LA-HNSCC	697	CRT→プラセボ		PFS	中間解析の結果より試験中止
			アベルマブ+CDDP-RT→アベルマブ			
REACH (NCT02999087)	LA-HNSCC	707	fit for CDDP	CDDP-RT	PFS	
				セツキシマブ+アベルマブ-RT→アベルマブ		
			unfit for CDDP	セツキシマブ+アベルマブ-RT→アベルマブ		
				セツキシマブ-RT		
NRG-HN004 (NCT03258554)	LA-HNSCC unfit for CDDP	474	セツキシマブ-RT		OS	
			デュルバルマブ-RT→デュルバルマブ			
KEYNOTE-412 (NCT03040999)	LA-HNSCC	780	プラセボ+CDDP-RT→プラセボ		EFS	
			ペムブロリズマブ+CDDP-RT→ペムブロリズマブ			

PFS:無増悪生存率,OS:生存率,EFS:Event free survival

優勢である.

近年,免疫療法をRTに併用する臨床試験も行われている.JAVELIN H&N 100試験は,局所進行頭頸部癌を対象に,標準治療であるCDDP(100 mg/m^2, q3w, 3コース)-RTに対するアベルマブ(10 mg/kg, q2w→maintenance for up to 12 month)を併用したCDDP-RTのPFSにおける優越性を検証した第Ⅲ相試験である.中間解析にて,mPFSは,アベルマブ群未到達(95% CI 16.9ヵ月〜推定不能),プラセボ群未到達(23.0ヵ月〜推定不能)であったため,主要評価項目であるPFSの有意な改善を示す可能性が低い(HR 1.21, 95% CI 0.93〜1.57, p = 0.92)ことが示されたため中止となっており,遠隔転移に対する抑制効果も確認されていない.現在も複数の試験が進行中であり,今後の結果が期待される.

6 化学放射線療法の役割

CRTは非外科的根治治療として切除可能・不能局所進行癌においてゆるぎない標準治療の地位を獲得し,術後補助療法としてもCRTがその効果を発揮するようになった.さらに,ICに続く治療,免疫療法との併用などのCRTの開発が進んでいる(表5).CRTは,非外科的根治治療を手術療法とほぼ同等の成績にまで引き上げた功績の大きい治療である.しかしながら,それは適切な抗癌薬の用量・用量と確実なRTによって支えられたものであり,形だけのCRTを行っても根治は望めない.治療強度の高い治療にはそれに相応する支持療法を用意したうえで,安全に治療を患者に提供することがわれわれに求められる責務である.

文 献

1) Forastiere AA, et al : Concurrent chemotherapy and radiotherapy for organ preservation in advanced laryngeal cancer. N Engl J Med 349:2091-2098, 2003
2) Adelstein DJ, et al : An intergroup phase Ⅲ comparison of standard radiation therapy and two schedules of concurrent chemoradiotherapy in patients with unresectable squamous cell head and neck cancer. J Clin Oncol 21:92-98, 2003
3) Kiyota N, et al : Phase Ⅱ/Ⅲ trial of post-operative chemoradiotherapy comparing 3-weekly cisplatin with weekly cisplatin in high-risk patients with squamous cell carcinoma of head and neck (JCOG 1008). J Clin Oncol 38:issue 15_suppl, abs.6502, 2020
4) Calais G, et al : Randomized trial of radiation therapy versus concomitant chemotherapy and radiation therapy for advanced-stage oropharynx carcinoma. J Natl Cancer Inst 15:2081-2086, 1999
5) Bourhis J, et al : Concomitant chemoradiotherapy

6) Bonner JA, et al : Radiotherapy plus cetuximab for squamous-cell carcinoma of the head and neck. N Engl J Med **354** : 567-578, 2006
7) Gillison ML, et al : Radiotherapy plus cetuximab or cisplatin in human papillomavirus-positive oropharyngeal cancer (NRG Oncology RTOG 1016) : a randomised, multicentre, non-inferiority trial. Lancet **5** : 40-50, 2019
8) Mehanna H, et al : Radiotherapy plus cisplatin or cetuximab in low-risk human papillomavirus-positive oropharyngeal cancer (De-ESCALaTE HPV) : an open-label randomised controlled phase 3 trial. Lancet **5** : 51-60, 2019
9) Gebre-Medhin M, et al : ARTSCAN Ⅲ : a randomized phase Ⅲ study comparing chemoradiotherapy with cisplatin versus cetuximab in patients with locoregionally advanced head and neck squamous cell cancer. J Clin Oncol **1** : 38-47, 2021
10) Pignon JP, et al : Meta-analysis of chemotherapy in head and neck cancer (MACH-NC) : an update on 93 randomised trials and 17,346 patients. Radiother Oncol **92** : 4-14, 2009

versus acceleration of radiotherapy with or without concomitant chemotherapy in locally advanced head and neck carcinoma (GORTEC 99-02) : an open-label phase 3 randomised trial. Lancet Oncol **13** : 145-153, 2012

動注化学放射線療法

　動注化学療法は頭頸部癌に導入されて60年以上の歴史があり，わが国では1960年代に「三者併用療法」として広まった[1]．1990年代には最新のinterventional radiology（IVR）の技術を取り入れた超選択的動注療法が開発されたことにより再び注目され，現在，多くの施設で行われている．

動注化学療法の歴史

　動注化学療法は，1950年にKloppらにより初めて報告された．わが国では1960年代前半から上顎洞癌を中心に導入され，Satoらが「三者併用療法」として，浅側頭動脈より逆行性に挿入したカテーテルからフルオロウラシルの動注，照射および洞内の搔爬と，その後に上顎を温存する手術を行い，50％を超える良好な生存率を報告し，広く日本中で行われるようになった[1]．
　しかし，この方法にはいくつかの欠点や限界があった．カテーテルの位置は色素で染まった領域から推測して決定するため正確さに欠けることや，カテーテルを留置しておくため，位置のずれ，感染，閉塞といったトラブルが多かった．また，T4例の成績は不良で，それは顎動脈以外の血管からも栄養されるような腫瘍の場合，薬剤が到達しない部分が生じるためと推測される．三者併用療法は現在でも多くの施設で行われているものの方法は施設により異なり，予後も施設による差が大きい．
　その後，IVRの進歩により比較的安全に腫瘍の栄養血管へカテーテルを「超選択的（superselective）」，つまり，外頸動脈から分枝した血管に選択的に挿入することができるようになった．米国のRobbinsらが大量のシスプラチンを超選択的に動注し，そのシスプラチンをチオ硫酸ナトリウム（sodium thiosulfate：STS）にて中和することにより週1回の動注を安全に行えることを明らかにし，さらに照射と併用して進行癌において90％を超える完全奏効（CR）率を報告した[2,3]．その報告により動注化学療法は再び注目されるようになり，わが国でも広まっていった[4]．
　シスプラチンをSTSで中和する方法はわが国では肝臓癌で最初に報告され，頭頸部癌では1984年に古川らが最初に報告している．この方法は，選択的に動注された薬剤が腫瘍内を通過したfirst passの効果のみを期待したもので，2回目以降に通過したときの効果は期待せず，ただちに解毒して副作用を軽減する．
　オランダで口腔，中・下咽頭，喉頭癌を対象として，照射との併用療法としてシスプラチンの動注と静注のランダム化比較試験が行われ（図1）[5]，原発およびリンパ節転移の制御率，全生存率いずれも両群に差がなく，有害事象は腎障害が静注群に多く，神経障害が動注群に多い結果であった．

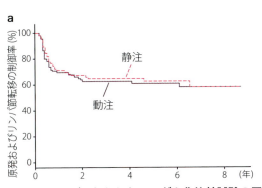
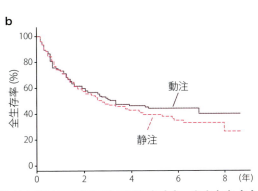

図1　オランダで行われたランダム化比較試験の原発およびリンパ節転移の制御率（a），全生存率（b）
[Rasch CR et al：Cancer 116：2159-2165, 2010 より引用]

差が出なかった原因は，照射の感受性が高い中咽頭が多く含まれていた（63％）こと，両側から動注した例が57％あり，技術的な理由で外頸動脈本幹から動注した例も多かったことによるのではないかと考察されている．腫瘍が片側に限局し腫瘍体積が30 mL以上であれば動注群のほうがよい成績が得られていたが，この試験の結果により，本治療は欧米では行われなくなっている．

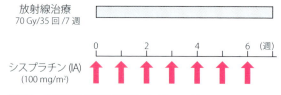

図2 JCOG1212試験スケジュール

動注化学放射線療法の実際

1 概念

動注化学放射線療法とは，大量シスプラチンの超選択的動注療法と放射線治療の同時併用療法（radiationとcisplatinをあわせた造語であるRAD-PLATと呼ばれる）を指す．RADPLATは，大量の抗癌薬の動注と根治線量の照射を併用し殺細胞効果を期待する治療で，「三者併用療法」が少量の照射により細胞性免疫能を賦活化ないし維持することを目的とするのとは異なるコンセプトである．

シスプラチンは頭頸部癌に感受性が高く，他の化学療法薬に比べて癌細胞への放射線の増感作用が高く，しかも正常組織への傷害が少ないという利点を有する．そのため，現在でも化学放射線療法の中心的な薬剤であるが，RADPLATは頭頸部癌のkey drugであるシスプラチンをSTSにて中和し副作用を軽減できることを利用して，局所に集中的に大量のシスプラチンを投与し，抗腫瘍効果および放射線の増感作用を期待する方法である．

2 投与量

Robbinsらはphase I study[6]によりシスプラチンの推奨投与量を150 mg/m^2/回×4回と設定したが，わが国では横山らが100 mg/m^2/回で安全に行えること，そして良好な成績を報告したため[4]，100 mg/m^2/回×4回で行う施設が多い．しかし，そのスケジュールが至適であるかの検討は不十分であった．その問題に答えるべく，後述するJCOG1212試験では，100 mg/m^{2}を1回投与量として，投与回数を決める用量探索試験を行った[7,8]（図2）．18人の患者が用量探索相に登録され，登録患者の年齢の中央値は64歳（40〜75歳），16人がT4aN0M0，2人がT4bN0M0であった．18人全員に70 Gyの放射線治療が行われた．13人がシスプラチン100 mg/m^{2}を7回，5人が6回投与された．また，投与制限毒性（dose limiting toxicity：DLT）は5人に観察された（7回投与された13人中4人，6回投与5人中1人）．DLTの内訳はグレード3の肝機能障害，グレード4の血小板減少，Ccr（推定値）＜40 mL/minがそれぞれ1人ずつ，グレード3の眼の障害（網膜症，網膜剥離）が2人であった．治療関連死はなく，神経障害は発生しなかった．以上の結果からシスプラチン100 mg/m^{2}の7回投与を推奨投与回数と決定し，有効性検証相に進み現在登録中である．しかし，JCOG1212では頸部リンパ節転移のない症例を適応としていること，また，頸部への予防照射は行わないことと規定しているため原発巣のみが照射範囲であることに注意が必要である．頸部へ照射する場合，あるいは口腔，咽頭，喉頭が照射野に含まれる場合は，粘膜炎が問題となるため，このスケジュールが至適かどうかは不明であることには注意が必要である．

3 カテーテルの位置

動注は腫瘍を直接栄養している血管のみから行うのが理想である．しかし，現実には動脈は数多くの枝を分岐しており，血管は末梢になると細くなるためにカテーテルを末梢まで深く挿入すると刺激による血管攣縮や動注時の血管痛の原因となり，さらには血管が閉塞するリスクがある．また，カテーテル先端より近位側で腫瘍を栄養するような枝が出ている場合は，動注効果が不十分になる可能性がある．そのため，基本的にはやや手前から周囲組織を含めて腫瘍全体を広範にカバーする

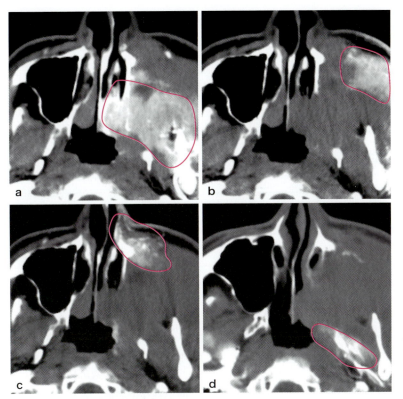

図3 上顎洞癌例のアンジオ CT
4本の血管で腫瘍全域が栄養されていることがアンジオ CT にて確認できる.
a：顎動脈, b：顔面横動脈, c：顔面動脈, d：副硬膜動脈.

ようにする．ただ，そのさじ加減は術者の技量と経験によるところが大きい．

　実際の動注では，栄養動脈と思われる血管から造影剤を注入しながら CT を撮影し（アンジオ CT, 図3），造影されない領域について順次，栄養血管を探していく．初回は必ずアンジオ CT を行って腫瘍の全域がカバーされていることを確認し，2回目以降も必要に応じ，再度アンジオ CT を行うのが理想である．アンジオ CT を用いることにより，本治療は匠の技ではなく一定以上の技量をもつ IVR 医であれば行える治療となる．

4 投与速度

　どれくらいの速度で注入するか，適切な速度や濃度に関する明確な報告はない．シスプラチンの抗腫瘍効果は下山の分類で type I b, つまり濃度依存性で一部接触時間の長短が関係するタイプと報告されており，シスプラチンの腫瘍への曝露は高濃度であるほど効果的であると考えられる．つまり，シスプラチンは本来の血流とほぼ同じ速度，すなわち，逆流するかしないかの速度で投与し，血管内にシスプラチンのみが存在する状況に近づけるのが理想と考えられる．シスプラチンは infusion pump を使用して一定の速度で注入されるため，実際には動脈内にシスプラチンを圧入することになり，腫瘍辺縁部にも多くの薬剤が到達することが期待される．

5 STS

　STS はシスプラチンを中和するために，シスプラチンの動注と同時に静注にて投与する．Robbins の原法[6,9]は，動注（シスプラチン 150 mg/m^2）と同時に STS 9 g/m^2 を 3〜5 分で静注し，その後 12 g/m^2（総投与量は，シスプラチン 100 mg に対し 14 g）を 6 時間で静注する方法である．シスプラチンを STS で中和するためには，STS はシ

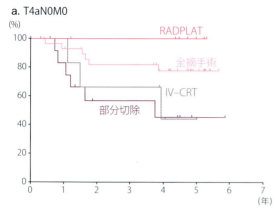
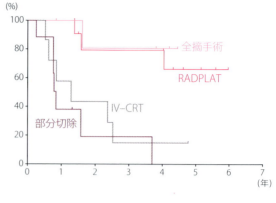

図4 JCOG 観察研究，治療法による粗生存率

スプラチンの 400 mol 倍以上必要とされている[10]．しかし，200 mol 倍量で目立った副作用を認めないとの横山らの報告[4]があり，200 mol 倍量（シスプラチン 100 mg に対し STS 10 g）の投与で，自験例では腎障害はほとんど認めていない．しかし，血液毒性はグレード 3 以上が時に認められている．宮城県立がんセンターで Robbins の原法の約 1.5 倍（シスプラチン 100 mg に対して STS 20 g）を動注開始と同時に速やかに静注することにより，治療コンプライアンスが良好で，有害事象発生率も低かったため，JCOG 1212 試験でもこの方法を採用している．

6 治療成績・適応

上顎洞扁平上皮癌について，日本臨床腫瘍研究グループ（Japan Clinical Oncology Group）の頭頸部がんグループを中心に 28 施設が参加し，後ろ向き観察研究が行われた[11]．手術を主体として治療された T4aN0M0 患者 30 例の 3 年生存率は 81.9％と，部分切除（三者併用療法を含む），静注化学療法と照射の併用療法（Ⅳ-CRT）による 3 年生存率 57.1％，66.7％よりも良好であった．一方で，RADPLAT が行われたのは 6 例と少なかったが，全例生存していた[9]（図 4a）．T4bN0M0 では，切除可能と判断され手術が行われた 6 例の成績は良好であったが，部分切除，Ⅳ-CRT ともに成績は不良で，RADPLAT は 10 例に行われ，手術以外の治療ではもっとも良好であった（図 4b）．以上の結果をもとに，上顎洞原発扁平上皮癌 T4aN0M0，T4bN0M0 に対してシスプラチンの超選択的動注と放射線同時併用療法の用量探索および有効性検証試験（JCOG1212）を開始した．

RADPLAT の適応については，血管支配が比較的単純な上顎洞，舌根の局所進行癌は多くの施設で良好な成績が報告されており，よい適応と考えられている．舌は動注を行いやすい部位であるが，下顎骨壊死などの晩期合併症のリスクが高い．喉頭，下咽頭については良好な成績がいくつかの施設から報告されている．ただ，下咽頭は N2b-3 では原発巣が制御されても遠隔転移が多く，適応は限定される．また，支持療法の進歩などにより強力な導入化学療法，化学放射線療法を確実に行えるようになり，機能・形態を温存しつつ良好な治療成績が得られるようになってきた．そのため，上顎洞以外では，特殊な技術を必要とし，手間暇がかかる RADPLAT の適応となる症例は少なくなってきている．

7 なぜ，わが国では行われている？

なぜ，今まで明確に有用性を示すことができず，高いレベルのエビデンスがない RADPLAT がわが国では多くの施設で行われているのだろう？考えられる理由は，選択的に動注することにより抗癌薬の量を少なくできたり，STS で中和することにより副作用を軽減できる RADPLAT が魅力的だったりしたことである．わが国では以前は上顎

洞癌の発生数が多く，三者併用療法が広く行われ，動注療法の成功体験があることに加え，動注という細かな職人的な技術は日本人が得意とするところであり，エビデンスレベルは低いものの単施設からの良好な成績の報告は多くあり，動注化学療法への期待があるものと思われる．

しかし，今のまま続けていてはわが国だけの独特の治療という位置づけのままである．そのため，JCOG1212のような前向きの多施設共同試験にて動注化学療法の有用性を検証していかなくてはならない．

文献

1) Sato Y, et al：Combined surgery, radiotherapy, and regional chemotherapy in carcinoma of the paranasal sinuses. Cancer 25：571-579, 1970
2) Robbins KT, et al：Rapid superselective high-dose cisplatin infusion for advanced head and neck malignancies. Head Neck 14：364-371, 1992
3) Robbins KT, et al：A targeted supradose cisplatin chemoradiation protocol for advanced head and neck cancer. Am J Surg 168：419-422, 1994
4) 横山純吉ほか：二経路投与法による超選択的動注療法．頭頸部腫瘍 24：18-24, 1998
5) Rasch CR, et al：Intra-arterial versus intravenous chemoradiation for advanced head and neck cancer：results of a randomized phase 3 trial. Cancer 116：2159-2165, 2010
6) Robbins KT, et al：Phase Ⅰ study of highly selective supradose cisplatin infusions for advanced head neck cancer. J Clin Oncol 12：2113-2120, 1994
7) Homma A, et al：Dose-finding and efficacy confirmation trial of superselective intra-arterial infusion of cisplatin and concomitant radiotherapy for patients with locally advanced maxillary sinus cancer (JCOG1212, RADPLAT-MSC). Jpn J Clin Oncol 45：119-122, 2015
8) Homma A, et al：Dose-finding and efficacy confirmation trial of the superselective intra-arterial infusion of cisplatin and concomitant radiotherapy for locally advanced maxillary sinus cancer (Japan Clinical Oncology Group 1212)：Dose-finding phase. Head Neck 40：475-484, 2018
9) Robbins KT, et al：Supradose intra-arterial cisplatin and concurrent radiation therapy for the treatment of stage Ⅳ head and neck squamous cell carcinoma is feasible and efficacious in a multi-institutional setting：results of Radiation Therapy Oncology Group Trial 9615. J Clin Oncol 23：1447-1454, 2005
10) 岩本幸英ほか：拮抗中和剤に焦点を合わせた化学療法：cis-diamminedichloroplatinum（Ⅱ）と sodium thiosulfate の組み合わせを中心に．癌と化療 12：766-772, 1985
11) 本間明宏ほか：上顎洞原発扁平上皮癌T4症例の多施設による後ろ向き観察研究．頭頸部癌 39：310-316, 2013

G. 内用療法

内用療法は，放射性同位元素（radio isotope：RI）を組み込んだ薬剤を，経口的あるいは経静脈的に投与し，治療効果を発現させる放射線治療の一種である．RI より放出された放射線（図1）のうち，主に α 線，β 線により治療効果を発揮する．頭頸部癌（甲状腺癌を含む）の内用療法は，甲状腺乳頭癌や甲状腺濾胞癌に対する ^{131}I，骨転移の疼痛緩和に対する ^{89}Sr（メタストロン®）があるが，^{89}Sr は 2019 年 2 月に原材料の確保が困難で製造中止となったため，現在は施行することができない．褐色細胞腫・パラガングリオーマに対して使用可能となった ^{131}I-MIBG は，甲状腺髄様癌に対して未承認で，甲状腺乳頭癌や甲状腺濾胞癌に対する ^{211}At が医師主導治験（第 I 相）を行っている（表1）．α 線，β 線は透過性が低く，それぞれ数 mm のアルミ板で容易に遮蔽が可能である．^{131}I と ^{131}I-MIBG は γ 線も放出するが，γ 線は透過性が高く，遮蔽には鉛や厚い鉄の板を要する．γ 線は病巣線量にはほとんど寄与しないものの，公衆被曝の観点から放射線治療病室への入院を要する．γ 線は，γ カメラにてシンチグラムやスペクト（single photon emission computed tomography：SPECT）画像を撮像可能であり，簡便に体内分布を知ることが可能である．いずれの放射性治療薬も放射線管理区域内で投与する必要がある．

^{131}I

甲状腺濾胞細胞はナトリウム・ヨードシンポータ（NIS）を発現している（図2）．正常組織と比較して弱いが，濾胞細胞由来である乳頭癌と濾胞癌も NIS を発現しており，ヨードを取り込む．^{131}I は生体内で，安定ヨード（^{127}I）と区別なく代謝を受け，NIS を通じて濾胞腔に取り込まれる．サイログロブリン（Tg）と濾胞腔内で結合し（有機化），甲状腺ホルモン（T_3，T_4）として血中に放出される．腫瘍の脱分化とともに NIS の発現が低下し[1]，甲状腺未分化癌では ^{131}I 内用療法が無効となる．

投与目的に応じて，呼び名と ^{131}I 投与量が変わるが実施方法はおおむね同じである．内用療法（治療），補助療法（adjuvant therapy），アブレーション（remnant ablation）に分類され（表2），CT

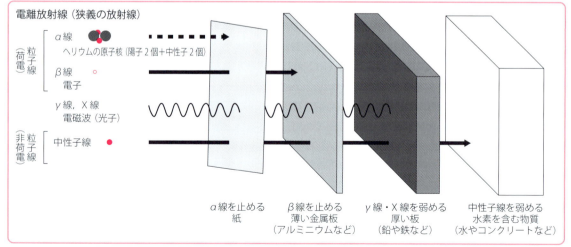

図1　放射線と種類

表1 内用療法の種類

種類	治療対象	投与方法	治療放射線	保険診療
^{131}I	甲状腺乳頭癌, 甲状腺濾胞癌	経口投与	β線	○
^{131}I-MIBG	甲状腺髄様癌, 悪性褐色細胞腫, 神経芽腫, カルチノイド	静脈注射	β線	未承認
^{211}At	甲状腺乳頭癌, 甲状腺濾胞癌	静脈注射	α線	医師主導治験

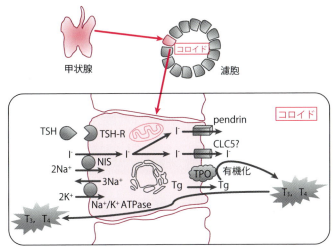

図2 甲状腺濾胞細胞におけるヨード移送

表2 ^{131}I 内用療法の分類

呼称	内用療法（治療） Cancer treatment	補助療法 Adjuvant therapy	アブレーション Remnant ablation
対象	肉眼的腫瘍残存や遠隔転移が存在する患者	画像では確認できないが, 顕微鏡的遺残が示唆される患者	甲状腺全摘後の残存腫瘍がない患者
目的	治療	再発予防	経過観察の単純化
投与量	100～200 mCi	50～150 mCi	30 mCi

などで肺や骨に標的となる転移病変がある場合には内用療法と呼び, 100～200 mCi（1 mCi＝37 MBq）の ^{131}I 投与を行う. 放射線治療病室の退室可能となる線量が決まっており, 転移病巣の集積量や代謝・排泄速度に応じて, 入室期間（約3～7日）が異なる. 北米においては, 1～5 mCi 程度の診断量 ^{131}I を投与したのちに赤色骨髄の吸収線量が 200 cGy を超えない範囲で投与可能な最大放射能量（最大骨髄耐容線量 maximum tolerated activity：MTA）を計算し, 初回治療時に用いる方法が行われる. この MTA 法では投与量が時に 300～400 mCi を超えるため, わが国においては治療病室の1日最大使用量の制限などから標準化することは困難である. 補助療法は画像診断で確認できないが, 顕微鏡的な残存腫瘍が示唆される患者における癌細胞の破壊を目的としている. 甲状腺乳頭癌や甲状腺濾胞癌の高リスク患者における再発予防を目的としており, 治療病室入室のうえで 50～150 mCi の ^{131}I 投与投与を行う. 残存腫瘍がないと考えられる患者における正常濾胞細胞除去目的は, アブレーションと呼ぶ. 残存甲状腺組織の破壊を意味し, 外来にて 30 mCi の ^{131}I 投与を行う.

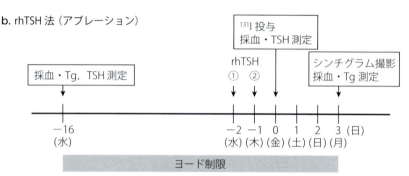

図3 ¹³¹I投与スケジュール例

1 実施方法

¹³¹Iは甲状腺癌組織より正常甲状腺に強く集積するため，投与前に甲状腺全摘が必要となる．手術が葉切除や亜全摘にとどまっている場合には残存甲状腺の補完切除を必ず行う．投与スケジュール例を図3に示す．安定ヨードは¹³¹Iと競合するため，2〜4週間のヨード制限も行う．安定ヨードは昆布，ワカメ以外にも多くの海産物に含まれる．だし汁やスポーツ飲料，寒天，イソジン，赤色3号が添加されている医薬品などには注意を要する．各種小冊子などを利用し，ヨード制限を患者に理解してもらうことが重要であり，必要に応じてヨード制限目的の入院も検討する．¹³¹I投与日の尿中ヨウ素濃度は，アブレーション時の前頸部¹³¹I摂取率と負の相関が知られており，ヨード制限の成否は¹³¹I集積に大きく影響する．

加えて，休薬法による内因性甲状腺刺激ホルモン（TSH）刺激でヨード取り込みを促進させる．具体的には4週間前からのLT₄製剤（チラーヂン®）休薬と半減期の短いLT₃製剤（チロナミン®）投与，2週間前からはLT₃製剤も休薬し，¹³¹I内服後3〜5日でLT₄製剤を再開する．アブレーションの場合に限り，rhTSH（タイロゲン®）を用いることが可能である．rhTSH使用により，ヨード制限を要するがLT₄製剤の休薬は必要とせず，倦怠感，便秘，心不全，腎機能低下などの甲状腺機能低下症状を回避することができる．

2 治療効果判定と治療法の変更

アブレーションでは，¹³¹I投与3〜7日後にシンチグラムを撮像し，予期しない転移病巣への集積がないかを確認する．半年後に確認シンチグラム撮影を行い，甲状腺床が破壊できたかを判定する（図4）．血清Tg値は体内に存在する甲状腺組織量を反映するので，アブレーションを施行した患者では鋭敏な腫瘍マーカーとなる．血清Tg値はTSHの影響を強く受けるため，日常臨床におけるTSH抑制下と，内因性TSHやrhTSH刺激下のTg試験を区別する必要がある．しかし，患者の30%程度で抗Tg抗体が存在し，血清Tgは正確な値とはいえず，腫瘍マーカーとしての意義はなくなる．

内用療法終了後は，治療標的病変を含むシンチグラムとCTなどの形態画像評価に加えて，血清Tgによるモニタリングも行う．¹³¹I投与3〜7日後のシンチグラムにて集積を認める場合は治療効

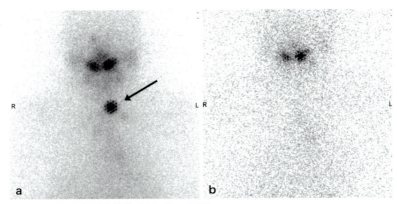

図4 甲状腺乳頭癌術後（68歳，女性）
a：アブレーション時に撮影したシンチグラム（30 mCi）．頸部甲状腺床に ^{131}I の集積を認める．
b：半年後の確認シンチグラム（3 mCi）．頸部の集積は確認できない．

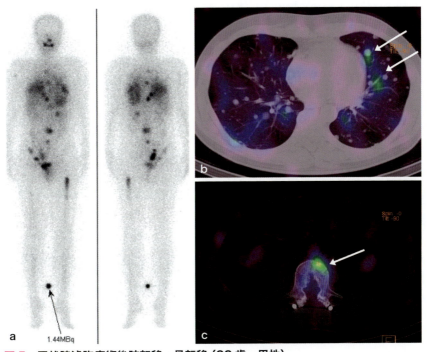

図5 甲状腺濾胞癌術後肺転移・骨転移（38歳，男性）
^{131}I 150 mCi 投与後4日目のプラナー像（a）にて両肺のびまん性集積と骨への点状集積を認める．SPECT/CT 画像にて集積している肺（b）と骨（c）の腫瘍を固定できる．多数の小さな肺転移部分は集積を確認できない．本例では，脊椎転移に対し椎弓切除による除圧と外照射，ゾレドロン酸水和物酸（ゾメタ®）投与も行った．

果を期待できる．^{131}I 集積の消失は，病変部への ^{131}I 取り込みの消失を意味するが，必ずしも病変の消失は意味しない．内用療法を反復していく中で腫瘍の脱分化が進み，^{131}I の集積を認めない病巣が出現することがある．標的病巣が小さい場合，部分容積効果によりシンチグラムでは捉えられないので留意する（図5）．長径10 mm を超える病変の評価には，固形癌の治療効果判定のためのガイドライン（RECIST）も用いる．甲状腺癌の肺転移では多数の微小結節を呈する症例も多く，RECIST の対象とならないことも多い．シンチグラム，血清 Tg，RECIST などを組み合わせ，総合的に治療

効果の判断を行う．①^{131}I が標的病巣に無集積，②明瞭な集積を認めるが腫瘍の増大，③積算投与量が 600〜800 mCi を超える場合には ^{131}I 内用療法の終了を考える．終了後は内用療法抵抗性として，別項の分子標的治療を検討する．

3 有害事象と禁忌

有害事象は急性期合併症と晩期合併症に分けられる．急性期合併症には唾液腺炎，放射線甲状腺炎，放射線宿酔による悪心・嘔吐などがある．唾液腺炎は耳下腺で起こりやすく，^{131}I 内服翌日から数日で一過性の有痛性腫脹をみる．非ステロイド抗炎症薬（NSAIDs），ステロイド，クーリングなどを行う．甲状腺床に残存甲状腺組織が多い場合には，放射線による炎症と組織の急激な崩壊による頸部腫脹，疼痛を生じることがある．反回神経麻痺の症例では上気道閉塞に至ることがあり注意を要する．rhTSH を用いた場合，嘔気，めまい，頭痛などを訴えることがあるが，多くは軽微である[2]．晩期合併症として口腔乾燥，不妊，肺線維症，二次発癌などがある．口腔乾燥には人工唾液（サリベート®）による保湿や塩酸ピロカルピン（サラジェン®）の投与を行う．性腺機能の低下は女性のみでなく男性にも発生する．投与後 1 年間の避妊が推奨されているが，積算投与量 380 mCi を超えると永久的不妊の可能性が高まるため[3]，挙児希望の場合には受精卵凍結や卵子凍結，精子バンクなどの利用を考慮しておく．二次発癌のリスクが白血病や造血器の腫瘍で高まるとの報告もみられる．

^{131}I は腎排泄であり，透析患者では体内残留量が多くなる．放射線障害の増加と公衆被曝の観点から禁忌となる．妊娠中や授乳中断ができない患者も禁忌である．呼気中にも排泄されるため，換気に注意が必要である．微量ながら喀痰中へも排泄があり，気管切開中の患者であれば，カニューレの自己管理可能な状態が望ましい．

^{131}I-MIBG

^{131}I-MIBG はノルアドレナリントランスポータ（Uptake-1）を介し，組織内に取り込まれる．Uptake-1 は神経終末や肺胞上皮に発現しており，発生学的に神経堤由来の甲状腺傍濾胞細胞が癌化する甲状腺髄様癌は，^{131}I-MIBG の集積能を有する．^{131}I-MIBG は甲状腺髄様癌の転移検索のための検査薬（20 MBq）として用いられているが，諸外国では手術不能な甲状腺髄様癌や悪性褐色細胞腫，カルチノイド，神経芽細胞腫などの臨床症状緩和と腫瘍縮小を目的として，治療にも使用されている．至適投与量は定まっていないものの，100〜200 mCi を反復投与する方法が一般的である．なお，国内第 II 相試験が終了し，2021 年 11 月より MIBG 集積陽性の治癒切除不能な褐色細胞腫・パラガングリオーマに対して使用可能となったが，甲状腺髄様癌に対しては未承認である．妊娠・授乳中，期待余命が短い，腎機能障害，骨髄機能が悪い場合には禁忌となる．

^{131}I-MIBG 内用療法は，投与前に甲状腺全摘処置は必要とせず，残存甲状腺がある場合はヨードブロックによる甲状腺保護を行う．ヨードブロックは ^{131}I-MIBG 注射前の 2，3 日前から治療 7〜14 日後までヨウ化カリウム 300 mg/日もしくは複方ヨード・グリセリン 1.5 mL/日内服を行う．

^{211}At

^{211}At（アスタチン）は原子番号 85 のハロゲン族元素で，周期表ではヨウ素の下に位置する．ヨウ素に似た科学的特徴を有し，NIS（図 2）により甲状腺濾胞細胞に取り込まれると考えられている．^{131}I から生じる β 線は DNA の一本鎖のみ切断するのに対し，^{211}At による α 線は電子の 7,200 倍重いヘリウム原子核により，DNA 二本鎖を高確率に切断することで治療効果を発揮させる．2022 年 1 月現在で前臨床段階の甲状腺癌モデルに対して治療効果が証明されており[4]，分化型甲状腺癌に対して第 I 相の医師主導治験が行われている．今後，その臨床応用が期待される．

文献

1) Chung JK：Sodium iodide symporter：its role in nuclear medicine. J Nucl Med **43**：1188-1200, 2002
2) Enomoto K, et al：Strong neck accumulation of 131I is a predictor of incomplete low-dose radioiodine

remnant ablation using recombinant human thyroid-stimulating hormone. Medicine (Baltimore) **94**: e1490, 2015
3) Rosário PW, et al: Testicular function after radioiodine therapy in patients with thyroid cancer. Thyroid **16**: 667-670, 2006
4) Watabe T, et al: Enhancement of 211At uptake via the sodium iodide symporter by the addition of ascorbic acid in targeted α-therapy of thyroid cancer. J Nucl Med **60**: 1301-1307, 2019

H 緩和的放射線治療

　頭頸部癌の増悪はquality of life（QOL）の低下に直結し，疼痛や出血，嚥下障害，気道閉塞，自壊とそれによる悪臭などをきたす．頭頸部癌に対する初期治療は，多くの場合外科治療または（化学）放射線治療になる．放射線治療は1回1.8〜2 Gy程度で総線量60 Gy以上の根治線量の投与が望ましいとされるが，著しい進行例や高齢者，全身状態不良例，併存症や頭頸部への放射線治療歴を有する症例，根治的治療拒否例などでは，その適応にならない場合がある．そのような場合に緩和的放射線治療は有効な選択肢の1つである．近年，分子標的治療薬や免疫チェックポイント阻害薬などの薬物療法を始めとした治療モダリティの発達により，頭頸部癌患者の予後は延長してきている．このため，今後は担癌生存期間の延長や二次原発癌の増加という傾向が予想される．わが国の高齢化社会の進行も考慮すると，緩和的放射線治療が果たす役割はこれから大きくなってくるものと考えられる．

　悪性腫瘍に対する治療の目的は「予後の延長」と「QOLの維持・向上」の2つであり，両者のバランスを考慮した治療方針の決定が必要である．緩和的放射線治療は後者をより重視する治療であり，必ずしも予後の延長を目的とはしない．このため遠隔転移や重複癌を有する症例も適応になる．また治療の対象は扁平上皮癌に限定されない．

　根治的放射線治療の適応外である症例に対する標準治療は確立されておらず，緩和的放射線治療に関するエビデンスレベルの高い推奨レジメンは少ない．NCCNガイドラインでは5つの治療レジメンが推奨されている（表1）．非根治的な治療を受けた患者の多くは予後が半年程度である[1]．予後不良な症例では治療回数が少ないほうが好ましいと考えられるが，頭頸部癌に対する1回線量を上げた寡分割照射は粘膜炎や皮膚炎などの急性期有害事象が問題となる．緩和的放射線治療の対象となる患者の状態はさまざまだが，QOLの維持・向上という観点からは，極力これらの有害事象を

表1 NCCNガイドラインで推奨されている緩和的放射線治療レジメン

- 50 Gy/20回
- 37.5 Gy/15回（許容できる場合はさらに12.5 Gy/5回追加）
- 30 Gy/10回
- 30 Gy/5回（1週間に3日以上の間隔をあけて2回）
- QUAD shot

回避した治療レジメンを選択する必要がある．以下，緩和的放射線治療に用いられる代表的な治療レジメンを紹介する．なお，特段の記載がない限り，すべて後ろ向きの研究報告である．

代表的な治療レジメン

1 QUAD shot（1回線量3.5〜3.7 Gy）

　もともと骨盤部腫瘍に対する緩和的放射線治療の選択肢として提案された治療レジメンである（RTOG 8502）．1回3.5〜3.7 Gyを6時間以上の間隔をあけて，1日2回，2日間行う治療を1コースとし，4週間程度の間隔をあけて繰り返す（図1）．3コースの完遂を目標として治療を行った報告が多い．頭頸部癌に対するQUAD shotの応用は，1990年代以降に報告されている．Parisらの第I/II相試験では，14.8 Gy/4回/2日/1コースの治療を合計3コース行った[2]．37例中21例（54%）が3コースを完遂し，39病変中30病変（77%）で縮小，33病変（85%）で症状緩和が得られた．重篤な有害事象は認められなかった．治療終了後からの生存期間平均値は4.5ヵ月であった．Corryらの第II相試験では，14 Gy/4回/2日/1コースの治療を縮小が得られるまで最大3コース行った[3]．扁平上皮癌30例中16例（53%）が3コースの治療を行い，16例（53%）で縮小が得られた．また，27例中15例（56%）で除痛が得られた．グレード2の粘膜炎と唾液腺障害は評価が可能であった27例中それぞれ3例（11%）と10例（37%）に認めら

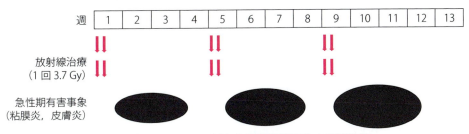

図1 QUAD shotの治療スケジュール例と急性期有害事象の出現時期

れたが，グレード3以上の有害事象は認められなかった．生存期間中央値は5.7ヵ月であった．このようにQUAD shotは歴史があり，良好な緩和効果が期待できるレジメンである．これら2つの前向き試験の報告は，主に視触診などの理学所見による標的体積設定に基づいた，二次元照射（2D-RT）のものである．近年では画像評価に基づいた標的体積設定とCTシミュレータ画像による治療計画が標準的になっており，これらを用いた三次元原体照射（3D-CRT）や強度変調放射線治療（IMRT）の報告が出てきている．Lokらは14.8 Gy/4回/2日/1コースの治療を最大5コース行った[4]．55例（73%）で1コース以上をIMRTで行った．28例（37%）で3コース以上の治療を行い，49例（65%）で症状緩和または腫瘍の縮小が得られた．グレード2および3の有害事象は，それぞれ28%と5%で認められた．生存期間中央値は5.7ヵ月であった．わが国ではToyaらが強度変調回転放射線治療（VMAT）による治療成績を報告している[5]．すべてのコースをVMATで行い，34例中23例（68%）で3コースを完遂した．29例（85%）で腫瘍の縮小が得られ，26例中20例（77%）で症状緩和が得られた．グレード2の有害事象は4例（12%）に認められたが，グレード3以上の有害事象は認められなかった．生存期間中央値は5.7ヵ月であった．

本レジメンの長所は1コースあたりの治療期間が2日と短いことと，病勢や有害事象，患者の全身状態などを評価しながら投与線量や休止期間，標的体積を柔軟に調整できることである．

❷ 30～36 Gy/5～6回（1回線量6 Gy）

Hypo trialレジメンと呼ばれる．1週間に3日以上の間隔をあけて2回，合計30 Gy/5回の治療を行うもので，患者の状態が良好であれば3 cm以下の残存病変に対してさらに6 Gy/1回を追加する．Porcedduらは扁平上皮癌35例を対象に本レジメンで治療を行った多施設共同第Ⅱ相試験の結果を報告している[6]．31例（89%）が30～36 Gy/5～6回の治療を完遂し，28例（80%）で腫瘍の縮小が得られた．グレード3の急性期の粘膜炎と皮膚炎はそれぞれ9例（26%）と4例（11%）で認められた．QOLスコアの評価が可能であった21例のうち，13例（62%）でQOLスコアの改善が認められた．生存期間中央値は6.1ヵ月だった．

❸ 50 Gy/16回（1回線量3.125 Gy）

英国がChristie Hospitalを中心に伝統的に使用されてきたことから，Christieレジメンと呼ばれる．Al-mamganiらは前向き試験で本レジメンの評価を行った[7]．根治的治療適応外の扁平上皮癌158例に対して，週に4～5回の照射で治療を行った．115例（73%）で腫瘍の縮小が得られた．グレード3の粘膜炎と皮膚炎はそれぞれ102例（65%）と71例（45%）で認められた．また，グレード3以上の嚥下障害が71例（45%）で認められた．生存期間中央値は17ヵ月だった．本レジメンは早期喉頭癌に対する根治的放射線治療で用いられていたことからもわかるように，準根治的な治療レジメンであり，急性期有害事象が強い．

❹ 40～50 Gy/16～20回（1回線量2.5 Gy）

Christieレジメンに比べて1回線量が少ない本レジメンは有害事象が比較的軽いと考えられるが，現在わが国で広く用いられているリニアックを用いた前向き試験の報告はない．Agarwalらによる前向き試験では，40 Gy/16回の治療を基本とし，

グレード3以上の有害事象が認められなければさらに10 Gy/4回を追加した[8]。扁平上皮癌110例中80例（73%）で腫瘍の縮小が得られた。また、評価が可能であった89例のうち、治療終了時点において66例（74%）で50%超の症状改善を認めた。有害事象に関しては、グレード3の皮膚炎を15例（14%）、グレード3および4の粘膜炎をそれぞれ69例（63%）と3例（3%）で認めた。1年無増悪生存率は55%だった。有害事象がやや強い結果となっているが、治療装置がわが国ではもう使用されていないテレコバルト装置であったことは原因の1つであろう。Stevensらは緩和的放射線治療を行った148例を評価した[9]。総線量と分割回数の中央値はそれぞれ50 Gyと20回で、55例（37%）で25 Gy/10回/2週/1コースの治療を2週間の間隔をあけて2コース行っていた（総治療期間は6週間）。103例（70%）で腫瘍の縮小か症状緩和が得られていた。生存期間中央値は5.2ヵ月だった。なお、本報告において有害事象に関するデータは示されていない。

5 30 Gy/10回（1回線量3 Gy）

転移性骨腫瘍や転移性脳腫瘍に対する治療など、さまざまな緩和的放射線治療で広く用いられている治療レジメンである。Aliらによる前向き試験では、扁平上皮癌30例中、疼痛があった24例全例で50%超の症状緩和が得られ、22例（73%）で腫瘍の縮小が得られた[10]。グレード2の粘膜炎が11例（37%）で認められたが、グレード3以上のものは認められなかった。一方、同レジメンによるグレード3以上の有害事象が40%以上で認められたという報告もあり[11]、標的体積が大きい場合や化学療法を併用する場合は注意を要する。

緩和的放射線治療の実際

緩和的放射線治療の実際をQUAD shotを例にして述べる（図1）。

1 治療方針決定

緩和的放射線治療は、根治的治療とbest supportive care（BSC）の間にある選択肢であり、その適応は相対的である。このため、他の選択肢も考慮しながら治療方針を決定する必要がある。過去の後ろ向きの研究では、施行したコース数が多ければ良好な治療効果と予後の延長が期待できることが報告されており[4,5]、治療方針を説明する際は、患者に対して可能な限り2コース以上の治療を受ける動機づけを行うことが望ましい。長期予後が期待できる場合は、根治的放射線治療の場合と同様に、歯科・口腔外科と密に連携して口腔ケアを行う。

2 治療計画と照射

Gross tumor volume（GTV）は原発巣およびリンパ節転移とする。Clinical target volume（CTV）は顕微鏡的な進展範囲を踏まえ、GTVに0〜5 mm程度のマージンを加える。明らかに予後不良と考えられる症例の場合、マージンを広範に設定する必要はない。リンパ節領域は予防的に含めない。原則的に固定具（熱可塑性シェル）を使用し、planning target volume（PTV）はCTVに3〜5 mm程度のセットアップマージンを加えて設定する。

2D-RT時代の報告では、脊髄線量は28〜30 Gy/2コースを上限とし、3コース目以降は脊髄遮蔽を行っていた[2,3]。3D-CRTでの治療もこれに準じる。IMRTは正常粘膜の線量低減や脊髄線量の低下と標的体積内の均一な線量分布が期待でき、そのメリットは大きい。また、VMATは照射時間も短縮することができ、患者の負担軽減に寄与する。実施施設の負担が大きい場合は1コース目を3D-CRTで開始し、2コース目以降でIMRTやVMATへの変更を考慮してもよいだろう[4]。

腫瘍の縮小が著しい場合、CTシミュレータの再撮像と再治療計画行うことは過線量に伴う有害事象の軽減に役立つ（adaptive radiotherapy：ART）。また、リンパ節領域への予防照射を行わないため、治療経過中に標的体積外のリンパ節が増大してくることがある。標的体積を確認し修正する目的においてもCTシミュレータの再撮像は有用である。

3 経過観察

腫瘍の縮小は、早ければ治療開始数日後に認められるが、効果出現時期はかなり幅があることを

認識する．粘膜炎や皮膚炎などの急性期有害事象は，各コース終了後2週間頃にピークを迎えることを念頭に置いて対応する[2]．次のコースを開始する時点では，有害事象がかなり改善していることが多い．コース数を重ねるごとに有害事象は若干強くなり，回復は遷延する．

4 追加照射

連続して4コース以上の治療を行った報告は少ない[4]．連続して4コース以上行う場合は症例を選択して慎重に行う．熊本大学病院では連続して最大3コースまでの治療にとどめている．腫瘍の再増大が認められる場合には，3コース目終了後6ヵ月以上が経過している場合に限り，1〜2コース程度の追加を行っている．

緩和的放射線治療の今後

1 薬物療法の併用

緩和的放射線治療の前向き試験の多くは放射線単独療法で行われてきた．近年の後ろ向きの報告では，緩和的放射線治療に化学療法を併用した報告が出てきている[4]．また，従来から使用されてきた細胞障害性抗癌薬に加え，分子標的治療薬や免疫チェックポイント阻害薬が頭頸部癌に対して使用されるようなった．これらの薬剤は，高齢者など，従来は細胞障害性抗癌薬の適応とならなかった症例にも使用されるようになってきており，今後は緩和的放射線治療と併用される機会が増えてくるものと思われる[12,13]．

2 高精度放射線治療の導入

近年の報告は，3D-CRTやIMRTがもたらす高い線量集中性によって治療効果の向上と有害事象の軽減が両立できることを期待させるが，いずれも後ろ向きな報告であり，前向き試験による評価が必要であると考えられる．わが国では3D-CRTまたはIMRTによるQUAD shotの前向き観察研究が進行中である（JROSG 18-2）．

3 再照射の適応拡大と定位放射線治療の導入

照射技術の発達を背景として，頭頸部癌に対する再照射の報告が増えてきている．特に上咽頭癌の局所再発症例に対しては，60〜66 Gyの根治線量によるIMRTを用いた再照射が普及してきた[14]．NCCNガイドラインにおいても，上咽頭癌に限らず，再発症例に対する再照射が選択肢の1つとして推奨されている．わが国でも再照射に対する関心が高まってきており，従来は適応外と判断されていた再発・二次癌に対する治療の選択肢として，再照射を行う機会が増えてくるものと思われる．

近年では，肺腫瘍や肝腫瘍に対する体幹部定位放射線で用いられる，1回大線量投与（6〜10 Gy程度）による定位放射線治療の成績が報告されてきている[12,13]．定位放射線治療は主に根治を目的とした再照射に用いられており，今後は有望な選択肢になるものと思われる．1回線量の増加に伴う晩期有害事象が問題となる可能性があるが，まだ長期成績の報告は少ない．

4 最適な治療レジメンの探索

緩和的放射線治療における至適レジメンの探索は今後の課題の1つである．しかし，緩和的放射線治療の対象となる患者の状態を考慮すると，前向きの比較試験の遂行はむずかしい側面もある．近年，オランダで行われた多施設共同ランダム化比較試験では，36 Gy/6回（2回/1週）と50 Gy/16回（4回/1週）の2つのレジメンを比較したが，症例集積が不調で打ち切りになっている[15]．実臨床では，緩和的放射線治療を受ける患者の間でも，背景や病期，治療の目的が大きく異なる．このため，これらを統一した症例での単一群前向き試験による至適レジメンの探索が現実的かもしれない．

文献

1) Begbie FD, et al：Palliative intent treatment for head and neck cancer：an analysis of practice and outcomes. J Laryngol Otol **133**：313-317, 2019
2) Paris KJ, et al：Phase I-II study of multiple daily fractions for palliation of advanced head and neck malignancies. Int J Radiat Oncology Biol Phys **25**：657-660, 1993

3) Corry J, et al：The 'QUAD SHOT' ——a phase Ⅱ study of palliative radiotherapy for incurable head and neck cancer. Radiother Oncol 77：137-142, 2005
4) Lok BH, et al：Palliative head and neck radiotherapy with the rtog 8502 regimen for incurable primary or metastatic cancers. Oral Oncol 51：957-962, 2015
5) Toya R, et al：Hypofractionated palliative volumetric modulated arc radiotherapy with the Radiation Oncology Study Group 8502 "QUAD SHOT" regimen for incurable head and neck cancer. Radiat Oncol 15：123, 2020
6) Porceddu SV, et al：Hypofractionated radiotherapy for the palliation of advanced head and neck cancer in patients unsuitable for curative treatment——"Hypo Trial". Radiother Oncol 85：456-462, 2007
7) Al-mamgani A, et al：Hypofractionated radiotherapy denoted as the "Christie scheme"：an effective means of palliating patients with head and neck cancers not suitable for curative treatment. Acta Oncol 48：562-570, 2009
8) Agarwal JP, et al：Hypofractionated, palliative radiotherapy for advanced head and neck cancer. Radiother Oncol 89：51-56, 2008
9) Stevens CM, et al：Retrospective study of palliative radiotherapy in newly diagnosed head and neck carcinoma. Int J Radiat Oncology Biol Phys 81：958-963, 2011
10) Ali MY, et al：Short course palliative radiotherapy in locally advanced squamous cell carcinoma of head and neck. J Armed Forces Med Coll 6：16-20, 2010
11) Chen AM, et al：Palliative radiation therapy for head and neck cancer：toward an optimal fractionation scheme. Head Neck 30：1586-1591, 2008
12) Lartigau EF, et al：Multi institutional phase Ⅱ study of concomitant stereotactic reirradiation and cetuximab for recurrent head and neck cancer. Radiother Oncol 109：281-235, 2013
13) Vargo JA, et al：A prospective phase 2 trial of reirradiation with stereotactic body radiation therapy plus cetuximab in patients with previously irradiated recurrent squamous cell carcinoma of the head and neck. Int J Radiat Oncology Biol Phys 91：480-488, 2015
14) Ng WT, et al：International recommendations on re-irradiation by intensity-modulated radiotherapy for locally recurrent nasopharyngeal carcinoma. Int J Radiat Oncology Biol Phys 110：682-695, 2021
15) Al-Mamgani A, et al：Randomized controlled trial to identify the optimal radiotherapy scheme for palliative treatment of incurable head and neck squamous cell carcinoma. Radiother Oncol 149：181-188, 2020

4. 薬物療法

A 総論

頭頸部癌における薬物療法の役割

　頭頸部癌における薬物療法には，放射線治療との併用など集学的治療の一環として抗腫瘍効果を期待する癌薬物療法と癌の進展に伴うさまざまな症状緩和を目的とする緩和薬物療法に大別される．いずれも対象と目的を明確にする必要がある．

　頭頸部癌における癌薬物療法の対象は，局所進行または再発・転移をきたした患者であり，①化学放射線療法，②術後補助化学放射線療法，③導入化学療法，④緩和的薬物療法に大別される．①〜③における薬物療法の目的は生命予後の改善を期待するものと臓器（喉頭）機能温存を期待するものに大別される．④について，基本的に薬物療法のみでの根治は見込めない．したがって，同対象における治療の目的は，腫瘍に関連するさまざまな苦痛症状の緩和と生活の質（QOL）の改善，延命である．

癌薬物療法の原則

　頭頸部癌例に限らず，癌薬物療法を行う際には遵守すべき原則がある．適切な症例選択に正しい病理診断，病期診断は不可欠であり，病理医，放射線診断医との密な連携が必要である．また，薬物療法に耐えられるかを判断するうえで全身状態は重要である．全身状態の指標として Eastern Cooperative Oncology Group（ECOG）が提唱する performance status（PS）がある（「第Ⅱ章-3-A. 診断にいたるまでの検査」表1，参照）．薬物療法の適応となるのは PS が 0〜2 の症例である．また，症例によっては合併症を有する場合が少なくない．後述するが，治療を実施するうえで十分な臓器機能を有するかも評価する．臓器機能に応じて使用可能な薬物は限定される．また状況によっては合併症の治療が優先されることもある．実施される癌薬物療法は，標準治療ないしそれに準じた治療でなければならない．管理しやすい，慣れている，伝統的に行っているなどの医療者側の都合による治療を行ってはならない．もっとも大切な事項の1つにインフォームドコンセントがあげられる．期待される治療効果，予測される急性期・晩期毒性に加え，その他に治療選択肢があれば提示する．特に複数の治療選択肢がある場合は，各選択肢のメリットとデメリットの観点から説明することで理解が深まることが多い．治療の最終的な決定はこれらすべてを理解したうえで行われる必要がある．

癌薬物療法開始時のチェック項目

　前述のとおり，安全に薬物療法を実施するために対象の臓器機能などを把握する必要がある．

1 骨髄機能

　薬物療法により骨髄抑制（白血球減少，貧血，血小板減少）が生じる．したがって，白血球分画を含む血液学的検査で十分な骨髄機能が維持されているかを確認する．特に細胞障害性抗癌薬を多剤併用する導入化学療法の場合は影響が大きい．化学療法や放射線治療を以前に実施されている場合は，すでに骨髄機能が低下していることがある．

このほか，頭頸部癌例ではアルコール多飲などから大球性貧血などの異常をきたしていることもある．

2 心機能

特にシスプラチン投与が検討される場合は重要である．大量の輸液負荷に耐えうる心機能を有しているかを確認する．心血管系の既往を確認するとともに，胸部X線，十二誘導心電図検査などを行い，必要に応じて循環器内科医と協議する．また，免疫チェックポイント阻害薬使用時には心筋炎などを発症する場合もあり，治療開始前の心電図検査などが参考になる．

3 腎機能

合併症や白金製剤を含む前治療などで腎機能が低下している症例が存在する．腎機能低下例では実施が不適切となるものや減量を要する薬剤がある．特に白金製剤が代表的である．血清クレアチニン，BUN，電解質，尿検査などを行う．糸球体濾過量（GFR）を推定するクレアチニンクリアランス（CCr）の計算には，Cockcroft-Gaultの式［男性：(140－年齢)×体重/(72×血清クレアチニン値)，女性：0.85×(140－年齢)×体重/(72×血清クレアチニン値)］などが汎用される．

4 肝機能

使用する薬剤によっては，肝機能低下例では実施が不適切となるものや減量を要するものがある．特にタキサン製剤を使用する際には重要である．血清ASTやALT，肝胆道系酵素の評価や画像検査で肝臓の形態的な評価も行う．免疫チェックポイント阻害薬使用時は硬化性胆管炎を呈する場合もあるため，治療開始前の画像検査は参考となる．頭頸部癌例では，アルコール性肝炎・肝硬変から肝機能が低下している症例がみられる．関連して，癌薬物療法によるB型肝炎のキャリア/既往感染者におけるウイルス再活性化についても注意する．日本肝臓学会から「B型肝炎対策ガイドライン」に即した対応が推奨されている[1]（「第Ⅲ章-1」図2参照）．わが国におけるB型肝炎キャリアは2～7%と欧米よりも多く，治療開始前のスクリーニングは確実に行う．固形癌におけるウイルス再活性化のリスクは比較的低いが，必要に応じて抗ウイルス薬の投与を行う．

5 呼吸機能

頭頸部癌例では，喫煙歴を有する場合が多く慢性閉塞性肺疾患（COPD）などの呼吸器疾患を合併している場合がある．動脈血酸素飽和度（SpO_2）測定や胸部X線検査は必須である．特に労作時の呼吸苦や低酸素血症の評価はスクリーニングに有用である．また，特にタキサン製剤やセツキシマブ，免疫チェックポイント阻害薬などでは薬剤性間質性肺炎のリスクもある．胸部CTなどにより治療開始前の肺野の状況を正確に把握しておく必要がある．

6 内分泌機能

免疫チェックポイント阻害薬使用による内分泌障害（副腎皮質機能低下症，甲状腺機能異常症，1型糖尿病など）は，時に非特異的症状を伴って認められ，癌に伴う症状との鑑別が困難な場合が少なくない．したがって，治療開始前に関連する内分泌機能を評価しておくことは，経時的な変化を含めて診断の助けになる．具体的には，血清ACTH，コルチゾール，TSH，free-T_4，血糖，HbA1cなどがあげられる．治療開始前の時点での抗甲状腺自己抗体陽性は，甲状腺機能障害の発症と関連するとする報告もあり，その評価は同症発症リスク層別化の点で有益となりうる．

7 栄養状態

頭頸部癌例では，腫瘍に伴う解剖学的な問題やアルコール多飲などから経口摂取が不十分であることが少なくない[2]．Body mass index（BMI）や血清アルブミンなどを指標に栄養状態の評価を行う．一般的に低栄養状態は癌薬物療法の毒性を増加させ，予後不良との関連も示唆されている[3]．必要に応じて経管栄養や高カロリー輸液などを行う．

8 自己免疫性疾患の既往

既往症として自己免疫性疾患を有する場合，免疫チェックポイント阻害薬の使用によって同疾患が増悪・再燃する場合がある．これらの症例にお

ける免疫チェックポイント阻害薬の使用に際しては，当該自己免疫性疾患の病勢が安定していること，免疫チェックポイント阻害薬による利益が不利益を上回ると判断されること，増悪・再燃のリスクについて患者が十分に理解していることなどが必要条件としてあげられる．なお，これらを含めた免疫チェックポイント阻害薬の使用に際しての事前確認事項や実際の管理についてのガイドラインも発行されており，参考されたい[4]．

特定の状況での癌薬物療法

1 高齢者における癌薬物療法

多くの先進国で65歳以上を高齢者と定義している．平均寿命の延伸により高齢者の悪性腫瘍による死亡率が高率となっている．一般に高齢者は身体機能の低下や臓器機能の低下，薬剤の代謝能力の低下，心理社会的機能の低下を伴いやすい．しかし，これらは適切に認識・評価されないことがある．加えて，標準治療を確立するランダム化比較試験の主な対象は，75歳以下で全身状態や臓器機能が良好，重篤な合併症を有しない症例である．よって，臨床試験から確立された治療の安全性や有効性が，臨床試験対象外の患者にも当てはまるかは不明な部分もある．したがって，高齢者における癌薬物療法を検討する際は，個々の症例の背景を十分に評価し，治療によるメリットが期待できるかを検討する必要がある．

癌患者を包括的に評価する方法の1つとして，高齢癌患者における総合的機能評価（cancer-specific comprehensive geriatric assessment：CSGA）がある[5]．所要時間は約30分で，①身体機能状況，②合併症，③認知機能，④精神心理状況，⑤ソーシャルネットワーク，⑥栄養状況，⑦服薬状況の評価からなる．

身体機能状況の評価では，老化や合併症の影響も考慮し，PSのみでは評価しきれない身体評価を行う．合併症の評価にはCharlson comorbidity scale（**表1**）が含まれる．認知機能は，患者本人が治療内容を正しく理解し，副作用出現時に治療を受ける必要性を理解できるかなどの点で重要である．担癌患者はさまざまな心理的ストレスにさらされる．うつにより身体機能が低下する場合もあり，精神心理状況の把握も必須である．必要に応じて精神腫瘍科医，心療内科医と連携する．家族や社会からの十分な支援は安全に治療を継続するうえで欠かせない．前述のとおり，栄養状況が不良で体重減少がある癌患者の死亡率は増加することが示されている．CSGAでは，BMIと過去半年間での体重減少率を栄養状況の指標としている．高齢者癌患者では，すでに多剤の薬剤を常用している場合も少なくない．内容によっては抗癌薬と相互作用をきたすものもある．薬剤師と連携して内服内容を正確に把握する．また，内服状況は支持療法薬や経口抗癌薬を指示どおりに服用できるかの指標にもなる．National Comprehensive Cancer Network（NCCN）ガイドラインでも，65歳以上の高齢癌患者ではcomprehensive geriatric assessmentによる評価が推奨されている．また，CSGAを含めた評価法で化学療法を施行される高齢癌患者のグレード3以上の有害事象の予測モデルが示されている（**表2**）[6]．日本臨床腫瘍研究グループ（JCOG）では，高齢癌患者を対象とした臨床試験を実施する際の指針として「高齢者研究ポリシー2016」を示している[7]．ここでは，非高齢者と同様に標準的な治療が受けられる対象を「fit患者」，そうでない対象を「unfit患者」とし，さらに後者を標準治療は適切ではないが，何らかの抗腫瘍治療は実施可能とみなされる「vulnerable患者」と，積極的な抗腫瘍治療には適さないとみなされる「frail患者」に分けている．

頭頸部癌高齢者に対する癌薬物療法での検証も報告されている[8]．重篤な毒性と治療関連死亡は増加するが，70歳以上であってもそれ以下の年齢と同等な予後が期待できる．暦年齢のみでは治療方針を決定せず総合的に判断することで，高齢者でも安全に抗腫瘍効果が得られることが期待できる．

2 肥満癌患者における薬物療法

高齢者癌患者の増加と同様に，肥満患者（BMI 25 kg/m² 以上）での薬物療法の機会も増加している．肥満患者では薬物動態，薬物力学的事項について不明な点が多い．実臨床では，細胞障害性抗

表1 Charlson comorbidity scale

疾　患	スコア
心筋梗塞（既往，心電図変化の判断ではない）	1
うっ血性心不全	
末梢血管障害（6 cm以上の腹部大動脈瘤も含む）	
脳血管障害：後遺症のないまたはほぼない脳血管障害，または一過性脳虚血発作）	
認知症	
慢性肺疾患	
膠原病	
消化性潰瘍	
軽度の肝疾患（門脈圧亢進症を伴わない，慢性肝炎を含む）	
合併症を伴わない糖尿病（食事療法のみには除く）	
片麻痺	2
中等度もしくは重度の腎障害	
合併症（網膜症，神経障害，腎症，不安定型糖尿病）を伴う糖尿病	
転移のない癌（診断から5年間）	
白血病（急性または慢性）	
リンパ腫	
中等度あるいは重度肝疾患	3
転移性固形癌	6
AIDS（HIV陽性のみは除く）	

40歳を超えた年齢に対して，10歳ごとに1点を上記に追加．

表2 高齢癌患者におけるグレード3以上の高度有害事象発症予測因子

項　目	スコア	オッズ比	95% CI
年齢が72歳以上	2	1.85	1.22～2.82
消化器癌あるいは泌尿器癌	2	2.13	1.39～3.24
標準量での化学療法施行（減量なし）	2	2.13	1.29～3.52
多剤併用化学療法	2	1.69	1.08～2.65
貧血（男性Hb＜11 g/dL，女性Hb＜10 g/dL）	3	2.31	1.15～4.64
腎機能障害（Jellifeeの式によるクレアチニンクリアランス）	3	2.46	1.11～5.44
聴力の低下	2	1.67	1.04～2.69
過去6ヵ月以内の転倒歴あり	3	2.47	1.43～4.27
服薬不能もしくは服用に解除を要する	1	1.50	0.66～3.38
1区画（約200 m）歩行するのが困難	2	1.71	1.02～2.86
身体的，感情的な問題で社会活動性が低下している	1	1.36	0.90～2.06

Jelliffeの式：男性（98－[0.8（年齢－20）]/血清クレアチニン値），女性（0.85×男性クレアチニンクリアランス）．
グレード3以上の有害事象の発生率：high（10～19点）：83%，mild（6～9点）：52%，low（0～5点）：30%．

[Hurria A et al：J Clin Oncol 29：3457-3465, 2011 より引用]

癌薬の使用時に過剰な曝露量を懸念し，理想体重などで補正して投与量が決定されることがある．しかし，過小投与による予後悪化の可能性も示唆されている．これらを受け，ASCO からは肥満癌患者における殺細胞薬投与量に関するガイドラインが示されている[9]．実測体重に即した投与量が推奨されているが，肥満の存在により併存疾患の可能性も高くなるため，体重以外の因子にも配慮する必要があるとされる．

頭頸部癌の癌薬物療法で使用される代表的な薬剤

頭頸部扁平上皮癌に対する癌薬物療法では，白金製剤系薬剤のシスプラチン，カルボプラチン，タキサン系薬剤のドセタキセル，パクリタキセル，フッ化ピリミジン系薬剤のフルオロウラシル（5-FU®），テガフール・ウラシル配合（UFT®），テガフール・ギメラシル・オテラシルカリウム配合（TS-1®）などの細胞障害性抗癌薬が保険承認となっている．これらの薬剤は，癌の無限増殖に伴う DNA 合成や細胞分裂を阻害することにより癌細胞を死滅させる作用をもち，細胞障害性抗癌薬と呼ばれる．他方，癌細胞および腫瘍環境で発現や機能が亢進している分子を標的とし，その機能を制御する作用をもつ薬剤は分子標的治療薬と呼ばれる．頭頸部癌では抗 EGFR 抗体であるセツキシマブが保険承認されている．これらに加え，免疫チェックポイント因子である PD-1 に対する抗体薬として，ニボルマブやペムブロリズマブの免疫チェックポイント阻害薬の使用も認められている．実臨床では，これら異なる作用機序の薬剤の組み合わせや単剤で用いられる．

緩和ケアにおける薬物療法

緩和ケアは，世界保健機関（WHO）により，「生命を脅かす疾患による問題に直面している患者とその家族に対して，痛みやその他の身体的問題，心理社会的問題，スピリチュアルな問題を早期に発見し，適格なアセスメントと対処（治療・処置）を行うことによって，苦しみを予防し，やわらげ，QOL を改善するアプローチである」と定義される．薬物療法は，これらの臨床症状を軽減するうえでも中心的な役割を担う．癌性疼痛や消化器症状，呼吸器症状，不安やうつ，せん妄に対する介入，終末期における鎮静や輸液療法などがあげられる．特に終末期では，臓器機能の低下から薬物の代謝が遅れ，薬剤の作用が強く認められる場合もある．日本緩和医療学会からは症状にあわせたガイドラインも発表されている[10]．癌診療に従事する医師は，これらの緩和ケアの基本的知識を習得することが求められており，「がん対策推進基本計画」第 1 期の目標の 1 つに掲げられている．また，緩和ケアの介入のタイミングは抗腫瘍治療が適さない場合に限らない．抗腫瘍治療を実施中であっても必要に応じて支持療法を含む緩和ケアを導入する．「がん対策基本法」でも，「疼痛等の緩和を目的とする医療が早期から適切に行われるように」と条文化されている．その他，家族に対する精神的なケアを目的とした薬物療法も対象となる．実臨床では，多職種の医療従事者が集い，緩和ケアチームとしての体制づくりが望ましい．多方面からのアプローチにより，問題点が適切に把握され，介入の面でも充実する．

文献

1) 日本肝臓学会肝炎診療ガイドライン作成委員会（編）：B 型肝炎治療ガイドライン，第 3.4 版，https://www.jsh.or.jp/lib/files/medical/guidelines/jsh_guidlines/B_v3.4.pdf（2022 年 2 月参照）
2) Harriët JW, et al：Critical weight loss in head and neck cancer—prevalence and risk factors at diagnosis：an explorative study. Support Care Cancer 15：1045-1050, 2007
3) Dewys WD, et al：Prognostic effect of weight loss prior to chemotherapy in cancer patients：eastern Cooperative Oncology Group. Am J Med 69：491-497, 1980
4) Brahmer JR, et al：Management of immune-related adverse events in patients treated with immune checkpoint inhibitor therapy：American Society of Clinical Oncology Clinical Practice Guideline. J Clin Oncol 36：1714-1768, 2018
5) Hurria A, et al：Developing a cancer-specific geriatric assessment：a feasibility study. Cancer 104：1998-2005, 2005
6) Hurria A, et al：Predicting chemotherapy toxicity in older adults with cancer：a prospective multicenter study. J Clin Oncol 29：3457-3465, 2011
7) 日本臨床腫瘍研究グループ（JCOG：Japan Clinical Oncology Group）．http://www.jcog.jp/basic/policy/

A_020_0010_39.pdf(2021年5月参照)
8) Argiris A, et al：Outcome of elderly patients with recurrent or metastatic head and neck cancer treated with cisplatin-based chemotherapy. J Clin Oncol **22**：262-268, 2004
9) Griggs JJ, et al：Appropriate chemotherapy dosing for obese adult patients with cancer：american Society of Clinical Oncology clinical practice guideline. J Clin Oncol **30**：1553-1561, 2012
10) 特定非営利法人日本緩和医療学会. https://www.jspm.ne.jp/guidelines/（2021年5月参照）

B 導入化学療法

局所進行頭頸部癌において，放射線治療や化学放射線療法などの根治的治療に先行して行われる薬物療法を導入化学療法（induction chemotherapy：IC）と呼ぶ．局所進行頭頸部癌の治療のゴールには，臓器機能温存と治癒の2つがある．前者の対象は，切除は可能であるが臓器（喉頭）温存を希望する患者である．後者の主な対象は，根治切除が困難な患者を含むStage Ⅲ/Ⅳの局所進行癌患者である．実際には両者を区別するうえで重要な「切除不能」の定義は必ずしも一定でない．また，臨床試験の対象も厳密に区別されていない場合があり，両者を厳密に区別することは容易ではない．しかし，以下に述べるように両者は互いに影響しあいながら治療開発が進んでいる．

臓器機能温存を目的とした導入化学療法（表1）

臓器機能温存（喉頭温存）向上を目的とした導入化学療法の主な対象は，喉頭全摘が必要とされる切除可能の進行喉頭癌，下咽頭癌患者である．導入化学療法［シスプラチン＋5-FU療法（PF療法）］を実施し，奏効が認められれば根治的放射線治療を行い，奏効が得られなければ手術療法へ移行する群（IC群）と，当初より手術療法を行う群（手術療法群）を比較する第Ⅲ相試験が行われ，導入化学療法群の最大6割程度で喉頭温存が可能であり，かつ手術単独群と生存率に差を認めなかった[1〜3]．これらの結果から，PF療法による導入化学療法は手術療法と同等の生存を維持しながら喉頭の温存も期待できることが示された．導入化学療法の効果によってその後の根治的治療が決定されることから，この領域での導入化学療法を「chemoselection」と表現することもある．その後，喉頭全摘が必要と判断されるStage Ⅲ，Ⅳの喉頭扁平上皮癌を対象にしたRTOG 91-11試験において，シスプラチンを同時併用する化学放射線療法群（CRT群）とPF療法による導入化学療法を実施し，奏効すれば放射線治療，奏効しなければ手術へ移行する群（IC群），放射線治療単独群（RT単独群）の3群が比較された[4,5]．死亡もイベントとする5年喉頭非摘出生存率（laryngectomy-free survival：LFS）の長期成績が，CRT群47.0％とIC群44.1％と両群に差がなく，両群ともにRT単独群34.0％を有意に上回ったことから[5]，現在は導入化学療法も標準治療の1つと認識されている．

1 導入化学療法のレジメンの比較検討

喉頭全摘出を要する下咽頭癌，喉頭癌患者を対象に，PF療法にドセタキセルを追加したTPF療法後に放射線治療を行う群と，PF療法後に放射線治療を行う群の第Ⅲ相試験（GORTEC 2000-01）において，導入化学療法における奏効割合はTPF療法群80.0％に対してPF療法群59.2％，10年LPRはTPF療法群74.0％に対してPF療法群58.1％，10年無喉頭機能不全生存割合（larynx dysfunction-free survival：LDFS）はTPF療法群63.7％に対してPF療法群37.2％と，いずれもTPF療法群が有意に良好であった[6,7]．この結果，導入化学療法のレジメンとしてTPF療法はPF療法より優れていることが示され，喉頭温存を希望する患者に対する治療の選択肢と認識されている．ただし，TPF療法を用いた導入化学療法と化学放射線療法を比較した試験の結果はなく，両者の優劣はいえない．

2 導入化学療法後の根治的治療

現在の選択肢は，放射線治療単独，化学放射線療法，セツキシマブ併用放射線治療（Cmab-RT）であるが，いずれが優れているかの結論は出ていない．一方で，化学放射線療法は嚥下や発声などの喉頭機能の低下も懸念されている．RTOG 91-11試験ではCRT群で誤嚥性肺炎などの癌と関連のない要因で死亡する患者が多く，生存においてCRT群がIC群を上回らなかった理由の1つと考えられている[5]．よって局所制御率の向上だけでなく，正常な喉頭機能の維持にも配慮した局所治療の開発

表1 臓器機能温存効果を目的とした導入化学療法の治療成績

試験	対象	N	Endpoint	FP→RT 群	手術±術後RT 群	p 値/HR
VALCSG[1]	下咽頭癌	332	2年 SFL	39%	—	—
			2年 OS	68%	68%	0.9846
EORTC24891[2,3]	喉頭癌	194	5年 LFS	17%	—	—
			OS 中央値	3.67年	2.1年	HR：0.88 [95% CI：0.65〜1.19]
			10年 OS	13.1%	13.8%	
			10年 SFL	8.7%	—	—

試験	対象	N	Endpoint	FP→RT 群 (A)	CDDP+RT 群 (B)	RT 単独群 (C)	p 値
RTOG91-11[4,5]	喉頭癌	518	2年 LPR	75%	88%	70%	0.005 (A vs. B) <0.001 (B vs. C) 0.27 (A vs. C)
			5年 LFS	44.1%	47.0%	34.0%	0.68 (A vs. B) 0.03 (B vs. C) 0.02 (A vs. C)
			5年 OS	58.1%	55.1%	53.8%	0.08 (A vs. B) 0.53 (B vs. C) 0.29 (A vs. C)

試験	対象	N	Endpoint	TPF→RT 群	FP→RT 群	p 値
GORTEC2000-01[6,7]	下咽頭癌 喉頭癌	213	10年 LPR	70.3%	46.5%	0.01
			10年 LDFFS	63.7%	37.2%	0.001
			10年 OS	30.2%	23.5%	0.28

SFL (survival with a functional larynx)：機能喉頭温存生存割合，OS (overall survival)：全生存割合，LFS (laryngectomy free survival)：喉頭温存生存割合，LPR (larynx preservation rate)：喉頭温存割合，LDFFS (larynx dysfunction-free survival)：無喉頭機能不全生存割合．HR (hazard ratio)：ハザード比，95% CI：95%信頼区間．

が求められており，喉頭は温存しながら嚥下困難や嗄声などの著しい機能障害は回避する必要がある．また CRT 群では，腫瘍が残存した場合に救済手術が困難，あるいは合併症のリスクが高くなる点も指摘されている．喉頭全摘を必要とする切除可能喉頭癌，下咽頭癌患者を対象に，TPF 療法による導入化学療法後にシスプラチンを同時併用する化学放射線療法と Cmab-RT を比較する比較第Ⅱ相試験（TREMPLIN 試験）が報告されている[8,9]．登録された 153 例のうち，約 85%（126 例）が TPF 療法に奏効し，うち 116 例に引き続いて非外科的治療が実施された（CRT 群：60 例，Cmab-RT 群：56 例）．主要評価項目である治療 3 ヵ月後の LPR は，CRT 群 95% に対して Cmab-RT 群 92% で有意差はなく，5 年時点での局所制御割合や喉頭食道機能，全生存も両群間に統計学的有意差を認めなかった．同試験では TPF 療法後 CRT 群で治療完遂割合が低かったことから，TPF 療法に伴う毒性で後続の CRT が実施困難となった場合の選択肢として Cmab-RT もあげられる可能性がある．

3 導入化学療法の新しい使用方法

予後を損なうことなく治療強度を下げることができる対象の抽出に同療法を使用する戦略が試みられている．すなわち，従来の化学放射線療法ですでに良好な予後が期待できる局所進行症例（特に HPV 関連中咽頭癌）については，導入化学療法を先行して実施し，その効果が良好であれば後続の（化学）放射線治療の治療強度を減らすことで，特に放射線治療に伴う毒性の軽減が図れるかが検

証されている[10]．ここでの導入化学療法は，カルボプラチンを軸としたものやTPF療法のような殺細胞薬3剤併用ではなく，2剤併用療法にとどめたものが多くみられ，奏効例では放射線治療の線量を従来より減らすなどの方針がとられる．現時点で確立した概念とは言いがたいが，同戦略が許容されると思われる対象集団の抽出も進めば，臓器機能温存の観点から有益であると思われる．

生命予後向上を目的とした導入化学療法（表2）

　生命予後の向上を目的とした導入化学療法の主な対象は，根治切除不能の局所進行喉頭癌，下咽頭癌，中咽頭癌患者である．同対象の標準治療は，メタアナリシスの結果などからシスプラチンなどの白金製剤を用いた化学放射線療法である．しかし，化学放射線療法が奏効し腫瘍が消失した場合でも，約半数の症例で再発が認められることから，治療成績の向上をめざして導入化学療法を用いた治療開発が行われてきた．

　切除不能局所進行頭頸部扁平上皮癌患者を対象に，TPF療法による導入化学療法後に放射線治療を行う群とPF療法による導入化学療法後に放射線治療を行う群を比較した第Ⅲ相試験（TAX323試験）が実施された．全生存期間中央値は，TPF療法群18.8ヵ月に対してPF療法群14.5ヵ月と有意にTPF療法群が良好であった（HR 0.73，$p=0.0016$）[11]．さらにStage Ⅲ，Ⅳの局所進行頭頸部扁平上皮癌（一部に切除可能例を含む）患者を対象にした第Ⅲ相試験（TAX324試験）では，TPF療法後にカルボプラチンを同時併用する化学放射線療法を行う群とPF療法後に同様の化学放射線療法を行う群が比較された．全生存期間中央値は，TPF療法群71ヵ月に対してPF療法群30ヵ月であり，同試験でもTPF療法群が有意に良好であった（HR 0.70，$p=0.0058$）[12]．これらの結果から生命予後改善を期待した場合の導入化学療法もTPF療法が標準レジメンと認識されている．しかし，前述のとおり，切除不能の局所進行頭頸部扁平上皮癌における現在の標準的治療は白金製剤同時併用の化学放射線療法である．そこで，化学放射線療法に先行して導入化学療法を実施する意義が検証され，複数の第Ⅲ相試験の結果が報告されている（表2）．GSTTC試験は，Stage Ⅲ/Ⅳの局所進行頭頸部扁平上皮癌（口腔，中咽頭，下咽頭）を対象として導入化学療法としてTPF療法施行後に化学放射線療法（放射線治療＋シスプラチン＋5-FU）またはCmab-RTを施行する2群，および導入化学療法を施行せずに化学放射線療法（放射線治療＋シスプラチン＋5-FU）またはCmab-RTを施行する2群の合計4群を比較した第Ⅱ/Ⅲ試験である[13]．3コースのTPF療法を先行することにより，全生存期間，無増悪生存期間，完全奏効割合などに改善が認められたが，4群比較であるにもかかわらず登録数は421例と少なく，統計学的なパワー不足が否めない．また局所治療部分が化学放射線療法とCmab-RTの2通りあり，結果の解釈をむずかしくさせている．これらから，この結果を直ちに日常臨床に導入するという認識には至っていない．その他の試験についても，遠隔転移再発を抑制させる効果は示される例があるものの，生命予後を有意に改善させる意義が示されてものは現時点で得られていない（表2）[14〜18]．登録不良から予定登録患者数を集積できず，統計学的に十分な検証ができていない点や，予後良好な中咽頭癌占める割合が予想外に高く，導入化学療法の上乗せ効果が示しづらい対象であった点などが考察されている．以上から，主に根治切除不能例に対する生命予後改善を目的とした導入化学療法についてのエビデンスは十分であるとはいえず，同領域での導入化学療法は試験的治療として適切に選択された症例群（著しい頸部リンパ節転移を有し，遠隔転移リスクから化学放射線療法では良好な予後が望めない場合など）にのみ検討される．

局所進行上咽頭癌における導入化学療法

　局所進行上咽頭癌についても白金製剤を併用した化学放射線療法が標準治療とされてきたが，予後の改善を期待して導入化学療法を化学放射線療法に先行して実施する戦略が検証されてきた．

表2 生存改善効果を目的とした導入化学療法の治療成績

試験	N(予定登録数)	Endpoint	CRT群	IC群	HR (95% CI)	p値
TTCC[14,15]	439	PFS中央値	13.1ヵ月	PF：13.6ヵ月 TPF：14.4ヵ月	0.90 (0.69〜1.16) 0.92 (0.71〜1.12)	0.4175 0.5419
		TTF中央値	8.1ヵ月	PF：7.8ヵ月 TPF：7.8ヵ月	0.94 (0.73〜1.21) 1.01 (0.78〜1.29)	0.6952 0.9632
		OS中央値	25.4ヵ月	TPF：26.2ヵ月 TPF：25.4ヵ月	0.89 (0.68〜1.16) 1.02 (0.78〜1.33)	0.3768 0.8849
DeCIDE[16]	285 (400)	3年RFS	59%	67%	0.76 (0.51〜1.12)	0.16
		3年OS	73%	75%	0.91 (0.59〜1.41)	0.68
PARADIGM[17]	145 (300)	3年PFS	69%	67%	1.07 (0.59〜1.92)	0.82
		3年OS	78%	73%	1.09 (0.59〜2.03)	0.77
GSTTC[13]	421	PFS中央値	18.5ヵ月	30.5ヵ月	0.72 (0.55〜0.93)	0.013
		OS中央値	31.7ヵ月	54.7ヵ月	0.73 (0.55〜0.97)	0.029
INTERCEPTOR[18]	282 (511)	PFS中央値	40.3ヵ月	31.6ヵ月	1.03 (0.72〜1.48)	0.48
		OS中央値	59ヵ月	59ヵ月	1.05 (0.71〜1.58)	0.8

PFS (progression-free survival)：無増悪生存期間，TTF (time to treatment failure)：治療成功期間，OS (overall survival)：全生存期間，DFS (disease-free survival)：無病生存期間，HR (hazard ratio)：ハザード比，95% CI：95%信頼区間．

　リンパ節転移陰性例は除く局所進行例を対象にした第Ⅲ相試験では，比較的低用量のTPF療法（ドセタキセル60 mg/m^2，day1，シスプラチン60 mg/m^2，day1，5-FU 600 mg/m^2，day1〜5）3コース後にCDDP併用化学放射線療法を実施することで，5年治療成功生存割合（failure-free survival，77.4% vs. 66.4%，HR 0.67，95% CI 0.48〜0.94；$p=0.019$），5年生存割合（85.6% vs. 77.7%，HR 0.65，95% CI 0.43〜0.48；p=0.042）ともにCDDP併用化学放射線療法単独に比べ予後の改善が得られることが報告された[19,20]．また，同様にCDDP併用化学放射線療を標準治療に据えた第Ⅲ相試験として，GP（ゲムシタビン＋シスプラチン）併用療法による導入化学療法の意義が検証されている．上記の第Ⅲ相試験と同じく，リンパ節転移陰性症例が除外された本試験では，3年無再発生存率は導入化学療法群85.3%，標準療法群76.5%（再発または死亡の層別化 HR 0.51，95% CI 0.34〜0.77，$p=0.001$）．3年全生存率はそれぞれ94.6%と90.3%であった（死亡の層別化 HR 0.43，95% CI 0.24〜0.77），いずれも導入化学療法群で良好であり[21]，これら試験を含む，非転移性上咽頭癌を対象とした8つの無作為化比較試験（2,384名）のメタアナリシスでは，化学放射線療法の導入化学療法を追加することで，全生存期間（HR 0.680，95% CI 0.511〜0.905；$p=0.001$）および無増悪生存期間（HR 0.657，95% CI 0.568〜0.760；$p<0.001$）で，有意な利益が得られることが認められた（図1）[22]．ただし，導入化学療法群では血液毒性を中心とした急性毒性の増加や後続の化学放射線療法期間における化学療法のコンプライアンスの低下もみられている．

　このように，局所性の上咽頭癌においては，導入化学療法が生命予後改善に寄与することが明らかになっており，同対象における標準的治療として考慮されるが，毒性増加などの観点から適切な症例選択が実施要件となる．なお，2021年5月現在，わが国ではゲムシタビンの上咽頭癌に対する保険承認が得られていない．そのため，この対象に導入化学療法を実施する場合は，ゲムシタビンを含まないTPF療法などが実施されることが多いと思われる．

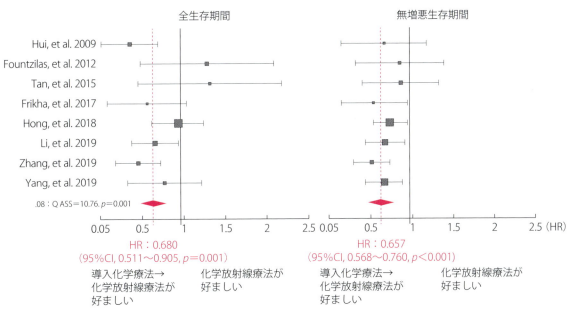

図1 局所進行上咽頭癌における導入化学療法についてのメタアナリシス
HR（hazard ratio）：ハザード比，95% CI：95%信頼区間．
[Mané M. et al：Meta-Analysis on induction chemotherapy in locally advanced nasopharyngeal carcinoma. Oncologist 26：e130-e141, 2021 より引用]

TPF療法施行時の注意点と導入化学療法のレジメンの再考

既述のとおり，頭頸部癌領域のおける導入化学療法で広く用いられているTPF療法は，細胞障害性抗癌薬3剤を併用するため毒性の管理に細心の注意を要する．TPF療法は強い骨髄抑制やそれに伴う発熱性好中球減少症（FN），消化器毒性などを認め，治療関連死亡は臨床試験においても数％で認められている[23]．消化器毒性に対しては予防的制吐薬として十分な量のステロイドを投与し，ニューロキニン1（NK_1）受容体拮抗薬や$5-HT_3$拮抗薬，胃粘膜保護薬，ベンゾジアゼピン系薬剤なども用いて対応する．また，消化器毒性が強く生じた際に十分な輸液などの適切な処置が施されない場合，シスプラチンによる尿細管障害などから永続的な腎機能低下が生じうる．

また，あくまで局所治療は後続の放射線療法主体によるものであるから，導入化学療法を先行することで同局所治療が十分に行えないことは問題となる[23]．特に導入化学療法後に化学放射線療法を行う場合は，化学放射線療法のコンプライアンスを害するような毒性が生じることは好ましくない．シスプラチン併用の化学放射線療法では，併用されシスプラチンの投与量が$200 mg/m^2$以上となることで放射線治療単独に対する生存率の上乗せ効果があるとされる．導入化学療法により腎機能に代表される臓器機能が障害された場合，化学放射線療法でのシスプラチン投与量が不足し，抗腫瘍効果が低下する懸念もある[24]．今後は後続の局所治療などにも配慮した新たなレジメンの開発も望まれる．導入化学療法としてのカルボプラチン，パクリタキセル，Cmab併用療法などは，後続のシスプラチン併用化学放射線療法のコンプライアンスを害さず，TPFと同程度の抗腫瘍効果が期待できる療法であるが，第Ⅲ相試験での評価は経ていない[25]．今後は化学放射線療法との相性にも考慮した治療開発も求められる．

導入化学療法について，機能温存を期待して実施する場合と生命予後改善を期待して実施する場合とに分けて概説した．導入化学療法は，両者の治療開発の背景と意義を理解したうえで適切な症例に安全上最大限の配慮をもって施行する必要が

ある．

文献

1) Department of Veterans Affairs Laryngeal Cancer Study Group, et al：Induction chemotherapy plus radiation compared with surgery plus radiation in patients with advanced laryngeal cancer. N Engl J Med **324**：1685-1690, 1991
2) Lefebvre JL, et al：Larynx Preservation in Pyriform Sinus Cancer：Preliminary results of a european organization for research and treatment of cancer phase iii trial. J Natl Cancer Inst **88**：890-899, 1996
3) Lefebvre JL, et al：Laryngeal preservation with induction chemotherapy for hypopharyngeal squamous cell carcinoma：10-year results of EORTC trial 24891. Ann Oncol **23**：2708-2714, 2012
4) Forastiere AA et al：Concurrent chemotherapy and radiotherapy for organ preservation in advanced laryngeal cancer. N Engl J Med **349**：2091-2098, 2003
5) Forastiere AA, et al：Long-term results of RTOG 91-11：a comparison of three nonsurgical treatment strategies to preserve the larynx in patients with locally advanced larynx cancer. J Clin Oncol **31**：845-852, 2013
6) Pointreau Y, et al：Randomized trial of induction chemotherapy with cisplatin and 5-fluorouracil with or without docetaxel for larynx preservation. J Natl Cancer Inst **101**：498-506, 2009
7) Janoray G, et al：Long-term results of a multicenter randomized phase Ⅲ trial of induction chemotherapy with cisplatin, 5-fluorouracil, ± docetaxel for larynx preservation. J Natl Cancer Inst **108**：djv368, 2015
8) Lefebvre JL, et al：Induction chemotherapy followed by either chemoradiotherapy or bioradiotherapy for larynx preservation：the TREMPLIN randomized phase Ⅱ study. J Clin Oncol **31**：853-859, 2013
9) Janoray G, et al：Induction chemotherapy followed by cisplatin or cetuximab concomitant to radiotherapy for laryngeal/hypopharyngeal cancer：long-term results of the TREMPLIN randomised GORTEC trial. Eur J Cancer **133**：86-93, 2020
10) Rosenberg AJ, Vokes EE：Optimizing treatment de-escalation in head and neck cancer：current and future perspectives. Oncologist **26**：40-48, 2021
11) Vermorken JB, et al：Cisplatin, fluorouracil, and docetaxel in unresectable head and neck cancer. N Engl J Med **357**：1695-1704, 2007
12) Posner MR, et al：Cisplatin and fluorouracil alone or with docetaxel in head and neck cancer. N Engl J Med **357**：1705-1715, 2007
13) Ghi MG, et al：Induction TPF followed by concomitant treatment versus concomitant treatment alone in locally advanced head and neck cancer. a phase Ⅱ-Ⅲ trial. Ann Oncol **28**：2206-2212, 2017
14) Hitt R, et al：A randomized phase Ⅲ trial comparing induction chemotherapy followed by chemoradiotherapy versus chemoradiotherapy alone as treatment of unresectable head and neck cancer. Ann Oncol **25**：216-225, 2014
15) Hitt R, et al：Long-term outcomes of induction chemotherapy followed by chemoradiotherapy vs chemoradiotherapy alone as treatment of unresectable head and neck cancer：follow-up of the spanish head and neck cancer group (TTCC) 2503 trial. Clin Transl Oncol **23**：764-772, 2021
16) Cohen EEW, et al：Phase Ⅲ randomized trial of induction chemotherapy in patients with n2 or n3 locally advanced head and neck cancer. J Clin Oncol **32**：2735-2743, 2014
17) Haddad R, et al：Induction chemotherapy followed by concurrent chemoradiotherapy (sequential chemoradiotherapy) versus concurrent chemoradiotherapy alone in locally advanced head and neck cancer (PARADIGM)：a randomised phase 3 trial. Lancet Oncol **14**：257-264, 2013
18) Merlano MC, et al：Phase Ⅲ randomized study of induction chemotherapy followed by definitive radiotherapy + cetuximab versus chemoradiotherapy in squamous cell carcinoma of head and neck：The INTERCEPTOR-GONO study (NCT00999700). Oncology **98**：763-770, 2020
19) Sun Y, et al：Induction chemotherapy plus concurrent chemoradiotherapy versus concurrent chemoradiotherapy alone in locoregionally advanced nasopharyngeal carcinoma：a phase 3, multicentre, randomised controlled trial. Lancet Oncol **17**：1509-1520, 2016
20) Li WF, et al：Concurrent chemoradiotherapy with/without induction chemotherapy in locoregionally advanced nasopharyngeal carcinoma：Long-term results of phase 3 randomized controlled trial. Int J Cancer **145**：295-305, 2019
21) Zhang Y, et al：Gemcitabine and cisplatin induction chemotherapy in nasopharyngeal carcinoma. N Engl J Med **381**：1124-1135, 2019
22) Mané M, et al：Meta-Analysis on induction chemotherapy in locally advanced nasopharyngeal carcinoma. Oncologist **26**：e130-e141, 2021
23) Ferrari D, et al：The slippery role of induction chemotherapy in head and neck cancer：myth and reality. Front Oncol **10**：7, 2020
24) Ko EC, et al：Toxicity profile and clinical outcomes in locally advanced head and neck cancer patients treated with induction chemotherapy prior to concurrent chemoradiation. Oncol Rep **27**：467-474, 2012
25) Enokida T, et al：A multicenter phase Ⅱ trial of paclitaxel, carboplatin, and cetuximab followed by chemoradiotherapy in patients with unresectable locally advanced squamous cell carcinoma of the head and neck. Cancer Med **9**：1671-1682, 2020

C 再発・転移頭頸部癌に対する薬物療法

　再発・転移頭頸部扁平上皮癌（R/M-SCCHN）の生存期間は，未治療であれば2～4ヵ月ときわめて予後不良である．薬物療法は緩和ケアと比較して有意な生存期間の延長と生活の質（QOL）の改善をもたらすことが示されている．Performance status（PS）が良好で臓器機能に問題なければ薬物療法を検討することとなるが，多くの患者にとって根治は困難である．さまざまな情報を十分に評価しつつ，治療の目標（延命，腫瘍縮小，症状緩和，QOLの改善など）を明確にしたのちに治療の選択を行う．薬物療法によるメリットとデメリットのバランスによっては，緩和ケアも選択肢の1つとなることを念頭に診療を計画する．

初回薬物療法

　R/M-SCCHNを対象とした初回の癌薬物療法は，白金製剤に対する感受性があるならば，可能であればPD-L1の発現率をCPS（combined positive score：腫瘍細胞および免疫細胞におけるPD-L1発現細胞の割合）を用いて確認し，ペムブロリズマブ単剤療法，PF＋ペムブロリズマブ療法，PF＋セツキシマブ療法のいずれかのレジメンから選択する．白金製剤に対する感受性がないならば，ニボルマブ単剤療法を選択する．

1 治療開発の歴史

　R/M-SCCHNに対する癌薬物療法の歴史は，1970年代にシスプラチン（CDDP）単剤が無治療と比較して生存期間の延長を示したことから始まる．その後のCDDP単剤と他剤との比較試験において優越性が示されたため，Key-drugとして広く使用されてきた．
　1980年代には多剤併用療法との比較試験が多数行われた．CDDPとフルオロウラシルの併用療法（PF療法）は，CDDP単剤と比べて奏効割合が高いものの，血液毒性，神経毒性，腎毒性が増加し，生存の改善は認めなかった．しかし，奏効割合が高く症状の緩和につながることから長く用いられてきた．
　2000年代に入ると分子標的治療薬の開発が進み，PF療法へのセツキシマブ（Cmab）の上乗せ効果が明らかとなり，PF＋Cmab療法が標準治療として確立した．
　さらに，2010年以降は免疫チェックポイント阻害薬であるニボルマブ，ペムブロリズマブの有用性が相次いで報告され，PF＋Cmab療法以外にも，PF＋ペムブロリズマブ療法，ペムブロリズマブ単剤療法，ニボルマブ単剤療法のいずれかが標準治療として認識されている．また，標準治療以外には，前治療歴，腫瘍の免疫環境，病勢などに応じてさまざまなレジメンが用いられている．

2 標準レジメン

a 白金製剤に感受性のある場合（表1）

　癌薬物療法歴のないR/M-SCCHNを対象に，標準治療であったPF療法（CDDP 100 mg/m^2, day1, q3w, 5-FU 1,000 mg/m^2, day1～4, q3w）と分子標的治療薬であるCmabを加えたPF＋Cmab療法（CDDP 100 mg/m^2, day1, q3w, 5-FU 1,000 mg/m^2, day1～4, q3w, Cmab 400→250 mg/m^2, day1, qw）を比較した第Ⅲ相試験（EXTREME試験）では，PF療法に対するPF＋Cmab療法の全生存期間（OS）における優越性が証明された．
　その後，白金製剤に感受性のあるR/M-SCCHNを対象に，標準治療であるPF＋Cmab療法をコントロールアームとして，ペムブロリズマブ単独療法（ペムブロリズマブ200 mg, q3w）およびPF＋ペムブロリズマブ療法（CDDP 100 mg/m^2, day1, q3w, 5-FU 1,000 mg/m^2, day1～4, q3w, ペムブロリズマブ200 mg, day1, q3w）を比較した第Ⅲ相試験（KEYNOTE-048試験）が行われ，プライマリエンドポイントであるOS，無増悪生存期間（PFS）の有効性（優越性もしくは非劣勢）が検証された．本試験では，免疫療法のバイオマーカーと考えられているCPSによるPD-L1の値により，

表1 KEYNOTE-048試験の有効性一覧（EMAのassessment reportデータ含む）

		PF＋ペムブロリズマブ vs. PF＋セツキシマブ		ペムブロリズマブ vs. PF＋セツキシマブ	
		PF＋ペムブロリズマブ	PF＋セツキシマブ	ペムブロリズマブ	PF＋セツキシマブ
mPFS (m)	ITT	4.9	5.1	2.3	5.2
		HR 0.92（0.77〜1.10）		HR 1.34（1.13〜1.59）	
	CPS＜1*	4.7	6.2	2.1	6.2
		HR 1.46（0.93〜2.30）		HR 4.31（2.63〜7.08）	
	CPS≥1	5.0	5.0	3.2	5.0
		HR 0.82（0.67〜1.00）		HR 1.16（0.96〜1.39）	
	1≤CPS＜20*	4.9	4.9	2.2	4.9
		HR 0.93（0.71〜1.21）		HR 1.25（0.96〜1.61）	
	CPS≥20	5.8	5.2	3.4	5.0
		HR 0.73（0.55〜0.97）		HR 0.99（0.75〜1.29）	
mOS (m)	ITT	13.0	10.7	11.6	10.7
		HR 0.77（0.63〜0.93）優越性		HR 0.85（0.71〜1.03）非劣勢	
	CPS＜1*	11.3	10.7	7.9	11.3
		HR 1.21（0.76〜1.94）		HR 1.51（0.96〜2.37）	
	CPS≥1	13.6	10.4	12.3	10.3
		HR 0.65（0.53〜0.80）優越性		HR 0.78（0.64〜0.96）優越性	
	1≤CPS＜20*	11.8	10.2	10.8	10.1
		HR 0.71（0.54〜0.94）		HR 0.86（0.66〜1.12）	
	CPS≥20	14.7	11.0	14.9	10.7
		HR 0.60（0.45〜0.82）優越性		HR 0.61（0.45〜0.83）優越性	
ORR (%)	ITT	36	36	17	36
	CPS＜1*	30.8	39.5	4.5	42.2
	CPS≥1	36	36	19	35
	1≤CPS＜20*	29.3	33.6	14.5	33.8
	CPS≥20	43	38	23	36

PFS：Progression free survival
OS：Overall survival
HR：Hazard ratio
ORR：Objective response rate
ITT：Intention to treat
CPS：Combimed Positive Score
PF：Plutinum + fluorouracil
*EMAのassessment reportデータ

CPS≧20の集団，CPS≧1の集団，ITT集団の3つの集団について逐次検定が行われた．初回治療の標準治療であるPF＋Cmab療法と比較して，PF＋ペムブロリズマブ療法は規定されたCPS≧20，CPS≧1，ITTのすべてにおいてOSにおける優越性を示し，ペムブロリズマブ単独療法はCPS≧20，CPS≧1におけるOSの優越性，ITT集団における非劣性が証明された．安全性については，グレード3以上の有害事象が生じた割合はペムブロリズマブ単独群55％，PF＋ペムブロリズマブ群85％，PF＋Cmab群83％であり，死亡に至った有害事象の割合はそれぞれ8％，12％，10％であった[1]．

実臨床では，European Medicines Agency（EMA）のassessment reportに記載されているCPS別の探索的なサブ解析（CPS≧20，1≦CPS＜20，CPS＜1）のそれぞれの集団におけるOS，PFS，奏効割合（ORR）も参考にレジメン選択を行う．

1) CPS≧20

ペムブロリズマブ単独療法はPF＋Cmab療法と比較してOSでの優越性を示しており勧められる．PF＋ペムブロリズマブ療法もOSでの優越性を示しているが，細胞障害性抗癌薬に伴う毒性が懸念されるため，腫瘍量が多い，病勢が早い，速やかに腫瘍を縮小させたい場合などに勧められる．

2) 1≦CPS＜20

PF＋ペムブロリズマブ療法はPF＋Cmab療法と比較してOSは良好，PFSでも同等の傾向を示しており勧められる．ペムブロリズマブ単独療法もOSで良好な傾向にあったが，PFSはやや劣る傾向にあるため，腫瘍量が少なく病勢が遅い場合などに勧められる．

3) CPS＜1

ペムブロリズマブ単独療法はPF＋Cmab療法と比較してOS，PFS，ORRのいずれにおいても劣る傾向にあり，PF＋ペムブロリズマブ療法もやや劣る傾向にある．探索的な結果であるためレジメン選択の決定的な情報とはならないが，ペムブロリズマブを積極的に使用する結果ではない．

4) CPS不明

ITT解析の結果からはPF＋ペムブロリズマブ療法はPF＋Cmab療法と比較してOSでの優越性が示されており勧められる．ペムブロリズマブ単独療法ではOSでの非劣性が示されており，通院頻度や有害事象などを考慮して検討する．

ｂ 白金製剤に感受性のない場合（表2）

白金製剤に抵抗性（白金製剤を用いた治療から6ヵ月以内に再発した症例）のR/M-SCCHN患者361例を対象に，対照群である医師選択治療群（ドセタキセル30〜40 mg/m^2, qw or メトトレキサート40〜60 mg/m^2, qw or セツキシマブ400→250 mg/m^2, qw）とニボルマブ単独療法群（3 mg/kg, q2w）を比較した第Ⅲ相試験（CheckMate-141試験）では，医師選択治療群に対するニボルマブ単独療法群のOSにおける優越性（mOS 7.7ヵ月 vs. 5.1ヵ月，HR 0.71, 95％ CI 0.55〜0.90）が証明された．安全性については，グレード3以上の有害事象が生じた割合はニボルマブ群13.1％，医師選択治療群35.1％であった[2]．

本試験では，免疫療法のバイオマーカーと考えられているTPS（tumor positive score：腫瘍細胞におけるPD-L1発現細胞の割合）によるPD-L1値の測定が行われた．TPSが高いほうがOSもよい傾向にあるものの，統計学的に有意なものではなく，TPSのみで適応を判断することは勧められない．

また，白金製剤に抵抗性のR/M-SCCHN患者495例を対象に，対照群である医師選択治療群（ドセタキセル75 mg/m^2, q3w or メトトレキサート40〜60 mg/m^2, qw or セツキシマブ400→250 mg/m^2, qw）とペムブロリズマブ単独療法群（200 mg, q3w）を比較した第Ⅲ相試験（KEYNOTE-040）も報告されている．プロトコールに規定されていた時点での最終解析ではOSにおける優越性を示すことはできなかったが，生存状態の確認できていなかった一部患者情報を追加した追加解析ではOSにおける優越性が確認されている．安全性については，グレード3以上の有害事象が生じた割合はペムブロリズマブ群13％，医師選択治療群36％であり，欧米においてはニボルマブと同様の位置づけと考えられている[3]．

３ その他のレジメン（表3）

標準治療以外に汎用されているレジメンがいくつかある．それぞれのレジメンは10〜50％程度

表2 CheckMate-141試験およびKEYNOTE-040試験の有効性一覧

CheckMate-141		
	ニボルマブ	医師選択治療
mPFS (m)	2.0	2.3
	HR 0.89 (0.70〜1.13)	
mOS (m)	7.5	5.1
	HR 0.70 (98% CI：0.51〜0.96)	
ORR (%)	13.3	5.8
KEYNOTE-040		
	ペムブロリズマブ	医師選択治療
mPFS (m)	2.1	2.3
	—	
mOS (m)	8.4	6.9
	HR 0.80 (0.65〜0.98)	
ORR (%)	14.6	10.1

PFS：Progression free survival
OS：Overall survival
ORR：Objective response rate

表3 その他レジメンのデータ一覧

多剤併用療法			
	ORR (%)	mPFS (m)	mOS (m)
PTX＋CBDCA＋Cmab	40	5.2	14.7
PTX＋Cmab	54	4.2	8.1
単剤療法			
	ORR (%)	mPFS (m)	mOS (m)
DTX	20〜27		3.7〜6.7
PTX	29	3.4	14.3
S-1	24	4.9	13.2
Cmab	13		5.9

PTX：パクリタキセル
CBDCA：カルボプラチン
Cmab：セツキシマブ
DTX：ドセタキセル
ORR：Objective response rate
PFS：Progression free survival
OS：Overall survival

の奏効率を示しているが，best supportive care（BSC）と比較した試験データはなく，生存の延長効果は証明されていない．ただし，免疫療法に続く薬物療法は有効性が高いとの報告が多数ある．各レジメンの期待される有効性と安全性，全身状態などを十分に考慮したうえで検討すべきである．

ⓐ 多剤併用療法

1）PTX＋カルボプラチン（CBDCA）＋Cmab 療法

前治療歴のない R/M-HNSCC 患者 45 例を対象に PTX＋CBDCA＋Cmab 併用療法（PTX 100 mg/m^2，day1，8，q3w，CBDCA AUC 2.5，day1，8，q3w，Cmab 400→250 mg/m^2，day1，qw）の第Ⅱ相試験（CSPOR-HN02）がわが国から報告されている．有効性は ORR 40％，mOS 14.7ヵ月，mPFS 5.2ヵ月，安全性はグレード 3 以上の好中球減少症 68％，皮膚障害 15％，倦怠感 9％が確認された．好中球減少症の頻度が高いものの有効性は高く，外来での管理が可能であることから汎用性の高いレジメンの 1 つと考える[4]．

2）パクリタキセル（PTX）＋Cmab 療法

前治療歴のない R/M-HNSCC 患者 46 例を対象に，PTX＋Cmab 併用療法（PTX 100 mg/m^2，qw，Cmab 400→250 mg/m^2，qw）の第Ⅱ相試験が報告されている．有効性は，ORR 54％，mPFS 4.2ヵ月，mOS 8.1ヵ月，安全性はグレード 3 以上のざ瘡様皮疹 24％，無力症 17％，好中球減少症 9％が確認された．有効性，安全性ともに高く，外来での管理が可能であることから汎用性の高いレジメンの 1 つと考える[5]．

ⓑ 単剤療法

1）ドセタキセル（DTX）

R/M-SCCHN 患者に対して，DTX 単剤療法（DTX 40～100 mg/m^2，qw or q3w）の報告では，ORR 20～27％程度，mOS 3.7～6.7ヵ月と報告されている．グレード 3 以上の好中球減少をはじめとする骨髄抑制を高頻度で認めており注意が必要である[6,7]．

2）PTX

R/M-HNSCC 患者 74 例に対して，PTX 単剤療法（PTX 100 mg/m^2，6 週投与 1 週休薬）の第Ⅱ相試験がわが国で実施され，ORR 29％，mPFS 3.4ヵ月，mOS 14.3ヵ月と良好な結果が報告された．グレード 3 以上の有害事象は，白血球減少 37.5％，好中球減少 30.6％，貧血 12.5％，末梢神経障害 5.6％であった[8]．

3）S-1

白金製剤使用歴のある R/M-SCCHN 患者 29 例に対して，S-1 単剤療法（S-1 80 mg/m^2，4 週投与 2 週休薬）を行った後視的試験では，ORR 24％，mPFS 4.9ヵ月，mOS 13.2ヵ月と報告されている．白金製剤使用後から 6ヵ月未満の群の PFS は 6ヵ月以上の群と比べて大きく劣ることも確認されている．安全性については，グレード 3 以上の有害事象は 10％未満である[9]．

4）Cmab

白金製剤不応の R/M-HNSCC 患者 103 例を対象に Cmab 単剤療法（Cmab 400→250 mg/m^2，qw）の第Ⅱ相試験が報告されている．有効性は ORR 13％，mOS 178 日，mTTP 70 日であり，安全性に懸念事項はなかった[10]．

📖 文 献

1) Burtness B, et al：Pembrolizumab alone or with chemotherapy versus cetuximab with chemotherapy for recurrent or metastatic squamous cell carcinoma of the head and neck（KEYNOTE-048）：a randomised, open-label, phase 3 study. Lancet **394**：1915-1928, 2019
2) Ferris RL, et al：Nivolumab for recurrent squamous-cell carcinoma of the head and neck. N Engl J Med **375**：1856-1867, 2016
3) Cohen EEW, et al：Pembrolizumab versus methotrexate, docetaxel, or cetuximab for recurrent or metastatic head-and-neck squamous cell carcinoma（KEYNOTE-040）：a randomised, open-label, phase 3 study. Lancet **393**：156-167, 2019
4) Tahara M, et al：Phase Ⅱ trial of combination treatment with paclitaxel, carboplatin and cetuximab（PCE）as first-line treatment in patients with recurrent and/or metastatic squamous cell carcinoma of the head and neck（CSPOR-HN02）. Ann Oncol **29**：1004-1009, 2018
5) Hitt R, et al：Phase Ⅱ study of the combination of cetuximab and weekly paclitaxel in the first-line treatment of patients with recurrent and/or metastatic squamous cell carcinoma of head and neck. Ann Oncol **23**：1016-1022, 2012
6) Couteau C, et al：A phase Ⅱ study of docetaxel in patients with metastatic squamous cell carcinoma of the head and neck. Br J Cancer **81**：457-462, 1999
7) Guardiola E, et al：Results of a randomised phase Ⅱ study comparing docetaxel with methotrexate in patients with recurrent head and neck cancer. Eur J Cancer **40**：2071-2076, 2004
8) Tahara M, et al：Weekly paclitaxel in patients with recurrent or metastatic head and neck cancer. Can-

cer Chemother Pharmacol **68**:769-776, 2011
9) Yokota T, et al:S-1 monotherapy for recurrent or metastatic squamous cell carcinoma of the head and neck after progression on platinum-based chemotherapy. Jpn J Clin Oncol **41**:1351-1357, 2011
10) Vermorken JB, et al:Open-label, uncontrolled, multicenter phase Ⅱ study to evaluate the efficacy and toxicity of cetuximab as a single agent in patients with recurrent and/or metastatic squamous cell carcinoma of the head and neck who failed to respond to platinum-based therapy. J Clin Oncol **25**:2171-2177, 2007

D 根治切除不能甲状腺癌に対する薬物療法

分化型甲状腺癌

甲状腺乳頭癌では，*BRAF* や *RAS* の突然変異がみられ（表1）[1]，RAS/RAF/MAPK 経路の役割が重要であることを示している．成人では *BRAF*^{V600E} の変異が多いが，年齢が低くなると *RET/PTC* などの融合遺伝子の頻度が上がるとされる．

現在，RAI 抵抗性分化型甲状腺癌において第Ⅲ相試験で効果が証明され，わが国で保険適用となっている mTKI はソラフェニブとレンバチニブである．mTKI はプラセボと比較して，無増悪生存期間（PFS）の延長は示されてはいるが，腫瘍を根治できるわけではない．よって mTKI の開始時期に関しては，全身状態，腫瘍の増殖速度，腫瘍による症状の有無などを含め多方面からの検討を要する．加えて，mTKI の有害事象のマネジメント，患者教育も必須である．

1 ソラフェニブ

ソラフェニブは，VEGFR-1，2，3，PDGFRβ，RET，RAF などを阻害する経口抗癌薬であり，第Ⅲ相試験である DECISION 試験にて有効性が示された[2]．

対象は RAI 治療抵抗性で 14ヵ月以内に病勢進行し，TKI，サリドマイドによる治療歴のない症例である．419人が登録され，ソラフェニブ群とプラセボ群に 1：1 に無作為に割り付けられた．ソラフェニブは 400 mg を 2 回，1 日 800 mg を内服した．なお，プラセボ群は病勢進行後にクロスオーバーが許容された．

主要評価項目は PFS 中央値，副次評価項目は全生存期間（OS），奏効率などだった．PFS は，ソラフェニブ群 10.8ヵ月，プラセボ群が 5.8ヵ月 [HR 0.59（0.46～0.76），$p<0.0001$]と，統計学的有意にソラフェニブ群で延長した．なお，OS は両群で有意差は認めなかった（HR 0.80，95% CI 0.54～1.19，$p=0.14$）．理由として，プラセボ群の約70%が病勢進行後クロスオーバーを行った関係が考えられる．

主な有害事象として，手足症候群，脱毛，下痢，皮疹などが報告された．有害事象による投与の中断は 66.2%，減量は 64.3%，投与中止は 18.8% に認められた．

2 レンバチニブ

レンバチニブは，VEGFR1～3，FGFR1～4，RET，c-KIT，PDGFR を同時に抑制する．

SELECT 試験とは，レンバチニブ群とプラセボ群を比較した第Ⅲ相試験である．RAI 治療抵抗性の分化型甲状腺癌を対象にしており，過去 13ヵ月

表1 甲状腺癌組織別遺伝子変異の割合

	乳頭癌	濾胞癌	低分化癌	髄様癌	未分化癌
RET/PTC 融合遺伝子	13～43%	0%	0～13%		0%
BRAF 変異	30～70%	0%	0～13%		10～35%
RAS 変異	0～21%	40～50%	15～27%		20～60%
PPAR-γ 再構成	0%	25～63%	0%		0%
TP53 変異	0～5%	0～9%	17～38%		67～88%
TERT promoter 変異	16～40%	11～17%	43%		40%
RET 変異	—	—	—	家族性 95～99% 孤発性 25～30%	—

[Naoum GE, et al：Cancer 17：51, 2018 を参考に作成]

以内に画像診断にて病勢進行が確認され，VEGFRを標的にする治療歴が1レジメン以内の症例が対象となった．392人の症例が登録され，レンバチニブ群とプラセボ群に2：1に割り付けられ，レンバチニブは1日1回24 mgより経口投与開始となった．なお，プラセボ群は病勢進行後，クロスオーバーが許容された．主要評価項目はPFS，副次評価項目として奏効率，OSおよび安全性が比較された．

PFSは，レンバチニブ群18.3ヵ月，プラセボ群が3.6ヵ月［HR 0.21（0.14〜0.31），$p<0.001$］と統計学的有意に14.7ヵ月延長し，病勢進行リスクを79%下げた．また，前治療歴にVEGFR標的薬を使用した症例にも効果を示した．グレード3以上の有害事象は，高血圧（42%），体重減少，蛋白尿（10%），倦怠感（9%）であった．レンバチニブの減量を要したのは68%，休止は82%，毒性中止14%であった[3]．本試験の結果と，わが国で施行された甲状腺全組織の第Ⅱ相試験の結果[4]をもって，わが国ではレンバチニブは根治切除困難な甲状腺癌の全組織型に承認されている．

3 バンデタニブ

バンデタニブとプラセボを比較したランダム化第Ⅱ相試験では164人が登録され，72人がバンデタニブに，73例がプラセボ群に無作為に割り付けられた．主要評価項目であるPFSは，バンデタニブ群11.1ヵ月，プラセボ群5.9ヵ月（HR 0.63）と，統計学有意にバンデタニブで延長した．奏効率（バンデタニブ群8%，プラセボ群5%）とOSは両群ともに統計学的有意差を認めなかった[5]．

その後，バンデタニブとプラセボを比較した第Ⅲ相試験（VERIFY）試験が施行され，患者集積が終了した（NCT01876784）．両群119人ずつ登録され，主要評価項目であるPFSは，バンデタニブ群10.1ヵ月，プラセボ群5.7ヵ月という結果だった．

4 カボザンチニブ

カボザンチニブはVEFGR，C-MET，RETなどを抑制する低分子TKIである．

前治療にVEGFR阻害薬を使用し，病勢進行したRAI不応甲状腺分化癌における一次治療としてのカボザンチニブの第Ⅱ相試験では，PFS中央値12.7ヵ月（95% CI 10.9〜37.7ヵ月），OS中央値は34.7ヵ月だった[6]．

2レジメン以上のVEFGR阻害薬の前治療歴があるRAI不応甲状腺分化癌を対象とした，カボザンチニブとプラセボを比較した第Ⅲ相試験の結果が報告された．主要評価項目はPFSであり，プラセボ群と比較してカボザンチニブ群は死亡リスクを78%減少させ，HR 0.22（96% CI 0.13〜0.36）であり，FDAで承認された（2021年12月現在）．

髄様癌

髄様癌は家族性と孤発性に分類され，RETの変異は家族性では95%以上，孤発性では65%以上とされる．第Ⅲ相試験で有用性が報告されているのは，バンデタニブとカボザンチニブであり，バンデタニブのみがわが国で承認されている．ほかにも，わが国では第Ⅱ相の結果にてソラフェニブとレンバチニブも使用可能である．

1 バンデタニブ

局所進行性または転移性の甲状腺髄様癌患者を2：1の比率でバンデタニブとプラセボに割り付けたランダム化比較第Ⅲ相試験が施行された（ZETA試験）．プラセボ群の病勢進行例はクロスオーバーも許容された．主要評価項目はPFS中央値であり，バンデタニブ群30.5ヵ月，プラセボ群が19.3ヵ月であり，バンデタニブ群で統計学有意にPFSを延長させた（HR 0.46，95% CI 0.31〜0.69，$p<0.001$）．この結果より，欧州，わが国ともに承認されている．

2 カボザンチニブ

進行性甲状腺髄様癌患者を対象にした第Ⅲ相試験（EXAM trial）では，2：1にカボザンチニブまたはプラセボに割り付けられ，330人が登録された．わが国は未参加であり，クロスオーバーは許容されなかった．症例の内訳は，孤発性87%，家族性5.5%であった．主要評価項目であるPFF中央値は，カボザンチニブ群11.2ヵ月，プラセボ群4.0ヵ月であり，統計学的有意差をもってカボザンチニブ群で延長した［HR 0.28，95% CI 0.19〜0.40，$p<$

0.001）］．RET 変異，年齢，前治療の TKI 使用歴にかかわらず，治療効果を認めた．本試験の結果をもって，欧米では髄様癌に承認されている．

3 ソラフェニブ

髄様癌に対するソラフェニブのデータは少ない．
海外の 16 例の第Ⅱ相試験の検討では，部分奏効 6％，PFS 17.9％と報告されている．わが国では，第Ⅱ相試験が施行され，8 人の髄様癌の症例が登録された．PFS と OS は未到達であり，ORR は 25％であった．

4 レンバチニブ

髄様癌を対象としたデータは少ないが，欧米の第Ⅱ相試験では 59 人が集積され，RR が 36％，PFS 中央値が 9 ヵ月と報告された．
わが国においては，51 人の症例で行われた第Ⅱ相試験が施行された．組織の内訳は，分化癌 25 人，髄様癌 9 人，未分化癌 17 人だった．PFS 中央値は 9.2 ヵ月，OS 中央値は 12.1 ヵ月，奏効率は 22％であった．

未分化癌

未分化癌の予後は不良であり，わが国の解析では，OS 中央値 3.8 ヵ月，1 年生存率 18％という報告である．わが国ではレンバチニブが承認されている．
また，$BRAF^{V600E}$ 変異に対する薬剤や，免疫チェックポイント阻害薬（ICI）などに期待がもてる．

1 レンバチニブ

わが国で実施された全組織型を対象とした第Ⅱ相試験では，51 例中 17 例の未分化癌が登録された．ORR 24％，PFS 中央値 7.4 ヵ月，OS 中央値は 10.6 ヵ月と良好であった[7]．

2 ソラフェニブ

海外では，第Ⅱ相試験が施行され，20 人が登録された．PR は 2 人（10％），PFS 中央値 1.9 ヵ月，OS 中央値 3.9 ヵ月であった．わが国でも髄様癌とともに症例が集積された第Ⅱ相試験が施行され，10 人の未分化癌症例が登録され，PFS 中央値 2.8 ヵ月，OS 中央値 5.0 ヵ月であり，ORR は 0％と良好とはいえない結果だった．

遺伝子パネル検査に提出するタイミング

2019 年に遺伝子パネル検査が保険承認された．遺伝子パネル検査の条件としては，①標準治療がない固形癌，②局所進行もしくは転移があり，標準治療が終了した（終了見込みを含む）固形癌の人で，次の新たな薬物療法を希望する場合とされている．また，抗癌薬治療に耐えうる全身状態が良好なことも望まれる．検査には，患者の十分な理解と，保存状態が良好な検査検体が必要である．
RAI 不応甲状腺分化癌では，TKI 治療中または使用終了後の病勢進行期での提出が考慮される．切除不能，再発甲状腺未分化癌の場合は予後が不良であり，診断と同時の提出も検討する．
遺伝子パネル検査で治療につながる遺伝子変異が判明することで，患者申出療養制度を利用した薬剤や新規治験につながる可能性がある（表 2：2021 年 4 月現在）．

1 遺伝子パネル検査で投与可能になる代表的な薬剤

a BRAF 阻害薬＋MEK 阻害薬

先に述べたが，$BRAF^{V600E}$ 変異は乳頭癌に頻度が高く，低分化癌，未分化癌でも約 50％にみられる．BRAF 活性化変異のある症例では BRAF/MEK 併用療法である．治験参加困難な場合は，患者申出療養にて使用することができる．

1）ダブラフェニブ＋トラメチニブ

BRAF 変異陽性の固形癌を対象とした第Ⅱ相試験にて，甲状腺未分化癌 16 症例が登録された．奏効率 69％，1 年生存率は 79％と良好な成績であった[8]．

b RET 変異，RET 融合遺伝子

RET 遺伝子異常は点突然変異と再構成に分かれる．前者の点突然変異は散発性や家族性の髄様癌などで，RET 融合遺伝子は乳頭癌の 10〜20％でみられるとされる．

表2　甲状腺癌遺伝子変異ごとの薬剤

遺伝子変異		主な薬剤	
ALK融合遺伝子・遺伝子変異	ALK阻害薬	アレクチニブ	患者申出療養
		セリチニブ	患者申出療養
NTRK融合遺伝子	ROS1/TRK阻害薬	エヌトレクチニブ	保険適用
		ラロトレクチニブ	保険適用
BRAF^{V600E}変異	BRAF阻害薬	ダブラフェニブ＋トラメチニブ	患者申出療養
RET融合遺伝子・遺伝子変異	RET阻害薬	セルペルカチニブ	承認（2022年2月）
		Pralsetinib	治験
TMB-high	抗PD-1抗体	ペムブロリズマブ	保険適用
有用な変異なし	VEGFR阻害薬	レンバチニブ	保険適用
		ソラフェニブなど	

1) セルペルカチニブ

セルペルカチニブは選択的RET阻害薬である．RET遺伝子変異陽性の髄様癌を対象とした第Ⅰ/Ⅱ相試験の結果が報告された．前治療歴のある55症例のRRは69％，1年PFSは82％，前治療歴のない88症例のRRは73％，1年PFSは92％，RET融合遺伝子19症例ではRRは79％，1年PFS 64％と良好な結果だった[9]．2022年2月にRET融合遺伝子陽性の甲状腺癌，RET遺伝子変異陽性の甲状腺髄様癌に承認された．

2) Pralsetinib（BLU-667）

融合遺伝子を含むRET活性化変異を有する固形癌を対象としたPralsetinibの第Ⅰ/Ⅱ相試験が実施されている（ALLOW試験）．PralsetinibはRET変異陽性の甲状腺髄様癌に対して，奏効率56％と報告された．RET変異を有し，前治療歴のない29例ではORR 66％，mTKIの前治療歴がある症例ではORR 60％，RET融合遺伝子を有するRAI不応甲状腺癌の症例ではORR 89％であった．本結果をもって，FDAにて2020年12月に承認された．

c NTRK

2019年に，NTRK融合遺伝子陽性甲状腺癌を含む固形腫瘍に対して，tropomyosin receptor kinase（TRK）阻害薬であるエヌトレクチニブが，2020年にラロトレクチニブが，わが国で保険承認された．

NTRK融合遺伝子陽性癌の特徴は，非常にまれな癌種で90％以上の高確率で陽性になること，一般的な癌種における陽性頻度は低いこと，年齢問わず，成人と小児で陽性になることがあげられる．なお甲状腺乳頭癌では，NTRK融合遺伝子陽性は2〜3％ほどとされる．

1) エヌトレクチニブ

54人のNTRK融合遺伝子を有する進行固形腫瘍患者を対象に試験が行われた．うち甲状腺患者は5人（9％）だった．奏効期間中央値は10ヵ月と良好であった．

2) ラロトレクチニブ

159人のNTRK融合遺伝子陽性の進行・再発固形癌を対象とした試験が行われ，甲状腺癌の症例は26人（16％）だった．ORRは79％と良好であった．

d ALK融合遺伝子

低分化癌や未分化癌でALK融合遺伝子がみられることがある．患者申出療養制度にて，セリチニブやアレクチニブを使用することができる．

e TMB-H（腫瘍遺伝子変異量）

癌種別のMSI-Hの報告では，甲状腺癌は3％前後とされている．TMB-Hの症例に，ペムブロリズマブは保険承認されている．

分化型甲状腺癌に対して，抗PD-1抗体薬であるペムブロリズマブの成績が報告された．RRは9％，PFS中央値は7ヵ月であった[10]．

ほかにも，ICI同士の併用，ICIとTKIを併用した治験が施行されている．

RAI不応，局所進行・再発をきたした甲状腺癌にて，さまざまなmTKIの治療開発が進んだ．mTKIによる治療をの開始タイミングを見極める必要がある．加えて，医師，看護師，薬剤師をはじめとした医療従事者による副作用マネジメントや，患者教育も必要である．

　わが国でも遺伝子パネル検査が保険償還された．検査の内容，条件を十分に理解し，適切なタイミングでの検査が重要である．

文献

1) Naoum GE, et al：Novel targeted therapies and immunotherapy for advanced thyroid cancers. Molecular Cancer **17**：51, 2018
2) Brose MS, et al：Sorafenib in radioactive iodine-refractory, locally advanced or metastatic differentiated thyroid cancer：a randomised, double-blind, phase 3 trial. Lancet **384**：319-328, 2014
3) Schlumberger M, et al：Lenvatinib versus placebo in radioiodine-refractory thyroid cancer. N Engl J Med **372**：621-630, 2015
4) Takahashi S, et al：A phase Ⅱ study of the safety and efficacy of lenvatinib in patients with advanced thyroid cancer. Future Oncology **15**：717-726, 2019
5) Leboulleux S, et al：Vandetanib in locally advanced or metastatic differentiated thyroid cancer：a randomised, double-blind, phase 2 trial. Lancet Oncol **13**：897-905, 2012
6) Cabanillas ME, et al：Cabozantinib as salvage therapy for patients with tyrosine kinase inhibitor-refractory differentiated thyroid cancer：results of a multicenter phase Ⅱ international thyroid oncology group trial. J Clin Oncol **35**：3315-3321, 2017
7) Tahara M, et al：Lenvatinib for anaplastic thyroid cancer. Front Oncol **7**：25, 2017
8) Subbiah V, et al：Dabrafenib and trametinib treatment in patients with locally advanced or metastatic BRAF V600-mutant anaplastic thyroid cancer. J Clin Oncol **36**：7-13, 2018
9) Wirth LJ, et al：Efficacy of selpercatinib in RET-altered thyroid cancers. N Engl J Med **383**：825-835, 2020
10) Mehnert JM, et al：Safety and antitumor activity of the anti-PD-1 antibody pembrolizumab in patients with advanced, PD-L1-positive papillary or follicular thyroid cancer. BMC cancer **19**：196, 2019

E 緩和ケア

評　価

症状の強さは，numeric rating scale（NRS）を用いて，無症状の0から最悪のつらさの10で表現する方法を用いる．増悪・軽快のパターン，症状の性質，嘔吐では回数や吐物の状態など症状別にアセスメントすることで薬物効果の評価を繰り返していく．

薬物療法

1 痛　み

a 特　徴

頭頸部癌は局所の炎症が強く，cyclooxygenase-2（cox-2）やアラキドン酸代謝に関与する物質の発現率が高いため[1]，非ステロイド抗炎症薬（NSAIDs）やステロイドの併用がより効果的であったり，限られた容積に多数の神経が走行している領域の腫瘍であることから鎮痛補助薬の併用を比較的早い時期から必要としたりすることがある．平均70%といわれる突出痛は頭頸部癌では94.7%が経験しているという報告[2]があり，その対策も重要である．

b 治　療

癌疼痛治療は，長く3段階除痛ラダーとして知られていた世界保健機関（WHO）ガイドラインが2018年に「若年成人以上に対する薬物および放射線治療を用いたがん疼痛マネジメントのWHOガイドライン」として，公表された．主な改訂点は，これまでの5原則から，"薬物の効力に応じ段階的に用いること"が除かれ，4原則への変更である[3]．

つまり，患者の痛みの強さにあわせて図1の①，②，③のいずれから開始してもよいことが強調された．

1）NSAIDsまたはアセトアミノフェン

炎症が腫瘍周囲に生じるとcox-2が誘導的に発現し，ブラジキニンなどの発痛物質や疼痛の閾

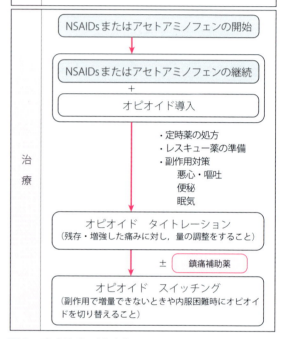

図1　疼痛治療の進め方

値を下げるプロスタグランジンが局所に増えているため，それを抑えるNSAIDsは頭頸部癌の症状緩和には，key drugである．ただし，腎機能障害や凝固能異常があるときは，アセトアミノフェンを用いるが，抗炎症効果は期待できない．

2）オピオイド

①薬剤の種類とその特徴：NSAIDsとは鎮痛機序が異なり，オピオイドとNSAIDsは併用することが基本である．

＜デュアルアクションオピオイド＞

- トラマドール：セロトニン，ノルアドレナリン再取込み阻害作用とμオピオイド受容体作動をもった経口薬．非麻薬指定．
- タペンタドール：ノルアドレナリン再取込み阻害作用とμオピオイド受容体作動をもった経口薬．セロトニンへの関与が少ないことからトラマ

ドールに比較して眠気が少ない可能性がある．麻薬指定．

・メサドン：NMDA 受容体阻害作用とオピオイド受容体作動作用をもつ．神経障害性疼痛に対する作用が期待できるが，QT 延長作用を認め，薬剤相互作用が多く，尿の pH によって再吸収が異なること，半減期は長い（30.4±16.3 時間）にもかかわらず，1 日 3 回投与を必要とする 2 相性半減期をもつなどの特徴をもつ．

＜μオピオイド受容体作動薬＞

・コデインリン酸塩：経口鎮咳薬であるが，肝臓で CYP2D6 によりモルヒネに変換される．CYP2D6 が律速段階となり，有効限界をもつ．この CYP は遺伝子多型が数％あり[4]，必ずしも換算比どおりの効果が得られないことがある．1％コデインリン酸塩は非麻薬，10％は麻薬指定である．

・オキシコドン：経口，注射が発売されている．有効限界はない．上部小腸で吸収され肝臓で代謝を受けた後の中間代謝産物は微量のため副次的症状は招かず，腎障害患者においても比較的安全に使用できる．

・モルヒネ：経口，坐薬，注射が発売されている．有効限界はない．上部小腸で吸収され肝臓でグルクロン酸抱合を受けた後，鎮静や呼吸抑制を引き起こす代謝物 M-6-G は腎臓から排泄される．血清クレアチニン 2 mg/dL 以上の可能性がある場合は，他のオピオイドへ切り替えることを検討する[5]．

モルヒネ硫酸塩水和物徐放細粒（10 mg/日，30 mg/日）は，1 日 2 回（12 時間ごと）胃瘻や経鼻胃管から注入できるが，栄養剤のような粘度の高い液体に溶解し注入する必要がある．水では注射器の壁面に細粒が接着し必要量が注入できないためである．

また，モルヒネは，呼吸困難に対し有意な緩和効果が報告されている[6]．

・フェンタニル：口腔粘膜吸収錠（即効性），貼付剤（24 時間ごとまたは 72 時間ごと），注射の剤型がある．貼付剤は，熱によって薬剤放出が促進され血中濃度が上昇するため，入浴，カイロ，発熱時には注意する．切って用いてはいけない．他のオピオイドから切り替える場合は，12 時間先行

オピオイドを併用する（貼付剤の血中濃度上昇に約 17 時間程度を要するため）．最少貼付剤は経口モルヒネ 15 mg/日に相当する．レスキュー薬として即放性の舌下錠やバッカル錠が投与可能である．口腔内に潰瘍など開いた創部がある場合は，急峻な血中濃度上昇や脳内移行の可能性があるため，リスクを上回るメリットがあるとき，意識状態，呼吸回数などの観察下で投与する．

・ヒドロモルフォン：経口，注射が剤型としてあり，有効限界をもたない．モルヒネと同様にグルクロンサン抱合で代謝されるため薬剤相互作用を受けがたいが，モルヒネと異なり腎機能障害があっても投与可能である[7]．

②定時薬とレスキュー薬：定時薬とは，疼痛の有無にかかわらず時間を決めて投与する徐放剤をいい，定時薬投与下でも突出的な疼痛や，定時薬の切れ目の疼痛悪化などを認める場合は，いわゆる頓服に相当するレスキュー薬を用いる．フェンタニル口腔粘膜吸収剤とそれ以外の速放性オピオイドの 2 つの投与方法がある．

・モルヒネ，オキシコドンヒドロモルフォンは，定時投与総量を経口または坐薬に換算し，1 日定時量の 1/4〜1/8 量（1/6）を 1 回量とする．1 時間あければ 3 回/日までを目安とする（3 回で前日の 50％増）．

・フェンタニル口腔粘膜吸収剤は，1 日定時量によらず，最少量を投与し，1 回で除痛が得られるようにタイトレーション（増量）を行っていく．投与後 30 分の追加を含め 2〜4 時間あけて 4 回/日まで使用可能．

---

③タイトレーション：オピオイドが疼痛に比して過量となると眠気が出現し，不足となると疼痛が悪化する．したがって，タイトレーションは眠気と疼痛の有無を指標にしながら調整を行っていく．増量するときは，1 日総量の 30〜50％を数日間隔で行い，除痛程度を観察していく．

④オピオイドスイッチング（オピオイドローテーション）：副作用により増量が困難となった場合，そのとき投与しているオピオイドから他のオピオイドに切り替えることをいう[8]．また，広

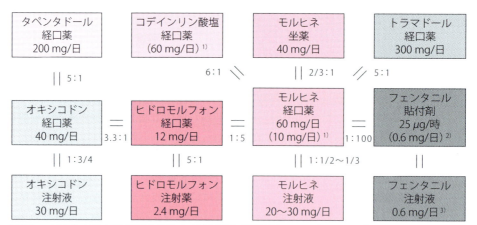

図2 オピオイドの等鎮痛力価となる換算量（基準量モルヒネ60 mg）

1) コデインリン酸塩は有効限界があるため，ここではコデインリン酸塩60 mgに対するモルヒネとの換算量10 mgを括弧として示した
2) 放出量25 μg/時は，72時間ごとフェンタニル貼付剤4.2 mg，24時間ごとフェンタニル貼付剤2 mgに相当
3) 貼付剤からのフェンタニル放出量が100%吸収されたと仮定された場合の皮下注，静注量

［有賀悦子：スキルアップがん症状緩和，南江堂，東京，p.95，2018をもとに作成］

表1 オピオイドの副作用コントロール

症状		発生～継続期間	頻度	対処開始時期	対処，処方
便秘		期間中継続	96%	オピオイド開始時	図3参照
悪心，嘔吐		～2，3週	30%	オピオイド開始時に予防的に	図4参照
眠気		～数日	24%	経過をみながら	減量，オピオイドスイッチング お茶，コーヒー
排尿障害		期間中継続	5%	経過をみながら	ベタネコール タムスロシン（男性） ウラピジル（女性）
呼吸抑制	（PO₂↓）	開始時，急な増量，急性腎不全	0%	経過をみながら	減量，一時中止，酸素吸入
	（PCO₂↑）			緊急	減量，一時中止，ナロキソン
せん妄，混乱		～数日	0%	経過をみながら	オピオイドの減量 抗精神病薬
めまい，ふらつき		～数日	1%	経過をみながら	減量，ジフェンヒドラミン・ジプロフィリンなど
かゆみ，発汗		期間中継続	2%	経過をみながら	抗ヒスタミン薬，ステロイド，オピオイドスイッチング，他剤へ変更
ミオクローヌス		大量投与時		経過をみながら	クロナゼパム

［有賀悦子：日内会誌 98：1385-1393, 2009をもとに作成］

義には内服困難となった場合，投与経路を変更することも含む．異なったオピオイド，投与経路間で鎮痛効果が等しくなる力価量を図2に示す．代謝酵素の遺伝子多型やその時々の身体条件により，この比率は変化するため，あくまでも目安に過ぎない．まず，計算より少ない量に切り替え，患者の眠気と疼痛をよく観察しながら速やかにタイトレーションを行う．

⑤副作用対策[9]（表1）

- 便秘：経過中，投与患者ほぼ全員に認める副

表2 オピオイド誘発性便秘症の診断基準

1. オピオイド治療を開始，変更，あるいは増量することにより，新規あるいは悪化する便秘症状が下記の2項目以上を示す．
    a. 排便の25%より多くいきみがある
    b. 排便の25%より多く兎糞状便又は硬便がある
    c. 排便の25%より多く残便感がある
    d. 排便の25%より多く直腸肛門の閉塞感あるいはつまった感じがある
    e. 排便の25%より多く用手的に排便促進の対応をしている（＊摘便，骨盤底圧迫など）
    f. 排便回数が週に3回未満
2. 下剤を使わないとき軟便はまれ

＊筆者注釈
[Lacy BE, et al：Gastroenterology 150：1393-1407, 2016，有賀　悦子：スキルアップがん症状緩和．南江堂，東京，p.76, 2018 をもとに作成]

作用である．経口鎮痛薬の吸収の確保や，嘔吐がなく在宅療養期間を維持するためには，便秘のコントロールが重要である．機能性消化管障害の国際基準を定めた Roma-Ⅳ によるオピオイド誘発性便秘症（opioid-induced constipation：OIC）の診断基準を表2に示す．治療薬の末梢性μオピオイド受容体拮抗薬は，受容体に非競合的作用をもつため，オピオイドの増減によらず一定の投与量でよい．ただし，オピオイド投与前から下剤を必要としていた患者や経過中 OIC 以外の便秘症を合併した患者では，軟便化作用や大腸刺激性作用の下剤を併用することが必要となる．軟便化と大腸蠕動促進の両面からアプローチする．図3に便秘治療の進め方を例示す．

- 嘔吐：図4に，機序とそれに対応する薬剤をまとめた．Ⓐ，Ⓑは開始時に起こり数日で消失するため，制吐薬を併用した場合でも1週間以内には中止する．漫然とした使用を続けていくと，アカシジアや錐体外路症状などの副作用を生じやすくなる．オピオイド開始後1週間を過ぎてから生じる嘔吐は，Ⓒを疑う．下剤の見直しとともに腹部単純X線像で便貯留を確認する．

3）鎮痛補助薬

主たる薬理作用は鎮痛作用ではないが，特定の状況下の疼痛に対し，鎮痛効果を示すものをいう．神経障害性疼痛に対する効果を認めるものについて図5に種類と機序を示す[10]．このうち，プレガバリン，ミロガバリン，デュロキセチンが神経障害性疼痛に保険適用を有し，いずれも腎機能により投与量の減量を要する．

内服負担を少なくしたオピオイド導入処方例

- オピオイド徐放剤　定時投与
    例　フェンタニル貼付剤（0.5 mg）1枚/日
- オピオイド速放剤　疼痛時レスキュー薬
    例　モルヒネ速放内用液（5 mg）1包/回＊
    疼痛時，1時間あければ1日3回まで可
    （疼痛などで制限回数を調整）
    ＊フェンタニル口腔粘膜吸収剤の投与が困難な場合の例
- スインプロイク（0.2 mg）1錠　1X　朝食後
    粉砕可能，診断名：薬剤性便秘症

- ±制吐薬
    例　リスペリドン内用液（0.5 mg）1包　1X
    夕または眠前（図4参照，保険適用外）
- ±NSAID またはアセトアミノフェン
- ＋下剤投与歴があれば併用
- ±プレガバリン OD 錠

2　呼吸困難（図6）

a　特　徴

呼吸困難は，自覚的に感じる呼吸の不快感であり，酸素分圧の低下で定義される呼吸不全や呼吸器系の病理学的・理学的結果に必ずしも相関するわけではない．血液ガスの異常による化学受容体刺激，肺や胸壁に存在する機械受容体刺激が，延髄にある呼吸中枢に信号を送り，高次機能からの

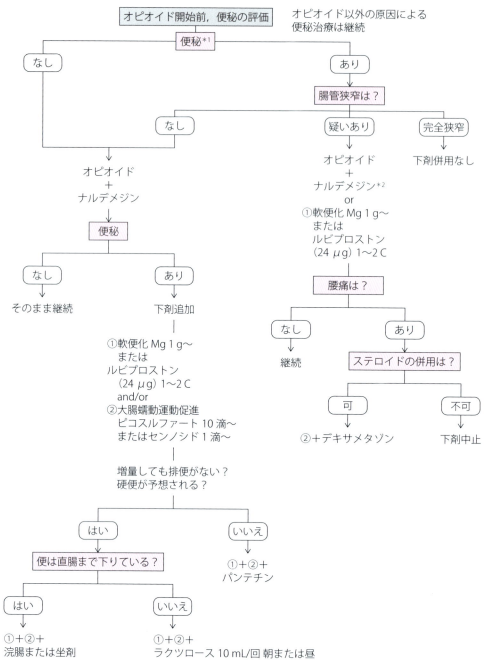

図3 便秘治療の進め方
*1：週3回未満の排便，またはそれ以上の回数があってもいきみや残便感があったり，量が不十分な場合を目安とする．

[有賀悦子：スキルアップがん症状緩和．南江堂，東京，p.78, 2018 より引用]

不安などに修飾され，呼吸困難として自覚する．また，適切な運動やマッサージなどが有効であることから，体性感覚受容器からの信号も関与すると考えられる．

b 評価と治療

まず，可能な原因治療を実施する．肺炎に対する抗菌薬，貧血に対する輸血など病因に合致した治療を行うが，並行して，患者の主観的な不快感

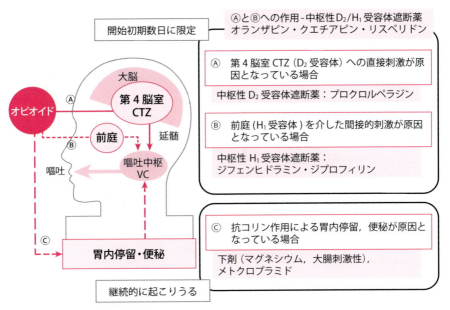

図4 オピオイドによる嘔吐の発現機序と制吐薬の選択
[有賀悦子:臨消内科 31:818-824, 2016 より許諾を得て転載]

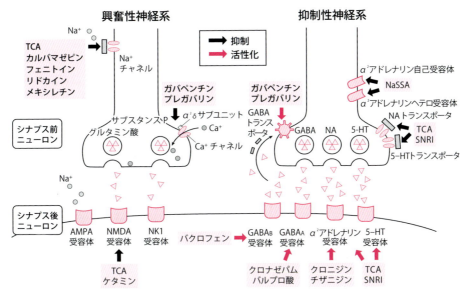

図5 各種鎮痛補助薬の薬理作用機序
TCA:三環系抗うつ薬,SNRI:セロトニン・ノルアドレナリン再取り込み阻害薬,NaSSA:ノルアドレナリン作動性特異的セロトニン作動性抗うつ薬,GABA:γ-アミノ酪酸,NMDA:メチル-D-アスパラギン酸,AMPA:α-アミノ-3-水酸化-5-メチル-4-イソキサゾールプロピオン酸,NK1:ニューロキニン1.

[有賀悦子:Pharm Med 30:105-112, 2012 より許諾を得て転載]

に重きを置き,対症療法を行っていく.

1) オピオイドの全身投与

呼吸困難に対して,癌,非癌ともにランダム化比較試験でモルヒネの有効性が認められている[6]. 腎機能障害がある場合は慎重投与とする[5].

ヒドロモルフォンも効果を認めることもあるが,限定的であるため,腎機能障害がありモルヒネの投与がむずかしい場合に検討される[5].

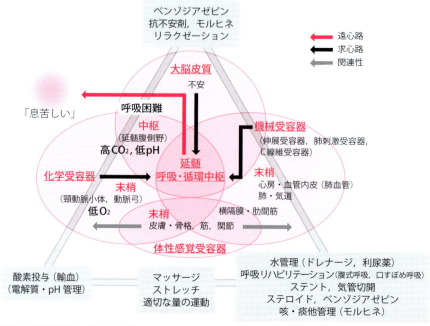

図6 呼吸困難の機序と対処

[有賀悦子：臨消内科 31：818-824, 2016 より許諾を得て転載]

2) ベンゾジアゼピン[11]

患者の状態によっては，抗不安作用の心理的効果，呼吸筋のリラクゼーションなどを目的に用いられることがある．

3) ステロイド

癌性リンパ管症，気道・気管狭窄，胸水などがある場合，投与を検討する．抗炎症効果が高いデキサメタゾン，ベタメタゾンを用いることが多い．

4) 非薬物的ケア[11]

酸素療法，リラクゼーション，呼吸理学療法，環境調整（ゆるやかな風を送る，気温は低めに設定する，体位の調整，物の配置），飲み込みやすいなど食事形態の工夫，付添など人の気配を感じられるような工夫があげられる．

3 口腔内およびその周囲の皮膚症状[12]

頭頸部癌に対する放射線治療と化学放射線療法の合併症である口腔内乾燥症では，唾液分泌低下は治療開始1〜2週間程度で認められはじめ，長期的には唾液腺損傷として問題となることが多い．対処方法として，シュガーレスガム，ピロカルピン（後期合併症では9件のランダム化試験で患者の50%に有効であったが，副作用に注意が必要），ベタネコール内服（放射線治療中の投与で唾液分泌が有意に改善されたが，中止にて効果消失．唾液腺保護ではなく，分泌刺激と考える．保険適用外），針治療（後期合併症では小規模ランダム化試験で有意であったが，持続性に疑問がある）があげられる．

粘膜炎に対しては，食事療法（辛味，乾燥した食べ物を避ける，適温，喉越しのよいものなど），鎮痛薬の全身投与や局所投与，口腔内潤滑剤（市販口腔内ジェル，オリーブ油，アズレンなど）使用，口腔内衛生で対処する．温かい塩水または重曹溶液での含嗽が推奨されている（グレード2C）．放射線治療中に2%リドカインビスカス，アルミニウム含有制酸剤懸濁液，ジフェンヒドラミンによるマウスウオッシュを行った群の有意性が報告され[13]，ここにデキサメタゾンおよび/または抗生剤の添加が検討される．

粘膜炎の予防は，放射線治療中に経口内服グルタミン酸製剤（国内では，マーズレン®，含嗽用ハチアズレ®などに含有されている）の投与につ

いて MASCC/ISOO コンセンサスガイドラインで示唆されている．

味覚障害は，化学放射線療法で 76% と有意に高く，最初の 2 週間で障害を認め始める．亜鉛は一貫した効果が得られておらず，食事療法での対処にとどまるが，治療終了後改善し，1 年でほぼ正常なレベルになると系統的レビューで報告されている．

開口障害は自己管理ストレッチ運動を行うことが推奨されている．

放射線皮膚炎の予防には，直射日光や外気から保護すること，皮膚保護剤や湿潤クリームなどの使用があげられるが，皮膚炎の治癒を明らかに促進させるものはない．

頸部の絞扼感や不安など，疼痛だけではない苦痛を患者は抱える．まずは，速やかに疼痛緩和に努め，残存する苦痛症状への対処を行っていく．これは多職種による多角的評価と対処を必要とすることが多い．口腔・頸部癌の症状緩和は専門的なアプローチを要することも少なくないが，患者に近い位置で治療に携わる癌治療医による基本的な緩和医療の実践こそ，患者にとって何よりの安心につながると感じている．

文 献

1) Celenk F, et al：Expression of cyclooxygenase-2, 12-lipoxygenase, and inducible nitric oxide synthase in head and neck squamous cell carcinoma. J Craniofac Surg **24**：1114-1117, 2013
2) Van Abel KM, et al：Craniofacial pain secondary to occult head and neck tumors. Otolaryngol Head Neck Surg **150**：813-817, 2014
3) WHO guidelines for the pharmacological and radiotherapeutic management of cancerpain in adults and adolescents.
4) Crews KR, wt al：Clinical pharmacogenetics implementation consortium guidelines for cytochrome P450 2D6 genotype and codeine therapy：2014 update. Clin Pharmacol Ther **95**：376-382, 2014
5) Owsiany MT, et al：Opioid management in older adults with chronic kidney disease：a review. Am J Med **132**：1386-1393, 2019
6) Mazzocato C, et al：The effects of morphine on dyspnea and ventilatory function in elderly patients with advanced cancer：a randomized double-blind controlled trial. Ann Oncol **10**：1511-1514, 1999
7) Owsiany MT, et al：Opioid management in older adults with chronic kidney disease：a review. Am J Med **132**：1386-1393, 2019
8) Indelicate RA, Portenoy RK：Opioid rotation in the management of refractory cancer pain. Clin Oncol **20**：348-352, 2002
9) 有賀悦子：スキルアップがん症状緩和，南江堂，東京，2018
10) 有賀悦子：神経障害性がん疼痛の薬物治療：オピオイドと鎮痛補助薬の使い方．Pharm Med **30**：105-112, 2012
11) Hui D, et al：Management of dyspnea in advanced cancer：ASCO guideline. J Clin Oncol **39**：1389-1411
12) Management and prevention of complications during initial treatment of head and neck cancer.［Literature review current through：Apr 2021.］This topic last updated：Mar 01, 2021.］UpToDate, Wolters Kluwer. 2021. https://www.uptodate.com/contents/management-and-prevention-of-complications-during-initial-treatment-of-head-and-neck-cancer（2021 年 5 月参照）
13) Sio TT, et al：Effect of doxepin mouthwash or diphenhydramine-lidocaine-antacid mouthwash vs placebo on radiotherapy-related oral mucositis pain：the alliance A221304 randomized clinical trial. JAMA **321**：1481, 2019

5. 治療の効果判定

　頭頸部癌は手術療法，放射線治療，薬物療法を同時もしくは異時的に組み合わせる集学的治療が行われる．それぞれの治療に対する効果判定，残存・再発を正確に判断するためには，視診や内視鏡検査だけでは困難な場合が多く，CTやMRIなどの画像検査が必須となる．仮に初期治療において腫瘍が残存していると考えられる場合には，可及的速やかに救済治療を検討する必要があり，集学的治療の現場において画像診断の役割はきわめて高い．

　本項では，現在日常臨床において用いられているCT，MRI，FDG-PETを中心に，主に化学放射線療法後の治療効果判定について，画像検査の組み立て方，重要な画像所見や診断基準，臨床試験の効果判定などにつき概説する．

治療による画像変化と効果判定の時期

　腫瘍の容積が大きい局所進行性の頭頸部癌や節外浸潤を伴うリンパ節転移は，深部軟部組織や骨構造に浸潤することが多いことから，化学放射線療法により良好な治療効果が得られたとしても腫瘍が完全に消失することはまれであり，軟部組織としてある程度の大きさを保持したまま制御されることがほとんどである．軟部組織が残存した場合には，放射線治療後の変化により，再発腫瘍と炎症性浮腫・軟部組織壊死・肉芽・線維化などとの鑑別が常に問題となる．したがって，CT，MRI，FDG-PETなどを用い，大きさや内部性状だけでなく，imaging biomarkerを活用し，定性的および定量的評価を統合した複合画像診断が重要となってくる．

　画像による治療効果判定を行うために，まずは治療に伴う画像変化の把握を行うことが重要である．腫瘍の原発巣の位置，病期，行われている治療法，治療の時期や期間，治療歴，患者の希望や全身状態など，現在行われている集学的治療の状態についての正確な情報をできる限り収集・共有し，各治療後の画像変化を加味したうえで評価する．

1 手術後の画像変化

　術後では，臓器の摘出や再建が行われ，治療前とは臓器の位置関係が異なるため血管解剖も含め画像解剖に変化が生じる（図1）．甲状腺や唾液腺など合併切除が行われた場合には構造が非対称となり，時に残存組織が再発病変と誤認される場合がある．また遊離空腸再建後では，もともと存在した空腸間膜内のリンパ節が腫大リンパ節に類似する場合がある．手術直後には液貯留や浮腫などを反映した術後変化が残存するが，治癒過程において線維化などの成分を多く含む組織に置換され，造影CTでは造影効果の乏しい低吸収域，MRIではT2強調画像において低信号を示す領域として観察される．頸部リンパ節郭清術後においても，系統的にリンパ節およびその周囲の組織が除去されるため，治療前画像の脂肪構造は消失し，瘢痕組織に置換されることが多い（図1a）．

2 放射線治療，化学放射線療法後の画像変化

　放射線治療，化学放射線療法後においては，照射範囲を中心に，腫瘍のみならず周辺の正常組織にも影響を及ぼすため，画像的にも二次性の変化を呈する．急性期には，皮膚や軟部組織の対称性肥厚，浮腫，脂肪組織の索状変化，造影効果の増強が高頻度に認められる[1]．慢性期には二次性変化が落ち着く場合が多いが，時に線維化などにより軟部組織の変化が長期にわたり残存する．放射線照射の炎症反応や瘢痕組織は，治療後の画像所

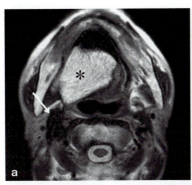 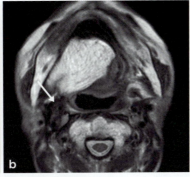 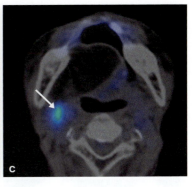

図1　舌亜全摘術後，化学放射線療法後，深部再発例
a：T2強調画像（治療後3ヵ月），b：T2強調画像（治療後1年），c：FDG-PET（治療後1年）．
術後病理組織診断において節外浸潤陽性であり，術後化学放射線療法が行われた症例である．治療終了後3ヵ月の時点での MRI T2強調画像（a）では，舌2/3以上の切除および欠損部に一致した脂肪と同様の信号強度を示す再建皮弁組織を認める（a，＊）．また右レベルⅡ領域には低信号を示す領域を認め，頸部リンパ節郭清術後の瘢痕化が示唆される（a，矢印）．治療終了1年のMRIにおけるT2強調画像では頸動脈鞘周囲の線維組織内に中等度信号強度を示す領域の出現が認められ（b，矢印），FDG-PETにおいて同部位に中等度異常集積が認められ（c，矢印），術後瘢痕内の再発と考えられた．

見の解釈を困難とするため，これらの生体反応が画像にどのように反映されるかについて理解し，適切な時期に適切なモダリティを選択して評価することが重要となる[1]．

3 適切な効果判定の時期

治療による生体反応は経時的に変化するため，早期に明らかに増大する場合を除き，治療による反応が継続するとされる治療後4～6週までの評価は避けるべきとされている．通常，造影CTより造影MRIのほうが二次性変化を鋭敏に捉えるため，造影CTでは4～6週，造影MRIでは6～8週，FDG-PETは10～12週まで待機することが望ましいとされる．NCCNのガイドラインでは，放射線治療や化学放射線療法後4～8週に診察を行い，原発巣や頸部リンパ節転移の増大や残存が疑われた場合には，CTまたはMRI，もしくはPETを施行し，可及的速やかに救済治療の検討が推奨されている[2]．治療反応性を認めた場合には，8～12週でのCTまたはMRI，もしくは12週以降のPETを推奨している．

化学放射線療法後の効果判定：モダリティ別

1 モダリティの選択と組み合わせ

CT・MRIが頭頸部癌の治療後の効果判定や経過観察において第一選択の標準検査であり，必要に応じてFDG-PETを組み合わせた効果判定を行う．CTやMRIによる大きさなどの形態学的評価のみでは，感度・特異度ともに十分ではなく，FDG-PETもしくはMRIの拡散強調像などの定量的評価を組み合わせることが重要となる[3]．MRIまたはCT上腫瘍の遺残や再発があり，かつ[18]F-FDGの集積を示す場合はviableな腫瘍の遺残とし，生検による確定診断を検討したうえで追加治療を考慮する（図1）．MRIおよびCT上腫瘍の遺残が疑われても，FDG-PETにて[18]F-FDGの集積がない場合は，集学的治療カンファレンスにて協議したうえで，厳重な経過観察を行うことが多い．効果判定の評価病変の局在によってもモダリティ選択を考慮する必要があり，たとえば頭蓋底や頭蓋内の再発病変はFDG-PETのみでの指摘がむずかしいことが多く，局所再発病変の指摘は造影MRIが優れる[4]．

2 CT

比較的簡便で，時間・空間分解能に優れ，局所

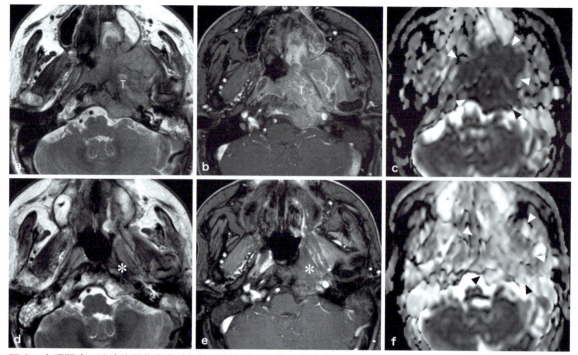

図2　上咽頭癌の治療後画像変化（上段：治療前，下段：治療終了後2ヵ月）
a，d：T2強調画像，b，e：脂肪抑制併用造影T1強調画像，c，f：ADCマップ．
左Rosenmüller窩の深部から傍咽頭間隙を占拠し，咀嚼筋間隙や椎前間隙，斜台や錐体骨などの頭蓋底骨へ広範に進展を示す腫瘍を認める（T）．治療前では，T2強調画像で中等度信号強度（a），造影後T1強調画像で不均一な増強効果（b），拡散強調画像におけるADCマップではADC値の低値を示す（c，矢頭）．化学放射線療法の終了後2ヵ月の治療効果判定MRI（下段）では，腫瘍は良好な縮小効果を示し，浸潤を示していた傍咽頭間隙や頭蓋底組織には軟部組織像が残存するが，治療前と比較して，T2強調画像では低信号（d，＊），造影効果の低下（e，＊），ADCマップではADC値の回復を示している（f，矢頭）．本例はこのままの形態を保ったまま腫瘍が制御され，未治療経過観察となって8年の時点で腫瘍の再増大や転移は認められていない．

以外にもリンパ節や遠隔転移を同時に評価できるため，治療後の効果判定，経過観察に対して広く造影CTが選択される．腫瘤の形態が残存している場合の効果判定については，横断最大径の大きさとともに内部性状（不均一性）が用いられ，局所欠損や局所造影が腫瘍残存を示唆する所見としてあげられている．もっとも腫瘍残存を示す特異度の高い所見として，新たな低吸収域（focal defect）の出現（99％）と横断最大径の20％以下の低い縮小率（96％）とされている[5]．内部に不均一性がなく，造影CTにおいて筋肉よりやや低吸収値を示す所見は瘢痕化が示唆される．そのほか，局所欠損を示したとしても境界部分の増強効果がない場合や，石灰化を示してもリング状や全体的な石灰化の場合，局所造影を示しても治療前後でその分布や位置に変化のない場合などは，そのままの形態で制御される場合が多いとされる．

3 MRI

CTと比較して組織コントラストに優れ，特に舌骨より上の原発巣（鼻副鼻腔癌，上咽頭癌，中咽頭癌，口腔癌，唾液腺癌など）や節外進展を伴うリンパ節転移の効果判定に対して優先的に造影MRIが選択される．通常のT1/T2強調像や造影T1強調像などを用いた形態評価だけでなく，拡散強調像およびADC（apparent diffusion coefficient）マップ（DWIから計算される見かけの拡散係数）を含めて撮像することで，定量的評価が可能となる（図2, 3）．ADCマップを用いて評価する際には，ADC値（定量値）のみで判断するのではなく，必ずT2強調像，造影T1強調像，拡散強調像（b-image），ADCマップ（視覚的評価・定量的評価

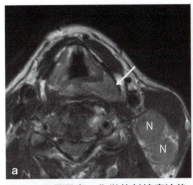 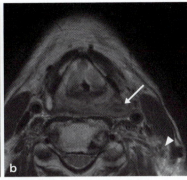 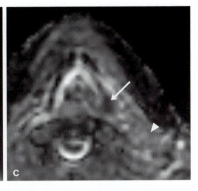

図3 下咽頭癌，化学放射線療法後，深部再発例
a：T2強調像（治療前），b：T2強調画像（治療後5ヵ月），c：ADCマップ（治療後5ヵ月）．
治療前に撮像されたMRI T2強調像（a）において，左梨状陥凹に腫瘍を認め（→），左レベルⅢに複数のリンパ節転移を認める（N）．治療により原発巣，リンパ節転移ともに縮小を認めたが，終了後5ヵ月のT2強調画像では，左梨状陥凹から後壁左側にかけて中等度高信号を示す腫瘍を認め（b，→），ADCマップで低信号を示しており（c，→），局所再発が疑われた．一方の左頚部リンパ節転移はT2強調像で結節状の組織が残存するが（b，矢頭），ADCマップにて高信号を示している（c，矢頭）．原発巣からの生検により再発が確認され，救済手術が施行された．

の両方）のすべてを用いて評価することで診断能が向上するとされている[3]．再発や残存腫瘍のADC値は治療後瘢痕組織のADC値より有意に低く（図3），その診断能は，感度92～94%，特異度83～96%程度と報告されている[3]．腫瘍活動性の低下した瘢痕組織を示すMRI所見としては，T1およびT2強調像で低信号，造影T1強調像で増強効果の乏しい組織像として描出され，拡散強調像で低信号であれば瘢痕化と判断可能で（この場合はADCマップでも低信号となることに注意），この場合の陰性適中率は95.4%である．T2強調像で高信号，造影T1強調像で増強効果，拡散強調像で高信号を示す場合でも，ADCマップにて高信号であれば，治療後の浮腫や肉芽腫が疑われる（図2）．

また，臨床的に再発などが疑われ，救済治療のための再評価に用いる場合にも造影MRIが有用であり，その場合は標的病変に絞った撮像や局所範囲のみ3D撮像法にて追加撮像し，1～2mm厚で切除可否などを詳細に評価する必要がある．

4 FDG-PET

悪性腫瘍において，リンパ節や遠隔の転移診断，治療効果判定，経過観察における再発診断に有用である．治療が完遂したのちの経過観察において，FDG-PET/CTは治療後6ヵ月以内の残存再発病変を検出するための感度と特異度は85%と93%と報告され[6]，ランダム化第Ⅲ相試験（PET-NECK study）では，12週後のPET-CTによるサーベイランスが計画的頚部郭清術に対し非劣性であることが示されている[7]．治療後の効果判定におけるFDG-PETの診断能は，2つの大規模な系統的レビューの報告によると，原発巣において，感度80～87%，特異度87～93%，陽性摘中率58～64%，陰性摘中率95～97%，リンパ節転移において，感度73～79%，特異度88～95%，陽性摘中率52～65%，陰性摘中率95～97%とされる[8,9]．いずれも放射線治療終了後12週以降の評価がもっとも高い診断能を示すとされている．特に，特異度および陰性的中率が高く，適切な時期に撮像されたFDG-PETにおいて異常集積を示さない場合には，おおむね腫瘍制御されていると判断してもよいと思われる．陽性摘中率が52～65%程度である点には留意する必要があり，FDG-PETで集積を示したとしても，必ずしも腫瘍残存や再発を反映しているとは限らず，CTやMRIとあわせた評価を要する（図4）．また，国内では頭頚部癌に対する治療効果判定目的のFDG-PET/CTは，現時点において保険適用になっておらず，費用，被曝の面からも頻回に行える検査ではない．必ずFDG-PET検査に先立って造影CTもしくはMRIによる評価を行い，再発や増悪が疑われた場合に限定してFDG-PETを考慮する．

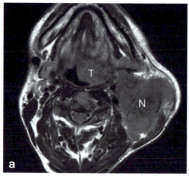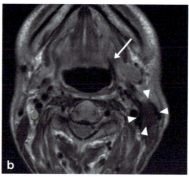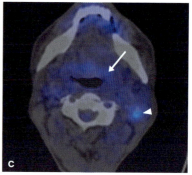

図4 HPV陽性中咽頭癌（T4N3）治療後，FDG-PET偽陽性を示したが，リンパ節腫大を触知したまま制御されている例

a：T2強調画像（治療後3ヵ月），b：脂肪抑制併用造影T1強調画像（治療後3ヵ月），c：FDG-PET（治療後3ヵ月），d：FDG-PET（治療後1年）．
治療前T2強調像では，舌根左側に腫瘍（T）を認め，左頸部に巨大なリンパ節転移（N）を認める．化学放射線療法終了後3ヵ月のMRIにおいて原発巣はほぼ消失を示すが（b，矢印），左レベルIIに結節像が残存する（矢頭）．FDG-PETにおいてFDGの中等度集積を示したが（c，矢頭），tumor board conferenceにおいて厳重に経過観察する方針となり，その後リンパ節病変の増大は認めず，FDG-PETでの集積は陰性化した（d，矢頭）．本症例はリンパ節腫大を触知したまま長期間制御されている．

治療効果の判定基準

現時点において，実臨床で広く認知され，活用されている治療効果判定の画像診断基準は存在しないが，化学放射線療法後の残存・再発腫瘍評価におけるリスク層別化システムが提唱されており紹介する．また，臨床試験を目的とした治療効果判定基準についても概説する．

1 頭頸部癌の化学放射線療法後の残存・再発腫瘍評価におけるリスク層別化システム（NI-RADS）

米国放射線医学会（American College of Radiology）は，2016年より頭頸部癌の化学放射線療法後の残存・再発腫瘍画像評価においてリスク層別化システムを提唱しており，NI-RADS（The Head and Neck Imaging Reporting and Data System）と呼ばれている（表1）[10, 11]．造影CTおよびFDG-PETの所見をもとに4段階評価で区分し，どの病変に対し生検や治療を必要とするかについて明確にし，化学放射線療法後の治療効果判定における画像サーベイランスの標準化，画像診断報告書と臨床的なマネジメントとの統合をめざしている．このシステムは，あくまでも病変残存や再発のリスクを分類したものであり，RECISTのような治療による反応を分類したものではない．また，臨床的にもっとも迷うNI-RADSカテゴリー2と3（生検を必要とするか否か）についての診断基準は各施設の診断医の考え方や診断機器にも影響されるため，やや主観的な基準にとどまっている．

NI-RADSにはFDG-PETを用いた基準が含まれるが，FDG-PETの集積において定量値（SUV：standardized uptake value）を用いず，中等度・高度，といった定性評価のみにより行われていることに留意する必要がある．これは，PETの機器によってSUV値は変動するため，定量値指標は参考程度にとどめ安易にSUVを用いない方向となってきていることによる．NI-RADS（FDG-PET）で中等度の薬剤集積（いわゆるNI-RADSカテゴリー2）を示した場合（図4）で病理学的に再発が確定した率は原発/リンパ節ともに15％程度であったとされ，これらの病変についてはFDG-PET画像単体では限界があることが明記されている．また最近では，NI-RADSの造影CTに造影MRI（T2強調像と拡散強調像ADCマップ）を追加することで，現行のNI-RADSのみの場合と比較して診断能が有意に向上し，感度92.3％，特異度90.7％，陽性適中率85.7％，陰性摘中率95.1％と報告されている[12]．今後はNI-RADSの検証が進み，より明確で精度の高い判定基準に向けて，適宜改訂さ

表1 NI-RADS概要(改訂版)

カテゴリー			画像所見		臨床的対応
			造影CT	PET	
原発巣					
NI-RADS 1		再発所見なし	再発を示唆する所見なし	FDGの集積なし/治療後集積	定型どおりのサーベイランス
NI-RADS 2	2a	再発の可能性	表層に限局した病変(粘膜表面など)	表層に限局したFDG集積	視診による観察
	2b		境界不明瞭な深部病変	軽度・中等度のFDG集積	短期でのフォローアップ/PET
NI-RADS 3		再発を強く疑う	新規または増大した孤発病変	新規・増大・高度のFDG集積	生検
NI-RADS 4		明らかな再発	病理学的に証明済み/画像的・臨床的に明らかな増悪		再発に対する治療
リンパ節					
NI-RADS 1		再発所見なし	再発所見なし	再発所見なし	定型どおりのサーベイランス
NI-RADS 2		再発の可能性	形態学的な異常所見のないリンパ節腫大	軽度・中等度のFDG集積	短期でのフォローアップ/PET
NI-RADS 3		再発を強く疑う	新規または増大した孤発病変	新規・増大・高度のFDG集積	臨床的な必要性があれば生検
NI-RADS 4		明らかな再発	病理学的に証明済み/画像的・臨床的に明らかな増悪		再発に対する治療

American college of Radiology, NI-RADS (https://www.acr.org/Clinical-Resources/Reporting-and-Data-Systems/NI-RADs. アクセス日2021/5/1)を参照し一部改変して作成した.

れていく可能性がある.

2 臨床試験を目的とした治療効果判定基準(RECIST version 1.1)

臨床試験における固形癌治療効果判定規準として,Response Evaluation Criteria in Solid Tumors (RECIST version 1.1) guideline やPET Response Criteria in Solid Tumors (PERCIST) などが用いられ,頭頸部癌においては,RECISTが定着している.RECISTは臨床試験評価の方法論を標準化するためのツールであり,固形癌の測定および定義に対する標準的方法が述べられている.これにより,同じ癌種を対象とした他の臨床試験や過去の臨床試験との比較可能性が保証されている.また,腫瘍の大きさの変化を客観的に評価することで,生存などの真のエンドポイントの代替指標として用いられる.RECISTの流れとしては,最初の治療前ベースラインにて,腫瘍の病変を測定可能病変か測定不能病変のいずれかに分類し,測定対象となる標的病変と,測定対象とならない非標的病変とに分ける.別々に定められた基準で標的病変[CR,部分奏効(PR),安定(SD),進行(PD)]と,非標的病変(CR,non-CR/non-PD,PD)を効果判定し,新病変の出現の有無を組み合わせて総合効果を判定する(表2).ただし,RECISTなどの診断基準は,あくまでも臨床試験を目的としたツールとして標準化・単純化に重点が置かれ,個々の患者に対する治療効果評価の正確さの追求とは異なる.そのため,RECISTガイドラインには,「日常臨床において,治療継続や中止の判断に役割を果たすことを意図していない」と明示されている.頭頸部癌は,仮に良好な治療効果が得られたとしてもある程度の腫瘍の形態が残存することが多いことや,咽頭や喉頭などの管構造が多いことから測定方法がむずかしい場合も多く,個々の患者に対する治療効果判定には,CT,MRI,FDG-PETなどを用い,定性的および定量的評価を統合した複合画像診断による評価が重要となる.

表2 RECISTの概略

1. ベースラインにおける全腫瘍病変を「測定可能病変」と「測定不能病変」に分類
2. 測定可能病変を「標的病変」と「非標的病変」に分類

● 標的病変
少なくとも1方向で正確な測定が可能な病変を選択する．腫瘍病変は長径で測定し，10 mm以上．リンパ節病変は短径で測定し，15 mm以上の病変

完全奏効（complete response：CR）	すべての標的病変が消失．標的病変としたリンパ節病変は短径で10 mm未満に縮小
部分奏効（partial response：PR）	ベースライン径和に比して，標的病変の径和が30%以上減少
進行（progressive disease：PD）	経過中の最小の径和に比して，標的病変の径和が20%以上増加，かつ，径和が絶対値でも5 mm以上増加．新病変の出現
安定（stable disease：SD）	経過中の最小径和に比して，PRに相当する縮小がなくPDに相当する増大がない

● 非標的病変
小病変（長径が10 mm未満の腫瘍病変または短径10 mm以上15 mm未満であるリンパ節病変．真の測定不能病変を含む．測定可能病変以外のすべての病変

CR	すべての非標的病変の消失かつ腫瘍マーカー値が基準上限以下．すべてのリンパ節は短径10 mm未満とならなければならない
non-CR/non-PD	1つ以上の非標的病変の残存かつ/または腫瘍マーカー値が基準値上限を超える
PD	既存の非標的病変の明らかな増悪．新病変の出現

［Eisenhauer EA et al：Eur J Cancer 45：228-247, 2009 より引用］

その他，頭頸部癌の治療効果判定において知っておくべき事象

1 偽増悪（pseudo-progression）現象

偽増悪現象とは，薬物療法や放射線治療の治療効果判定において，画像では腫瘍が増大しているように見えるが，その後に腫瘍が縮小したり，反応したりする現象である（図5）．特に免疫チェックポイント阻害薬を使用した固形癌の5～7%で生じるとされ[13]，頭頸部癌においても2～7%程度の頻度で確認されている[13,14]．偽増悪は実際の腫瘍増殖ではなく，免疫療法によって生じた炎症細胞の浸潤，浮腫，および壊死による一時的な増大と考えられており，画像所見のみで真の増悪との判別は困難であることが多く，他病変の治療効果を加味し総合的に判断する必要がある．

2 放射線治療のアブスコパル効果（abscopal effects of radiotherapy）

アブスコパル効果は，放射線治療で照射野以外の腫瘍が縮小または消失する効果で，頭頸部癌においてもまれに観察されている[14]．腫瘍免疫の関与が示唆されており，免疫チェックポイント阻害薬と放射線治療の相乗効果によるアブスコパル効果も期待されているが，臨床試験においてはまだ証明されていない．

3 HPV陽性リンパ節転移の治療効果判定

HPV陽性リンパ節転移は，陰性リンパ節転移よりも嚢胞変性をきたしやすく，治療により速やかに縮小するものの，最終的なCRに至るまでの過程は長い傾向にあり，治療後12週目の時点で結節として残存しやすいと報告されている（図4）[6]．HPV陽性の病変は，放射線照射後の持続的な腫瘍細胞の再成長が遅れるなどの理由で，最初のPETサーベイランスで偽陰性となる可能性があり，HPV

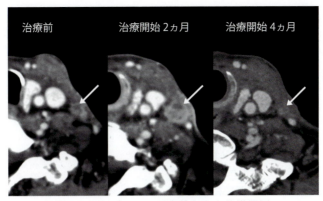

図5 免疫チェックポイント阻害薬による偽増悪例
リンパ節再発（左頸部，腋窩）に対して免疫チェックポイント阻害薬が開始され，左頸部リンパ節の増大を自覚したためCTが撮影された．開始2ヵ月のCTにおいてリンパ節転移は増大を示すが，腋窩リンパ節転移は縮小効果が認められたため治療が継続され，その後治療開始4ヵ月のCTでは左頸部リンパ節転移も縮小を認め，pseudo-progressionであったと考えられた（→）．

陽性の患者では，HPV陰性の患者に比べてFDG-PET/CTにおける診断性能が低くなるとの報告もある（感度，特異度，それぞれ75% vs. 89%，87% vs. 95%）[10]．

文献

1) Saito N, et al：Posttreatment CT and MR imaging in head and neck cancer：what the radiologist needs to know. Radiographics 32：1261-1282；discussion 82-4, 2012
2) NCCN Clinical Practice Guidelines in Oncology（NCCN Guidelines）Head and Neck Cancers, Version 3, 2021
3) Ailianou A, et al：MRI with DWI for the detection of posttreatment head and neck squamous cell carcinoma：why morphologic mri criteria matter. AJNR Am J Neuroradiol 39：748-755, 2018
4) Comoretto M, et al：Detection and restaging of residual and/or recurrent nasopharyngeal carcinoma after chemotherapy and radiation therapy：comparison of MR imaging and FDG PET/CT. Radiology 249：203-211, 2008
5) Hamilton JD, et al：Improving imaging diagnosis of persistent nodal metastases after definitive therapy for oropharyngeal carcinoma：specific signs for CT and best performance of combined criteria. AJNR Am J Neuroradiol 34：1637-1642, 2013
6) Helsen N, et al：FDG-PET/CT for treatment response assessment in head and neck squamous cell carcinoma：a systematic review and meta-analysis of diagnostic performance. Eur J Nucl Med Mol Imaging 45：1063-1071, 2018
7) Mehanna H, et al：PET-CT surveillance versus neck dissection in advanced head and neck cancer. N Engl J Med 374：1444-1454, 2016
8) Gupta T, et al：Diagnostic performance of post-treatment FDG PET or FDG PET/CT imaging in head and neck cancer：a systematic review and meta-analysis. Eur J Nucl Med Mol Imaging 38：2083-2095, 2011
9) Wong ET, et al：18F-FDG PET/CT for locoregional surveillance following definitive treatment of head and neck cancer：A meta-analysis of reported studies. Head Neck 41：551-561, 2019
10) Aiken AH, et al：Implementation of a novel surveillance template for head and neck cancer：neck imaging reporting and data system（NI-RADS）. J Am Coll Radiol 13：743-746, 2016
11) American college of Radiology, NI-RADS. https://www.acr.org/Clinical-Resources/Reporting-and-Data-Systems/NI-RADs（2021年5月閲覧）
12) Ashour M, et al：MRI posttreatment surveillance for head and neck squamous cell carcinoma：proposed MR NI-RADS criteria. AJNR Am J Neuroradiol 42：1123-1129, 2021
13) Park HJ, et al：Incidence of pseudoprogression during immune checkpoint inhibitor therapy for solid tumors：a systematic review and meta-analysis. Radiology 297：87-96, 2020
14) Lauber K, Dunn L：Immunotherapy mythbusters in head and neck cancer：the abscopal effect and pseudoprogression. Am Soc Clin Oncol Educ Book 39：352-363, 2019
15) Huang SH, et al：Temporal nodal regression and regional control after primary radiation therapy for N2-N3 head-and-neck cancer stratified by HPV status. Int J Radiat Oncol Biol Phys 87：1078-1085, 2013

6. QOL 評価

　Quality of life（QOL，生活の質）という言葉は，癌診療の現場でも臨床試験においても治療の有用性を評価する重要な要素の1つとして頻繁に使用されるようになっている．QOL は，WHO の健康の定義にあるように，患者に限らず健常人も含めた身体的・心理的・社会的観点など，複数の要素を含んだ人の生活や生命の質全般を表わす言葉である．QOL の中でも，疾患によって影響を受けたり，医療行為によって改善が期待できたりする領域に評価範囲を限定したのを health related QOL（HR-QOL，健康関連 QOL）と呼んでいる．癌の診療や臨床試験で用いられる QOL は一般にこの HR-QOL を指しており，以後の QOL は HR-QOL の意味で用いることとする．QOL（HR-QOL）は，たとえば患者が悪性腫瘍に罹患した場合であれば，治療を受けながら身体的・精神的症状や日常生活などが・改善・維持・悪化しているのかを患者自身が主観的に評価・判断するものである．これまで治療が有用かどうかは，主に医療者による画像評価や毒性評価などの客観的評価が用いられ，その重要性や意義は揺らぐものではない．しかし，本来治療を受ける患者自身が治療の有用性を直接評価することは重要であり，医療者による評価と患者による評価の乖離を埋めるための重要な試みといえる．

　このように，患者自身が医療者に左右されずに病気や治療などに関する評価を行い，その患者の評価に医療者など他者による別の解釈を加えないものを患者報告アウトカム（patient reported outcome：PRO）と呼ぶ．このため，ごく簡単には QOL（HR-QOL）は PRO に含まれる概念と考えていただいてよい．この PRO を癌薬物療法中の患者においてモニタリングすることで予後を改善することがランダム化試験でも示されており[1]，この患者自身の評価を反映する PRO/QOL を癌治療開発における評価の指標として国内外で重要視されている[2〜4]．

臨床試験で用いる PRO/QOL 評価の尺度とは

　患者自身が病気や治療に関して PRO/QOL を評価するにあたっては，それを信頼性・妥当性をもって科学的に評価する尺度（ものさし）が必要となる．代表的なものを以下に概説する．

- PRO-CTCAE
  CTCAE（common terminology criteria for adverse events）に対応した患者自身が症状や有害事象の評価を行うツールである．日本語版[5]が作成され無料でダウンロード可能である（https://healthcaredelivery.cancer.gov/pro-ctcae/pro-ctcae_japanese.pdf）．

- QOL を評価する尺度
  いろいろな自己記入式質問表やツールが存在するが，一般的な健康状態を包括的に評価する包括的尺度（EQ-5D[6] など）と，特定の疾患やそれに伴う症状の程度を評価する疾患・症状特異的尺度（EORTC QLQ-C30[7] など）に大別される．
  たとえば，もっともよく用いられている EQ-5D であれば，患者が健康状態を5項目（①移動の程度，②身の回りの管理，③普段の生活，④痛み・不快感，⑤不安・ふさぎ込み）を3段階で評価し，回答の組み合わせにより1つのスコア（効用値）が算出される．スコアは，1が健康，0が死を表わす．スコア算出には各国で妥当性が検討された換算表が存在する．医療経済評価に用いられる指標である QALY（quality adjusted life year）は，生存年（life year）を生活の質（quality）で補正した数値だが，EQ-5D は QALY 算出の際にもっとも用いられている尺度でもある．
  一方，EORTC QLQ-C30 などの質問票は，疾

患・症状特異的尺度であり，悪性腫瘍に伴う患者自身の訴えや随伴する症状に焦点を当てている（図 1）[7]．また，QLQ-C30 には癌種別の下位尺度も複数用意されている．これらを使用する場合には，EORTC Quality of Life Group（EORTC-QOLG）に使用許可の申請が必要であるが，以下の URL から簡単に申請できる（https://qol.eortc.org/questionnaires/）．

PRO/QOL 評価の問題点

いずれの PRO/QOL 評価のための尺度を用いるにしても，現在わが国で使用されているものの多くが海外で作成されたものを日本語版として妥当性を検証されたものである．わが国における独自の PRO/QOL 評価の尺度も作成すべきであるが，治療開発の国際化に伴い各国と共通の評価尺度を用いることは重要である．しかし，すべての PRO/QOL 評価の尺度が日本語版として妥当性の検証ができているわけではなく，また海外で作成された評価尺度の日本語版で正確に日本人の PRO/QOL 評価が可能かという問題もある．このため，頭頸部癌の領域では，EORTC-QOLG に参加することで QOL 質問票の作成初期段階から関与し，日本人の頭頸部癌患者や甲状腺癌患者の症状や気がかりが反映されるよう試みを始めている．たとえば，頭頸部癌患者用の質問票は EORTC QLQ-HN35 から QLQ-HN43 に改訂されたが，ここには日本人患者の意見が反映されている[8]．また，甲状腺癌患者のための質問票（EORTC QLQ-THY34）も作成中であり，その作成には 4 段階の phase があり（表 1），現在は phase Ⅳが行われており，すべての段階に日本人患者が参加している[9]．このように日本人患者の意見を質問票に反映させることができれば，英語で作成された質問票の単なる日本語版を使用するよりも正確に癌患者の QOL 評価が可能になると考えられる．ただし，その日本語版作成にも翻訳が適切か，その妥当性を検証する作業が必要なことにも留意いただきたい．

PRO/QOL 評価を臨床や治療開発で用いることの重要性は先に述べたとおりであるが，医療者による患者の有害事象評価はしばしば過小評価されることが知られている[10]．一方で，治療開発を行ううえでその有効性や毒性を客観性や再現性をもって評価することが重要であることは言うまでもない．特に画像検査など客観的有効性に基づいた治療継続の可否の判断や，有害事象共通用語規準 v5.0 日本語訳 JCOG 版（CTCAE v5.0-JCOG）などを用いた客観的な毒性評価方法による抗癌薬の減量・休止・中止の判断を行うことは，現時点でもっとも信頼できる方法である．そのような中で，臨床試験において PRO/QOL による評価を用いることの問題点の 1 つは，PRO/QOL の評価尺度の変化が，実際にどのくらいの臨床的な意義をもつのかという点や，治療継続の可否や抗癌薬の投与量の調整にどのように反映されるのかという点において判断しにくいことである（表 2）．また，原則的にはランダム化試験において PRO/QOL の群間差を見いだすことで，どちらの治療のほうが患者自身の評価としてはよいのかを判断する．このため，単群試験での PRO/QOL 評価は意義が乏しいことも問題点といえる．さらに，理想的には二

JAPANESE

質問表　EORTC QLQ-C30 (version 3)

私達は、あなたとあなたの健康状態について関心を持っています。 あなたの状態に、もっともよく当てはまる番号一つを○で囲み、全設問にお答え下さい。「正しい」答えや「誤った」答え、といったものはありません。 なお、お答え頂いた内容については秘密厳守とさせていただきます。

あなたの名前の頭文字を書いて下さい。　姓:___ 名:___ （例:山田花子さん。姓:や 名:は）
あなたの生年月日を書いて下さい。　19___年(明･大･昭･平___年)___月___日生
今日の日付を書いて下さい。　20___年(平成_________年)___月___日

	まったくない	少しある	多い	とても多い
1. 重い買い物袋やスーツケースを運ぶなどの力仕事に支障がありますか。	1	2	3	4
2. 長い距離を歩くことに支障がありますか。	1	2	3	4
3. 屋外の短い距離を歩くことに支障がありますか。	1	2	3	4
4. 一日中ベッドやイスで過ごさなければなりませんか。	1	2	3	4
5. 食べること、衣類を着ること、顔や体を洗うこと、トイレにいくことに人の手を借りる必要がありますか。	1	2	3	4

この一週間について	まったくない	少しある	多い	とても多い
6. 仕事をすることや日常生活活動に支障がありましたか。	1	2	3	4
7. 趣味やレジャーをするのに支障がありましたか。	1	2	3	4
8. 息切れがありましたか。	1	2	3	4
9. 痛みがありましたか。	1	2	3	4
10. 休息をとる必要がありましたか。	1	2	3	4
11. 睡眠に支障がありましたか。	1	2	3	4
12. 体力が弱くなったと感じましたか。	1	2	3	4
13. 食欲がないと感じましたか。	1	2	3	4
14. 吐き気がありましたか。	1	2	3	4
15. 吐きましたか。	1	2	3	4
16. 便秘がありましたか。	1	2	3	4

図 1　EORTC QLQ-C30 (version 3) 日本語版
[https://qol.eortc.org/questionnaires/]

表1 EORTC-QOLGにおけるQOL質問票作成の過程

開発の相	作成・検討内容
phase I	generation of relevant QOL issues 文献などから検索した当該疾患に関与するQOL項目の抽出
phase II	conversion of the QOL issues into set of items phase I で抽出された項目を質問文・質問票に変換する
phase III	pilot testing of new item list or module 新たに作成された質問票を患者に使用し，患者からの質問票に対する評価を収集し検討する
phase IV	large-scale international field testing, validation 大規模かつ国際的に，質問票の妥当性検証を行う

表2 臨床試験におけるHR-QOL評価の利点と問題点

利　点	問題点
・患者自身が治療を評価できる ・客観的な評価が困難な症状の抽出 ・毒性の過小評価を防ぐ	・質問票記載の煩雑性 ・質問票回収の不確実性 ・評価尺度の変化を臨床的意義に翻訳することが困難 ・状態が悪い患者での評価が困難 ・ランダム化試験での群間比較が原則

重盲検試験においてPRO/QOLを評価することが望ましい．つまり，オープンラベルの試験では，期待されている試験治療かどうかは患者には自明であり，その自己評価にもバイアスが生じるためである．その他の問題点としては，PRO/QOLの評価は欠測値が他の客観的評価法よりも多く，さらには病状が悪化した患者のPRO/QOLの評価が困難になることも問題点である．

以上のような問題点を解決する試みとして，紙ベースの質問票ではなく，スマートフォンやタブレットなどを用いた電子的収集ツール（electronic patient reported outcome：ePRO）が最近では普及しており，回収率が向上している．また，癌治療開発におけるPRO/QOL研究を推進する体制整備においては，日本臨床腫瘍研究グループ（JCOG）において，PRO/QOL研究委員会が設立されPRO/QOL研究が推進されつつある．本委員会が作成したPRO/QOL研究に関するポリシーは自由に閲覧可能であり，ぜひ参考にしていただきたい（http://www.jcog.jp/basic/policy/A_020_0010_30.pdf）．

悪性腫瘍の臨床試験における治療の有用性を評価するための患者報告アウトカム（PRO）およびQOL評価の重要性と問題点について概説した．PRO/QOLは患者自身が病気や治療に関する評価を適切に行うことでよりよい治療につなげる意味で，今後も継続的に用いられるべき評価方法である．また，近年では患者志向型治療開発が国内外で注目されるようになり，癌の臨床試験においてPRO/QOL評価を行うことが強く求められている．さらには，実臨床におけるPRO/QOLモニタリングによる患者の治療に対する満足度と予後の向上をめざした試みも盛んに行われるようになっており，ますますPRO/QOL評価を行うための体制整備が必要である．

文献

1) Basch E, et al：Overall survival results of a trial assessing patient-reported outcomes for symptom monitoring during routine cancer treatment. JAMA 318：197-198, 2017
2) Guidance for Industry Patient-Reported Outcome Measures：Use in Medical Product Development to Support Labeling Claims. In：Administration US-DoHaHSFaD, ed. 2009
3) EuropeanMedicinesAgency：The use of patient-reported outcome（PRO）measures in oncology studies. 2016
4) Minami H, et al：Guidelines for clinical evaluation of anti-cancer drugs. Cancer Sci 112：2563-2577,

2021
5) Miyaji T, et al：Japanese translation and linguistic validation of the us national cancer institute's patient-reported outcomes version of the common terminology criteria for adverse events（PRO-CTCAE）. J Patient Rep Outcomes **1**：8, 2017
6) Rabin R, de Charro F：EQ-5D：a measure of health status from the EuroQol Group. Ann Med **33**：337-343, 2001
7) Aaronson NK, et al：The European Organization for Research and Treatment of Cancer QLQ-C30：a quality-of-life instrument for use in international clinical trials in oncology. J Natl Cancer Inst **85**：365-376, 1993
8) Singer S, et al：International validation of the revised European Organisation for Research and Treatment of Cancer Head and Neck Cancer Module, the EORTC QLQ-HN43：Phase Ⅳ. Head Neck **41**：1725-1737, 2019
9) Singer S, et al：The EORTC module for quality of life in patients with thyroid cancer：phase Ⅲ. Endocr Relat Cancer **24**：197-207, 2017
10) Basch E, et al：Patient versus clinician symptom reporting using the National Cancer Institute Common Terminology Criteria for Adverse Events：results of a questionnaire-based study. Lancet Oncol **7**：903-909, 2006

7. 急性期の合併症と有害事象管理

A 外科治療

有害事象

　有害事象とは，医薬品/医療機器などが使用された患者/被験者に生じたすべての好ましくない，または意図しない疾病，その徴候（臨床検査値の異常を含む）をいい，因果関係の有無は問わない．合併症とは，原疾患に対する手術や検査あるいは治療に伴って，ある確率で不可避に生じる病気や症状である．有害事象と手術合併症の関係は，有害事象の中で特に医原性の有害事象の1つとして，外科治療における手術合併症が含まれている．

　手術治療における急性期についての明確な定義はない．そのため，今回は手術治療における急性期の合併症の主なものについて，退院までの期間を中心に述べる．

術前評価と全身管理

　合併症の対策を行うにあたり，治療前に患者の認知機能を含めた全身状態を十分に把握することが重要である．頭頸部癌患者は，喫煙歴のある人が多く，心血管系や呼吸器系に併存症をもっている割合が高い．

　まず，循環器系の評価には「非心臓手術における合併心疾患の評価と管理に関するガイドライン」による周術期心合併症予測がスコア化されたRCRI（revised cardiac risk index）の項目（虚血性心疾患・心不全の既往・脳血管障害・インスリンを要する糖尿病・高リスク手術）が提唱されており，スクリーニングの参考にする．ほかに心電図で波形の変化が指摘される場合には循環器科へ精査を依頼する．

　さらに，RCRIの評価項目の1つでもある糖尿病は，微小循環障害による創部治癒遅延やコントロール不良の血糖高値による創部の感染症を生じさせるため，術後の血糖管理は欠かせない．そのため，術前から糖尿病内科の協力による十分な血糖管理が行われることが望ましい．

　いずれも，併存症の所見が著しいときは，治療介入がないまま手術治療を行うことで合併症が致死的になる可能性もあるため，治療の優先順位を慎重に判断する．

　次に，呼吸器系では喫煙による障害で肺気腫や慢性閉塞性肺疾患（COPD）を併存していることがめずらしくない．呼吸機能低下が著しい場合は耐術能を満たさないことや術後の離床・回復が遅延することや，肺炎による合併症に至ることがある．

　また，頭頸部癌は摂食嚥下にかかわる部位にできる病変であるため，疼痛や腫瘍による機能低下，誤嚥を併発している可能性があり，術前の全身状態は脱水や低栄養を伴うことが多い．血液検査ではヘモグロビンやアルブミンの値が基準値内であっても，輸液で脱水が補正されると実際には基準値よりも低値なことがある．そのため，体調管理をした後に真の全身状態を把握したうえで，手術治療を予定するのが望ましい．

　ほかに，頭頸部癌患者では飲酒喫煙による臓器機能の低下を伴うことが多く，入院という環境要因や手術ストレスという身体要因が加わることでせん妄を生じやすい状態にある．せん妄は原疾患や薬剤の影響など，何らかの理由で一時的に意識障害や認知機能の低下が起こる状態で，すべての原疾患が原因となりうるが，環境要因や身体要因が組み合わさることでせん妄を生じさせる[1]．高

齢や脳卒中，認知機能障害，パーキンソン病などの既往がある方ほど発症率が高くなる．せん妄には過活動性せん妄や低活動性せん妄などの表現型はあるが，いずれも術後経過・管理に影響するため，多職種による予防が大切である．

周術期における全身状態と併存症の管理は手術合併症に対して予防措置や対処をするうえで欠かせない．必要時は専門科に協力を仰ぎ，正確に把握しコントロールすることで本来の治療により注力できるようになる．

術後の局所合併症

1 出血／血腫

頭頸部手術における術後出血は漏出した血液が貯留するスペースが体幹領域に比べ小さく，即座に気道へ漏出したり，気道圧迫などの致命的な症状につながったりするため緊急性が高い．術後出血は，手技の不十分，物理的刺激，感染，血圧上昇などが契機となり，結紮糸や止血クリップまたは凝固シーリングが脱落することで生じる．

扁桃摘出術を解析した報告では，術後2日目までの時期と術後7日目前後の時期に出血の頻度が高くなっている．さらに，時間帯は夕方6時から朝方6時の時間帯に頻度が高くなっていると報告されている[2]．扁桃摘出術と同様に術創部にraw surfaceを伴う術式として，経口的に行う咽喉頭手術（trans oral surgery：TOS）がある．TOS時も同様に術直後または術後7日目前後に出血が多いのは，raw surfaceな術創部の痂皮や白苔が嚥下などの物理的要因で脱落することが一因として考えられる．頸部郭清などの頸部手術では，術直後から術後3日目までの頻度は高く，7日目以降の報告は少ない．出血をきたしやすい時間帯については，夕方から夜間帯に多い原因として，循環器系の日内変動やホルモン変動とサーカディアンリズムが考えられている[3]．

ⓐ 症状と所見

口腔・咽喉頭内腔での出血の場合は喀痰に血が混ざる明瞭な症状がある．出血の部位の同定には，解剖学的に出血が危惧される血管を想定しながら診察を行う．口腔内であれば直接視診が行えるが，咽喉頭であれば咽喉頭鏡を用いて確認する．

頸部術野内での出血時の症状は，頸部腫脹や緊満，頸部圧迫感や呼吸困難感が認められる．組織間隙に血液が侵入することで，咽喉頭の内視鏡所見では，咽喉頭の暗赤色の変化や粘膜下腫脹が認められる．再建術後などの術後変化で頸部浮腫が混在して判別が困難な場合は超音波検査などの画像検査を併用するとよい．出血から時間が経過した場合（数時間から数日）は，皮下に血液の吸収斑が認められ，皮膚の色調が経時的に青紫色から黄褐色へ変化していく．

ⓑ 対 応

頸部術野での出血の場合で気道症状を伴うなど緊急性が高い場合には，まずは創部を開放して凝血塊を出すことで気道圧迫症状は軽減される．その後，出血の状況により，手術室で全身麻酔下に止血術を行う．TOS施行後の出血時には，緊急の気道確保（気管切開や気管内挿管など）を行ったうえで全身麻酔下に止血術を行う．一般に緊急性を伴う場合は動脈性出血のことが多い．静脈性出血で無症状のうちに血腫となり止血されている場合には，保存的に経過を見ることで自然吸収される場合もある．保存的対応をする場合には所見の増悪，血腫への感染に注意をして経過観察を行う．

2 リンパ漏（乳び漏）

術後のリンパ漏に対してはさまざまな対策が行われている．対応に難渋するリンパ漏の多くは内頸静脈角付近から生じている．そのため，手術時に同部からのリンパ漏を意識して操作を行うことが求められる．胸管におけるリンパ液の基本流量は30 mL/kg体重/日とされているが，食事内容などで変動する[4]．成人の乳びの産生量は1,500〜2,500 mL/日とされており[5]，リンパ管/胸管の損傷部位により，排液の量が異なる．胸管内のリンパ液には腸管から吸収されたトリグリセリドが多く含まれることにより乳白色となる（乳び）が，頸部のみからのリンパ液の場合は透明の場合が多い．

ⓐ 症状と所見

頸部腫脹が主な症状と所見であるが，自覚症状に乏しいことが多い．出血との違いは，触診時の

皮膚の緊満感が弱く，浮動感に近い所見となる．また，ドレーン排液量や液性が褐色透明の場合や乳白色となる．出血の場合とは異なり，皮膚の色調変化は伴わない．

ⓑ 対　応

排液量が 500 mL/日くらいまでで有れば保存的処置で改善することが多い．しばしば皮膚からの圧迫により漏出を抑えることが試みられるが，胸鎖乳突筋があるため静脈角に対して圧迫が十分に効いてないことが多い．また，低脂肪食や成分栄養による経管投与が行われることがあるが，腸管の活動によりリンパ液が生じるため症状を遷延させる可能性がある．そのため，保存的治療を行うのであれば絶食と静脈栄養が望ましい．ほかに胸管の平滑筋を収縮させ流量を減少させることと，消化管内分泌抑制作用による消化管吸収の減少による機序を有するオクトレオチド（サンドスタチン®）による治療法が報告されているが，根本的治療ではないことと，わが国ではリンパ漏に対しては保険適用がないことを理解しておかなければならない．

保存的処置では改善がむずかしいときや排液量が多い場合には，胸管付近で漏出している可能性が高い．Selle や Robinson の報告のように，廃液量が 1,500 mL/日以上が 5 日以上続いたり，2 週間しても廃液量が改善しない場合や栄養状態の悪化などの所見を認めるときには，胸管結紮術が検討される[6,7]．胸管を結紮するには，腹部から横隔膜の頭側で胸腔内アプローチによる方法と頸部からアプローチする方法がある．頸部での胸管の走行は，第 4，5 胸椎レベルで食道の左側を走行して，総頸動脈と鎖骨下動脈の間を背側から腹側に向かい前斜角筋の腹側で静脈角周囲へ流入する．そのため，頸部からのアプローチでは，静脈角周囲を処理する方法や総頸動脈の背側を処理する方法がある．しかし，静脈角周囲の胸管/リンパ管流入部は 1 ヵ所のみではないことや走行パターンが複数型あるため[8,9]，1 ヵ所の処理だけでは改善しないこともある．手術による対応を行った際には，手術終了前に Valsalva 手技を追加してリンパ漏が止められているかを確認する必要がある．

近年，IVR（interventional radiology）の進歩により，1990 年代に Cope らが報告した胸管塞栓術が行われている[10]．経皮的にマイクロカテーテルを胸管に挿入し損傷部位を造影剤で確認したのちに，リピオドールやコイリング，NBCA（n-butyl-2-cyanoacrylate）を用いることで塞栓を行う．手術的対応よりは非侵襲的で漏出部位を的確に対処できる方法である．いずれの方法も胸管を塞栓することによる下肢の浮腫や腹部症状などが報告されているため，対応後の症状観察も大切である[11]．

3 縫合不全

手術創の縫合時には「層」「血流」「緊張」の条件を意識することが大事である．これらが適切でないときに縫合不全が起きやすい．

「層」には，切除部位を縫合閉鎖する際に縫合面の断端同士が合致していることが求められる．創面に粘膜が陥入していたりすると治癒を妨げ縫合不全の原因となる．

「血流」には，創部が治癒する過程で創面があっていても血流の乏しい組織（断端）では治癒過程が進まないため，創面の血流が保たれていることが求められる．放射線治療後の組織は血流・微小血管が減少しており，放射線治療歴がない状態と比べ治癒に時間を要すること[12]は「血流」が低下していることが一因である．

「緊張」には，縫合部位を離開する方向に強い力がかからないことが求められる．創面が合致していて血流が保たれていても，創部に緊張が強い場合には，縫合部に瘢痕を形成したり，離開して治癒に至らない．舌部分切除後の創部離開は不適切な「緊張」が主な要因と考えられる．

今回は，喉頭全摘術後の咽頭の縫合不全について述べる．

ⓐ 症状と所見

術後 5〜7 日目頃に生じる発熱や頸部圧痛が主な症状である．同時期に咽頭縫合部に相当する部位の皮膚の発赤や疼痛が出現し，採血では炎症反応が上昇する．

ⓑ 対　応

縫合不全部に唾液が漏出して周囲の炎症を伴う感染創であるため，創部の開放と感染・壊死組織の除去が第一である．開放するにあたり，縫合不

全部の位置と範囲を透視検査や内視鏡検査，必要時にCT画像などで確認する．その後，縫合不全部位に対し，閉鎖するまでどのような方法で処置を行うかを計画して創部開放/開創を行う．開放した時点で周囲への炎症の程度が強く膿瘍形成が認められた場合には，頸動脈への炎症波及の有無について確認する必要がある．波及している際には頸動脈破綻の可能性があるため，皮弁などを用いた速やかな対応を検討すべきである．周囲への炎症の程度が強くない場合や膿瘍形成に至っていない場合は，開放して壊死・感染組織が十分に除去されたのちに従来法による咽頭皮膚瘻を形成し，二期的に瘻孔閉鎖術を施行する方法が行われている．壊死・感染組織の除去が不十分なまま咽頭皮膚瘻の形成が行われないように注意する．近年，局所陰圧持続療法（negative pressure wound therapy：NPWT）も報告されているが，創治癒が進み最終的に咽頭皮膚瘻が形成されることが多い．そのほか，消化器外科的発想の処置として，咽頭粘膜瘻孔部の直上に皮膚開創部を置かずに，ずらして処置を行う．そして，咽頭粘膜瘻孔部に経鼻的経路と経皮的経路で持続的に間欠吸引を行うチューブを別々に留置することで，一期的に閉鎖治癒を図る方法もある．

術中の対応として，咽頭粘膜の血行支配に配慮することも大切である．たとえば，下咽頭では輪状後部の粘膜が血流の最末端となる[13]．喉頭全摘術後の残存咽頭粘膜縫合の際に，輪状後部同士を縫合する場合は前述した血流を理解して術後の経過を注意して観察しなければならない．

4 浮　腫

手術を行った部位およびその周囲は一時的な浮腫をきたす．これは手術部位の血流やリンパ流が局所的に低下するためである．手術を行った範囲や内容に応じてその周囲の浮腫の程度や軽快するまでの期間が異なる．浮腫は侵襲によりグリコサミノグリカンが変化することと，血漿膠質浸透圧や毛細血管圧が変化することで細胞間質に水分が移動するために生じるといわれている．炎症が寛解し創傷治癒が進むと，移動した水分が周囲のリンパ管などに吸収され血管内に流入する．いわゆる利尿期と呼ばれる状態で，術後2〜3日目にあたることが多い．そのため，手術部位の浮腫は術後2〜3日目がピークとなり漸減していく[14]．頭頸部領域の手術に伴う浮腫は呼吸と嚥下に影響を及ぼす合併症や有害事象となることが特徴である．

ⓐ 症状と所見

浮腫の程度と部位により症状が異なる．声門を中心とする場合は嗄声，呼吸苦や吸気時喘鳴がみられ，声門上が中心の場合はこもり声（muffle voice）や嚥下困難感がみられる．口腔咽頭が中心の場合は音声の症状は乏しいが呼吸苦と嚥下困難が主にみられる．再建皮弁や再建腸管，周囲粘膜組織が術後の浮腫・腫脹を生じている時期は，嚥下機能や通過が障害される．

浮腫の所見は咽喉頭鏡観察を行うことで把握できる．浮腫が術直後よりも術後数日たった時期に顕著になることがあるため，経時的な観察が肝要である．

ⓑ 対　応

浮腫による影響が気道に関連する場合は，呼吸困難や窒息に至る可能性があるため，気管切開などの気道確保を迅速に検討する．緊急時の気道確保の予後として，経皮的気管切開術が禁忌であることは知っておかなければならない．頭頸部の手術後で頸部の解剖が通常とは異なる状況において処置を行う際は，気道の位置や形状も通常とは異なっていることを認識して慎重に行わなければならない．浮腫の程度や部位によりステロイド投与やネーザルエアウェイが有効な場合もある．再建術などの手術内容により術後の経過を予想して予防的気管切開を行うこともある．一方，嚥下に関連する場合は，浮腫の改善傾向がみられるまでの間，経管栄養や輸液による管理と嚥下の間接訓練を行う．

5 皮下気腫

皮下気腫とは外から皮下組織の中に空気が入り溜まった状態である．頭頸部の手術に関連する皮下気腫として，気管切開後の部位より周囲の皮下へ空気が貯留した状態がある．咳嗽などによる気道内圧の上昇，膜様部などの気管壁の損傷などが原因として考えられている．そのほかに気管切開

後に有窓気管切開チューブ（いわゆるスピーチタイプのカニューレ）に交換した際の側孔の位置不適合や気管孔が安定する前のスピーチバルブの早期使用などがある．気腫の領域が皮下にとどまらず，深頸部や縦隔にまで達することがあるため，慎重な診察が必要である．近年，普及してきている鏡視下咽喉頭手術では，舌骨周囲などの粘膜から筋層までの組織が薄い場所の手術を行った際には，皮下気腫に注意しなければならない．

a 症状と所見

患者自身の症状は乏しく，疼痛などは伴わない腫脹が主な症状である．所見としては，腫脹している部位を触診すると握雪感を感じる．

b 対応

症状の増悪がなく，程度も軽微な場合には経過観察で軽快することが多い．症状増悪時は開放やドレナージを行い，さらに感染予防のために抗菌薬の投与が行われる．頭頸部では体幹のように腔が存在しないため，気腫は組織間に貯留するため気腫のドレナージよりも空気の漏出部位の開放が中心になることが多い．

6 軟骨炎・軟骨壊死

まれな合併症ではあるが，手術操作の深さが軟骨膜よりも深くに及ぶ場合に手術部位からの感染や，血流低下による軟骨炎や軟骨壊死を生じるときがある．

a 症状と所見

軟骨炎は軟骨周囲の疼痛や連関痛を伴うが，粘膜所見は比較的乏しいため，臨床所見のみではなく，画像による評価が必要である．

b 対応

症状が軽ければ保存的に抗菌薬投与を行う．重症化して軟骨壊死に至った際には，軟骨除去が必要となる．喉頭を構成する軟骨に生じた場合は喉頭全摘に至ることがある．

外科的合併症・有害事象の評価

日常臨床はもとより臨床研究などを行う際には症状の程度を表現する共通した評価が必要である．有害事象の評価にはCTCAEやClavian-Dindo分類が広く用いられている．CTCAEは，もともとCTC（common toxicity criteria）として化学療法や放射線治療を中心に運用されてきたが，version3.0から現行のCTCAE（common terminology criteria for adverse events）として名称変更が行われ，癌治療全般に運用されるようになってきた．しかし，外科治療においてCTCAEの内容が外科関連症状を網羅しきれておらず，Clavien-Dindo分類を用いて評価することが頻用された．そこでJCOG（Japan Clinical Oncology Group）では，術後合併症規準（Clavien-Dindo分類）について，CTCAEv4.0では分類しにくい外科合併症に対して，手術手技の臨床試験で頻用されるようになってきた外科合併症規準（Clavien-Dindo分類）の原著をもとに，AE termの共通化，gradingの詳細の共通化を行った術後合併症規準が作成されている[15]．合併症の対応を行う際には詳細な観察と記載をもとに，多方面からの提案をいただき，よりよい医療につながるように共通化した評価を行うことも大切である．

術前評価と管理では脱水，栄養状態，併存症（心，糖尿病など），認知機能など全身的評価を行う．さらに，可及的に予防策を講じることで術後の全身的な合併症の発生を低下させることが大切である．

術後はさまざまな合併症の可能性を視野に入れ，早期発見・早期対応に努めることが肝要である．

📖 文献

1) 岩田有正，小川朝生：頭頸部癌患者における認知症ケア．ENTONI **233**：75-82, 2019
2) Kim SJ, et al：Frequency of post-tonsillectomy hemorrhage relative to time of day. Laryngoscope **130**：1823-1827, 2020
3) Bochaton T, Ovize M：Circadian rhythm and ischaemia-reperfusion injury. Lancet **391**：8-9, 2018
4) 宮崎達也ほか：乳び胸．手術 **64**：965-968, 2010
5) Valentine VG, Raffin TA：The management of chylothorax. Chest **102**：586-591, 1992
6) Selle JG, et al：Chylothorax：indications for surgery. Ann Surg **177**：245-249, 1973
7) Robinson CL：The management of chylothorax. Ann Thorac Surg **39**：90-95, 1985
8) Adachi B：Das Lymphgefaßsystem der Japaner. 京都大学．1953
9) Inoue M, et al：Lymphatic intervention for various types of lymphorrhea：access and treatment. Radiographics **36**：2199-2211, 2016
10) Cope C, et al：Management of chylothorax by per-

cutaneous catheterization and embolization of the thoracic duct：prospective trial. J Vasc Interv Radiol **10**：1248-1254, 1999
11) Itkin M, et al：Nonoperative thoracic duct embolization for traumatic thoracic duct leak：experience in 109 patients. J Thorac Cardiovasc Surg **139**：584-589, 2010
12) Devalia HL, Mansfield L：Radiotherapy and wound healing. Int Wound J **5**：40-44, 2008
13) 千年俊一：下咽頭癌に対する経口的切除術に必要な組織解剖（図説）．耳鼻臨床 **109**：230-231
14) 多田羅　恒雄：侵襲時輸液の生理学．Intensivist **9**：259-271, 2017
15) JCOG術後合併症規準（Clavien-Dindo分類）．http://www.jcog.jp/doctor/tool/Clavien_Dindo.html（2021年10月参照）

B 放射線治療/化学放射線療法

　放射線治療/化学放射線療法は，治療を完遂することでその効果を発揮することができる治療法である．つまり，完遂できなければ既報のような成績を出すことはできず，患者は大きな不利益を被ることになる．

　しっかりとした患者選択のもとに治療が開始されたとすれば，治療が中止になる原因の大半は急性期の合併症および副作用（放射線治療の場合は特に急性期有害事象）ということになる．

　急性期有害事象をうまくコントロールすることで完遂率を向上させ，人為的な治療成績の低下を最小限にするということが根治的治療における支持療法のもっとも重要なエンドポイントである．

放射線治療で共通する急性期有害事象

　放射線治療と化学放射線療法は，その毒性の発現頻度や重症度にわずかな違いがあるものの，種類は基本的には同じである．放射線治療で出現する急性期有害事象は放射線の照射された部位からしか起こらない．しかしながら，近年の強度変調放射線治療（intensity modulated radiotherapy：IMRT）の普及により，あらゆる角度から照射することができるようになったため低線量域が広くなり，必ずしもターゲットの部分だけではなく，その周囲の皮膚や粘膜にもしばしば有害事象の発現がみられることもある．頸部照射で発生する代表的な急性有害事象は，口内炎，粘膜炎，放射線皮膚炎，味覚障害，口腔乾燥，照射野と同じ高さの部分脱毛などである．鼻，副鼻腔に照射する場合は一過性の頭痛，結膜炎，鼻炎様症状，中耳炎様症状，照射野と同じ高さの部分脱毛などがある．

1 口内炎，粘膜炎（図1）

　もっとも問題となる急性期有害事象の1つに，口内炎/粘膜炎があげられる．

　大規模な臨床試験での総出現頻度はほぼ100%であり，グレード3以上の重度の口内炎/粘膜炎も30〜70%起こると報告[1〜4]されており，発生は避けられない毒性と考えてよい．

　口内炎/粘膜炎の予防策については薬剤を用いた試験がいくつか検証されている[5,6]が，わが国での使用制限や経済的な問題も含め決定的な手段がない状況であり，現状臨床の現場では対症療法に専念することが勧められる．

a 口内炎

　放射線治療中の口腔内合併症の発症や重症化には，口腔常在菌による感染が少なからず影響しているが，粘膜炎に伴う疼痛による摂食能の低下は，栄養状態の低下につながり，感染のリスクを増加させる．このような症状は治療の完遂にも影響を

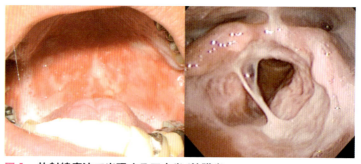

図1　放射線療法で出現する口内炎/粘膜炎
放射線治療による口内炎/粘膜炎は照射野内の粘膜すべてに起こりうる．写真はグレード3相当の粘膜炎であるが，70 Gy相当が照射される部位にこれぐらいの粘膜炎が出現することはまれではない．

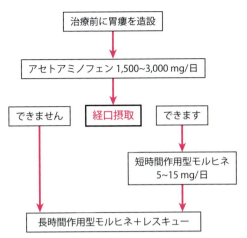

図2 opioid based pain control program
治療開始前に経内視鏡的胃瘻造設（PEG）を行い，確実な栄養補給経路および薬剤投与経路を確保する．
シスプラチンと腎機能障害で干渉する非ステロイド抗炎症薬（NSAIDs）を避けアセトアミノフェンを使用し，モルヒネによる疼痛管理へと移行する．

与え，治療成績の低下を招く要因となる．

口内炎は疼痛という観点で患者のQOLを大きく下げるが，局所を保護して疼痛を緩和する局所ハイドロゲル創傷被覆材が歯科医の処方限定で保険償還されているもの（製品名：エピシル）があるなど，歯科医の役割は重要である（歯科の役割は「第Ⅳ章-2-C. 歯科の役割」参照）．治療前から歯科受診を行うということに関しては，昨今の医科歯科連携の充実とともに体制が整備されつつあり，間接的に治療完遂に寄与することが期待される．

ⓑ 粘膜炎

粘膜炎に関しては，わが国において多施設共同研究として疼痛管理に関する試験[7]が行われ，その結果が公表されている．その方法は「opioid based pain control program」（図2）と呼称され，確実な栄養/薬剤投与経路として胃瘻を造設し，疼痛はモルヒネを主軸に管理していくというものであったが，この試験では放射線治療を予定外に中止した患者はわずか1例（0.9％）で，休止率も12.7％（1週間以上の休止は0例）と治療完遂という点において優れた成績を報告している．付随的なデータとして，化学放射線療法中にモルヒネが必要になる患者は約8割であり，使用するモルヒネの使用量の中央値は35 mg程度であった．

また胃瘻に関するトラブルは治療中で4％程度と非常に低く，一方で患者教育により退院して患者管理が可能になる割合は90％と非常に高かった．胃瘻についてはこの試験では治療前に造設している．海外では治療中に造設する施設もあり，各施設の事情にあったセッティングが必要と考える．

他覚的所見（診察所見）に大きな変化がないのに自覚症状（疼痛）が急速に悪化する場合は感染を疑い，血液検査や培養検査を実施することが推奨される．また，感染が確認された場合には，原因菌を特定し適切な抗菌薬や抗ウイルス薬などによる治療を開始する．特に粘膜炎による偽膜とカンジダによる白苔の鑑別が必要となり，カンジダ感染が確定した場合は外用抗真菌薬の使用を検討する．

2 放射線皮膚炎

ⓐ 症状と所見

放射線皮膚炎は頭頸部領域の放射線治療では口内炎/粘膜炎と並んで必発の急性期有害事象である．

ほかの抗癌薬による毒性と大きく違う点は，放射線治療の照射野に一致した部位のみに出現し全身の皮膚症状とは区別されるところである．よって放射線皮膚炎の治療に従事する医療者はすべて照射野を把握することが求められる．

放射線皮膚炎は通常治療の初期には問題にならず，治療の後半から発赤や乾性落屑を伴い顕在化し，治療終了から終了後1週間でピークを迎え徐々に消褪していく．

ⓑ 皮膚炎を増悪させる因子[8]

1）皮膚への線量

皮膚炎の発生に大きく関与しており，ボーラスを置いた照射野や低エネルギー照射（4 MV）では高頻度に重症の放射線皮膚炎が発生する．1日2回照射（hyperfractionation）は，理論上，正常組織への影響を減らし腫瘍へのダメージを増やす[9,10]として放射線治療単独療法を中心に頻用されたが，実臨床では放射線皮膚炎の発症率は通常分割より低下しているという実感はなく，分割法によらず皮膚炎への注意は必要である．

2）物理的刺激

患部に物理的なストレスが加わることによる刺

激であるが，実臨床では衣服との擦れや自分の手で掻いてしまったりすることで発生する．

3）化学的刺激

塗布した薬品に含まれる化学物質に刺激を受けることであるが，軟膏やクリーム，ローションなどに含まれる安定剤などで発生することもあり，よかれと思って塗布した薬で放射線皮膚炎が増悪するといったこともしばしば経験する．

4）感　染

放射線皮膚炎は本来照射が終了すると遅かれ早かれ自己回復するが，その過程において感染を起こすと治癒機転が働かなくなって創傷治癒遅延が起こり，最悪の場合は皮膚壊死に陥ったり，敗血症を引き起こし命にかかわる事態に発展したりすることもあり，注意が必要である．

C 対　応

具体的な対処法については別項「第Ⅳ章-2-D．看護師の役割，1）皮膚炎管理」に譲る．

3 味覚障害

味覚障害は「第Ⅲ章-8-B．放射線治療」を参照されたい．

4 部分脱毛

放射線治療による脱毛は被曝した部位にしか起こらず，全脳照射以外は部分脱毛の状態になる．頭髪だけではなく睫毛，眉毛，鼻毛，前胸部に照射される場合には胸毛なども同様に脱毛しうる．

治療開始後2～3週間で脱毛の兆候がみられ，脱毛部位は照射方法にも関係しており二次元治療計画（2D-RT）もしくはシンプルな三次元治療計画（3D-RT）では側方のみの脱毛となることが多いが，IMRT，多門照射，原体照射など多方向からビームが入る場合には，側方以外の頭髪にも脱毛が起こりうるため注意が必要である．

なお，通常の放射線治療では前方からのビームも後頭部へ透過するため，脱毛の範囲は線量分布をみて予測することが望ましい．

一度その部位が脱毛したら通常は3～6ヵ月して発毛がみられる．

5 一過性の頭痛

鼻腔腫瘍，上咽頭癌に対する照射など脳実質にかかる場合，一過性に脳浮腫が起こり頭痛を発症することがある．治療初期に起こることが多く，無治療でも2～3日で軽快する．原因がはっきりしているため，治療前に説明し，実際に強い症状が出た場合はステロイド2～4 mg内服することで速やかに消失する．

6 結膜炎

鼻腔や頭蓋内の病変に対する照射では前方からのビームが眼球内側をかすめるように通過するため，両眼内側に充血や眼脂を伴う結膜炎を発症することがある．

線量に依存するため治療開始後すぐは無症状で治療の後半から症状が出現する．

結膜炎自体は大きな症状ではないが，瘙痒感から手で擦るとそこから感染し，皮膚炎にも悪影響を及ぼすため，眼軟膏や点眼薬を処方し症状の軽減に努めることが勧められる．

7 鼻炎，副鼻腔炎

鼻腔腫瘍や上咽頭癌では高頻度にみられる症状である．鼻腔の正常粘膜が照射の影響で浮腫を起こし，鼻閉や鼻汁分泌など慢性鼻炎（副鼻腔炎）様症状を呈する．正常な粘膜の影響が原因であるため，必ずしも患側に起こるわけではなく，照射野に健側の鼻・副鼻腔が含まれていれば健側に症状が出現することもある．

治療後も慢性副鼻腔炎に発展することも多く，耳鼻科的処置を我慢強く継続する必要がある．処置方法は一般の副鼻腔炎に対する治療と同様でよい．

8 中耳炎

鼻腔腫瘍や上咽頭癌では高頻度にみられる症状である．耳管隆起の咽頭開口部が照射で浮腫を起こし，中耳炎を引き起こす．

これについても治療後，慢性中耳炎となることが多いため耳鼻科的処置を我慢強く継続する必要がある．

処置方法は一般の中耳炎に対する治療と同様で

よい．

Tubingなどの侵襲処置については，放射線治療による急性期の炎症が落ち着いた時期に開始したほうが合併症の頻度が少ないのではという意見もあり，一般的な耳鼻科的処置の最適な開始時期については意見が分かれている．

化学放射線療法で特有の有害事象とその管理

化学放射線療法で発現する急性期有害事象の種類は放射線治療単独の場合と変わらない．しかしながら，全身状態が化学療法の影響を受けてやや不良になっている場合などは有害事象が遷延したり，重篤なものに発展したりする恐れがある．

また，有害事象管理に必要な薬剤が抗癌薬の種類によっては干渉することもあるため，放射線治療医と腫瘍内科医，耳鼻科医の連携は密に行うべきである．

分子標的治療薬併用放射線治療[11,12]で特有の有害事象とその管理

現在，頭頸部領域において放射線治療と併用が承認されている分子標的治療薬はセツキシマブのみである．

セツキシマブそのものの有害事象などについては他項に譲るが，放射線治療との併用で問題になる急性毒性は口内炎/粘膜炎および皮膚炎である（図3）．

De-ESCALaTE試験[13]ではシスプラチン（CDDP）併用放射線治療とセツキシマブ併用放射線治療の有害事象比較が行われ，体重減少や腎機能障害はCDDP併用に，皮膚障害や投与時のトラブルはセツキシマブ併用に多く，有害事象の出現割合は総合的にみると両者ともほぼ同じであり，セツキシマブの有害事象が軽いということはないと報告された．

実臨床では現在CDDP併用の放射線治療が標準治療[13,14]と位置づけられており，治療前の全身状態や既往症などによりCDDPが行えない場合に，次善の策としてセツキシマブ併用放射線治療が選

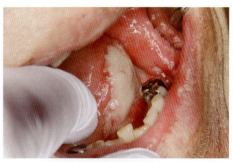

図3 セツキシマブ併用放射線治療に特徴的な口内炎/粘膜炎

治療前半に出現した厚い偽膜を伴う舌の潰瘍．この場合は歯牙との接触が炎症を増悪させている可能性が高い．
軟口蓋や下咽頭にも同様の厚い偽膜を伴う粘膜炎の出現が多くみられカンジダ感染との鑑別が必要である．

択される．

上記を勘案すると実臨床での患者は臨床試験にエントリーされた患者より状態が悪いことが予測され，公表されたデータよりもさらに慎重な対応が必要になる．

1 口内炎/粘膜炎

セツキシマブと併用した場合も照射範囲内に口内炎/粘膜炎が起こることは同じであるが，舌縁など歯牙の接触部位にかなり早期から出現し，潰瘍を覆う偽膜が通常の放射線治療でできるものよりも厚く形成されるという特徴をもっている．

厚い偽膜はしばしば白苔との鑑別が必要であり，治療中にも歯科が介入することが望ましい．

診察所見ではかなり重症に見えるものの，症状として疼痛の訴えが診察所見と比較して穏やかな傾向にあるというのも特徴である．

対応としては前述のopioid based pain control programを使用することで口内炎/粘膜炎による治療中止は避けることができるが，セツキシマブの場合は腎機能にあまり影響しないため，NSAIDsを用いてもさほど問題はない．ただし，もともと腎機能低下が原因でCDDPを回避した患者に対してNSAIDsは使用できないため，検査データの確認が必要である．

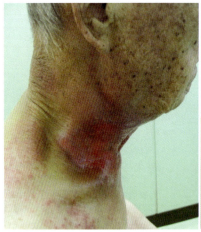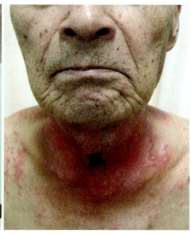

図4　セツキシマブ併用放射線治療（放射線皮膚炎とざ瘡様皮疹の複合症状）
放射線治療終了直後の皮膚症状．照射野外にはざ瘡様皮疹が，照射野内には放射線皮膚炎がそれぞれ主として出現している．よくみると照射野内にも皮疹が出ており，表皮が脱落し湿性落屑をきたした部位（グレード2）には放射線皮膚炎のみが，表皮が残存して乾性落屑程度の部位（グレード1）には残った表皮の部分に痤瘡様皮疹が出現している．

2 皮膚炎

セツキシマブには，ざ瘡様皮疹，皮膚乾燥といった皮膚炎関連の有害事象が起こることが知られている．特にざ瘡様皮疹は好発部位が顔面-頸部および前胸部と放射線皮膚炎の出現部位に一致するため，しばしば管理に難渋することが多い．

ざ瘡様皮疹は皮膚表面の変化であり，放射線皮膚炎で表皮が脱落する中等度以上の皮膚炎が起こっている場所には，理論上，複合しては起こらない．しばしば中等度以上の放射線皮膚炎とざ瘡様皮疹が複合して起こっているような場合を目にするが，それは完全に脱落していない表皮にざ瘡様皮疹が起こっているに過ぎない．照射野の辺縁もしくは乾性落屑程度の初期の放射線皮膚炎とは複合して起こりうる（図4）．管理方法について詳細は他項に譲るが，基本的に照射野外はセツキシマブ特有の反応に対しての管理を，照射野内については放射線皮膚炎に対しての管理を徹底すれば問題ない．患者によっては照射野辺縁部分への対応を迷うことがあるが「重症なほうにあわせて治療」という原則を守ってもらうことで理解が得られることが多い．

副作用管理の要則

前項までに有害事象とその管理方法について述べたが，根治治療の副作用管理において医療者は以下のことについて十分留意する必要がある．

①対症療法をするにおいても先回りする

予期せぬ副作用もあるが，ほとんどが既報で時期も予測できるものが多いため，それらに対しては早めに対応することで重篤化を防ぐことができる．

②患者が家でも行えるようにしっかりとした説明を行い，家で指示どおりできているかコンプライアンスを確認する．

放射線治療による副作用はピンポイントではなく持続的に起こるものが多いため，外来では患者・家族の協力が必要である．副作用対策の中には患者が家で行わなければならないものもあり，これについては十分に説明したうえで，しっかり行えているかも確認する必要がある．

③副作用管理は副作用をなくすことがゴールではない．

放射線は正常組織にとっては有害であり，それに付随する副作用を0にすることは不可能である．根治治療における支持療法の役割は「根治治療を安全に完遂させること」にあり，副作用対策に夢

中になるあまり，副作用が出て自分たちが失敗したかのようなフィードバックのかけ方は間違っている．

この傾向は特に看護師はじめ真面目なメディカルスタッフに多くみられるものであり，支持療法の目的について再度確認し，現在根治治療がどこまで進んでいるのかを把握しながらチーム医療を成立させていく必要がある．

文献

1) Adelstein DJ, et al：An intergroup phase III comparison of standard radiation therapy and two schedules of concurrent chemoradiotherapy in patients with unresectable squamous cell head and neck cancer. J Clin Oncol 21：92-98, 2003
2) Forastiere AA, et al：Concurrent chemotherapy and radiotherapy for organ preservation in advanced laryngeal cancer. N Engl J Med 349：2091-2098, 2003
3) Bernier J, et al：Postoperative irradiation with or without concomitant chemotherapy for locally advanced head and neck cancer. N Engl J Med 350：1945-1952, 2004
4) Cooper JS, et al：Postoperative concurrent radiotherapy and chemotherapy for high-risk squamous-cell carcinoma of the head and neck. N Engl J Med 350：1937-1944, 2004
5) Le QT, et al：Palifermin reduces severe mucositis in definitive chemoradiotherapy of locally advanced head and neck cancer：a randomized, placebo-controlled study. J Clin Oncol 29：2808-2814, 2011
6) Rodriguez-Caballero A, et al：Cancer treatment-induced oral mucositis：a critical review. Int J Oral Maxillofac Surg 41：225-238, 2012
7) Zenda S, et al：Multicenter phase II study of an opioid-based pain control program for head and neck cancer patients receiving chemoradiotherapy. Radiother Oncol 101：410-414, 2011
8) Burch SE, et al：Measurement of 6-MV X-ray surface dose when topical agents are applied prior to external beam irradiation. Int J Radiat Oncol Biol Phys 38：447-451, 1997
9) Withers HR, et al：The hazard of accelerated tumor clonogen repopulation during radiotherapy. Acta Oncol 27：131-146, 1988
10) Barendsen GW：Dose fractionation, dose rate and iso-effect relationships for normal tissue responses. Int J Radiat Oncol Biol Phys 8：1981-1997, 1982
11) Bonner JA, et al：Radiotherapy plus cetuximab for squamous-cell carcinoma of the head and neck. N Engl J Med 354：567-578, 2006
12) Bonner JA, et al：Radiotherapy plus cetuximab for locoregionally advanced head and neck cancer：5-year survival data from a phase 3 randomised trial, and relation between cetuximab-induced rash and survival. Lancet Oncol 11：21-28, 2010
13) Gillison ML, et al：Radiotherapy plus cetuximab or cisplatin in human papillomavirus-positive oropharyngeal cancer（NRG Oncology RTOG 1016）：a randomised, multicentre, non-inferiority trial. Lancet 393：40-50, 2019
14) Mehanna H, et al：Radiotherapy plus cisplatin or cetuximab in low-risk human papillomavirus-positive oropharyngeal cancer（De-ESCALaTE HPV）：an open-label randomised controlled phase 3 trial. Lancet 393：51-60, 2019

C 薬物療法

　癌薬物療法の急性期有害事象のマネジメントは，患者の安全性かつ治療効果の最大化に重要であり，薬物療法を行う主治医には，迅速かつ適切に対処することが求められる．細胞障害性抗癌薬や分子標的治療薬では，発現する有害事象および発現時期の予期が可能であり，事前に予防策を講じることが有用である．免疫チェックポイント阻害薬（immune checkpoint inhibitor：ICI）では，免疫関連有害事象（immune-related adverse events：irAE）を生じる可能性があるが，発現時期の予想は困難で，かつ多彩な症状への対応が必要となる．早期対応のためには，多職種間での情報共有および診療連携体制の構築が必要であり，さらには病院間での連携も有用で，日本臨床腫瘍学会の頭頸部癌診療連携プログラムが運用されている．

　有害事象によるデメリットを回避するためには，早期発見・早期対応が特に重要であり，そのためには患者・家族および医療スタッフの教育が必要となる．有害事象の評価は，有害事象共通用語基準（common terminology criteria for adverse events：CTCAE）を用いることで，多職種間での情報共有が可能となり，また有害事象の経過把握においても有用である．

代表的な急性期の合併症と有害事象管理

　国際的な主要ガイドライン（National Comprehensive Cancer Network：NCCN，American Society of Clinical Oncology：ASCO，Multinational Association of Supportive Care in Cancer：MASCC）や日本臨床腫瘍学会，日本癌治療学会など，わが国の学会でも各種ガイドラインが発表されており，これらに沿った対策をとることが望ましく，以下有害事象の項目ごとに参考となるガイドラインを記載した．

1 免疫関連有害事象（irAE）

　ICI の投与に際しては，過剰な自己免疫反応による有害事象である irAE が生じることがある．ICI の投与後に新たな症状を認めた場合は，まず irAE を疑う必要がある．irAE は，ICI 単剤よりも併用療法において，その頻度や重篤度が増加することが報告されている．irAE の出現は，良好な治療効果へつながる可能性が示唆されており，そのマネジメントは重要となる．

a 対　応

　表1にグレードに準じた対応および再開のタイミングについて，ASCO ガイドライン[1]の概要をまとめた．従来の細胞障害性抗癌薬による有害事象への対応と異なり，irAE に対する治療は，ステロイドなどの免疫抑制薬が中心で，また内分泌障害に対してはホルモン補充を行う．irAE は，多岐な臓器に及ぶため，グレード2以上の症状の出現時には，臓器特異的専門家への相談を推奨する．irAE を生じた臓器やグレードによって，永続的な中止（表2，NCCN ガイドライン[2]より抜粋，ASCO ガイドラインと一部異なる）を要するものもあり，ICI の再開は，メリット/デメリットを考慮して判断する．ICI の中止後に irAE を生じることや，他剤の使用時にその有害事象が増す可能性もあり，逐次治療や緩和ケア単独に移行したのちにも，留意が必要である．

2 発熱性好中球減少症（febrile neutropenia：FN）

　FN は，「好中球数が 500/μL 未満，または 1,000/μL 未満で 48 時間以内に 500/μL 未満に減少すると予測される状態で，かつ腋窩温 37.5℃以上（口腔内温度 38℃以上）の発熱」と定義される．免疫不全状態での感染症であり，適切な治療を施さなければ，急速に重症化して死亡に至る例もあり，発熱時の患者教育を含めた初期対応が大切である．

表1 irAE 出現後の一般的対応

CTCAE ver.5.0	ICI 治療	対応
グレード1	継続	・慎重なモニタリング（一部の神経系 irAE は除く）
グレード2	治療休止を考慮	・プレドニゾン 0.5～1 mg/kg/日または同力価のステロイドによる治療を検討 ・再開：グレード1以下に回復した場合（再開禁忌あり）
グレード3	治療休止	・プレドニゾン 1～2 mg/kg/日または同力価のステロイドによる治療 ・減量は4～6週かけて行う ・48～72時間以内に改善なければ、インフリキシマブなどの免疫抑制薬の使用を考慮 ・再開：グレード1以下に回復した場合（障害によって永続的な中止が必要となる） ・CTLA-4 阻害薬の併用療法の際は、PD-1/PD-L1 阻害薬単剤で再開する
グレード4	永続的に中止	・ホルモン補充によってコントロール可能な内分泌障害は除く

表2 ICI の再開禁忌/永続的に中止

CTCAE ver.5.0	臓器	疾患名
全グレード	神経系	横断性脊髄炎、Guillain-Barré 症候群
グレード2	神経系	重症筋無力症、脳炎
	心血管系	心筋炎
グレード3	皮膚	水疱性疾患（Stevens-Johnson 症候群、中毒性表皮壊死症）
	膵臓	膵炎
	呼吸器	肺臓炎
	腎臓	蛋白尿
	筋骨格系	ADL/QOL を低下させる炎症性関節炎
グレード4	内分泌系以外すべて	

a 対応

FN の初期治療は『発熱性好中球減少症診療ガイドライン』（第2版）を参考されたい。FN の重症化リスク評価のためのスコア（MASCC スコア）で、低リスクでは経口抗菌薬（シプロフロキサシン+アモキシシリン/クラブラン酸）による経験的治療も許容される。点滴静注を選択する場合は、抗緑膿菌作用をもつ β ラクタム剤（わが国で FN の適応を有する薬剤は、セフェピム、メロペネム、タゾバクタム/ピペラシリン、セフタジジム）を単剤で投与する。選択に際しては、各施設におけるアンチバイオグラムを参照されたい。重症例では、β ラクタム剤にアミノグリコシドもしくはフルオロキノロンのいずれか1剤を加え、MRSA 感染のリスクがあれば、抗 MRSA 薬を併用する。G-CSF（granulocyte-colony stimulating factor）製剤の使用に関しては、ASCO ガイドライン[3]を参照されたい。頭頸部癌で用いるレジメンでは、FN の頻度は低く、G-CSF 製剤の予防投与の意義は低い。

3 赤血球減少（貧血）

頭頸部癌においては、化学放射線療法中の貧血は、予後予測因子であることが示されており、貧血が局所制御、さらには生存に負の影響を及ぼす可能性がある。

血液製剤の使用指針（平成31年3月厚生労働省医薬・生活衛生局）では、固形癌化学療法などによる貧血でのトリガー値を Hb 7～8 g/dL としており、グレード3以上の貧血では、赤血球液の輸血を考慮したい。

4 血小板減少

グレード3以上（5万/μL 未満）では、薬物療法および放射線治療の休止を要する。特にカルボプ

ラチンの投与時は，血小板減少が投与規制因子となる．血小板2万/μL未満では，出血症状の有無，感染症・DICなどの血小板減少の原因を考慮し，血小板濃厚液の輸血の適応を決めるが，血小板1万/μL以上であれば重篤な出血が起こる確率は非常に低いとされる．

5 抗癌薬投与に起因する悪心・嘔吐（chemotherapy induced nausea and vomiting：CINV）

a 予防

催吐リスクは，高度，中等度，軽度，最少度の4段階に分類され（制吐薬適正ガイドライン，2015年第2版），リスクに応じた予防投与が必要となる．高度（催吐頻度＞90％）に分類されるシスプラチンでは，アプレピタント，デキサメタゾン，5-HT_3受容体拮抗薬，オランザピンの4剤を併用したCINV予防が推奨される[4]．オランザピンは，糖尿病患者では禁忌であることに注意されたい．

b 対応

CINVは，24時間以内に発症する急性嘔吐，24時間以後に生じ数日間持続する遅発性悪心・嘔吐，精神的な要因や前治療での悪心・嘔吐の程度に影響される予期性悪心・嘔吐の3タイプに分類される．遅発性悪心・嘔吐に対しては，パロノセトロンの有効性が示されている[5]．予期性悪心・嘔吐に対しては，抗不安薬を用いる．

標準的な制吐療法を施行したにもかかわらず発現した突出性悪心・嘔吐に対しては，使用した制吐薬とは異なる作用機序をもつ薬剤を追加投与することが推奨される．不十分な制吐療法は，次コース以降での予期悪心・嘔吐の出現や治療拒否につながるため，初回のCINV予防が特に重要である．

6 下痢

抗癌薬投与後，数時間以内に出現する早発性下痢と，24時間以上経過して出現する遅発性下痢がある．

a 対応

グレード1/2では，ロペラミドを用いる．脱水・電解質異常・感染などを生じた場合や，グレード3以上では，入院下での管理を要する．ICIによる下痢に対しては，ロペラミドの投与は適切な治療開始を遅延させ重症化につながる可能性があり注意を要する．ICIによるグレード2以上の下痢では，ステロイドによる治療を要する．ステロイド不応の場合は，抗TNF-α抗体のインフリキシマブ（注意：腸穿孔や敗血症では使用しない）など，他の免疫抑制療法がNCCNガイドライン[2]で推奨されている．

7 腎障害・蛋白尿

頭頸部癌薬物療法における中心的薬剤であるシスプラチンの投与において，腎障害を回避し，relative dose intensity（RDI）を保つことは，生存へ寄与することが示されている．腎機能を最大限に保護するためには，腎機能を低下させる可能性がある薬剤（NSAIDsなど）の投与を避けることが望ましい．投与前後には，それぞれ4時間以上かけて1～2Lの生理食塩水を投与する．また，補液と同等の尿量の確保が腎保護に有効とされ，経験的に利尿薬を使用することが多い．マグネシウム予防投与は，シスプラチン投与後の低Mg血症を予防するため，腎障害を軽減する可能性が示唆されている．

シスプラチンの外来投与の際には，short hydrationが必要となる．安全に行うためには，投与日から3日目まで，食事以外に1日あたり1L程度の水分の経口摂取が可能な症例のみを対象とすることが望ましい．

カルボプラチンは，ほとんどが腎排泄でありGFRに基づいて体内薬物動態の予想が可能である．目標とするAUCを設定したうえで腎機能に基づいて投与量を決定するCalvert式が日常診療で広く普及している．カルボプラチンの過量投与を回避するためにGFRの上限値（125 mL/分）を設けることが推奨される．

Calvert式：投与量（mg）＝目標AUC（mg/mL×分）×（GFR［mg/mL×分］＋25）

癌薬物療法時の腎機能低下予防に関しての詳細は，『がん薬物療法時の腎障害ガイドライン2016』を参照されたい．

蛋白尿は，血管新生阻害薬・多標的阻害薬（レンバチニブ，ソラフェニブなど）による血圧の上昇

に続いて生じることがある．蛋白尿のモニタリングは，随時尿による尿蛋白/クレアチニン比（UPCR）を測定することで，1日尿蛋白量が推定可能である．蛋白尿の管理法は確立しておらず，短期的な休薬や減量で対処し，長期的な休薬を避けることが，RDIの維持の点で重要であり，生存へのメリットが期待できる．

8 肝機能障害

抗癌薬を投与する際は，免疫抑制・化学療法により発症するB型肝炎対策のガイドラインに沿って，全例で治療前にHBs抗原，HBc抗体およびHBs抗体検査でスクリーニングし，フローチャートに沿った対応が必須である．

a 対 応

肝機能障害に対する特異的予防法や治療法はないため，障害の程度に応じて抗癌薬の減量・中止を検討する．ICI投与後のグレード2以上の肝機能障害の場合は，ICIの休薬，ステロイドの投与を考慮する．グレード3以上でステロイド抵抗性の場合は，ミコフェノール酸モフェチルの投与を考慮することがNCCNガイドライン[2]に記載されている．

9 電解質異常

a 低ナトリウム血症（低Na血症）

低Na血症は，血清Naが135 mEq/L未満と定義され，その病態は細胞外液とNaのバランスで分類される．癌患者においては抗利尿ホルモン不適合分泌症候群（syndrome of inappropriate secretion of ADH：SIADH）の合併の頻度が高いが，シスプラチン投与時には，腎性塩類喪失症候群（renal salt wasting syndrome：RSWS）の発現が多い．

1）対 応

SIADHとRSWSの病態は異なり，それぞれの治療（SIADHに対する水制限，RSWSに対するNaの補充と脱水の補正）は，お互いの病態を悪化させる危険性があり，注意が必要である．SIADHでは，経口バゾプレシンV2受容体拮抗薬（トルバプタン）の使用が可能である．

b 低マグネシウム血症（低Mg血症）

セツキシマブやシスプラチンの投与の際は，高頻度に低Mg血症が出現するため，定期的なモニタリングが必要となる．軽度の低Mg血症では自覚症状が出現しにくいが，グレード3以上（0.9 mg/dL以下）になると治療を要する不整脈・けいれんなどを生じる可能性があるため，軽度の段階で対策を開始する．低Mg血症が腎障害を引き起こす可能性も報告されており，シスプラチンの投与時には注意したい．

1）対 応

治療は，経口あるいは経静脈によるMg補充だが，抗癌薬投与時に低Mgの程度に応じて，硫酸Mgの点滴（硫酸Mg 20 mEqあたり生食100 mLに希釈し，60分以上かけて投与）での補正を推奨する．

10 薬剤性肺障害

薬剤性肺障害は，すべての薬剤で生じる可能性があり，また予防方法はなく，常にその発症を疑いながら早期発見することが重要である．

a 症状と所見

抗癌薬の投与時は，症状（乾性咳嗽，息切れ・呼吸困難），身体所見（聴診による捻髪音の聴取，呼吸数の増加，発熱，動脈血酸素飽和度の低下）などから，薬剤性肺障害を少しでも疑う場合は，薬剤の投与は中止し，画像・血液検査（KL-6，SP-Dを含む）を行う．薬剤性肺障害はびまん性陰影を呈するため，診断のためには，単純X線単独での鑑別は困難で胸部CTが必須である．画像所見としては，ステロイドへの治療反応性が乏しく予後不良とされるびまん性肺胞障害（DADタイプ：両側斑状のすりガラス様陰影と肺の収縮所見を特徴とする）と，非DADタイプの鑑別が臨床的には重要である．

b 対 応

irAEとしての薬剤性肺障害の約半数は非DADの器質化肺炎（OP）パターンで，ステロイドへの反応は良好である．グレード2以上の薬剤性肺障害ではステロイドの投与を要する．症状が改善したら，少なくとも4～6週かけて漸減する．

11 皮膚障害

皮膚障害の重症化は，特にQOLの低下につなが

表3 皮膚障害とその対応

	ざ瘡様皮疹	皮膚乾燥・亀裂	爪囲炎	手足症候群
薬剤	セツキシマブ	セツキシマブ	セツキシマブ	血管新生阻害剤
発現時期	1～2週	3～5週	4～8週	2～3週
予防	・保湿剤 ・ミノサイクリン塩酸塩内服	・保湿剤 ・機械的刺激の回避	・洗浄/保護	・増悪因子の回避 ・保湿剤（尿素含有製剤など） ・ステロイド外用剤（紅斑部：strong）
増悪時の対応	・ステロイド外用剤（顔：medium, 顔以外：strong, 症状改善後はclass down） ・アダパレン	・ステロイド外用剤（亀裂：Strongest, ドレニゾンテープ） ・抗ヒスタミン薬（瘙痒を伴う場合）	・テーピング（スパイラルテープ法） ・ステロイド外用剤（肉芽形成：very strong） ・皮膚科的処置	・創傷被覆剤 ・ミノサイクリン塩酸塩内服 ・ステロイド内服

るため，治療開始時から予防的スキンケアを行い，皮膚のバリア機能を保つことが重要である．また，タキサン系では脱毛を生じやすく，心理的影響が大きいため配慮が必要である．

ⓐ 症状と所見

セツキシマブにおける皮膚症状の重症度や悪性黒色種における白斑の出現などは，良好な予後との正の関連が示唆されており，皮膚毒性での休止・中止は避けたい．フッ化ピリミジン系抗癌薬や血管新生阻害薬（ソラフェニブなど）では，手足症候群（hand-foot syndrome：HFS）が，それぞれ異なる特徴を呈する．フッ化ピリミジン系抗癌薬によるHFSは，緩徐に生じることが多く，感覚異常を初期症状とし，その後は紅斑を伴う皮膚変化を呈する．血管新生阻害薬によるHFSは，短期的に急激に生じることがあり，過重・加圧部の限局性の紅斑で始まり，疼痛を伴う．好発部位は手掌や足底で，物理的刺激が増悪因子となる．

ⓑ 対応

表3に主な皮膚障害に対する対応をまとめた．

12 抗癌薬の血管外漏出（extravasation：EV）

起壊死性抗癌薬に分類されるパクリタキセルおよびドセタキセルの投与時には，EVへの留意が特に必要である．EVによる漏出性皮膚障害に対する確実な治療法は確立しておらず，また抗癌薬を経静脈投与する以上，EVは回避不可能であり，発生の可能性を患者に十分に説明すること，および早期発見および初期対応が重要となる．EVに類似した静脈炎やフレア反応などによる皮膚変化にも注意したい．

ⓐ 対応

EV発生時には，薬液や血液を吸引・除去したのちに，針を抜去する．コンセンサスを得られていないが，抗炎症効果を期待し，漏出部皮下へのステロイドの局注や塗布が経験的に行われている．アントラサイクリン系抗癌薬のEVでは，デクスラゾキサンの静脈内投与の適応がある．適切な血管確保が重要であり，困難な場合は中心静脈ポートの留置を検討すべきである．

13 高血圧

血管新生阻害薬やステロイド併用時には，高血圧を合併する可能性がある．高血圧は，脳心血管病の発症・進展・再発につながる危険性があり適切なコントロールを要する．『高血圧治療ガイドライン2019』を参考に，生活習慣の修正に加え，アンジオテンシンⅡ受容体拮抗薬（ARB），アンジオテンシン転換酵素（ACE）阻害薬，Ca拮抗薬，利尿薬などから適切な降圧薬を選択する．抗癌薬の休薬の際は，降圧薬の調整が必要となることに注意したい．

14 過敏性反応

薬剤投与により生じる過敏性反応は，IgEを介

した即時型アレルギー反応と免疫学的機序が関与しない注入に伴う輸注反応（infusion reaction）に分けられるが，厳密な鑑別は困難である．すべての患者で過敏性反応が起こりうる可能性があるため，患者および家族への事前説明，発症時に対応可能な体制整備が必須である．

即時型アレルギー反応は，投与開始直後（15分以内）に生じることが多い．症状は多彩で，低血圧やショック状態を生じた場合はアナフィラキシーと呼ぶ．タキサン系（特に初回），プラチナ製剤（蓄積投与量に関与）では注意を要する．

Infusion reaction は，投与薬物の投与速度に関係し，初回投与時に多い．症状はアレルギー反応に類似しているが，発熱・悪心・発汗・筋肉痛などが多いとされる．

過敏性反応への予防策として，パクリタキセル，セツキシマブの投与時には抗ヒスタミン薬，ステロイドなどの前投与が推奨される．

ⓐ 対　応

グレード1の過敏性反応では，投与速度を50%減速し，グレード2では投与をいったん中止し，症状の改善を確認したのちに投与速度を減速し再開する．皮膚の紅潮や蕁麻疹のみであれば抗ヒスタミン薬やステロイドの投与を行う．グレード3以上や，呼吸器・循環器・消化器症状を呈した場合は，アナフィラキシーとして，アドレナリンを外側大腿に筋注する．アナフィラキシーやグレード3以上の反応を生じた場合の再投与は避ける．

15 内分泌障害

内分泌系 irAE の多くは，急性期症状が安定し，適切なホルモンの補充ができれば，グレードにかかわらず ICI の再開は可能である[2]．

ⓐ 甲状腺機能障害

頭頸部癌患者では，頸部手術や放射線治療のため，甲状腺機能低下をきたすことが多く，定期的に free T_3・T_4，TSH などのモニタリングが必要である．甲状腺機能異常は，内分泌系 irAE でもっとも多い．甲状腺中毒症状を呈することは少なく，一過性に甲状腺機能亢進を認めたのちに，機能低下を生じる．甲状腺機能低下がある場合は，甲状腺ホルモンを補充する．

ⓑ 糖尿病

irAE の糖尿病は，膵臓β細胞の破壊により1型糖尿病もしくは類似した臨床像を呈する．倦怠感・口渇・多飲・多尿などの症状に注意し，糖尿病ケトアシドーシスを回避する．

発症が疑われる場合は，インスリンおよび補液を速やかに投与する．

ⓒ 下垂体機能低下，副腎皮質機能低下

症状は非特異的で，早期発見のためには定期的な ACTH，コルチゾールの測定が必要となる．

治療は，下垂体機能低下ではステロイド投与と欠落したホルモンの補充を行う．副腎皮質機能低下では，ヒドロコルチゾンの分割投与を行う．シックデイは，ヒドロコルチゾンの増量を要し，副腎クリーゼの発症への留意が必要である．

📖 文　献

1) Brahmer JR, et al：Management of immune-related adverse events in patients treated with immune checkpoint inhibitor therapy：ASCO Guideline update. J Clin Oncol **39**：4073-4126, 2021
2) NCCN Clinical Guidelines in Oncology. Management of Immunotherapy-Related Toxicities verion：4, 2021. https://www.nccn.org/guidelines/category_3（2022年1月閲覧）
3) Smith TJ, et al：2006 update of recommendations for the use of white blood cell growth factors：an evidence-based clinical practice guideline. J Clin Oncol **24**：3187-3205, 2006
4) Hashimoto H, et al：Olanzapine 5 mg plus standard antiemetic therapy for the prevention of chemotherapy-induced nausea and vomiting（J-FORCE）：a multicentre, randomised, double-blind, placebo-controlled, phase 3 trial. Lancet Oncol **21**：242-249, 2020
5) Saito M, et al：Palonosetron plus dexamethasone versus granisetron plus dexamethasone for prevention of nausea and vomiting during chemotherapy：a double-blind, double-dummy, randomised, comparative phase Ⅲ trial. Lancet Oncol **10**：115-124, 2009

8. 晩期の合併症と有害事象管理

A 外科治療

　手術の晩期合併症として，本項ではまず喉頭癌や下咽頭癌治療における問題点として3つ，気管孔狭窄，頸部食道再建後の吻合部狭窄，気管食道瘻発声のためのボイスプロステーシスに関連した合併症について述べる．

気管孔狭窄

　喉頭全摘術後の気管孔狭窄は古くから問題となってきた．Montgomery[1]がその分類をしたのは1962年であった．縦裂型（vertical slit），中心狭窄型（concentric），下壁棚型（inferior shelf）の3タイプである．飯田ら[2]の報告では，その臨床像と気管孔狭窄拡大術の種々の方法が詳細に整理されている．われわれはその中でdouble Z-plasty，あるいはtriple Z-plastyを好んで用いている（図1）．

　気管孔狭窄の原因は，まずは気管壁の血流，瘢痕形成，気管孔（気管）が縦隔へ牽引されることなどとされる．それらを助長するような気管孔作成手技の誤りが原因とする報告も散見される．すなわち，気管孔作成においては気管軟骨を露出させたままにしないこと，気管孔周辺の感染予防，気管の血流保護などに細心の注意を払うことが推奨される．それらを踏まえて，片側マットレス縫合によって，皮膚と気管粘膜を丁寧にあわせて気管軟骨，真皮を露出させないように留意している．最近，嶋本ら[3]が埋没縫合を用いた方法を提案している．これにより，片側マットレスの欠点である縫合糸の締めつけによる血流障害を軽減し，縫合糸への痂皮付着を避けることができるとしている．成績もよく，注目される．

　放射線治療，気管周囲郭清なども気管周囲血流を増悪させるため，狭窄のリスク因子である．気管孔作成時には気管断端の血流，気管粘膜の色調に十分に留意し，血流が不十分であれば気管の追加切除を行ったほうがよい．ただし，切りすぎて残存気管が短くなると縦隔への牽引力が狭窄を助長する．

吻合部狭窄

　下咽頭癌や頸部食道癌の治療において，進行癌では咽頭喉頭頸部食道全摘，遊離空腸移植術は標準治療の1つとして普及した．遊離空腸移植は吻合部縫合不全の頻度も低く，安定した術式であるが，時に空腸食道吻合部の狭窄がみられる．晩期に吻合部狭窄が生ずる原因は，吻合部食道の過剰な剝離や放射線治療などによる血流障害が考えられる．2004〜2011年までの47例の検討（自験例）[4]では，4例（16.7％）に高度な空腸食道吻合部狭窄がみられ，全例術後照射を受けていた．最近の報告では，赤澤ら[5]は13％，那須ら[6]は31％と報告

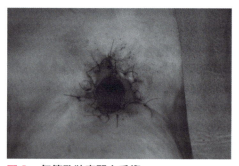

図1　気管孔狭窄開大手術
3ヵ所に立体Z形成を作成し気管孔を開大した．気管弁を大きくとるとよい．

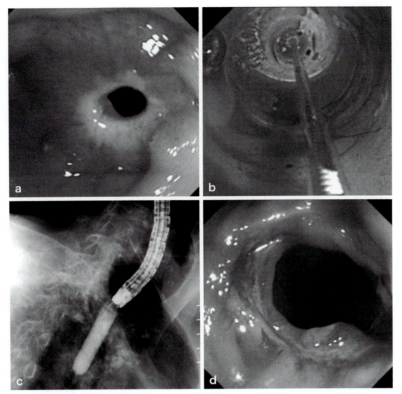

図2　空腸食道吻合部狭窄
a：吻合部狭窄，b：バルーン拡張中所見，c：バルーン拡張中のX線透視像，
d：拡張後の吻合部．

しているが，赤澤らは全例手縫い（Gambee 一層縫合），那須らは自動吻合あるいは手縫い（Albert-Lembert）で行った結果を示しており，自動吻合では50％の症例で吻合部狭窄をきたしたと報告している．

自動吻合器については，吻合部狭窄の原因として，その使用頻度の高い消化器癌領域から多くの報告があるが，手技上の問題（吻合部の緊張，器械不適合，血腫形成，吻合部損傷）について論じられるも，明らかな要因は特定されていない．自験例でも，近年は頸部食道癌の症例，特に頸胸境界部進展症例において，胃管挙上よりも遊離空腸移植を選択することが増えたが，胸郭内での吻合は手縫いは困難で，自動吻合器の使用頻度が高い．図2に示す症例は64歳女性，頸部食道癌術後である．Th1レベルにおいて気管浸潤も認められたために縦隔気管口造設，食道空腸吻合はTh2レベルとなったため自動吻合器を用いた．術後7週頃から狭窄（図2a）が顕著となり，経口摂取が困難となった．透視下にバルーン拡張術を施行すると（図2bc），通過が改善するが3～5ヵ月で再び狭窄がみられ，バルーン拡張術を複数回施行している．

また，咽頭喉頭頸部食道摘出後の再建法として，近年は遊離前外側大腿皮弁による再建の報告[7]もみられる．開腹が不要であることなどが利点とされ，遊離空腸移植との比較はいくつかのシステマティックレビューが報告されている．Nouraeriら[8]は周術期合併症が少ないこととコストの点で遊離前外側大腿皮弁が優れるとしているが，Kohら[9]の報告では遊離空腸が優れると報告されている．その根拠として，瘻孔発生率や吻合部狭窄率が皮弁で高いことをあげている．皮弁による咽頭再建では長期経過中に唾液や食物の慢性的な刺激により皮膚の炎症や硬化，ポリープ形成などの変化を起こすことがあり，吻合部のみでなく再建消化管

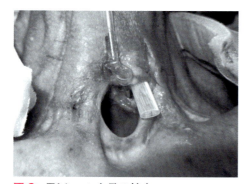

図3 TJシャント孔の拡大
TJシャント孔が自然拡大し，縫術を施行したが感染を併発して瘻孔が拡大した．

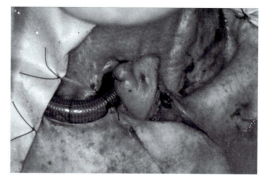

図4 DP皮弁を用いたシャント孔閉鎖
図3と同症例．DP皮弁を用いてシャント孔を完全に閉鎖した．

の狭窄をきたす恐れがある．

TEシャント孔の拡大

喉頭全摘後の音声獲得法として，気管食道瘻発声法（tracheo-esophagial shunt speech：TEシャント）の歴史は古い．遊離空腸移植例ではtracheo-jejunum shunt speech（TJシャント）と呼ばれる．音声獲得が食道発声に比べて容易であること，発声持続時間が長いことなどが長所である．多くの報告で音声再獲得率は75〜90％と高いが，その維持管理についての留意点がある．

シャント孔からの誤嚥防止が問題となるので，ボイスプロステーシスを用いて逆流を防止する．1979年にBlomとSingerによる報告以来，数種類の製品が開発されたが，わが国ではプロヴォックス Vega®のみが使用可能である．初期型のブロムシンガー®に比較して長期留置が可能であることが利点であるが，自己交換は基本的にはできず，医師が交換する．

晩期合併症としてはシャント孔の拡大による食物や唾液の誤嚥，ボイスプロテーシスそのものの気管内落下，肉芽形成や感染，消化器症状としては呑気によるイレウスなどが時に問題となる．

シャント孔からの漏れは器具の劣化や真菌付着[10]による逆流防止弁の機能低下が原因の場合が多いが，これは交換することで解決する．しかし，ボイスプロステーシス周囲からの漏れに対しては，チューブの長さの変更，一時的な抜去による瘻孔径の縮小を図るなどで対応するが，解決できない症例を時に経験する．また，シャント周囲の肉芽形成や感染の合併，誤嚥性肺炎の合併があると閉鎖を余儀なくされる．このときシャント孔は長期にわたって確保されているため，内腔の搔爬後の一期縫縮では閉鎖しがたいことがしばしばあり，局所皮弁[11]などの工夫を要する．

図3は63歳男性，咽頭喉頭頸部食道全摘・遊離空腸再建後にTJシャントを造設した症例である．非常に良好な音声が獲得できていたが，8年後になって肺炎を反復するようになった．シャント孔拡大による周囲からの漏れが原因であった．ボイスプロステーシスのサイズを変更したり，シリコンリング装着を試行したがコントロールできず，閉鎖術を選択した．しかし，一期縫縮では瘻孔閉鎖できずDP皮弁移植を要した（図4）．この症例では基礎疾患に糖尿病があった．下咽頭癌手術後に一時は飲酒量が減り，糖尿病のコントロールが改善していたが，徐々に生活習慣が乱れ，糖尿病悪化も背景にあったと考えられた．

Hutchesonら[12]は，このTEシャント増設後のシャント孔拡大についての27論文を検討したメタアナリシスを報告している．平均7.2％（95％ CI 4.8〜9.6％）にシャント孔拡大がみられ，一時的なプロステーシスの抜去あるいはシャント孔周囲へのアテロコラーゲンなどの注入[13]が有効であるが，やはり手術による閉鎖を要する場合があることも述べた．

シャント発声は比較的簡便に音声を再獲得でき

る優れた方法であるので，晩期合併症についても十分に理解し，適切に対応することで音声の維持に努めたい．

　一般に，頭頸部癌に多い扁平上皮癌の症例では5年生存すれば治癒とみなされ，経過観察が打ち切られることがある．しかし，頭頸部の進行癌に対する手術治療後には何らかの障害を後遺していることが多い．癌サバイバーとしての生活を支える努力が重要であるとともに，晩期合併症も見越した治療法の改善や工夫を忘れてはならない．

文献

1) Montgomery W：Stenosis of tracheostoma. Arch Otolaryngol **75**：62-65, 1962
2) 飯田　覚ほか：喉摘後の気管孔狭窄症例の臨床的観察および気管孔拡大手術法．日気食会報 **41**：47-56, 1990
3) 嶋本　涼ほか：埋没縫合を用いた永久気管孔作成術．頭頸部癌 **40**：107-113, 2014
4) 八木俊路朗ほか：当院における下咽頭癌に対する遊離空腸移植症例の検討．頭頸部癌 **40**：1-4, 2014
5) 赤澤　聡ほか：咽喉食摘術に対する遊離空腸移植症例の術後合併症についての検討．頭頸部癌 **36**：73-76, 2010
6) 那須　隆ほか：遊離空腸による頭頸部癌再建の術後合併症と摂食に関する検討．頭頸部癌 **35**：293-299, 2009
7) 石田勝大ほか：咽頭喉頭全摘後の前外側大腿皮弁による再建．形成外科 **63**：370-378, 2020
8) Nouraei SA, et al：Impact of the method and success of pharyngeal reconstruction on the outcome of treating laryngeal and hypopharyngeal cancers with pharyngolaryngectomy：a national analysis. J Plast Reconstr Aesthet Surg **70**：628-638, 2017
9) Koh HK, et al：Comparison of outcomes of fasciocutaneous free flaps and jejunal free flaps in pharyngolaryngoesophageal reconstruction：asystematic review and meta-analysis. Ann Plast Surg **82**：646-652, 2019
10) 宮﨑拓也ほか：ボイスプロテーゼによる音声再建例の合併症とカンジダ感染の検討．日耳鼻会報 **117**：34-40, 2014
11) Mobashir MK, et al：Management of persistent tracheoesophageal puncture. Eur Arch Otorhinolaryngol **271**：379-383, 2014
12) Hutcheson KA, et al：Enlarged tracheoesophageal puncture after total laryngectomy：a systematic review and meta-analysis. Head Neck **33**：20-30, 2011
13) Tjoa T, et al：Injectable soft-tissue augmentation for the treatment of tracheoesophageal puncture enlargement. JAMA Otolaryngol Head Neck Surg **144**：383-384, 2018

B 放射線治療

「人を消耗させるのは越えなければならない眼前の山ではなく，靴の底に溜まっている砂粒なのだ」

腫瘍内科医 Argiris は Robert W. Service の名言を引用して頭頸部癌治療後の患者の苦しみをこう例えた．ヒトパピローマウイルス（HPV）関連中咽頭癌の発見は，すなわち完治して長期生存する患者群の同定であり，頭頸部癌サバイバーの生活の質（QOL）はさらに注目度を増している．

唾液腺障害をはじめとする晩期合併症は患者のQOLに直結するのみならず，特に化学放射線療法においては長期経過後の誤嚥性肺炎や心肺障害による死亡へとつながりうるリスクも警告されている[1]．強度変調放射線治療（IMRT）をはじめとした高精度放射線治療による晩期合併症低減への努力とともに，患者指導，適切なリハビリテーションなど治療後においても多職種チームでの管理を推し進める必要がある．

晩期合併症の基本的な考え方

放射線治療後，数ヵ月から数年してから発症する有害事象であり，臓器実質細胞数の減少，結合織の線維化，血管障害による血流低下や壊死などを主因として発症する．根治的放射線治療においては晩期合併症を発生させない最大限の努力，つまり重要臓器への照射線量をできる限り低く抑えることが重要であり，その点で腫瘍への高線量投与と周囲正常臓器への線量低減を両立するIMRTの貢献が期待される．

二次発癌を除く放射線治療による有害事象の多くは放射線の確定的影響に起因している．確定的影響は組織固有の閾値が存在し，それを超える線量においては線量の増加とともに発症のリスクが増加するのではなく，反応の重症度が増加する．皮膚を例にあげれば，線量の低いときには紅斑で経過するが，線量の増加とともにびらん，潰瘍と病態は変化する．

放射線治療による細胞ならびに組織の反応は照射直後より始まり，急性反応は治療が終了すれば一定期間を経て軽快消失する．しかし後期反応は一定の潜伏期を経て出現し，不可逆となることが多い．一般に組織の放射線感受性は表1に示すごとく3つに分類すれば理解しやすい[2]．数回の細胞分裂を経て増殖能を喪失する細胞分裂の活発な組織（高感受性）では照射後早期の急性反応が，また分裂のゆるやかな組織（低感受性）では遅れて後期反応が発現する．咽頭・食道粘膜，皮膚などは前者（急性反応組織）に，脳・脊髄など神経系や筋肉が後者（晩期反応組織）に属する．唾液

表1 組織の放射線感受性のカテゴリー

組織	特性	例	放射線感受性
恒常的細胞再生系	常に分裂を繰り返し，新しく産生された細胞と同数の細胞が脱落している組織	皮膚，咽頭・食道粘膜，腸上皮，骨髄，精巣	高い ↑
血管・結合織	組織や臓器を構成している血管や結合組織		
緊急的細胞再生系	通常は分裂を停止しているが，障害を受けると分裂増殖して再生する組織	肝・腎上皮，唾液腺，甲状腺上皮，脳下垂体	
非細胞再生系	分裂を停止し，障害を受けても再生しない組織	筋肉，脳，脊髄	↓ 低い

表 2　頭頸部癌 IMRT 治療計画時の腫瘍ならびにリスク臓器への線量限度

ターゲット	OARs（高優先度）	OARs（低優先度）
PTV boost：70 Gy/33 回（2.12 Gy/回） PTV high-risk subclinical：59.4 Gy/33 回（1.8 Gy/回） PTV low-risk subclinical：54 Gy/33 回（1.64 Gy/回）	脳幹：Dmax < 54 Gy 視神経・視交叉：Dmax < 50 Gy 脊髄：Dmax < 45 Gy 下顎骨・顎関節：Dmax < 70 Gy 側頭葉（脳）：Dmax < 60 Gy	耳下腺：Dmean ≦ 26 Gy 舌：Dmax < 55 Gy 内・中耳：Dmean < 50 Gy 眼球：Dmean ≦ 35 Gy レンズ：可能な限り低く 声門部喉頭：Dmean ≦ 45 Gy

PTV：planning target volume（計画標的体積），OARs：organs at risk（リスク臓器）．

腺や甲状腺，脳下垂体といった腺管細胞からなる組織は肝臓のように通常は分裂を停止している低感受性組織でありながら，障害を受けると分裂を再開して再生を果たす点で急性反応組織の側面ももつ．

組織を裏打ちする血管や結合織は晩期反応組織よりも放射線感受性は高く，脳・脊髄の障害は実質細胞の直接障害よりも少ない線量での血管・結合織の障害により二次的に発生する．神経細胞自体の感受性はきわめて低いものの，放射線脳壊死や放射線脊髄症が 50〜60 Gy の分割照射で出現するのは血管・結合織の障害に続発する有害事象であるからといえる．

放射線照射を受けた組織では数時間後から血管の透過性亢進が起こり，線量の増加とともに顕著となり 1 ヵ月以上持続する．このような初期の透過性亢進は脳浮腫や声帯浮腫，咽頭粘膜腫脹，耳下腺腫脹を引き起こす．時間の経過とともに軽快するが，線量が大きいと一定の潜伏期を経て 3 ヵ月前後に再燃して繊維素の析出，血管内膜肥厚などが出現する．この後期の血管透過性亢進が一過性放射線脊髄症や一過性皮下浮腫などの原因となる．線維化は照射後 6 ヵ月以降で漸次増強し，血管の閉塞は照射後数年で出現する．頸部結合織の線維化が瘢痕化して筋肉の萎縮や硬化をきたすのも照射後 1〜2 年に多い．このような血管障害や結合織の線維化は不可逆性の晩期有害事象である脳壊死，放射線脊髄症や嚥下障害，頸部軟部組織の硬化を引き起こす．

耐容線量

「第Ⅲ章-3-B．外部照射」の表 2（p.185）に主要な臓器の通常分割耐容線量を示す．臨床的には臓器の耐容線量として最小耐容線量 $TD_{5/5}$（照射後 5 年以内の有害事象発症率が 5％以下となる線量），ならびに最大耐容線量 $TD_{50/5}$（同じく 50％以上となる線量）を用いる．表 2 に米国腫瘍放射線治療グループ（RTOG）が推奨している頭頸部癌の標的体積内同時 boost 法を用いた IMRT の腫瘍ならびにリスク臓器への線量制約を示す．中枢神経系や骨軟部には最大線量での制約が，また耳下腺や内耳には平均線量での制約が用いられている．

各臓器における晩期合併症とその対策

1　唾液腺障害・口腔乾燥

a　成因と症状

唾液はその 80％を大唾液腺（耳下腺，顎下腺，舌下腺），残りを口腔内の小唾液腺により分泌され，その量は 1〜1.5 L/日となる．口腔内の湿潤状態を維持すること以外にも抗菌作用，口腔内 pH の維持，潤滑性や粘膜保護作用，歯の再石灰化維持，味覚の媒体としての役割，消化および咀嚼・嚥下の補助，会話の補助と多彩な役割を担う．安静時には顎下腺が，食事などの刺激時には耳下腺が分泌の主体を担う．

大唾液腺への照射による影響は治療開始 1〜2 週間後から出現し，まず耳下腺の腫脹が一過性の

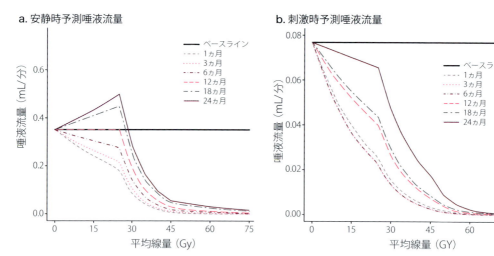

図1　予測モデルによる耳下腺平均線量と唾液流量（治療後各経過時点における）

[Yun Li MS et al：Int J Radiat Oncol Biol Phys 67：660-669, 2007 より引用]

唾液過多を生じた後にすぐに消褪して口腔乾燥感へ移行する．唾液腺には漿液腺と粘液腺があるが，まずは放射線感受性の高い漿液腺が障害されるために唾液の減少以上に患者は口のネバネバ感を訴える．次に安静時の口腔乾燥および摂食時の唾液不足に進行するが，これは治療中期以降の漿液腺細胞障害による耳下腺萎縮が主因と考えられている．

治療終了後は腺細胞の修復とそれに続く細胞分裂の再開によりゆるやかな回復をたどるが，終了3ヵ月以降の線維化の進行および血流障害がその妨げとなり照射線量が多く萎縮が慢性化した場合には十分な回復は望めない．

口腔乾燥は口腔内の乾燥感自体やそれに伴う会話障害，食べ物がパサつくための嚥下障害，さらに強度の口渇感による睡眠障害などにより患者のQOLを著しく損なうばかりでなく，口腔内の衛生状態を維持できずに味覚障害やう歯，歯周病などの原因となる．

ⓑ リスク因子

最大のリスク因子は唾液腺への照射線量であり，線量が抑えられた場合には治療後1〜2年までの経過中にゆるやかに回復する．耳下腺の$TD_{5/5}$は32 Gy，$TD_{50/5}$は46 Gyとされ，少なくとも片側耳下腺の平均線量が25〜30 Gy未満であれば唾液腺機能温存が達成できるとされている

（図1）[3]．化学療法の併用は食欲低下を介して廃用性の腺萎縮へとつながるが，抗癌薬による神経・血管障害も同様に唾液腺障害を悪化させる．晩期の唾液分泌量の回復には組織の可塑性として年齢の影響は大きく，若年患者には良好な回復が見込め，高齢者で加齢性の唾液量減少を有する場合や自律神経系に作用する循環器用薬などを使用している場合には十分な回復が見込めない．

ⓒ 対処法

もっとも重要なのは治療終了から数ヵ月間の特に口腔乾燥が強い時期に適切な生活指導が行われることであり，それにより食欲低下や嚥下障害の遷延，栄養状態回復への妨げという悪循環を防止することが可能となる．マスクや保湿剤の使用，住環境の湿度調整や食事内容の指導も有効である．

ピロカルピン塩酸塩（サラジェン®）は副交感神経刺激様作用により唾液腺の生理的分泌を促進する薬剤であり，放射線治療に伴う口腔乾燥に適応承認されている．本剤は多汗症を除けば副作用は少ないが，有効性に関しては50％程度の患者に改善が得られるとの市販後調査結果が報告されている[4]．ただし，40％の患者は投与85日未満で中止となっており，多汗症の割に効果に乏しいとの患者の声も多い．

唾液腺マッサージや舌運動は特に高齢者の口腔

乾燥症に用いられるが，放射線治療後の口腔乾燥に対しては特に口腔内小唾液腺のマッサージが有効と考えている．

d IMRTの貢献

唾液腺障害の克服は，われわれ放射線腫瘍医にとっての悲願であった．従来の全頸部照射は口腔乾燥必発であったが，IMRTが耳下腺線量を低減することで耳下腺の唾液分泌を維持してQOLを改善することが三次元照射法とのランダム化比較試験により証明されている[5]．

2 味覚障害

a 成因と症状

放射線治療を受ける多くの患者が味覚の変化や部分消失，完全消失を経験する．味覚の変化は治療開始後すぐに始まり徐々に進行する．患者は食欲低下から容易に栄養低下状態へと陥り，終了後の回復に大きな妨げとなる．

味覚は顔面神経（舌前2/3），舌咽神経（舌後1/3）を介して延髄に伝達される．舌乳頭中に多数存在する味覚受容器である味蕾は味覚受容体細胞（味細胞）と支持細胞からなり，4つの味覚（甘味，酸味，苦味，塩味）を神経刺激へと変換する．味覚障害は照射による味蕾の障害と，味分子・イオンの輸送媒体としての唾液不足とによる．照射により味蕾の構成細胞が直接障害されるが，それとともに味覚神経への障害を介して味蕾数の低下・萎縮を招く．

味覚の低下は放射線治療の開始から週ごとに進行して3週目から有意な障害となり，6～7週目の治療終了前にピークを迎える．終了4ヵ月後から徐々に味蕾数の回復がみられ，6～12ヵ月程度で味覚が回復する．

b リスク因子

舌の照射容積が重要なリスク因子となる．口腔および舌の照射容積を減らすことが味覚障害の予防に有効で，特に前側舌への照射を避けることで味覚の維持が可能とされる．IMRTによる口腔線量の低減は有効であるが，舌への照射が20Gy未満と20Gy以上で味覚障害の程度に差がないともされ，正確な線量閾値は確立されていない．

c 対処法

亜鉛製剤の内服が味覚障害の回復に有効かどうかについては結論が出ていないが，前述の成因からすれば臨床上インパクトのある有効性は期待できないと考える．治療開始から終了1ヵ月までの亜鉛製剤内服が味覚の変化や回復期間に何ら有効性を得ないとのプラセボ比較試験結果も報告されている[6]．

3 嚥下障害

a 成因と症状

化学放射線療法の局所制御率向上により治療後のQOLが一層重要性を増している中で，嚥下障害による低栄養や誤嚥性肺炎の問題が解決されなければならない喫緊の課題である．また治療中の栄養管理に経皮的胃瘻造設術（PEG）を用いた経管栄養が頻用されるようになり，治療後の経管栄養依存（いわゆるPEGチューブ依存）といった新たな問題も発生している．

嚥下は随意・不随意に6つの脳神経と30対以上の筋肉群が関与する協調運動であり，効率よく効果的な嚥下には知覚神経と運動神経の緊密な連携が必要となる．治療中の口腔粘膜炎，咽頭粘膜炎は粘膜乾燥や粘膜知覚の鈍麻，また廃用性筋萎縮を招き，治療後早期の嚥下障害に帰着する．粘膜炎が治癒しても知覚神経障害や筋萎縮が遷延して嚥下障害が持続する．

b リスク因子

IMRTの時代となり嚥下障害に対する咽頭収縮筋線量の関与が注目されている．Eisbruchらは嚥下造影検査（videofluoroscopy：VF）による評価を用いて咽頭収縮筋，声門および声門上喉頭の照射によるダメージが嚥下障害と誤嚥に直結することを見いだし，IMRTによる内側咽頭収縮筋の線量低減を提案した（図2）[7]．その後も多くの研究により下咽頭収縮筋や喉頭の平均線量，喉頭V_{60Gy}（％）などがPEGチューブ依存や誤嚥の発症と有意に相関することを見いだしている．その他，腫瘍体積や局在・進展範囲，浸潤性と症状の有無，化学療法の併用などがリスク因子としてあげられる．

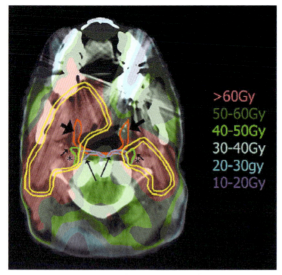

図2 咽頭収縮筋に配慮したIMRT計画の1例
臨床標的体積（CTV：黄色内側）に含まれる外側咽頭後リンパ節領域（緑，細短矢印）と咽頭収縮筋（赤，太矢印）の関係に注意．CTVは内頸動脈（＊）内側に位置する外側咽頭後領域を含み，内側咽頭後領域（青）は含まない．このような標的設定により咽頭後壁に沿う咽頭収縮筋（細長矢印）の線量低減が可能となる．

[Nutting CM, et al：Lancet Oncol 12：127-136, 2011]

c 対処法

頭頸部癌患者の2/3に何らかの嚥下障害があり，約半数に初発時点で誤嚥があるとされており，治療前の機能評価が重要である．腫瘍による嚥下障害と治療合併症の区別にはVFの実施や言語聴覚士（ST）を含む多職種チームによる包括的評価が必須であり，早期診断により早期からの適切な介入が可能となる．また一歩進んで治療前からの嚥下訓練が治療後の嚥下機能やQOLを改善するという報告もある[8]．

下咽頭・喉頭癌においては治療後のPEGチューブ依存の頻度が高く，2年後にそれぞれ31％と15％という高い依存の報告もみられる[9]．IMRTは三次元化学放射線療法に比して治療後の良好な嚥下機能とQOLが得られるとの報告が多い．患者は治療期間中も可能な限り嚥下運動としての経口摂取を継続するべきであり，そのためのサポートが重要である．

4 甲状腺機能低下症

a 成因と症状

頭頸部癌放射線治療においては，多くの症例で照射野内に甲状腺が含まれる．治療後の甲状腺機能低下症頻度は14～67％と報告によりばらつきがある．甲状腺ホルモン不足により全身の代謝が低下してうつ状態や倦怠感，冷え症，体重増加，皮膚乾燥，脱毛など種々の症状を発症する．

照射による甲状腺細胞の障害により血清遊離サイロキシン（FT_4）値が低下し，そのfeedbackとして甲状腺刺激ホルモン（TSH）値が上昇する．発症時期はおおむね1.5～2年との報告が多く，長く経過を追えば追うほど発症頻度は増加するとされる（図3）[10]ことから，治療後2年間は6ヵ月ごとに，その後は1年ずつの経過観察が望ましい．

b リスク因子

手術併用例はより発症リスクが高く，また発症時期も早い．喉頭癌手術併用147例の検討において術後3年時点で20％の発症率が10年時点で93％まで増加するとの報告もあり[10]，特に慎重な経過観察を要する．甲状腺線量の増加と発症頻度には相関があり，最大線量が45Gyを超えると有意に発症が増加するとの報告がある．この報告では多変量解析でも甲状腺線量のみが有意な予測因子であったとしている[11]．甲状腺の耐容線量にはいまだ適切な指針がなく，IMRTにおける線量制約の策定が検討課題となっている．

c 対処法

甲状腺機能低下症は自己免疫やヨード摂取不足，また薬剤性の原因も考えられるために発見時点で内分泌専門医受診も含めた適切な原因検索が必要である．

治療はホルモン補充療法として合成T_4（L-サイロキシン）製剤がよく用いられる．平均維持用量は75～125μg，1日1回経口投与する．低用量から開始して維持量に達するまで6週ごとに調整する．TSHのみが上昇してFT_4が基準範囲を保っている無症候性甲状腺機能低下症は，その後の時間経過により症候性へ進行することが多く，進行を防止する目的で同様に補充療法を行うことが推

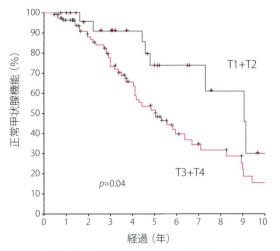

図3　喉頭癌術後照射による甲状腺機能低下症
5年経過時点の甲状腺機能低下発症割合はT1+T2例（甲状腺温存）で25％，T3+T4例（甲状腺半葉切除）で50％（$p=0.04$）．長期生存に伴い発症割合は増加する．

奨される．

5 聴器障害

a 成因と症状，リスク因子と対処法

　中耳の障害として慢性中耳炎，鼓室硬化症などが問題となる．照射による耳管狭窄から滲出性中耳炎を発症し，伝音性難聴の原因となる．治療には経過観察，鼓膜切開，換気チューブ挿入があげられる．保存的加療に反応しない滲出性中耳炎に対して換気チューブの挿入を行うが，最終的には8％程度の頻度で穿孔性中耳炎や膿性耳漏を伴う慢性中耳炎となる．耳小骨の腐骨化や連鎖の変性，鼓室硬化症により難聴をきたす例もあり，治療前後の聴力検査に加えて耳鏡による外耳，中耳の観察も重要である．

　内耳は蝸牛と前庭器官で構成されるが，その障害には感音性難聴，耳鳴，めまいがあげられる．めまいは前庭迷路への高線量照射による迷路炎が要因となり臨床上問題となることは少ない．

　放射線照射により伝音性，感音性，あるいは混合性難聴を呈する．伝音性難聴は中耳滲出液，鼓膜穿孔や耳小骨連鎖の異常が，また感音性難聴は蝸牛あるいは聴神経の障害が要因となる．リスク因子として内耳線量，シスプラチンの併用，治療前の難聴の存在と高齢があげられる．蝸牛の耐容線量に関しては上咽頭癌において50 Gy以上で難聴が有意に増え，その発症までの期間は平均1.8年との報告がある[12]．感音性難聴の発症時期は治療終了の数ヵ月から数年後であり，次第に進行するものも多い．シスプラチンの同時併用化学放射線療法後には約30％の患者に感音性難聴が発症し，放射線単独治療後よりも有意に頻度が高い．

　感音性難聴の治療は特発性難聴に準じたステロイド投与を中心とする治療が試みられるが，エビデンスに基づく標準的な治療法はなく効果は限定的である．

6 開口障害

a 成因と症状

　開口障害は手術や放射線治療後の咀嚼筋群の線維化に続いて，もしくは腫瘍の翼突筋・咬筋浸潤に伴い発生する．抜本的な治療は困難で，栄養状態や口腔内衛生，声質を損なうことで患者QOLへの影響が大きい．開口域35 mm以下を軽度障害として18〜20 mmを重度と判定する．開口障害の発生頻度は5〜38％と報告によるばらつきが大きい．

b リスク因子

　IMRTの実施により開口障害の予防・低減が試みられている．89例の中咽頭癌治療後において翼突筋線量が40 Gyを超えて10 Gy増すごとに24％の開口障害割合の増加が認められ，咬筋と翼突筋に線量制約を用いたIMRTにより有意にこれらの線量低下が可能であったと報告されている（図4）[13]．

c 対処法

　初期の開口障害を呈している患者には早期の開口訓練開始が有効であり，症状悪化の防止や改善が可能である．薬物療法としては消炎鎮痛薬，中枢性筋弛緩薬（保険適用外）が選択肢となる．重症例では外科的インターベンションも考慮する．

　放射線治療後の患者は味がなく食欲が湧かない，口の渇きで噛み砕けない，喉が痛いし渇きで喉に引っかかる，飲み込めないから食べる気にならない，食べないから味覚が回復しない，唾液も

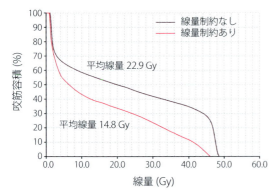

図4 咬筋の線量制約設定による咬筋被照射容積の低減効果（線量体積ヒストグラム）

出ないまま……，と多様な晩期合併症がぐるぐる悪循環し続ける状態に追い込まれる．治癒後のQOLが重要性を増す現況において，個々の晩期合併症管理の向上に加えて症状横断的・統合的なマネジメントが求められている．患者個々に適切なタイミングでの評価とニーズにあった治療後サポート体制の確立が今後の課題と考える．

文献

1) Forastiere AA et al：Long-term results of RTOG 91-11：a comparison of three nonsurgical treatment strategies to preserve the larynx in patients with locally advanced larynx cancer. J Clin Oncol **31**：845-852, 2013
2) Hall EJ et al：Radiobiology for the Radiologist Wolters Kluwer Health／Lippincott Williams & Wilkins, Philadelphia, 2012
3) Yun Li MS et al：The impact of dose on parotid salivary recovery in head and neck cancer patients treated with radiation therapy. Int J Radiat Oncol Biol Phys **67**：660-669, 2007
4) 種山岳彦ほか：頭頸部悪性腫瘍の放射線治療に伴う口腔乾燥症状に対するピロカルピン塩酸塩の安全性および有効性の検討：使用成績調査．Ther Res **35**：739-749，2014
5) Nutting CM et al：Parotid-sparing intensity modulated versus conventional radiotherapy in head and neck cancer（PARSPORT）：a phase 3 multicentre randomised controlled trial. Lancet Oncol **12**：127-136, 2011
6) Braam PM et al：Long-term parotid gland function after radiotherapy. Int J Radiat Oncol Biol Phys **62**：659-664, 2005
7) Eisbruch A et al：Dysphagia and aspiration after chemoradiotherapy for head-and-neck cancer：which anatomic structures are affected and can they be spared by IMRT？ Int J Radiat Oncol Biol Phys **60**：1425-1439, 2004
8) Carroll WR et al：Pretreatment swallowing exercises improve swallow function after chemoradiation. Laryngoscope **118**：39-43, 2008
9) Lee NY et al：Concurrent chemotherapy and intensity-modulated radiotherapy for locoregionally advanced laryngeal and hypopharyngeal cancers. Int J Radiat Oncol Biol Phys **69**：459-468, 2007
10) Ho AC et al：Thyroid dysfunction in laryngectomees-10 years after treatment. Head Neck **30**：336-340, 2008
11) Bhandare N et al：Primary and central hypothyroidism after radiotherapy for head-and-neck tumors. Int J Radiat Oncol Biol Phys **68**：1131-1139, 2007
12) Lee AW et al：Major late toxicities after conformal radiotherapy for nasopharyngeal carcinoma-patient- and treatment-related risk factors. Int J Radiat Oncol Biol Phys **73**：1121-1128, 2009
13) Teguh DN et al：Trismus in patients with oropharyngeal cancer: relationship with dose in structures of mastication apparatus. Head Neck **30**：622-630, 2008

C. 薬物療法

　頭頸部癌において行われる薬物療法としては，外科手術後のシスプラチン併用化学放射線療法，切除不能局所進行例におけるシスプラチン併用併用化学放射線療法やセツキシマブ併用化学放射線療法，喉頭温存を目的としたドセタキセル＋シスプラチン＋5-FU 併用療法，転移・再発例に対するフッ化ピリミジン系薬（5-FU，S-1），白金系薬（シスプラチン，カルボプラチン），タキサン系薬（パクリタキセル，ドセタキセル），抗EGFR抗体薬（セツキシマブ），免疫チェックポイント阻害薬（ニボルマブ，ペムブロリズマブ）などがある．本項では，薬物療法に関連する晩期合併症として細胞障害性抗癌薬における末梢神経障害，聴覚障害，腎障害などと，免疫チェックポイント阻害薬における免疫関連有害事象に分けて述べる（表1）．

末梢神経障害

　白金系薬やタキサン系薬が主な原因となるが，なかでもシスプラチンやパクリタキセルで頻度が高い．リスク因子としては糖尿病，遺伝性ニューロパチーや慢性アルコール中毒などに随伴する末梢神経障害合併などがある．

　シスプラチンは後根神経節ニューロン障害や軸索変性をきたすことにより，感覚優位の神経障害を生じると推定されている[1]．症状は四肢末梢の手袋靴下型のしびれ感で腱反射・深部感覚障害を特徴とし，運動機能障害はほとんど起きない．用量依存的で累積投与量が 250〜350 mg/m^2 で発現し，900 mg/m^2 で 50%，1,300 mg/m^2 で 100% に起こるとされる[1〜3]．累積投与量が増加するにつれ，しびれ感，痛み，異常感覚が近位部に広がり，不可逆性となる．カルボプラチンによる末梢神経障害は，シスプラチンと比較して軽度かつ低頻度である．

　パクリタキセルは非可逆性に微小管重合することで軸索輸送を障害し，感覚神経障害をきたす[1]．

表1　各薬物療法による晩期合併症

薬剤	末梢神経障害	聴覚障害	腎障害	免疫関連有害事象	その他
シスプラチン	末梢性・対称性 感覚障害 用量依存性 不可逆性	高音域 用量依存性 高音域	用量依存性	―	二次癌 心血管毒性 肺毒性 性腺機能障害
カルボプラチン	同上だが低頻度	まれ	まれ	―	アレルギー
パクリタキセル	末梢性・対称性 感覚障害，まれに運動障害 用量依存性 軽症は回復	―	―	―	黄斑浮腫
ドセタキセル	同上だが低頻度	―	―	―	黄斑浮腫 浮腫・体液貯留
5-FU	―	―	―	―	角膜炎
S-1	―	―	―	―	涙道狭窄・閉塞
セツキシマブ	―	―	―	―	角膜炎 皮膚乾燥・亀裂
ニボルマブ ペムブロリズマブ	―	―	―	一部で長期持続 内分泌障害多い	―

手指のしびれ感で発症することが多く，四肢遠位部優位の異常感覚・感覚障害，腱反射消失，感覚性運動失調などを起こし，通常筋力低下は軽度である．用量依存的で累積投与量と関連しており，1,000 mg/m² を超えると出現頻度が上昇する[2]．また，乳癌において3週毎投与法において1回投与量が多いとグレード3以上の知覚神経障害の発現頻度が高くなると報告されている[4]．ドセタキセルによる末梢神経障害はパクリタキセルと比較して低頻度であるが，用量依存性であり，400 mg/m² を超えると出現頻度が上昇する[2]．

末梢神経障害については現時点で有効な予防法は確立されておらず，重篤となった場合に回復が遅く，後遺症として残る可能性があり，適切なタイミングで休薬・減量もしくは中止が必要である[5]．また，中止後も症状が2～3週間の経過で一過性に悪化する場合があることにも留意する必要がある[1]．タキサン系薬もしくは白金系薬による有痛性末梢神経障害を有する患者を対象として，セロトニン・ノルアドレナリン再取込み阻害薬デュロキセチン（サインバルタ®）はプラセボと比較して有意に疼痛と疼痛関連QOLを改善したことから，米国臨床腫瘍学会（ASCO）のガイドラインにおいて，推奨度は「moderate」とされている[5]．ガバペンチン（ガバペン®）やプレガバリン（リリカ®）は，いずれもプラセボ対照の試験において有効性は示されず，ASCO ガイドラインでも推奨されていない[5～7]．エビデンスレベルは低いものの，実地臨床においては，疼痛に対してアセトアミノフェン（カロナール®），NSAIDs，医療用麻薬などは治療選択肢になる．

聴覚障害

主な原因薬剤はシスプラチンである．カルボプラチンでの頻度は低いとされている．蝸牛内に発生したフリーラジカルによって，主に外有毛細胞にアポトーシスが引き起こされるものと考えられている．蝸牛管の入り口から始まり，蝸牛頂へと広がるにつれて，高音域から低音域の障害へと広がる[8]．小児または高齢者，腎機能低下，頭部放射線照射歴，感音難聴の存在などがリスク因子となる[1]．用量依存性であり，高音域の感音性難聴から始まるが，耳鳴りが先行することもある．予防法や治療法は確立していないため，早期発見が重要である．

腎毒性の晩期毒性

シスプラチンによる腎障害が臨床的に重要である．近位尿細管細胞障害が主な原因とされており，1回投与量と累積投与量に依存する．低アルブミン血症，高齢者，高血圧，シスプラチン累積投与量などがリスク因子と報告されている[9]．

腎排泄型の薬物は排泄が遅延するため，腎機能障害の程度に応じて投与量の調整が必要である（表2）．カルボプラチンはほとんどが糸球体濾過により尿中排泄され，尿細管での分泌や再吸収は行われないため，糸球体濾過率（glomerular filtration rate：GFR）に応じた用量調整が可能である．クリアランス＝GFR＋25（mL/分）であり，目標とするAUCを得るための投与量＝AUC×（GFR＋25）と計算できる（Calvertの式）．一方，シスプラチンは尿細管による分泌や再吸収があり，クリアランスは糸球体濾過率と相関しないため，腎障害時の用量調整についての明確な基準がない．S-1は，DPD阻害薬として配合されているギメラシルが腎排泄であるため，腎障害の程度に応じた用量調整が必要となる．モノクローナル抗体薬は蛋白分解異化や細胞内分解により代謝されるため，通常は腎機能や肝機能による用量調整は不要とされている[10,11]．

免疫関連有害事象

免疫関連事象の詳細については他項に譲るが，長期フォローアップデータは乏しい．免疫チェックポイント阻害薬を投与した肺癌もしくは悪性黒色腫の患者437例を対象に長期フォローアップのデータが報告されており[12]，うち318例にグレード2以上の免疫関連有害事象を認めた．治療開始から発現までの中央値は69日間で，全体の6.9%は1年以後に発現していた．初回発現の累積発生割合は，6ヵ月で42.8%，1年で51%，2年で57.3%

表2 腎障害に対する用量調整の目安

薬品名	クレアチニンクレアランス（CCr）ごとの投与量（%）			
	≥60	45〜60	30〜45	<30
シスプラチン	100	75	50	中止
カルボプラチン	Calvertの式で調節			
パクリタキセル ドセタキセル	100	100	100	100
5-FU	100	100	100	100
S-1	CCr≥80	CCr≥60, <80	CCr≥30, <60	CCr<30
	100	1段階減量	1段階以上減量	中止
セツキシマブ	100			
ニボルマブ ペムブロリズマブ	100			

と，長期経過後の発現例も認めた．免疫関連有害事象の持続期間中央値は98日であったが，内分泌系有害事象は未達（肺毒性は93日間，皮膚毒性は44日間，消化器毒性は39日間）であった．また，112例（発現例全体の35.2%）は6ヵ月以上持続しており，128例（40.3%）はカットオフの時点で持続していた（内訳は内分泌障害69例，皮膚障害20例，リウマチ性14例，肺臓炎11例など）．有害事象継続の点推定値は，6ヵ月で42.8%，1年で38.4%，2年で35.7%と，長期間にわたり管理が必要となることが示唆されている．

その他

その他の晩期有害事象としては，シスプラチンによる二次癌，心血管毒性（高血圧，冠動脈疾患など），肺毒性（肺機能低下，拘束性肺疾患など）や性腺機能障害・不妊[13]，カルボプラチンの反復投与による重篤なアナフィラキシーやアレルギー反応（発現中央値は8回目），S-1による眼障害（涙道狭窄・閉塞，角膜炎など），タキサン系薬による眼障害（黄斑浮腫や角膜障害など）や浮腫・体液貯留（ドセタキセル累積投与量が400 mg/m²を超えると頻度が上昇），セツキシマブによる眼障害（睫毛乱生，角膜炎など）や皮膚障害（皮膚乾燥・亀裂など）がある（表1）．基本的には対症療法や原因薬物の中止，休薬・減量などで対応するが，涙道狭窄に対する涙管チューブや涙小管形成手術，ドセタキセルによる浮腫・体液貯留に対するステロイドの予防投与などが有効なこともある．

文献

1) 厚生労働省：重篤副作用疾患対応マニュアル，2021. https://www.mhlw.go.jp/stf/seisakunitsuite/bunya/kenkou_iryou/iyakuhin/topics/tp061122-1.html
2) Grisold W, et al：Peripheral neuropathies from chemotherapeutics and targeted agents：diagnosis, treatment, and prevention. Neuro Oncol 14（Suppl 4）：iv45-54, 2012
3) Argyriou AA, et al：Chemotherapy-induced peripheral neurotoxicity（CIPN）：an update. Crit Rev Oncol Hematol 82：51-77, 2012
4) Lee JJ, et al：Peripheral neuropathy induced by microtubule-stabilizing agents. J Clin Oncol 24：1633-1642, 2006
5) Loprinzi CL, et al：Prevention and management of chemotherapy-induced peripheral neuropathy in survivors of adult cancers：ASCO guideline update. J Clin Oncol 38：3325-3348, 2020
6) Rao RV, et al：Efficacy of gabapentin in the management of chemotherapy-induced peripheral neuropathy：a phase 3 randomized, double-blind, placebo-controlled, crossover trial（N00C3）. Cancer 110：2110-2118, 2007
7) de Andrade DC, et al：Pregabalin for the prevention of oxaliplatin-induced painful neuropathy：a randomized, double-blind trial. Oncologist 22：1154-e105, 2017
8) Landier W：Ototoxicity and cancer therapy. Cancer 122：1647-1658, 2016
9) Motwani SS, et al：Development and validation of a risk prediction model for acute kidney injury after the first course of cisplatin. J Clin Oncol 36：682-688, 2018

10) Krens SD, et al : Dose recommendations for anticancer drugs in patients with renal or hepatic impairment. Lancet Oncol **2** : e200-e207, 2019
11) Hendrayana T, et al : Anticancer dose adjustment for patients with renal and hepatic dysfunction : from scientific evidence to clinical application. Sci Pharm **85** : 8, 2017
12) Ghisoni E, et al : Late-onset and long-lasting immune-related adverse events from immune checkpoint-inhibitors : An overlooked aspect in immunotherapy. Eur J Cancer **149** : 153-164, 2021
13) Chovanec M, et al : Long-term toxicity of cisplatin in germ-cell tumor survivors. Ann Oncol **28** : 2670-2679, 2017

第IV章
フォローアップとチーム医療

1. 治療後のフォローアップと生活指導

治療後のフォローアップ

　癌治療は的確かつ迅速な診断から始まり，その診断に基づいた適切な治療が行われ，治療終了後は必要な補助療法と生活指導，そして再発や異時性重複癌に対する検索へという一連の流れで構成されている．この経過の中で術前診断や治療方針については熱心に論じられることが多く，おおまかな方向性はガイドラインなどで明示されている．しかし，術後のフォローアップ計画に関しては，担当医師や各施設の方針や環境によってさまざまであり，癌種によっては一定のコンセンサスは得られていない．

1 目　的

　頭頸部癌患者の治療後におけるフォローアップの目的は，治療効果の判定，原発巣や頸部リンパ節再発，遠隔転移，重複癌の早期発見，治療に伴う晩期有害事象の管理から患者やその近親者のサポートなどである．しかし，フォローアップの方法論として，どの程度の間隔で，いつまでの診察や検査が適当であるかを検討した報告は少なく，わが国の『頭頸部癌診療ガイドライン2022年版』（日本頭頸部癌学会編）にもこの内容の記載はない．

　頭頸部領域は構音・構語・咀嚼・発声・嚥下，表情などの動的機能に直接関与し，かつ身体の個人的識別となる外表部で整容面とも直結する非常に重要な部分である．口腔・咽頭・喉頭・鼻腔・唾液腺・甲状腺・耳など，狭い範囲に多くの亜部位が存在するが，そこから発生する悪性腫瘍のほとんどは扁平上皮癌であり，治療の主体は外科的切除である．しかし，近年は機能温存を目的とした非外科的治療の発展がめざましく，化学放射線療法，導入化学療法，分子標的治療薬，強調変調放射線治療（IMRT）など，さまざまな治療法が開発されてきており，患者の生活の質（QOL）の維持・生存率向上にも寄与している．一方で，複雑化した治療の影響でフォローアップがむずかしくなっているという一面もある．単純な外科的切除後よりも，たとえば化学放射線療法を初回治療として根治的に行ったり，再発ハイリスク群に術後補助療法として行ったりした場合のほうが，組織の線維化や血流障害，浮腫などが強く，診察や画像検査において再発を発見しにくいということは，頭頸部癌診療に携わる医師は誰もが実感していることである．また，頭頸部扁平上皮癌は生物学的悪性度が高く，局所再発およびその進行の速さがしばしば大きな問題となるし，死因の主因は局所である．外科的切除や放射線治療の対象とならない局所再発の場合，一般に症状緩和などを目的とした癌薬物療法が選択されるが，生存期間中央値はおよそ7～10ヵ月程度の厳しい予後である．そのため，局所再発の早期発見と早期治療は，フォローアップおける最重要事項である（図1）．

　治療終了後の晩期反応に対する管理も重要である．集学的治療によって治療強度が増強し局所制御率向上が認められている反面，嚥下障害や唾液分泌障害などの晩期反応の頻度が増し，程度が強くなり，長期化することとなり，最終的に口内の不衛生から細菌が繁殖し，誤嚥性肺炎をきたし生存率に影響してしまうという危険性を認識しておくべきである．

　頭頸部癌患者は上部消化管癌や肺癌などの重複癌を合併することが多く，発生頻度は11.0～16.2%とされている．この原因として，これらの領域における発癌物資への曝露による広域発癌（field cancerization）の概念がある．重複癌患者の背景因子には，性，生活習慣，過度の飲酒，喫煙などがあるが，特に喫煙と飲酒については治療後に生活習慣の是正を図ることが可能であり，生活指導は二

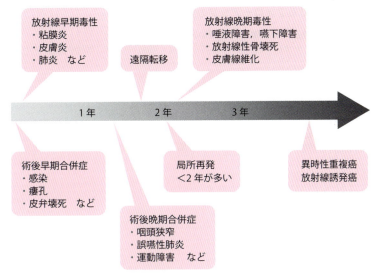

図1 頭頸部癌治療後の経過観察における注意点

次癌発症の予防を考えるうえできわめて重要である．さらに呼吸器疾患，循環器疾患，代謝疾患の原因でもあり，合併症として存在している場合も多いため，これらへの対応も重要である．また，精神的問題，家庭内問題，社会的問題を抱えていることも少なくないため，多科，多職種との強固な連携による集学的治療チーム（multidisciplinary team）による，多視点からの対応が要求されている．

本項では，特に頭頸部扁平上皮癌に焦点を当て，一次治療後のフォローアップの間隔や留意点，治療後の生活指導などについて概説する．

2 間隔・期間

一次治療後の局所再発はほとんどが2年以内であり，特に進行例の局所再発率は25〜50％と非常に高率であるため，原発巣再発，および頸部リンパ節再発，後発転移に関しては綿密なフォローアップが必要である．主なガイドラインで推奨されている診察の間隔は，米国National Comprehensive Cancer Network（NCCN）ガイドライン（2021）では，1年目では1〜3ヵ月ごと，2年目では2〜6ヵ月ごと，3〜5年目では4〜8ヵ月ごと，5年以上では12ヵ月ごとと幅をもたせてある．再発検出に置いて画像診断は重要であることは言うまでもないが，標準されたものはない．初回治療が手術なのか，放射線治療なのかによっても異なると思われるが，たとえば（化学）放射線治療の場合は，初回治療後8〜12週でCTもしくはMRI，12週でPET-CTを施行することが推奨されている[1]（**表1**）．『口腔癌診療ガイドライン2019年版』（日本口腔腫瘍学会/日本口腔外科学会編）では，治療後1年間は最低月1回（可能であれば月2回），1〜2年では月1回，2〜3年では2ヵ月に1回，3〜4年では3ヵ月に1回，4〜5年では4ヵ月に1回，5年以降は6ヵ月に1回のフォローアップが推奨されている[2]．フォローアップ間隔については，おおよそ1年目は1〜2ヵ月，2年目は3〜4ヵ月，3〜5年目は4〜6ヵ月ごとに一度程度の診察を推奨する報告が多いようである（**表2, 3**）[1〜4]．一次治療終了後3ヵ月目までの期間は初期効果判定を行い，追加治療の必要性を判断することが重要であると，おおむねコンセンサスが得られている．フォローアップの主目的を，再発や転移を早期に発見し，かつ積極的な治療で生存期間を延長させるという観点で考えると，全症例に同じようなフォローアップおよび検査を行うのではなく，救済治療の可能性が残された患者は定期的に診察や検査を，そうでない患者は症状にあわせたフォローアップを推奨する報告もある．早期に再発を発見し治療を行うことは重要であるが，頻回過ぎる診察は患者，医師ともに負担となりかねない．

フォローアップの期間については，局所領域に

表1 NCCNガイドラインにおけるフォローアップの推奨事項

再発のリスク，二次癌，治療後後遺症，有害事象に基づいた見解
- 病歴と身体所見（頭頸部診察所見を含む：臨床的に必要な場合，間接喉頭鏡や喉頭内視鏡を用いる）
  1年目，1〜3ヵ月ごと
  2年目，2〜6ヵ月ごと
  3〜5年目，4〜8ヵ月ごと
  5年目以降，12ヵ月ごと
- 頸部放射線照射後であれば，6〜12ヵ月ごとにTSH値を測定
- 言語聴覚評価，嚥下機能評価，必要に応じてリハビリテーションを施行
- 臨床的に必要であれば，禁煙指導，禁酒カウンセリングを実施
- 歯科診察
  ――口腔病変や広範な口腔内照射を施行したものに推奨
- 上咽頭癌に対しては，EBV DNAのモニタリングを考慮

EBV：Epstein-Barr virus.
[NCCN Clinical Practice Guidelines in Oncology. Head and Neck Cancers v.2. 2021（https://www.nccn.org/professionals/physician_gls/pdf/head-and-neck.）をもとに作成]

表2 推奨される外来診察頻度

	NCCNガイドライン（2021）	UKガイドライン（2016）	ESMOガイドライン（2020）	口腔癌診療ガイドライン（2019）
1年目	1〜3ヵ月	1〜2ヵ月	2〜3ヵ月	1ヵ月
2年目	2〜6ヵ月	1〜2ヵ月	2〜3ヵ月	2ヵ月
3年目	4〜8ヵ月	3〜6ヵ月	3〜6ヵ月	3ヵ月
4年目	4〜8ヵ月	3〜6ヵ月	3〜6ヵ月	4ヵ月
5年目以降	12ヵ月	3〜6ヵ月	12ヵ月	6ヵ月

[文献1〜4をもとに作成]

関しては治療後5年で十分とされている．また，定期的な診察は3年までとし，以降はリスクの高い患者に限って継続すればよいという意見も比較的多い．一方，重複癌発生率は3〜5%/年といわれており，治療後5年以上経過での異時性重複癌の発生も決して少なくはない．加えて，放射性誘発癌や5年以上経過してからの再発の報告もあるため，可能であればその後も6ヵ月〜1年に1回程度の診察を考慮してもよいであろう[5,6]．

3 診察，内視鏡検査

診察は問診・視診・触診・内視鏡を基本に，必要に応じ嚥下機能・歯科評価などを行う．問診は，遷延する疼痛や違和感，嚥下障害，嗄声などの症状が再発の前徴もしくは初期症状であることはまれではなく，患者の訴えに耳を傾けることは非常に重要である．特に化学放射線療法後では，粘膜炎などのために咽頭痛，嚥下時痛，咽頭違和感が遷延してしまうこともあり，隠れた再発初期症状と区別がつかないことも多いため，診察のたびにその変化を確認し，カルテに記載しておくことが必要である．時間の制約があるうえに，多くの患者を診察しなければならない状況において，ポイントを絞った適切なカルテ記載を円滑に行えることも重要なスキルである．局所症状以外にも，摂食状況や体重変化，呼吸状態，精神状態など，全身状態の把握も重要である．患者からの情報収集は重要であり，診察室では患者が言いたいことがいえる雰囲気をつくり，患者の家族など同伴者に対する遠慮を察し，発語・発声の障害への対応など，能動的な姿勢も重要である．

視診・触診は診察の基本であり，病変が直視でき，体表より触知しやすい頭頸部領域においては，時に画像診断よりも有用な情報となりうる．軽微

表3 一次治療後のフォローアップ（例）

	月	診察	頭頸部CT/MRI	PET/CT	採血（甲状腺機能）	EGD	胸部X線
1年目	1 2 3 4 5 6 7 8 9 10 11 12	1〜2カ月ごと	○ △ △ △	 ○	 ○ ○	△ ↓	△ ↓
2年目	2 4 6 8 10 12	2〜3カ月ごと	 △ △		 ○	↓	↓
3年目	2 4 6 8 10 12	3〜4カ月ごと	△		 ○	↓	↓
4年目	2 4 6 8 10 12	4〜6カ月ごと	↓		 ○	↓	↓

EGD：esophago gastro duodenoscopy．
○：推奨，△：必要に応じて．

な病変の発見や，病変の可動性で周囲との癒着の程度を実感することは，切除可能性を判断するなどの重要な情報源となる．触診によるリンパ節転移診断の精度について検討したいくつかの研究では，感度は50〜80％，特異度は60〜90％程度とされ，CTと比較すると数字的にはやや劣るものの，統計学的有意差はないとするものが多い．しかし，画像検査とは異なり，あくまで主観的診断となるため，熟練度による診断精度の差は生じやすい．化学放射線療法後では，線維化で硬化した皮膚，皮下組織，筋肉は触診による病変確認の大きな妨げになるため，普段より丁寧な診察を心がけ，感覚を研ぎ澄ましておく必要がある．

内視鏡検査は，喉頭や下咽頭などの部位においては視診・触診と同様にほぼ必須の検査である．近年の内視鏡機器の進歩はめざましく，電子スコープをはじめとした画像精度の向上に加え，narrow band imaging（NBI）に代表される分光内視鏡が開発されたことにより，頭頸部領域でも表在癌の認識や検出率が高まってきている．また，それと同時に再発病変の早期発見にも大きな役割を果たしている．内視鏡検査で観察できる範囲での再発病変の見落としは可能な限り回避しなければならず，見逃しやすい部位の観察も丹念に行う必要がある．

一方，上部消化管内視鏡検査の有用性に関して，定まった見解はない．年に2回の定期検査は食道

表4 各画像評価方法の特徴

		US	CT	MRI	PET (PET/CT)
施行時期（治療後）		適宜	6〜8週前後	6〜8週前後	10〜12週
費用		低	中	中	高
利点		低侵襲 低コスト	客観性，再現性 空間分解能	客観性，再現性 組織コントラスト	高い精度
欠点		放射線治療後の精度 客観性，再現性	放射線治療後の精度 X線被曝	放射線治療後の精度 撮影時間	高コスト 8週以内の偽陽性
部位別有効性	原発	×	○	○〜◎	○〜◎
	リンパ節	○〜◎	○〜◎	○	○〜◎
	遠隔転移	×	○	×	○〜◎

×：無効，○：有効，◎：非常に有効． ［文献5〜9をもとに作成］

の重複癌の発見には有用であったものの，予後には影響しておらず，推奨する意見は少ない．食道癌の治療後でさえ，年1回の定期的な上部消化管内視鏡検査は推奨とされていない状況があり，コスト面からも頭頸部癌患者に定期的な上部消化管内視鏡検査を施行するかは議論の余地がある．

4 画像検査

頭頸部癌治療後の治療効果判定や再発検出における画像評価は欠かせないものとなっている（表4）．しかし，モダリティの選択や検査時期などに関して標準化されたものはなく，海外のガイドラインでも初回治療後の画像診断は6ヵ月以内に施行することを推奨するのみである．治療後の経過観察における画像検査は，再発時の救済治療を検討するうえでもほぼ必須の検査であり，CT，MRIを中心に広く行われている．超音波はリンパ節転移診断において，穿刺吸引細胞診（FNA）が同時に施行できる点や侵襲性において有効である．FDG-PET/CTは治療効果判定および治療後変化と再発との鑑別における有効性が報告されている．

頸部超音波検査，CT，MRIのような画像診断法は，治療後の炎症・浮腫・瘢痕などの軟部組織変化と再発を区別する特異性が低いことが指摘されている．特に局所進行例は，手術，薬物療法，放射線治療を含む集学的治療の対象となることが多く，手術による正常解剖の形態学的変化や放射線治療による境界や濃度の不明瞭化は診断の大きな障害となる．それゆえに診療に携わる医師は，典型的な術後変化の特徴や，再発と治療による変化の鑑別点について熟知していなければならない．

a CT，MRI
1）頭頸部扁平上皮癌治療後の再発や頸部リンパ節転移の評価

もっとも用いられる検査がCT，MRIである[7]．CTはMRIよりも低コスト，短い検査時間のためmortion artifactの減少，高い空間分解能などの特徴がある．MRIは組織コントラストや腫瘍境界の描出に優れるとされる．CT，MRIによる経過観察には，ベースラインとなる画像が必要である．手術，放射線治療などによる組織の変化が診断に及ぼす影響が少なくなるとされる初回治療後6週程度にベースラインのCT，MRIを行うと，2回目以降の画像評価において再発や残存病変の早期検出に非常に有用である．6週以降，12週までに行うことが望ましいとされる報告もあるが，病変残存や増大の可能性がある場合は早期の救済治療が必要になるため，実際はやや早めの4〜8週に実施することも考慮する．

2）下咽頭，喉頭，甲状腺などの原発巣の再発評価や頸部リンパ節転移

基本的にCTが推奨される．MRIは上咽頭，鼻副鼻腔，唾液腺などの頭蓋底や神経周囲進展をきたしやすい原発巣についての再発評価に有効であ

る．また歯科金属アーチファクトの強い場合の口腔・中咽頭領域にも有用である．放射線治療後の再発検出にMRIの拡散強調画像（diffusion-weighted image：DWI）を用いることで偽陽性が少なく有用であったとされる報告もある．

3）一次治療が完全奏効（CR）と判断されたのちのフォローアップ

定期的にCT，MRIを施行するかについては，確固たるエビデンスはない．再発のリスクが高い症例においては治療後2年までは3～4ヵ月に1回のCTが望ましいとする報告や，頸部超音波検査と造影CTの組み合わせで月1回の経過観察を推奨するという報告がある一方で，画像検査は臨床的判断が信頼できない場合や有症状時に行えばよく，定期的な検査としては行うべきでないとする意見もある．この点においてはわが国と欧米に差があるように見受けられる．欧米のガイドラインや論文では，必要に応じて検査を行うべきとされていることが多いのに対して，わが国ではより短い間隔での定期的な画像検査を推奨する報告が比較的みられる．この違いは医療環境や国民性の違いに起因すると考えられ，経済協力開発機構（OECD）のデータによれば2014年時点でのわが国のCT保有台数は13,636台（2位は米国13,065台），撮影件数ともに世界一であり，海外に比べわが国は検査の行いやすい環境がある．わが国のCT保有台数や検査数が多い理由として，多忙な医療現場，保険制度による安価な患者負担，患者・医師ともに撮影したことで安心感が得られるという医療に対する社会的要求などがあげられている．手軽に検査を行える環境にあることは心強いことではあるが，被曝による発癌や医療費などの問題も考え，過剰な検査は避けなければならない．

ⓑ 頸部超音波

頸部超音波検査（US）は，頸部リンパ節の観察を行う手段として，簡便で安価な検査であるし，CTのようなX線による放射線被曝もない．一方で，術者の技量への依存度が高く，画像描出における手技，病変の評価の双方に相応の経験が要求されることが問題である．頸部リンパ節再発においてUSとCTを比較検討した研究では，感度・特異度ともにCTに劣らなかったとされる報告も多い．

FNACを併用することで精度はさらに高くなるとされ，FNACの結果と最終的な病理結果を対比したメタアナリシスでは，頸部リンパ節で感度94.2%，特異度96.9%であった．頸部リンパ節転移に対するUS，US-FNAC，CT，MRIによる評価を比較したメタアナリシスでは，US-FNACがもっとも正確であったと報告されている．

フォローアップにおいては，定期的に施行するUSの有効性について検討された報告は少ないが，頸部リンパ節再発の多い1年目もしくは2年目までは診察のたびに施行すべきとする意見がある．USによる間隔の短い頸部の観察を行うことが，再発病変の早期検出，および救済治療率への寄与から生存率への向上に結びつくのかについては不明であるが，簡便で低侵襲の観点から局所再発リスクの高い患者に関しては，積極的に施行することを検討すべきと考えられる．

ⓒ FDG-PET/CT

PET検査は2010年に，早期の胃癌を除くすべての悪性腫瘍に健康保険の適用が認められるようになり，日常的な頭頸部癌診療においても多くの施設で使用されている．2019年時点でわが国のPET検査装置保有台数は586台で，米国に次いで世界2位であった．PET検査における製剤は，陽電子放出核種である18Fを標識したブドウ糖の誘導体FDG（fluoro-deoxyglucose）がもっとも多く使用されている．

頭頸部癌診療における本検査の意義は，高い感度や定量性を利用した原発巣の診断や良悪性の鑑別，病期診断，再発や腫瘍残存の診断，化学放射線療法後の治療効果判定，予後予測，重複癌の検出などである．

局所再発病変において，当初は偽陽性が問題となったが，近年ではCTと組み合わせることで偽陽性率が減少し，術前病期診断や遠隔転移検索だけでなく，初回治療後の効果判定や局所再発診断においても有用であるとの報告が多くみられている．放射線治療や化学放射線療法後の再発に関するPETの有用性に関するメタアナリシスにおいては，治療後4～12週では感度95%，特異度78%，12週以降では，感度92%，特異度91%と報告されており，治療終了後12週以降のFDG-PET/CTは，

再発診断において従来の検査より正確であると結論づけている[8]．多くの研究で，従来より行われてきたCT，MRI，超音波検査，触診と比較しても，より感度の高い検査であることが示されており，適切な時期に行われたPET検査での高い感度と陰性的中率を強調する報告は多く，つまり再発が疑われてもFDG-PET/CTが陰性であれば追加検査および追加治療はほぼ必要ないということになる．撮影時期は検査の正確性に大きく影響するとされており，治療後早期の検査では偽陽性，偽陰性が高くなるとされており，一次治療効果判定のためのPET検査は治療終了後10～12週目に実施することが推奨されている．また，進行した頸部リンパ節転移（N2，N3）に対するCRT後12週のPETが陰性であれば，計画的頸部郭清術は回避できるとの報告もある[9]．

フォローアップにおいて定期的なPET検査の有用性の検討では，一次治療後12ヵ月，24ヵ月で施行したPET/CTで得られる利益はわずかであり，PET/CTで再発が早期発見できたとしても，臨床的に発見できた場合に比べて救済治療率の改善は認めなかったとする報告がある．この検討は3ヵ月目のPETが陰性と判断された症例の後ろ向き研究であったため，再発ハイリスク例は別に考えなくてはならないと付け加えられている．いずれにせよ，現時点で定期的なPET/CTが頭頸部癌患者の予後の向上に寄与するというエビデンスはなく，検査のコストの面を考えても慎重に適応を選択する必要がある．

d 胸部X線検査

実臨床ではフォローアップにおける定期検査として行っている場合が多く，その主な目的は肺転移や二次癌を発見するためである．検出感度は低いとされるが，臨床の場では進展度に応じて定期的に実施されていることが多い．広範囲切除再建手術後や化学放射線療法後で嚥下障害のリスクが高い症例では，不顕性嚥下性肺炎の確認にも役立つ可能性はある．

Brinkman indexの高い喉頭癌患者や転移リスクの高い患者では定期的に行い，その他は有症状時に行えばよいとする報告もある．一方で，再発や二次癌のリスクが高い患者で画像検査の結果によって病状の管理が変わる場合は，胸部単純X線の代わりに胸部CTを施行することを推奨する報告もある．

5 その他の検査

a 血液検査

定期的な血液検査は，病態と治療の有害事象に則したものでなければならない．頭頸部癌治療後の患者においては，貧血，電解質異常，脱水，栄養障害，甲状腺機能低下などの確認が最低限必要である．甲状腺機能に関しては，放射線照射野内に甲状腺が含まれる場合，20～25％でTSH上昇をきたし，長期的には甲状腺機能低下症が出現するといわれている．甲状腺機能低下症は20％程度が無症状であり，有症状時にも全身倦怠感，乾燥，便秘といった非特異的な症状のことが多く，見過ごされることが多い．そのため，6～12ヵ月に1回の定期的なホルモン値測定が各ガイドラインで推奨されている．甲状腺ホルモン補充療法の適応の判断については，甲状腺ホルモンFT_4，FT_3が，低値であれば補充療法が行われているも，基準値内にとどまるが血中TSHが基準値以上である潜在性甲状腺機能低下症の場合に補充療法の実施を迷う場合がある．内分泌関連の多くのレビューやガイドラインでは，TSHが10μU/mL以上では補充療法は妥当，4.5～10μU/mLで補充療法を行うべきかはcontroversialと記載されている．

b 腫瘍マーカー

本来腫瘍マーカーのもっとも重要な測定意義は癌のスクリーニングであるが，頭頸部癌においてこの目的に適うマーカーは確立していない．扁平上皮癌に対してよく用いられる腫瘍マーカーはSCC抗原，CYFRA21-1がある．なかでも頭頸部扁平上皮癌で陽性率が高いとされているのがSCC抗原であるが，それでも治療前の陽性率は30～60％であり，治療後のフォローアップや再発転移の早期発見の有用性に関するエビデンスは乏しい．腫瘍マーカーについて否定的な意見もある一方で，治療前に上昇している症例に関しては，治療前後で測定することで再発や遠隔転移などの早期発見への手がかりとして有用な可能性があるとの報告や，再発例では50％以上でSCC抗原上昇がみられ，

再発が確認されるより1〜2ヵ月前に上昇したという報告もある．フォローアップにおいて腫瘍マーカーの測定の必要性を裏づけるだけの証拠はない．

生活指導

多くの研究で，頭頸部扁平上皮癌患者は上部消化管，気道関連の二次癌リスクが高いとされており，2〜4%/年といわれている．二次癌の発生は頭頸部癌患者の独立した生存リスク因子であるため，発症予防は重要である．一般的に二次癌のリスクは発癌物質曝露の軽減や排除により削減することができる．主な発症リスク因子として，喫煙，飲酒，慢性の機械的刺激（口腔），食事などの化学的刺激，炎症，ウイルス感染，加齢などがあげられる．近年，低用量アスピリンやCOX-2阻害薬による発癌予防に注目が集まっているが，頭頸部扁平上皮癌の再発や重複癌，二次癌のリスク軽減効果が証明されている薬剤やサプリメントなどは存在しない．口腔衛生の保持，標準体重維持，適度な運動，適切な食事（野菜，果物，穀物）などを心がけるように指導が必要である．

1 喫　煙

喫煙や過剰なアルコール摂取，運動不足や質の悪い食事などの不健康な生活習慣は，二次癌のリスク因子になる可能性が指摘されている．禁煙に関しては，頭頸部扁平上皮癌発症のリスク因子であることは科学的根拠のある事実である．初診時点での曝露は当然のことながら，治療後の継続的な喫煙と二次癌の関連性も前向き試験で示されている．これらは遺伝的素因などと異なり，自ら回避することができるリスク因子であるため，その予防に努めることは重要であり，治療に携わっている医師としても指導すべき事項である．禁煙と発癌に関しては，禁煙後10年以降からリスクが低下するという報告が多い．

たばこ対策については，「21世紀における国民健康づくり運動」や健康増進法に基づく受動喫煙対策が行われてきたが，2005年に「たばこの規制に関する世界保健機関枠組条約」が発効されたことから，同条約の締約国として，たばこ製品への注意文言の表示強化，広告規制の強化，禁煙治療の保険適用，公共の場は原則として全面禁煙であるべき旨の通知の発出など対策が行われている．また，2010年10月には，たばこの消費を抑制するという考え方のもと，1本あたり3.5円のたばこ税率の引き上げが行われた．こうした取り組みにより，成人の喫煙率は，2019年で16.7%（男性27.1%，女性7.6%）であり，この10年間で見ると，いずれも有意に減少傾向である．しかし，世界的には60〜70位を推移しており決して低い水準とはいえず，特にG7各国の中ではもっとも喫煙率が高い（図2）．

2 飲　酒

1987年に国際がん研究機関（IARC）は，アルコール飲料が口腔，咽頭，喉頭，食道，肝臓における癌の原因であり，ヒトへの発癌性の十分な証拠（group 1の発癌物質）があるとした．また，2009年には，飲酒と関連したアセトアルデヒドをgroup 1に分類し，その発癌臓器は頭頸部と食道とした．2011年の36万人の欧州コホート研究では，飲酒関連癌での飲酒の寄与率は男性，女性別で頭頸部・食道は44%と25%と評価された．このように飲酒と頭頸部，特に口腔・咽頭癌は深いかかわりがあることは既知の事実である．

アルコールは体内に吸収されるとアルコール脱水素酵素によってアセトアルデヒドに，さらにアルデヒド脱水素酵素（ALDH）によって酢酸に代謝される．日本人は40%でALDH2の活性が低いとされる．ALDH2ヘテロ欠損者はアルコールやアルデヒドが体内に残りやすくなり，発癌リスクが高くなると考えられるため注意が必要とされる．飲酒で顔が赤くなる人（フラッシャー）は，90%程度の感度・特異度でALDH2欠損者であることがわかっている．

飲酒は日常生活や社会の潤滑油として深く根づいた嗜好習慣であり，喫煙のような対策はなされていない．頭頸部癌患者において，一次治療後の禁酒単独による予後改善のエビデンスはない．また，少量の飲酒が虚血性心疾患を中心とした生活習慣病のリスクを下げ，生存率を向上するとされる研究が多くなされており，Jカーブと称されている．

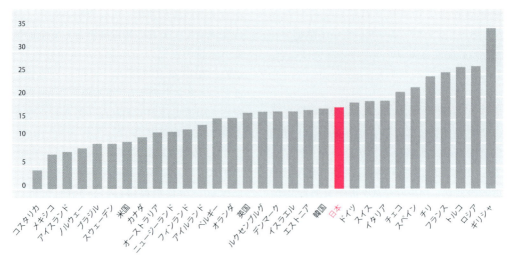

図2 喫煙率の国際比較（2019）

［Health risks-OECD Health Statistics 2019（http://data.oecd.org/healthrisk/daily-smokers.htm）より引用］

飲酒は，適量であれば健康増進に作用する可能性がいわれており，全面的に否定することは困難である．

寛解後にアルコールを完全に絶つように指導するかは，各医師の裁量に任される部分が大きいが，アルコール回避による扁平上皮癌のリスク低下はほぼ確実であり，そのリスクの説明を含めた指導をすべきである．長期的観点からの予防につながると考えられるが，中高年の年齢まで多量飲酒を続けてきたものが，急に控えるようになった場合，それがどの程度，発癌予防につながるかに関しては定かではない．5,000例のpooled analysisでは，頭頸部癌における禁酒と発癌の関係において，禁酒後5～10年でのオッズ比（OR）は1.34，10～16年でのORが0.83と，10年以上でようやくリスクが低下している結果であった[10]．

文献

1) National Comprehensive Cancer Network：NCCN Clinical Practice Guidelines in Oncology. Head and Neck Cancers v.2.2021. https://www.nccn.org/professionals/physician_gls/pdf/head-and-neck.pdf
2) 日本口腔腫瘍学会口腔治療ガイドライン改訂委員会ほか（編）：科学的根拠に基づく口腔癌診療ガイドライン2019年版，金原出版，東京，2019
3) the 5th edition of the UK Multidisciplinary Guidelines for Head and Neck Cancer
4) Machiels JP, et al：Squamous cell carcinoma of the oral cavity, larynx, oropharynx and hypopharynx：EHNS-ESMO-ESTRO Clinical Practice Guidelines for diagnosis, treatment and follow-up. Ann Oncol 31：1462-1475, 2020
5) Manikantan K, et al：Making sense of posttreatment surveillance in head and neck cancer：when and what of follow-up. Cancer Treat Rev 35：744-753, 2009
6) Dias FL：Assessment of treatment response after chemoradiation of head and neck cancer. Curr Oncol Rep 15：119-127, 2013
7) Saito N, et al：Posttreatment CT and MR imaging in head and neck cancer：what the radiologist needs to know. Radiographics 32：1261-1282, 2012
8) Sara Sheikhbahaei, et al：Diagnostic accuracy of follow-up FDG PET or PET/CT in patients with head and neck cancer after definitive treatment：a systematic review and meta-analysis. AJR Am J Roentgenol 205：629-639, 2015
9) Mehanna H, et al：PET-CT surveillance versus neck dissection in advanced head and neck cancer. N Engl J Med 374：1444-1454, 2016
10) Rehm J, et al：Alcohol drinking cessation and its effect on esophageal and head and neck cancers：a pooled analysis. Int J Cancer 121：1132-1137, 2007

2. 多職種連携

A 多職種連携の重要性

　わが国の社会は縦割りであり，医療においても臓器別に行われてきた．そのため，他科，さらに多職種との連携は少なく，単科で治療方針決定，治療の実施などが行われてきた．そのため，患者を多職種でチーム医療を行うという基盤整備が整っていない．

　頭頸部は多臓器の集合体であり，頭頸部癌はその原発部位と進行度によって治療方針・予後も異なる．また嚥下，咀嚼，発声などの重要な機能を担っているために，癌自体，あるいは治療によってこれらの機能が障害されることがある．特に進行癌では外科切除による機能の損失が顕著になることがあり，機能温存を重視し非外科的治療を希望する患者も増えている．また，進行癌では予後改善のために，外科切除，放射線治療，薬物療法を組み合わせた集学的治療が必要となっている．薬物療法また化学放射線療法の副作用は決して軽くなく，適切な支持療法が治療完遂・治療継続に必須である．頭頸部癌に対する薬物療法は，従来の細胞障害性の抗癌薬のみならず，分子標的治療薬，免疫チェックポイント阻害薬など，多岐にわたる有害事象がある．甲状腺癌に対する血管新生阻害薬の投与は，2年以上と長期であり，高血圧，倦怠感，食欲不振，手足症候群など患者のQOLを悪化させるリスクがある．このような状況において単科での医療の実践には限界がある．

治療方針の決定

　治療方針決定においては，PS・臓器機能などの全身状態，組織型，原発部位，病期，機能温存希望の有無，治療に対する患者の理解などを加味して総合的に判断していく必要である．

　正確な病期診断は治療方針を決定するうえで重要である．画像診断医には，Stage診断，病変の浸潤範囲を，頭頸部外科・耳鼻咽喉科医には，視診・触診による腫瘍の部位・進展度・脳神経麻痺含めた機能障害の有無などの診断を担当する．

　放射線治療医は，病変の範囲から放射線照射の適応を，腫瘍内科医は，全身状態，臓器機能，合併症，治療に対する理解から化学療法の適応を判断する．特に頭頸部癌患者は，ほかの癌種と比較して，アルコール依存，独居，生活保護など，多くの問題を抱えていることが多く，治療方針決定に影響を与えることがある．

　現在は，集学的治療カンファレンスの場であるキャンサーボードにて患者個々の状態をすべて加味したうえで，患者にとってもっとも推奨される治療を決定することが推奨されている．キャンサーボードにて決定された治療を患者に提示して，十分なインフォームドコンセントを行ったうえで，治療を決定すべきである．キャンサーボードの利点としては，高い専門性の下で短時間に方針が決定され，情報共有によりチーム内での一定の方向性が明確化され，良好な人間関係も得られてくる．また自分では認識できなかった点，治療方針を決めるうえで重要な情報が，他者から得られることもあることもある．さらにキャンサーボードによって十分議論されたうえでの治療方針であることから，患者も治療方針に対する安心感が増し，それが医療者と患者・家族とのより深い信頼関係につながる．

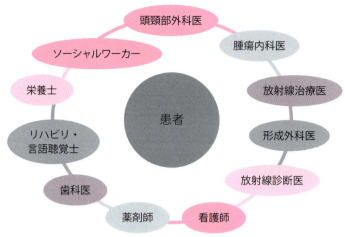

図1 集学的治療チーム（multidisciplinary team：MDT）

多職種によるチーム医療

これまで述べたように頭頸部癌の治療には，急性・晩期含めたさまざまな副作用，さらに患者の複雑な社会的要因があり，医師のみならず，看護師，歯科医師，薬剤師，歯科衛生士，言語聴覚士，栄養サポートチーム，ソーシャルワーカーなど，多職種のサポートが必須である．すなわち，多職種協働のチーム医療（multidiciplinary team）の体制で治療が実践されることが推奨されている（図1）．各専門職種が患者サポートすることにより，患者はより質の高いサポートが得られ，治療の完遂・継続の向上に結びつく．さらに，生命予後の改善も見込めるとの報告もされている[1]．集学的治療やチーム医療の意義を評価する無作為化比較試験は倫理的側面からも実施困難であるが，頭頸部癌治療においては必要不可欠であるといえる．

多職種連携・他科連携の基盤整備

わが国は縦割り社会であるため，これまでチーム医療の基盤整備が遅れている．1人の患者を1人の主治医ではなく，チームで治療していく姿勢を施設内でまず共有すべきである．各自の役割分担を明確化することで，本来すべき仕事に専念することができる．自分の専門外のことを遠慮なくコンサルトできる診療体制の構築し，患者の情報を共有して，患者にとって最適な方策を検討すべきである．自施設でチーム医療を円滑に実施するうえで，自施設の課題（自分達には何が足りないか，何が問題なのか）を検討し，その課題を迅速に是正すべきである．

免疫チェックポイント阻害薬など多岐にわたる有害事象があり，循環器内科，消化器内科，呼吸器内科，皮膚科，神経内科，内分泌内科などの他科との連携に関しても基盤整備が必須である．副作用出現時のコンサルトする医師・診療体制などを院内で統一することで，副作用に対して迅速な対応が可能になる．

頭頸部癌の治療を適切に行うためには，多職種連携・他科連携が重要であることは認識していただけると思う．しかし，この重要性を認識しているだけでは自施設で十分に機能しない．自施設の課題を十分に検討してそれを是正するための行動を起こす必要がある．多職種連携・他科連携を推進することが患者の利益に必ず結びつき，患者のQOL，予後が改善することを再認識すべきである．またお互いの職種を尊重することがチーム医療を円滑に機能させるには大事である．

文献

1) Friedland PL, et al：Impact of multidisciplinary team management in head and neck cancer patients. Br J Cancer **104**：1246-1248, 2011

B 薬剤師の役割

　薬剤師は頭頸部癌の集学的治療において，薬の専門職として癌患者へ安全かつ合理的な薬物治療を提供する役割を多職種連携において担う．薬剤師の役割は治験やゲノム医療などにも及ぶが，本項では国立がん研究センター東病院（以下，当院）における実臨床における癌薬物療法での役割について焦点を絞った以下の**表1**に沿って説明する．

癌薬物療法のレジメン申請と登録

　院内におけるレジメン登録を経たものが患者の治療に用いられることから治療に直結する．患者への①根拠に基づいている合理的かつ安全な治療の提供（エビデンス，用量，投与方法，支持療法など）や，②看護師の作業や薬の取り違いなどの医療安全も考慮したレジメン構成の作成，のためにも申請医師との連携が必須となる．日本臨床腫瘍学会がん薬物療法専門医に加え，がん専門薬剤師が在籍している医療機関で標準的な治療が実践されていたデータもあることから，医療従事者の資質向上が標準レジメンの実践と医療の質の向上につながる可能性がある[1]．

レジメンチェック

　薬剤師が癌薬物療法の処方を事前にチェックすることがレジメンチェックと呼ばれ，全国のほぼ100％の施設の薬剤師が注射抗癌薬に対してレジメンチェックを実施している[1]．電子カルテのオーダリングシステムを使用すると間違いがないように思われるが，計35,062件のレジメンチェックを解析したわれわれの調査の結果では，薬剤師の医師に対する疑義照会は全体の2％であったが，そ

表1　薬剤師の癌薬物治療における役割とかかわる診療報酬（赤字箇所）

院内における癌治療の登録	医師が処方する癌薬物療法の実践	臨床における患者対応	病院を離れた患者への対応
①癌薬物療法のレジメン登録	②レジメンチェック ③抗癌薬の調製・調剤 ④薬の説明書，マニュアルなどの資材作成 ・説明書の作成と使用 ・クリティカルパス作成 ・多職種による共通認識による説明書の作成と使用（フローチャート型支持療法冊子，irAEマニュアルなど） ⑤医薬品情報の提供 病棟薬剤業務実施加算（入院時のみ） ③において無菌調製処理料	入院 ⑥入院における患者指導，多職種連携 ・患者指導 ・医薬品情報 病棟薬剤業務実施加算 薬剤管理指導料 麻薬管理指導加算 退院時薬剤情報管理指導料 外来 ⑦【注射抗癌薬】通院治療センターにおける薬剤師の対応 ⑧【経口抗癌薬】薬剤師外来による対応 ⑨医師の外来診察と連携した業務 ⑦⑧のみがん患者指導管理料ハ ⑧のみ抗悪性腫瘍剤処方管理加算	⑩電話による患者対応 ・化学療法ホットライン ・テレフォンフォローアップ ⑪保険薬局の薬剤師との連携 ⑪のみ連携充実加算

診療報酬は2022年2月におけるものであり，各番号は執筆項目を意味する．なお，癌治療に特化したものではないが，ポリファーマシーを改善することに対する薬剤総合評価調整加算／薬剤調整加算や，栄養サポートチームや感染制御チームのようなチーム医療に参画することで包括的に得られる診療報酬なども複数ある．

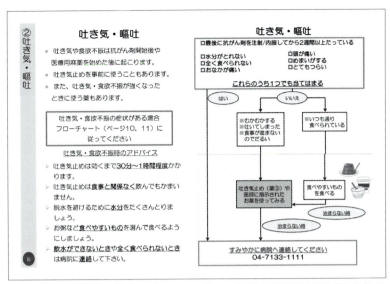

図1 医師と協働で作成したフローチャート型支持療法冊子（吐き気のページの抜粋）

の処方変更率は50％以上であった[2]．これは医師が薬剤師を信頼し，疑義照会を受け入れる連携体制があってこそ成し遂げられる．外来で行われる癌薬物療法は直前の検査値に応じて対応が必要であるが，当院は2015年より投与当日における直前の臨床検査値を確認する業務も行っている．その効果は外来診察を実施している医師と密に連携してこそ大きく得られる[3]．

抗癌薬の調製・調剤

現時点においても細胞障害性抗がん薬は治療の根幹をなしている．専門的知識を有する薬剤師による，高度な設備を用いた抗がん薬の調製は医療従事者への抗がん薬曝露を抑える[4]．また，薬剤費節減のためのバイアルの複数回使用[5]についても薬剤師による専門的な対応が必要となる．現在の病院機能評価は，薬剤師による安全な設備における抗がん薬調製を求めており，入院の病棟薬剤実施加算においても医師，看護師の負担を軽減する薬剤師による抗がん薬調製は病棟業務として認められている．曝露対策は投与時にも必要であり，『がん薬物療法における職業性曝露対策ガイドライン2019年版』（日本がん看護学会，日本臨床腫瘍学会，日本臨床腫瘍薬学会編）に基づいた体制構築が必要である．

薬の説明書，マニュアルなどの資材作成

癌薬物療法を実施する前に患者は必ずそのリスクとベネフィットについて説明を受ける．医師は治療計画の面から，看護師は生活面からの説明を実施し，薬剤師は薬の特性を中心に説明を行う．当院は，レジメンごとに作成した説明書を用いて説明を行っている．クリティカルパスは多職種が統一した認識で治療にあたるために重要なものである．当院は患者が有害事象をきたした際の対応について，フローチャートを活用した誘導型の説明冊子「フローチャート型支持療法冊子」（以下，フローチャート冊子）を開発し実臨床で活用している（図1）．副作用の対応についての誘導型説明書であるフローチャート冊子の活用により，自宅にて起こる有害事象への対応の理解が深まり，有害事象の電話相談件数の増加，自宅での服薬間違い，有害事象による緊急入院を抑制した[6]．なお，免疫チェックポイント阻害薬によるirAEはフローチャートにできないことから，症状のチェック項目を明示する形式をとり，患者への説明に活用している（図2）．言うまでもなく，重要な有害事象に対応するフローチャートは薬剤師のみでは作成できない．このような共通ツールを作成するには

図2 医師と協働で作成したフローチャート型支持療法冊子（irAEのページの抜粋）

チームもしくは院内において主に患者の治療にかかわる医師，看護師の共通認識が必要である．現在はirAEに対するマニュアルなどが多職種にて診療科の垣根を越えて作成されている．また，当院では光免疫療法やRADPLATのような特殊で時間に従って実施しなくてはならないレジメンにおいて，薬剤師が医師，看護師への投与時間スケジュールの立案，確認や不慣れなレジメンが実施される際の補助をしている．上記は薬剤師の職能を生かしたものであるが，薬剤師単独では成り立たず，他職種と調整をとりながら連携してこそ成果が期待できる．

医薬品情報の提供

経口摂取困難な頭頸部癌患者の内服薬の粉砕や簡易懸濁可否についての情報や，外科治療における薬の術前休薬期間の情報は，治療を安全かつ効果的に実践するために必要である．また，持参薬が粉砕などできず，ほかの内服薬もしくは注射に切り替えざるをえない場合において，代替薬などの評価の役割を担う．これら受動的な対応のみではなく能動的に，薬剤師は薬の知識と情報をもって現場でさまざまな場面で，薬の面から治療に参画できる．

入院における対応

従来の薬剤師の入院における関与は患者に対する薬の指導から退院指導の役割にとどまっていたが，2012年の病棟薬剤実施加算の創設から病棟に常駐することでその関与が増え，その内容は医薬品情報から処方提案，トラブル対応まで多岐にわたるようになった[7]．癌薬物療法においてはその役割はさらに多岐にわたるため，薬剤師が病棟に常駐し，かつ，医師と共働作業を行うことで薬剤費，特に支持療法薬の薬剤費と入院期間の抑制，処方提案の増加，自覚される有害事象のマネジメント，そして薬剤管理指導の効率化がなされる[8]．また，近年はポリファーマシーを改善する保険診療報酬も拡充されており，薬剤師による減薬に関するエビデンスも報告されている[9]．いずれも薬剤師が病棟で単独に動くのではなく，チームと行動と情報をともにし，臨床現場に根づいた存在として信頼をもった連携が必要である．それができないのであれば，まずは連携しようと考えている診療科の定期的な回診やカンファランスに参加してface to faceで会話することがまず一歩であるが，これらの活動についても病棟薬剤実施加算にて算定業務として加味されている．

外来における対応

1 【注射抗癌薬】通院治療センターにおける薬剤師の対応

外来における癌薬物療法においては患者教育や服薬指導を実施する時間が短く対応に苦慮する．当院の通院治療センターは専属の常駐薬剤師が癌薬物療法の説明だけではなく，継続的なモニタリングによる有害事象への対応や支持療法薬のアドヒアランスの確認を行っている．

2 【経口抗癌薬】薬剤師外来における対応

経口抗癌薬は，多くの病院でチェックや説明介入が困難な状況である[1]．当院は薬剤師による外来窓口（以下，薬剤師外来）を全国に先駆けてはじめ，経口抗癌薬へ対応している．なお，薬剤師外来は診療報酬（がん患者指導管理料ハ）で請求できるようになって以来，全国に広まった．現時点において保険薬局薬剤師の癌薬物治療への知識は十分でない[10]ため，病院薬剤師の担う役割は大きい．

3 医師の外来診察と連携した業務

当院は日本では先進的な医師の外来診察に薬剤師が配属して業務を行っており，より効率的な処方提案や有害事象管理などが実践され[3,11]，薬剤費も改善される[12]．当該業務は米国で行われているが，現時点でわが国では診療報酬が得られないため，次世代の臨床業務として期待される．

4 電話による患者対応

当院では外来で癌治療を受けている患者の副作用についての電話相談窓口「外来化学療法ホットライン（以下，ホットライン）」を2008年12月より導入している．ホットラインの対応者は薬剤師と看護師で担っているが，もちろん，多職種の共通認識のもと整備されたマニュアルに従って電話相談に対応し，医師に電話を転送すると規定されている項目については医師へ転送している．患者が薬の副作用や使用法に困ったとき，電話相談の窓口を設けることで発熱の対応が指示どおりにできた[13]というデータがあるが，気をつけなくてはいけないのは，副作用を発症しても電話をしてこない，または自己判断で薬を使用する症例である．医療従事者側が電話を患者にかけることをテレフォンフォローアップと呼ぶが，ソラフェニブ治療における調査では有害事象や理解不足を理由とした自己判断による薬剤使用をはじめとするノンアドヒアランスが多く確認された[14]．レンバチニブの治療において，薬剤師が医師と取り決めた項目（図3）についてテレフォンフォローアップを行うことで治療に貢献した[15]ことからも，外来癌薬物療法が増加し癌治療を受けている患者が自宅において過ごす時間が増えている時代において，安全な癌薬物療法のために，電話による患者対応は重要な手段となる．

患者名：＿＿＿＿＿＿　　ID：＿＿＿＿＿＿＿
電話日：＿＿＿＿　時間：＿＿＿＿　電話番号：＿＿＿＿＿

現在の服用量：＿＿＿＿mg　　開始or再開日　＿＿/＿＿day＿＿

・飲み忘れ，飲み間違いはないか（減量時は注意）
　□なし　□あり（　　　　　　　　　　）

・日記はつけている　□はい　□いいえ

・血圧は毎日測定している　□はい　□いいえ

　1) 140-160/90-100
　　降圧剤服用ありの場合　→医師
　　　　　　　なしの場合　→ARB開始

　2) Grade3(160/100)以上または随伴症状（頭痛・悪心・嘔吐）伴う
　　→医師へ連絡

・下痢　□あり　□なし
　頻度＿＿回/日
　　飲水の可否　□可　□不可
　　ロペラミド内服頻度＿＿回/日

・手足に痛み・赤みなどあるか　□あり　□なし

・倦怠感　□あり　□なし

・身体症状
　□食欲不振　□悪心・嘔吐　□発熱

・その他，気になる症状など

図3 医師と協働で作成したテレフォンフォローに使用する項目

表2 薬剤師を積極的に活用することが可能な業務（医政発0430第1号，2010年）

【厚生労働省医政局長通知（医政発0430第1号），2010年】 以下に掲げる業務については，現行制度の下において薬剤師が実施することができることから，薬剤師を積極的に活用することが望まれる

1. 薬剤の種類，投与量，投与方法，投与期間等の変更や検査のオーダーについて，医師・薬剤師等により事前に作成・合意されたプロトコールに基づき，専門的知見の活用を通じて，医師等と協議して実施すること
2. 薬剤選択，投与量，投与方法，投与期間等について，医師に対し，積極的に処方を提案すること
3. 薬物療法を受けている患者（在宅の患者を含む）に対し，薬学的管理（患者の副作用の状況の把握，服薬指導等）を行うこと
4. 薬物の血中濃度や副作用のモニタリング等に基づき，副作用の発現状況や有効性の確認を行うとともに，医師に対し，必要に応じて薬剤の変更等を提案すること
5. 薬物療法の経過等を確認した上で，医師に対し，前回の処方内容と同一の内容の処方を提案すること
6. 外来化学療法を受けている患者に対し，医師等と協議してインフォームドコンセントを実施するとともに，薬学的管理を行うこと
7. 入院患者の持参薬の内容を確認した上で，医師に対し，服薬計画を提案するなど，当該患者に対する薬学的管理を行うこと
8. 定期的に患者の副作用の発現状況の確認等を行うため，処方内容を分割して調剤すること
9. 抗がん剤等の適切な無菌調製を行うこと

5 保険薬局薬剤師との連携

近年，外来における癌治療を担うことを目的として，保険薬局薬剤師がかかわる診療報酬が拡充され，保険薬局は患者のテレフォンフォローアップや有害事象をFAXで報告するトレーシングレポートを実践している．

わが国における医師の業務負担が大きいことから，その軽減を目的としたタスクシフティングが積極的に展開されており，プロトコールに基づく薬物治療管理（protocol based pharmacotherapy management（PBPM））により，薬剤師による代行処方，処方修正，検査のオーダーの追加などを実施している医療機関が存在する．厚生労働省医政局長通知（医政発0430第1号）（**表2**）において，薬剤師を積極的に活用することが可能な業務の1つとして，「薬剤の種類，投与量，投与方法，投与期間等の変更や検査のオーダーについて，医師・薬剤師等により事前に作成・合意されたプロトコールに基づき，専門的知見の活用を通じて，医師等と協働して実施すること」があげられている．しかし，調剤業務で埋没している薬剤師が多い中，不慣れな臨床の現場への足が遠のくケースが多い．臨床の現場で真の多職種連携を行うためには，臨床貢献への意欲と現場における信頼関係を築く器量が必要である．言うまでもなく，チーム医療を実践する目的は患者への貢献であり，米国病院薬剤師の業務展開が患者の死亡率を抑制したという報告[16]のような，さらなる活躍がわが国でも望まれる．

文 献

1) Suzuki S, et al：The impact of pharmacist certification on the quality of chemotherapy in Japan. Int J Clin Pharm **38**：1326-1335, 2016
2) Suzuki S, et al：Chemotherapy regimen checks performed by pharmacists contribute to safe administration of chemotherapy. J Oncol Pharm Pract **23**：18-25, 2017
3) Demachi K, et al：Impact of outpatient pharmacy services collaborating with oncologists at an outpatient clinic for outpatient chemotherapy prescription orders. European Journal of Oncology Pharmacy **2**：e10, 2019
4) 濱　宏仁ほか：調製から投与までの総合的な抗がん薬曝露対策の導入とその評価. 医療薬学 **39**：700-710, 2013
5) Suzuki S, et al：Current status of drug vial optimization use to prevent waste associated with injectable anticancer agents. J Oncol Pharm Pract **25**：244-246, 2019
6) Suzuki S, et al：Evaluation of the impact of a flow-chart-type leaflet for cancer inpatients. SAGE Open Med **2**：2050312114531256, 2014
7) 鈴木真也ほか：がん専門病院における持参ハイリスク薬の実態と病棟専任薬剤師による業務の実態調査. 医療 **68**：291-299, 2014
8) 鈴木真也ほか：がん化学療法における病棟常駐医療チーム専属薬剤師の有用性の評価. 日病薬誌 **48**：211-215, 2012

9) Uchida M, et al：A nationwide survey of hospital pharmacist interventions to improve polypharmacy for patients with cancer in palliative care in Japan. J Pharm Health Care Sci **5**：14, 2019
10) Suzuki S, et al：Evaluation of community pharmacist ability to ensure the safe use of oral anticancer agents：a nationwide survey in Japan. Jpn J Clin Oncol **47**：413-421, 2017
11) Suzuki H, et al：Impact of pharmacy collaborating services in an outpatient clinic on improving adverse drug reactions in outpatient cancer chemotherapy. J Oncol Pharm Pract **25**：1558-1563, 2019
12) Kamata H, et al：Drug cost savings resulting from the outpatient pharmacy services collaborating with oncologists at outpatient clinics. European Journal of Oncology Pharmacy **3**：e22, 2020
13) 鈴木真也ほか：ドセタキセルの外来化学療法時における発熱に対する経口抗菌剤のアドヒアランス．医療薬学 **37**：389-394, 2011
14) 鈴木真也ほか：薬剤師の介入によるソラフェニブの手足皮膚反応のリスクと服薬アドヒアランスの改善度の評価．医療薬学 **37**：317-321, 2011
15) Suzuki S, et al：Impact of outpatient pharmacy interventions on management of thyroid patients receiving lenvatinib. SAGE Open Med **8**：2050312120930906, 2020
16) Bond CA, Raehl CL：Clinical pharmacy services, pharmacy staffing, and hospital mortality rates. Pharmacotherapy **27**：481-493, 2007

C 歯科の役割

　口腔は形態も複雑であり，細菌数も多く存在するため不潔な領域である．口腔ケアが不十分であると，歯の表面にバイオフィルムが形成され口腔内に歯垢が蓄積される．癌治療では口腔内にも，さまざまな副作用を生じる．頭頸部癌治療において口腔および頭頸部に生じうる急性〜慢性副作用は，原病と近接しているため不快や苦痛が強く現れるゆえに，対応が遅れると直接的・間接的に癌治療に悪影響を与えてしまう．

　歯科の役割として適切に口腔管理を行うことは，治療によって生じる変化や，生活の質を維持し安全に治療を完遂させるためにも，外科治療・放射線治療・薬物療法のすべてにおいて非常に重要である．

　外科治療では，術前から歯科介入を行うことで，術後誤嚥性肺炎の予防や口腔内創部の感染リスクの軽減につながる．術後欠損部位の機能保持に関しても，早期に良好な顎義歯や舌接触補助床を作成することで，音声言語や摂食機能の改善を図り，治療後の生活の質向上を図ることが可能である．

　放射線治療または化学放射線療法では，さまざまな場面で急性毒性をいかに管理し治療完遂できるかが重要であり，治療前から治療中へと継続的な口腔内管理を行うことで，歯や粘膜障害に対する感染防止・疼痛緩和，治療後の放射線治療に伴う晩発障害予防が可能となる．

　頭頸部薬物療法では，免疫チェックポイント阻害薬の承認と導入が行われるようになった．従来の化学療法や分子標的治療薬では経験しえなかった粘膜炎や多岐にわたる副作用症状を目にするようになっている．放射線やさまざまな薬物療法の併用により副作用症状が強く生じる場合もあり，多職種での支持療法管理が治療完遂の成否に大きな影響を及ぼすことになる．

　口腔内の有害事象は，治療法の組み合わせにより出現部位や時期が異なるが，ここでは基本となる口腔内の衛生管理や評価のポイントについて解説する．

治療前の歯科管理

　患者が初めて歯科を受診し診察を開始する際にもっとも大切なのは，「なぜ頭頸部癌治療に口腔内の管理が必要なのか」「治療前から口腔管理をスタートすることがなぜ大切なのか」「今後どのような副作用が出現するか」などを，患者自身と家族に十分に説明することである．これらの介入が，局所合併症や誤嚥性肺炎の予防に寄与する．患者自身で理解し治療のイメージがしやすくなるため，患者の協力もスムーズに得られるようになる．

外科治療における口腔管理

　頭頸部進行癌（口腔癌，中咽頭癌）の術後，縫合部の多くは口腔内細菌に曝露されている．口腔などの不潔な部位が術野となる手術は，術後の創感染リスクが高いと報告されている[1]．遊離移植皮弁再建などを併用すると正常な嚥下機能は著しく低下する．歯科での口腔清掃管理は，細菌の種類・量を減少させ，創部感染・瘻孔形成の発生を防ぐうえでも効果があり[2]，誤嚥性肺炎の予防や入院期間の短縮にもつながる．

1 外科治療前の口腔管理

　外科治療の場合，手術前より病院歯科や近隣歯科クリニックと連携を図り，専門的な口腔清掃管理を開始する．可能な限り手術前までにプラークフリー（ブラッシング指導・縁上歯石の除去・専門的機械歯面清掃）をめざすが，頭頸部癌治療では腫瘍周囲の疼痛や出血も考えられるため，無理な処置を行わず可能な範囲で実施する．手術部位に腫瘍摘出の妨げになる，連結された金属冠が装着されている場合は，事前に抜歯部分の金属冠を切断または除去を行う．術後に上顎の顎骨欠損が予想される場合は，主治医と綿密な連携を図り，退院までに咀嚼や嚥下サポートのための術後即時顎義歯の作成を開始する．

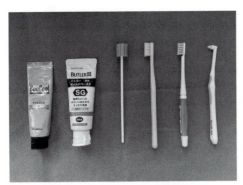

図1　創傷治癒にあわせた清掃器具

2 周術期の口腔管理の方法

　外科治療の術後早期は，創部や皮弁再建部位を十分に確認し，介助者が可能な範囲で縫合部や皮弁周囲を湿らせたスポンジブラシを用いて丁寧に清拭を行う．創部が安定し主治医から自己管理の許可がでたときは，スポンジブラシでの自己ケアができるよう指導を始める．経口の食事が再開され摂取量が増えてくると，ある程度自浄作用が期待できるが，皮弁・縫合部位などは食物が停滞し汚染が生じやすくなる．術後は多職種によるケアも大切であるが，患者自身によるセルフケアがもっとも重要である．創傷治癒にあわせた清掃器具（スポンジブラシ・歯ブラシ・歯磨剤：図1）などの選択方法や患者に汚染しやすい部位も指導する．口腔内清掃の基本は患者中心のセルフケアなので，管理が適切に行われているかを適宜確認し指導する．術後の日々の観察・評価は視認可能な範囲で看護師を中心に行っていくが，口腔内に皮弁再建術が行われ再建部位に食物停滞や汚染が生じている場合，医師などの専門的な評価・処置が必要となる．歯科医師・歯科衛生士が介入頻度を多くするといった状況にあわせたかかわりを増やし，各役割にあわせサポートしていく（図2）．

3 術後の周術期口腔管理

　頭頸部領域癌の手術では，腫瘍の切除部位や範囲により，口腔・咽頭領域に欠損が生じる症例や，皮弁再建が行われる症例など，術式は多様となる．上顎腫瘍に伴う上顎部分切除術などでは上顎骨欠損が生じ，咬合や構音障害を伴う可能性が高い．それらの機能障害を補うために顎義歯を作成し機能改善を図る．再建後などは術後も顎骨や組織切除による欠損や神経筋切断により，機能障害が長期にわたり生じる可能性もある．主治医を中心にリハビリテーション医師，歯科医師，看護師，歯科衛生士，言語聴覚士，栄養士など，多角的なかかわりと指導を行うことが必要となる．

放射線治療/化学放射線療法における口腔管理

　放射線治療・化学放射線療法が行われると，治療が段階的に進むにつれて長期間副作用が生じてくる．放射線治療により生じる粘膜炎はほぼすべての患者に出現し，照射野内には他の有害事象（味覚障害・口腔乾燥）も複合的に生じることで，疼痛や不快感から口腔環境は悪化していく．これら副作用の出現で経口摂取量が減少し，栄養状態の悪化を招き有害事象が遷延化すると，身体的・精神的苦痛を受けることになる．その結果，治療スケジュールが中断し，治療効果や完遂率の低下が生じる．薬物療法が併用される場合は，全身の免疫力低下により，罹患していた慢性歯科疾患や口腔内の衛生環境の悪化などで，さまざまな感染症を起こすリスクが高まる．こうした歯性感染症は，治療前より適切な口腔清掃管理を行えば十分に対応が可能である．

1 放射線治療/化学放射線療法（治療前）

　放射線治療・化学放射線療法の場合は，口腔内の診査とパノラマX線撮影を行い，衛生環境が保たれているかを確認する．衛生状態が不良のまま粘膜炎が生じ局所感染が成立すると，疼痛や炎症反応が増強することがある．また骨髄抑制期には歯性感染症が生じる可能性が高くなるため，治療開始前までに積極的な歯科介入を行う．高線量放射線照射が含まれる部位に，う蝕や歯周炎などで「治療後に保存困難な可能性のある歯が存在しないか」などを判断し，該当する歯があれば創部初期治癒に必要な14日前までに抜歯処置を行う[3]．放射線治療中は，粘膜炎の増強による口腔内疼痛

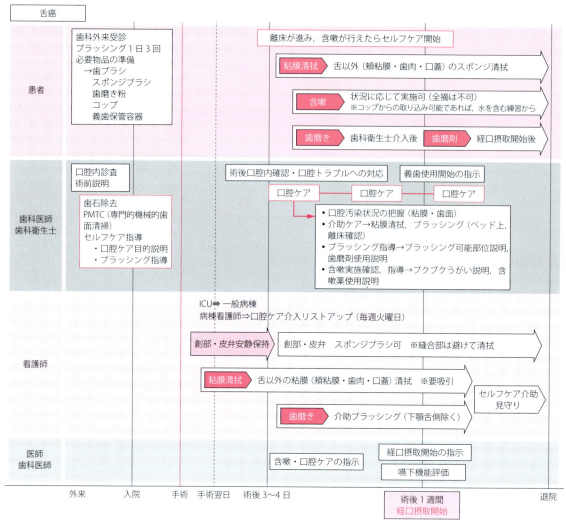

図2 頭頸部癌周術期口腔ケア介入スケジュール

[国立がん研究センター東病院 岸玲子 作成]

の悪化，投薬による倦怠感や悪心の出現により，口腔管理が不十分になる場合が多い．加えて，食欲不振や味覚障害が出現することで経口摂取量が減少し，胃瘻のみで栄養管理される場合も少なくない．患者は飲食をしなければ，口腔内の汚染が生じないものと考え，口腔管理（ブラッシング）は一切行っていないという誤った判断をする場合がある．それらを回避するために，照射開始前より，①飲食をしていなくても口腔汚染は生じるため清掃管理は必要である，②疼痛や悪心が生じていても「清掃器具と部位の選択によって継続的に口腔管理が可能であり必要である」と説明し指導する．

口腔内のQOLを維持するためには，放射線治療後の起こりうる副作用を，可能な限り事前より説明し，生涯にわたる口腔内（う蝕・歯周治療）メンテナンスの重要性を患者に理解してもらうよう指導する．

2 放射線治療/化学放射線療法（治療中）

放射線治療が開始されると粘膜の反応は10～14日（20 Gy程度）から生じはじめ，照射回数が進むにつれて粘膜炎の範囲が拡大し潰瘍形成などが出現する．これら治療で生じる粘膜炎が，口腔内の細菌により潰瘍の増悪や二次感染を生じないよ

う注意深く観察しケアを行う．粘膜炎の予防対策には，決定的な手段は現在存在しておらず，口腔保湿，疼痛コントロール，口腔清掃保持などの対処療法が主体となる．

a 口腔内の保湿

粘膜炎などの刺激を誘発しない範囲で生理食塩水やアズノール液を用い，1日5～8回を目標に含嗽を頻回に行うよう指導する．

b 疼痛コントロール

口腔内に疼痛が生じている場合は，要因が粘膜炎であるか否かを確認し評価を行う．化学放射線療法中ではカンジダやヘルペスのリスクが上昇し，これらが生じると疼痛を有するため注意を要する．粘膜炎であることが確認されたら，症状と粘膜変化範囲を確認し WHO や NCI-CTCAE などでグレード評価を行う．放射線治療に伴うグレード3以上の粘膜炎発症も34～57%認めると報告されているため[4]，感染・疼痛管理に努める．粘膜炎の疼痛管理には，局所疼痛コントロールと鎮痛薬による疼痛コントロールを行いグレードにあわせ対処する．局所疼痛コントロールでは，物理的に口腔内炎症部位を被覆・保護することを目的とした，ハイドロゲル創傷被覆・保護材（エピシル®口腔用液）の使用や，麻酔剤を混合した（アズノール25滴，4%キシロカイン5～10 mL，グリセリン60 mL）含嗽を励行している（図3）．ハイドロゲル創傷被覆・保護材は，比較的塗布が簡便で口腔内作用時間が長いため，粘膜炎の初期から用いることで，疼痛管理への新たな選択肢となりうる．重度の粘膜炎が広範囲に生じている場合，アズノールが要因となり含嗽時に痛みを誘発する場合がある．そのときはアズノールを除き，水のかわりに生理食塩水を用いると痛みがやわらぐ場合があるので検討をするのもよい．粘膜炎に対する軟膏塗布は保湿や創部保護のために用いられる．口唇を潤すためにはアズノール軟膏やワセリンが多く用いられているが，ワセリンを慢性的に使用すると，小唾液腺の閉塞や粘膜細胞の脱水を促進し，二次感染のリスクにつながるため注意が必要である[5]．粘膜炎に対する疼痛コントロールは，可能な限り早期より開始していくのが理想である．診察の間隔が長いと，粘膜炎が悪化してから対応しなければ

図3 口腔疼痛時うがい液のつくり方

ばならず，複数の粘膜炎治療薬を同日に処方し指導を行うこととなる．すべての薬剤を口腔内に用いるため，やや使用方法に混乱を生じやすい．これら薬剤の使用方法は，口頭で説明するだけでなく図を用いたりして視覚的に説明すると，患者の理解力向上や誤認識のリスクも回避することができるため効果的である．

3 放射線治療/化学放射線療法（治療後）

頭頸部放射線治療/化学放射線療法後は，急性および慢性のさまざまな副作用を生じる．代表的な症状としてあげられるのは，粘膜炎，口腔乾燥，味覚障害，う蝕や歯周病の増加，軟部組織の繊維化，開口障害，顎骨壊死である．時間的な経過とともに口腔内や歯科への関心が薄れることが多いため注意が必要である．これら副作用の多くは，短期間で改善されるものとは異なり，治療終了後から生じることもあるため，生涯にわたる医科歯科連携などの口腔内管理への治療戦略が重要である．急性毒性である粘膜炎は，ほぼすべての患者に生じ，治療終了後2～3週間程度で改善していくが，場合によっては1～2ヵ月継続することがある．口腔粘膜炎の回復が遅延すると，経口摂取の時期も遅れ栄養状態が不良になる．全身の栄養状態が不良であると治療終了後の回復が遅くなるため，体重変化や経口摂取状況なども聴取し，患者にあわせた栄養指導や補助食品の提案も行う．味覚障害や口腔乾燥は急性期～慢性期にまたがる長期間

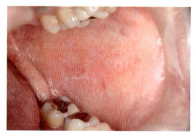 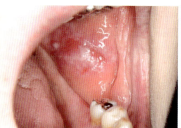 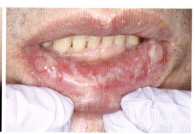

図4 免疫チェックポイント阻害薬に伴う粘膜炎症状

の副作用である．味覚は，甘味，酸味，苦味，塩味，うま味，すべてに影響を与える可能性があり，口腔乾燥は唾液の粘度上昇が生じ，食生活に影響を与える．照射直後は，味覚の偏りなどから香辛料を避け，喉越しのよい食事を摂取するなど，個々にあわせた味覚や乾燥などへの食事指導が必要である．放射線に伴う味覚障害は1年目で顕著に改善するが，2～3年目までは優位な改善がみられる[6]．口腔乾燥と味覚障害が重複する時期では，日常の不快感や乾燥を改善しようと，糖分が含まれている飲料水や嗜好品を習慣的に摂取する場合がある．それらは口腔内を長時間・酸性環境に陥らせ，多発う蝕発生の要因となるため，口腔乾燥・味覚障害時の生活習慣指導も歯科治療に取り入れる必要がある．放射線性顎骨壊死は，照射が終了してから2～3年経過したのちに発症することがある晩期有害事象であり，発生率は4～5％とされている[7]．顎骨壊死は頭頸部放射線治療後の重篤な合併症であり，発症すれば患者のQOLを著しく低下させるため注意する必要がある．一般的に発症要因は，放射線治療後の抜歯が多いとされているが，歯槽骨外傷などの前兆がなくても自然に発症することがある．顎への放射線照射量が60 Gyを超えている，歯周状態が悪い，照射後も喫煙やアルコール摂取している，これらは顎骨壊死発症のリスクと有意に関連している[7]．治療後の口腔管理は，晩期有害事象それぞれを，単体として捉え対応していくのではなく，複数の組み合わせを考えながら対応していかなければならない．

免疫チェックポイント阻害薬に伴う口腔内症状

頭頸部癌治療に伴う薬物療法は，免疫チェックポイント阻害薬（immune checkpoint inhibitor：ICI）の出現にて急速な変化を遂げており，一次治療への有効性が示されていることから，さらなる使用頻度が高くなることも考えられる．ICIは持続的な抗腫瘍効果が得られる一方で，従来の薬物療法（細胞障害性抗癌薬・分子標的治療薬）とは異なった免疫関連有害事象（irAE）が出現する．

口腔内irAEとして口腔粘膜炎や口腔乾燥などが生じる場合があり，口腔粘膜炎は従来の薬剤と比較して軽度であり，発症頻度は，PD-1（6％），PD-L1（3～4％），CTLA-4（2～10％）である[8]．粘膜様式は従来の薬剤と比較して，非特異的な出現を示すことが多く，扁平苔癬様や潰瘍形成などとして生じる（図4）．粘膜炎は軽度ではあるが広範囲に伴うこともあるため，ICI投与の弊害となる場合や，他の有害事象と併発して，Stevens-Johnson syndrome-likeの重度口腔粘膜炎を生じ，早期の対応が必要な症例も見受けられる．ICI薬物誘発性の粘膜炎様式や出現時期など毒性プロファイルは，いまだ解明されてない点が多いため，口腔観察に注意が必要である．

癌治療の質を担保していくためには，歯科との連携が不可欠であり口腔ケアなしには治療が成立しない．しかし，副作用の治療法についてエビデンスの構築が不完全であり，十分な標準治療となりえていない．今後，新たな薬剤やICIの併用など，既存の口腔有害事象とは異なる出現様式も考えられるため，各施設や職種による個々の対処法では

なく，携わるすべてのスタッフに標準的な支持療法の知識対策は必要である．口腔ケアは急性期の合併症対策のみだけでなく，患者のQOLを維持していくうえでも長期的な対応がきわめて重要である．

文献

1) Karakida K, et al：Analysis of risk factors for surgical-site infections in 276 oral cancer surgeries with microvascular free-flap reconstructions at a single university hospital. J Infect Chemother **16**：334-339, 2010
2) 大田洋二郎：口腔ケア介入は頭頸部進行癌における再建手術の術後合併症率を減少させる：静岡県立静岡がんセンターにおける挑戦．歯界展望 **106**：766-772, 2005
3) Buglione M, et al：Oral toxicity management in head and neck cancer patients treated with chemotherapy and radiation：Dental pathologies and osteoradionecrosis（Part 1）literature review and consensus statemen. Oncol Hematol **97**：131-142, 2016
4) Trotti A：Mucositis incidence, severity and associated outcomes in patients with head and neck cancer receiving radiotherapy with or without chemotherapy：a systematic literature review. Radiother oncol **66**：253-262, 2003
5) Peterson DE, et al：Management of oral and gastrointestinal mucosal injury：ESMO Clinical Practice Guidelines for diagnosis, treatment, and follow-up. Ann Oncol 26 Suppl **5**：v139-v151, 2015
6) Stieb S, et al：Prospective observational evaluation of radiation-induced late taste impairment kinetics in oropharyngeal cancer patients：Potential for improvement over time? Clin Transl Radiat Oncol **22**：98-105, 2020
7) Owosho AA, et al：The prevalence and risk factors associated with osteoradionecrosis of the jaw in oral and oropharyngeal cancer patients treated with intensity-modulated radiation therapy（IMRT）：the memorial sloan kettering cancer center experience. Oral Oncol **64**：44-51, 2017
8) Srivastava A, et al：Immune-related oral, otologic, and ocular adverse events. Adv Exp Med Biol **1244**：295-307, 2020

D 看護師の役割

1 皮膚炎管理

皮膚の構造[1]

皮膚は表皮，真皮，皮下組織，付属器からなりたっている．

表皮の厚さは約 0.2 mm であり，構成する細胞の 95％は角化細胞で，これは表皮の最下層で分裂し成熟するに伴い上方の層へ移行していく．表皮は成熟段階によって異なる形態の細胞が層状に配列し，深部から 4 つの層（基底層，有棘層，顆粒層，角層）に分類されている．最下層にある基底細胞が分裂し，娘細胞が生まれて表皮表面で脱落するまでの時間をターンオーバー時間と呼び，日数にして約 45 日といわれている．

放射線治療における皮膚の変化

放射線治療とは DNA を含む細胞に直接作用し，癌細胞増殖機能を不能にするが，それと同時に正常細胞にも同様に作用する．その中でも細胞分裂が活発な腸粘膜，骨髄，皮膚は放射線に対する感受性が高く，影響を受けやすい．もっとも多い外部照射法の場合，放射線は皮膚を通過して病巣へ到達するため，照射を受けた皮膚は日焼けしたときの皮膚と同様に水分が蒸発・乾燥し，かゆみを伴うようになる．皮膚には盛んに細胞分裂を繰り返している基底細胞を含んでおり，放射線の影響を受けると皮膚の表面を覆う角化層の減少・消失を起こし，適度な水分が保持できずドライスキンとなり，この状態から圧迫や摩擦などの些細な刺激により，さらに皮膚損傷が悪化するといわれている．

皮下組織も一過性の血管透過性の更新や毛細血管の拡張，炎症細胞の拡張が起こり，さらに治療が繰り返されることにより皮膚の保護能力や細胞の再生能力の低下により，皮膚損傷が遷延する．

放射線皮膚炎の出現時期と放射線皮膚炎の変化

放射線皮膚炎は照射範囲に対して起こるものである．出現時期としては，照射開始 2～3 週間から（20～30 Gy）皮膚の乾燥や淡い発赤としてみられ，4 週間経過すると（40～50 Gy）著明な発赤，浮腫，瘙痒感，ひりひりした痛みが加わり，さらに 5～6 週間（50 Gy 以上）になると，びらんや水泡，場合によっては出血が加わる．管理方法が不適切なものになってしまうと皮膚炎部位から感染を起こし，放射線治療を休止しなければならない状況になることも念頭に置いておかなければならない．そのためには，common terminology criteria for adverse events（CTCAE）ver5.0（表 1）による適切な放射線皮膚炎のグレードを示し，放射線治療を安

表 1 CTCAE version 5.0 日本語訳 JCOG 版による放射線皮膚炎のグレード分類

	グレード 1	グレード 2	グレード 3	グレード 4	グレード 5
放射線皮膚炎の症状	わずかな紅斑や乾性落屑	中等度から高度の紅斑（まだらな湿性落屑．ただしほとんどが皺やヒダに限局している）（中等度の浮腫）	皺やヒダ以外の部位の湿性落屑（軽度の外傷や擦過により出血する）	生命を脅かす（皮膚全層の壊死や潰瘍）（病変部より自然に出血する）（皮膚移植を要する）	死亡

全に完遂することを目的とした指導が必要である．

放射線皮膚炎は治療の終了日を軸として前後1週間ほど皮膚炎がピークとなる傾向がある．終了時皮膚炎が出現していない場合でも，あらかじめ次回の診察までの皮膚炎の経過やケアについて指導していく必要がある．放射線皮膚炎は放射線治療が終了して2～3週間で回復してくるが，もとの皮膚の色に戻るまでには色素沈着は数ヵ月以上かかる場合がある．さらに汗腺や脂腺などの回復には時間がかかるため，照射範囲内の皮膚は汗がかきにくい，乾燥肌が続くなどの傾向がみられる．

また，放射線治療終了してから抗癌薬治療や身体の抵抗力低下時などにリコール現象と呼ばれる放射線皮膚炎の再燃が起こる場合がある．

放射線皮膚炎の管理方法（図1）[2]

放射線皮膚炎の処置を行ううえで覚えておきたい3つのポイントを以下に示す．
①照射範囲の皮膚の清潔
②照射範囲の皮膚の保湿
③照射範囲の皮膚を物理的刺激から守る
　（日常生活上の注意）

1 照射範囲の皮膚の清潔

a 準備物品

基本的な物品：ジメチルイソプロピルアズレン（アズノール®軟膏），弱酸性の石鹸（痛みがある場合は生理食塩液），包帯または大判のハンカチ，紙テープ．

保護：非固着性創傷被覆材（モイスキンパッドまたはモイスキンシート）これがなければガーゼ2～3枚，ガーゼから軟膏が染み出す恐れがあるため，そのカバーとなるようなものが必要である．

b 処置手技（図2）

- 弱酸性の石鹸で泡をつくり，患部の皮膚に擦らないように優しくのせて流す．
- 大さじ1～2杯分のジメチルイソプロピルアズレン（アズノール®軟膏）を優しく皮膚にのせていく．
- モイスキンパッドやシートに切り込みを入れて皮膚炎部位に密着するように貼付する．

図1　Dermatitis Control Program (DeCoP)

- 包帯や大判のハンカチで固定する．

2 照射範囲の皮膚の保湿

- モイスキンパッドやモイスキンシートであれば，1日1回交換する．浸出液が多い場合は2回交換する．
- モイスキンパッドは切りこみを入れ，密着させることが大切である．ただし，切り込みを入れたところから，吸収したゼリーが出てきてしまうこともあるため，強い皮膚炎のところには切り込みを入れたところはのせないように注意する．
- ガーゼの場合は軟膏が乾いてしまうこともあり1日2～3回交換する．
- 固定は，モイスキンパッドまたはガーゼの上部から1～2 cm下から包帯を巻きつける．

a 永久気管孔や気管カニューレが挿入されている場合

1) 皮膚の洗い方

永久気管孔がある場合やカニューレが挿入されている場合はシャワーで流すことはできないので，生理食塩水で洗う，または拭き取り専用のリモイスクレンズ®（クリームタイプ）を患部の皮膚に薄く塗り，湿らせたティッシュなどで擦らないようにして軽く抑えるように拭き取る．気管の中に水滴が入らないように注意して行う．

2) 皮膚の保湿

ジメチルイソプロピルアズレン（アズノール®軟膏）は気管孔の中に軟膏が垂れこむリスクがあるため，気管孔入口周囲には厚めに軟膏を塗らないように注意する．

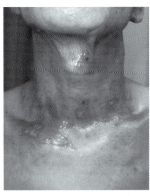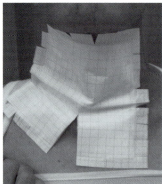

図2　モイスキンパッド処置

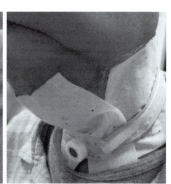

図3　モイスキンシート処置

3) 皮膚の保護

皮膚炎のグレード1であれば，モイスキンシート（図3）による保護，グレード2以上であればモイスキンパッドによる保護を行う．

4) ステロイド外用薬の使用について

J-SUPPORT-1602「化学放射線療法を受ける頭頸部癌患者における放射線皮膚炎に対する基本処置とステロイド外用薬を加えた処置に関するランダム化第Ⅲ相比較試験（TOPICS試験）」により，ステロイド外用薬の予防的効果は得られなかったが，放射線皮膚炎グレード3以上の重症な皮膚炎の発生頻度に対し効果がみられたと報告された[4]．今後ステロイド外用薬は予防的使用ではなく，皮膚炎の重症化が考えられる場合に使用することが推奨される．

3 照射範囲の皮膚を物理的刺激から守る（日常生活上の注意）

放射線の照射範囲を確認し，その部位に起こる変化について情報を伝え，日常生活上の注意を促す．

- 放射線照射部位に化粧は控える．
- 放射線照射部位にT字の剃刀は使用しない．
- 物理的刺激を照射範囲の皮膚に与えない（例：タートルネック，Yシャツ，マフラーなどの皮膚に擦れるもの）．
- 放射線皮膚炎が出現すると瘙痒感が伴うため，爪は切っておくように促す．
- 皮膚炎処置が開始となったら，放射線治療直前にモイスキンパッドを外し，放射線治療が終了したら，皮膚炎処置を行う（1日の中で外すのは頸部を洗うときと，放射線治療のときのみとする．皮膚炎処置を行うことができない状況時は洗浄，保湿を必ず行う）．
- 軟膏塗布によるボーラス効果については検証されていて，通常の5倍以上の厚さで塗布しなければ発生しないといわれている[3]．放射線治療を行う前に，軟膏が薄く皮膚に付着していても治療に影響はないことを，患者に必

要性を伝える．

チーム医療

　患者を取り巻く医療チームが急性有害事象に対応し，目的である放射線治療が完遂できるよう患者管理を行う必要がある．

　放射線治療における皮膚炎はある程度の予測が立てられる．早期から観察および介入していくことで重篤な皮膚炎の出現を抑え，安全に治療を完遂できるよう，各施設での支持療法への取り組みが必要となる．

文　献

1) 清水　宏：あたらしい皮膚科学，第2版，中山書店，東京，p3-5，2011
2) Zenda S, et al：A dermatitis control program（De-Cop）for head and neck cancer patients receiving radiotherapy：a prospective phase Ⅱ study. Int J Clin Oncol **18**：350-355, 2013
3) Burch SE, et al：Measurement of 6-MV X-ray surface dose when topical agents are applied prior to external beam irradiation. Int J Radiat Oncol Biol Phys **38**：447-451, 1997
4) Yokota T, et al：931P Topical steroid versus placebo for the prevention of radiation dermatitis in head and neck cancer patients receiving chemoradiotherapy：A phase Ⅲ, randomized, double-blindedtrial：J-SUPPORT 1602（TOPICS）. Ann Oncol **31**（suppl 4）：S669, 2020

2 嚥下評価

頭頸部癌における摂食嚥下障害

頭頸部領域には，呼吸，発声，構音，咀嚼，嚥下といった日常生活における重要な機能を司る器官が集中しており，治療によるボディイメージの変化やコミュニケーション障害，嚥下障害などにより生活の質（quality of life：QOL）の低下を伴うことが多い．そのため，治療に際しては生存率の向上とともに，機能的な側面からも治療後のQOLの維持がきわめて重要である．

頭頸部癌における摂食嚥下障害は，口腔，咽頭，喉頭に発生する腫瘍そのものによる狭窄・運動制限・疼痛や，治療による合併症などにより引き起こされる．そこで24時間患者の療養上のケアを行っている看護師の役割は，リスク管理，病状の把握，リハビリテーション指導や実施，日常生活でのセルフケア指導，栄養評価，不安など精神面への対応，多職種への介入依頼，家族指導など多岐にわたる．

摂食嚥下障害を有する患者の看護をする際には，誤嚥・窒息予防のためのリスク管理が重要となる．そのため，必要時にすぐ吸引できる環境設定，全身状態の観察，訓練前後の呼吸状態の確認，訓練中の酸素飽和度の測定などを行う．

頭頸部癌における嚥下評価

嚥下評価には看護師でも行えるスクリーニング検査として，反復唾液飲みテスト（repetitive saliva swallowing test：RSST），改訂水飲みテスト（modified water swallowing test：MWST），フードテスト（food test：FT），頸部聴診法などがある．また，より詳細な嚥下障害の診断を行うために，医師による嚥下内視鏡検査（videoendoscopic evaluation of swallowing：VE）と嚥下造影（videofluoroscopic examination of swallowing：VF）が用いられる．

RSST[1]は，患者に唾液の嚥下を30秒間繰り返し行うように指示し，喉頭挙上の回数を測定し，3回未満の場合に「摂食・嚥下障害のリスクあり」と判定する．MWST[1]は，冷水3 mLを嚥下させ，嚥下の有無，呼吸状態，むせ，湿性嗄声を組み合わせて5段階で評価する方法である．これらはベッドサイドで簡易に行えるため看護師でも実施可能な検査ではあるが，いずれも認知機能が低下した患者では評価がむずかしいとされている．

VEの利点[1]は，手軽で時間的制約がなくベッドサイドでの評価が可能であり，食物を用いることで日常生活に近い状態を観察することができることである．一方で，嚥下の瞬間が見えないこと，不顕性誤嚥の評価ができないなどの欠点があげられる．

VF[1]は，口腔，咽頭，食道内での食物の動きの評価，また誤嚥や咽頭残留の有無の評価が可能であり，摂食嚥下障害の診断に用いられる．欠点としては，時間的制約があり，放射線を使用するため被曝することがあげられる．

1 口腔内再建手術後患者の対応方法

口腔内再建術を行う患者は，術前より切除範囲が決まっているため術後の障害を予測することが可能である．そのため術前に手術と摂食嚥下障害についてのオリエンテーションを行い，口腔ケアや術前訓練を指導することで，術後嚥下機能の回復に大きく貢献できる．国立がん研究センター東病院（当院）では入院前に入院準備センターを受診し，口腔ケアの方法や息こらえ嚥下などの指導を看護師が行っている．また，可能ならば術前に医師によるVE・VFを含めた嚥下評価を行うことが望ましいとされている．

口腔内再建術を行った患者は，医師の指示により創部が落ち着いた5～7病日頃より嚥下評価を実施し，間接訓練（食べ物を用いない訓練），直接訓練（食べ物を用いる訓練）を開始する．間接訓練の主な例としては，口腔ケア，舌の可動域訓練，頬の運動，口唇の運動，開口訓練，呼吸訓練，ドレーン留置や血管吻合に伴う頸部の安静解除後には頸部関節可動域訓練，頭部挙上訓練などがある．認知機能が保たれている患者へは基本的に患

者自身で継続的に行えるように自主トレーニングを指導する.

口腔内再建術後は,切除範囲により嚥下障害の程度も変化する.切除範囲が大きければ大きいほど,嚥下障害は重度となる.切除により本来の機能が失われるため,欠損部位を代償するような摂取方法を取得する必要がある.

代償法は切除部位・切除範囲などにより異なるため,患者にあった方法を取得させる必要がある.VEないしVFを行い,どの程度の機能障害があり,どのような方法が患者にとって有効かを明らかにし,代償方法,訓練方法,食形態を検討する.代償法の例としては,頸部屈曲・回旋,姿勢のポジショニングなどがある.

気管カニューレを挿入している場合は,基本的にはカフなしカニューレへ変更後に直接訓練を開始する.当院では術後約1週間までにカフなしカニューレへ変更し,変更とともに直接訓練を開始することが多い.直接訓練が進み摂取状況・喀痰状況の改善により,負担の少ないカニューレへの変更,あるいは抜去を検討する.

開始する食形態に関しては,医師の指示のもと患者個々の嚥下状態にあわせて調整を行う.初回直接訓練の際は,看護師・言語聴覚士などが指導・観察を行う.看護師は食事に集中できるようにテレビを消すなどの環境調整を行い,患者にあった姿勢・方法で摂取できているか,食事摂取量・摂取時間,一口量の調整ができているか,むせの有無,などを観察し,記録に残す.摂取状況によって,言語聴覚士,栄養士,栄養サポートチーム(以下NST)へ相談しながら食事回数・食事提供量,食形態の調整を行い摂食嚥下訓練を進めていく.

訓練開始当初は,経口摂取だけでは必要栄養量が確保できないため,栄養アセスメントを行い,経口摂取以外の方法で必要栄養量を確保する必要がある.栄養投与方法は,できるだけ腸を使用する経腸栄養が望ましいとされているが,当院では術中より経鼻胃管が挿入されているため,経口摂取量を確認し不足分を経鼻胃管より補充している.嚥下機能が改善せず,術後6週間以上経鼻経管栄養での補充が必要な場合は胃瘻造設も検討する必要がある.

2 放射線治療・化学放射線療法実施患者の対応方法

頭頸部癌で放射線治療を実施する患者は,放射線治療の照射部位・照射線量・照射範囲によってさまざまな有害事象が出現する.放射線治療による急性期の有害事象としては,口腔粘膜炎,唾液分泌量低下,口腔乾燥,味覚障害,疼痛,嚥下困難などが生じる.口腔乾燥,味覚障害,疼痛による嚥下困難や食欲低下により,低栄養を引き起こし,治療の中断や患者のQOL低下を招くことも少なくない.そのため,早期から有害事象に対するケアや栄養管理が重要となる.

看護師の役割は,①有害事象の観察,②治療開始時から終了時まで口腔ケアを含めたセルフケア支援,③疼痛状況などを適宜観察・評価,④必要栄養量のモニタリングである.特に経口摂取量が低下してきた場合,食形態の調整や栄養状態のアセスメントを行い,NSTによる専門的な介入が必要か判断する.また経口摂取量が不十分な場合は,胃瘻栄養(胃瘻がない場合は,静脈栄養など)からの栄養投与を検討する.

嚥下障害が出現している場合は,言語聴覚士または医師へ嚥下評価依頼を行うなどのチーム介入依頼も看護師の役割となる.

長期間の絶食が続くと,嚥下関連筋群の廃用を引き起こし,機能低下をきたすため,経口摂取困難な時期が長ければ長いほど嚥下障害も重度となりやすい.そのため可能な限り経口摂取を継続させることで嚥下機能の維持が期待できるため,治療開始時より患者へ指導を行う.完全に経口摂取ができない場合でも負担の少ない肩のリハビリテーションなどの間接訓練を行うことで嚥下機能の維持につながると期待される.

晩期有害事象の頸部瘢痕や拘縮,咽喉頭の感覚障害や浮腫などが嚥下障害をきたすことも多いため,治療後も嚥下訓練を継続するように患者へ指導することが大切である.

文献

1) 才藤栄一ほか(監):摂食・嚥下リハビリテーション,第3版,医歯薬出版,東京,2016

E 管理栄養士の役割

頭頸部癌の治療（手術療法・化学放射線療法）にかかわる管理栄養士は，「経口摂取を阻害する副作用などに苦しんでいる患者や家族に対応した栄養管理や栄養食事指導を行い，治療を支援する」という責務を担っている．治療が開始になると，ほとんどの場合において経口摂取を阻害する副作用が生じ，感染や精神的な苦痛などのさまざまな原因が相まって，しばしば栄養管理が困難な状態に陥る．低栄養状態や全身状態の悪化は，患者の生活の質（quality of life：QOL）が低下するのみならず，合併症の増加につながり，治療の休止・化学療法薬の減量も必要となり，治療の完遂が困難になる．そのため，患者の心理・社会的側面にも配慮し，栄養アセスメントを行い適切な栄養補給プランをアドバイスし，体重維持または体重減少の防止に努め，栄養状態や全身状態を改善・維持することが重要である．

頭頸部癌の治療（手術療法・化学放射線療法）に対応した食事の提供

流動食，3分粥食，5分粥食，7分粥食，全粥食，常食などの一般食，エネルギーコントロール食や蛋白・ナトリウムコントロール食などの特別治療食のほかに，摂食・嚥下障害や副作用に見合った食事を提供する．

1 摂食・嚥下障害の食事

- 形態調整食：きざみ食，ミキサー食，一口大食．
- 嚥下調整食：日本摂食・嚥下リハビリテーション学会による「嚥下調整食分類2021」に基づく5段階以上でカロリーの調整可．
- 3食（朝・昼・夕食）の食事量を少なくし，その分を補食対応も可．

※器質的狭窄や下顎除去などによる咀嚼障害のみの場合は形態調整食が適応である．ただし，誤嚥のリスクがあれば，嚥下調整食が適応となる．

2 副作用に見合った食事

- 化学療法食：悪心などの食欲不振が強く，さっぱりとした口当たりのよいメニューを希望される方向け．
- 主食の変更：麺，パン，酢飯，お茶漬けなどはご飯やお粥より食べやすい傾向．
- 3食（朝・昼・夕食）の食事量を少なくし，その分を補食対応も可．
- 濃い味・薄味対応・冷食対応も可．
- 食欲不振・悪心・口内炎などがある場合の個別対応食品：豆腐あんかけ，卵豆腐，温泉卵，茶碗蒸し，コーンスープ，パンプキンスープなど．
- 少量で高カロリー・高蛋白質・高微量元素の栄養補助飲料・ゼリーの利用．

患者の栄養状態の適切なアセスメント（栄養評価）

栄養評価は，摂食・嚥下障害や化学放射線療法の副作用の影響を適切に判断し，患者の心理・社会的側面にも配慮し，体重・摂取栄養量，血液検査データなどから総合的に評価を行うことが重要である[1]．

1 体重，安静時エネルギー代謝測定，身体計測

- 手術療法の場合は，術前や平常時体重との変化および前日の変化を確認する．
  化学放射線療法の場合は，body mass index（BMI）のみならず，前回の測定との差（体重減少率，通常時体重比，理想体重比）も確認する．「いつから」「どのくらい」変化があるかを評価する．
- 頭頸部癌の治療時の推定必要エネルギー量は，① 30 kcal/kg または，②基礎エネルギー消費量×活動係数1.2×ストレス係数1.2 程度に

初期設定する．ただし，疾患や合併症などに伴うストレスがある場合は，間接熱量計を用いて安静時エネルギー代謝量を測定することが望ましい．

- 身体計測値を含めると総合的に評価が可能となる．上腕周囲長（AC），上腕三頭筋皮下脂肪厚（TSF），肩甲骨下部皮下脂肪厚（SSF）などをキャリパーやメジャーを使用して計測し，評価する．または，生体電気インピーダンス方式高精度体成分分析器を用いて，体成分値を測定して評価してもよい．

2 身体所見，血液検査

- 発熱，尿量，便の性状および回数，IN/OUT，脱水，浮腫，胸水，意識レベルなどを確認する．
- 血液検査は，Alb，TP，CRP，Hb，TLC，FPG，BUN/Cre，AST/ALT，Na/K，Cl，WBC，RBC，MCV，MCHC，Plt，好中球数などを確認する．シスプラチンを投与している際はマグネシウムも確認する．肺炎などの感染性合併症をきたし，栄養状態が急速に変化する可能性がある場合は，血清トランスサイレチン（プレアルブミン），トランスフェリン，レチノール結合蛋白などの rapid turnover protein（RTP）を測定し，栄養状態を正確に把握する．

3 摂食・嚥下障害，化学放射線療法の副作用

- 頭頸部癌の治療では，治療前の癌の影響，治療（手術療法・化学放射線療法）の影響，治療後のボディイメージの変化，心理的・環境的要因などから摂食・嚥下障害が経時的あるいは複合的に生じるので考慮する．化学放射線療法の副作用も必ず確認する．

4 摂食状況

- 嚥下障害を認める場合は，リハビリテーション科医師や言語聴覚士などと摂食状況を観察し，食形態や食事内容を評価する．
- 嚥下検査を実施している場合は検査結果も考慮する．

5 摂取栄養量

- 水分も含めて栄養投与経路別の摂取栄養量を確認する．経管栄養を併用している場合は，経腸栄養剤の選択の適否，機械的合併症，消化器系合併症および代謝性合併症なども評価する．長期間，経腸栄養剤のみで管理せざるをえない場合は，微量元素が十分に含まれているかも確認する．
- 処方内容・注射オーダーの内容を確認する．

実行可能な栄養補給プランなどのアドバイス[2]

1 治療前・治療中

- 手術療法後に予想される摂食・嚥下障害および化学放射線療法の副作用に対する食事の工夫や栄養補助食品の利用などについて，患者や家族に説明する．また，摂食・嚥下障害や副作用に見合った施設の食事についても紹介する．胃瘻を造設しているケースでも可能な限り経口摂取を継続するようにアドバイスを行う．
- 摂食・嚥下障害や化学放射線療法の副作用を認める場合は，食事・調理の工夫や栄養補助食品の利用などについて，患者や家族に説明する．
- 高度な栄養障害のケース，経管栄養の重度の下痢を認めるケースや栄養投与経路の選択などが必要な場合などは，栄養サポートチーム（nutrition support team：NST）と連携する．

2 治療後

治療後の栄養食事指導では，下記内容も含める．

- 禁煙・節酒の指導，栄養補助食品の購入法．嚥下障害が継続している場合には食事のつくり方やとろみ調整食品の使用・購入法．調理がむずかしい場合には，市販惣菜，宅配食および保存食の取り入れ方．また，経管栄養が必要な場合には，栄養剤などの購入法，投与法（投与速度含む）および食事摂取量にあわ

せた経管栄養投与の調整や水分補給について
など．

- 退院後の栄養食事管理について指導するとともに，入院中の栄養管理に関する情報を示す文書を用いて患者に説明し，これを転院先や在宅担当医療機関などの医師または管理栄養士と共有する（栄養情報提供加算）．
- 嚥下障害が継続している場合，経管栄養が必要な場合および低栄養の場合などには外来の継続指導を行う．

医療者への栄養管理に対する知識の啓発

NST 勉強会，病棟勉強会などで，「栄養アセスメント」，「術後の栄養管理」，「化学放射線療法時の栄養管理」などの講演を企画し，医療者に栄養教育を行う．

主治医や看護師などとの連携

頭頸部癌の治療（手術療法・化学放射線療法）の際の栄養管理は非常に重要であり，管理栄養士や NST の専門的なサポートが必要となる場合が多い．

管理栄養士は，病棟担当栄養士の業務（栄養スクリーニング，栄養評価，食事および栄養剤の調整など）や栄養食事指導，NST で問題のあるケースに対し，一時的にかかわることが多いのがわが国の現状と思われるが，テーラーメイドの栄養管理の実現のために治療前・治療中・治療後・外来での経時的なかかわりが求められている[3]．令和4年度診療報酬改定では，①入院栄養管理体制加算（特定機能病院において，病棟に管理栄養士を専従で配置し，患者の状態に応じたきめ細やかな栄養管理を行う体制の評価），②周術期栄養管理実施加算（総合入院体制加算または急性期充実体制加算に係る届出を行っている施設で，十分な経験を有する専任の管理栄養士が行う周術期に必要な栄養管理について推進する）が新設された．外来化学療法に係る栄養管理の充実目的で，外来栄養食事指導料の要件の見直しもされ，外来化学療法を実施する癌患者の治療において，専門的な知識を有する管理栄養士が患者の状態などにあわせ，必要な時間・回数を個別に設定し，指導することが可能になった[4]．

管理栄養士が患者の栄養状態を適切にアセスメントし，実行可能な栄養補給のプランなどを心理・社会的側面も加味しながら主治医や看護師などに提案するためには，主治医からの包括的な指示または NST への依頼を受け，情報を共有し，多職種と連携することが重要である．

主治医からの包括的な指示または NST への依頼を受けるタイミングは，栄養障害を生じうる，または生じている場合は治療前が有効である．電子カルテなどから情報を共有することはもちろんのことであるが，チームでの情報共有においては，十分なコミュニケーションをとることが重要であり，定期的なカンファレンスに参加することもチームアプローチを意義深いものにすると思われる．

また，頭頸部癌の病態や治療関連知識なども含めた癌の総合的な知識の習得も欠かすことはできない．管理栄養士などのメディカルスタッフへの医療技術向上のための教育に主治医サイドの協力も必要である．

さらに，頭頸部癌の手術療法・化学放射線療法時の栄養療法に関しては，わが国では臨床研究が少なく，十分に確立されていない部分もある．今後は，わが国における頭頸部癌の手術療法・化学放射線療法時のエビデンスに基づいた栄養療法の確立に耳鼻咽喉科医師などと連携してかかわっていくことも課題であると考えられる．

文献

1) 神谷しげみ：咽頭癌の栄養ケアマネジメント．栄養ケアマネジメントファーストトレーニング，外村修一ほか（編），医歯薬出版，東京，p50-56，2012
2) 神谷しげみ：頭頸部癌全般に対する化学放射線治療前後の栄養食事指導のポイントを教えてください．頭頸部癌 frontier Vol. 1 No. 2：93-97, 2013
3) 神谷しげみ：Column 栄養士から．頭頸部がん化学療法ハンドブック，藤井正人（監修），中外医学社，東京，p33-34，2014
4) 増田利隆：令和4年度診療報酬改定のポイント．日本栄養士会雑誌 第65巻第7号：11-15, 2022

F 言語聴覚士の役割

頭頸部癌治療の中で言語聴覚士（ST）が果たす役割としては，治療後の代用音声訓練や構音訓練，摂食嚥下リハビリテーションである．

代用音声訓練

喉頭摘出後の失声に対して代用音声訓練（図1）を行う．STの役割は，術前から介入することで術後の不安軽減を図り，術後スムーズに代用音声訓練が開始できるよう患者と信頼関係を構築し，最終的に患者が代用音声を獲得できるよう専門的な立場で援助していくことである[1]．代用音声訓練では，術後早期にまず電気式人工喉頭の早期習得をめざして練習を開始し，できるだけ早期に音声でのコミュニケーション手段を確保している．食道発声訓練については，希望者のみに実施し，主には外来で指導を行っている．シャント発声は，術後にHMEシステム（人工鼻による温度湿度交換システム）取り扱い方法や発声の指導を行っている．静岡県立静岡がんセンター（当院）ではSTが代用音声の練習だけでなく，身体障害者手帳や，人工喉頭やシャント発声に関する日常生活用具給付申請手続きについての情報提供や支援を行っている．また，人工喉頭の機種選定やシャント発声に関するHMEシステムの各種器具選定などもサポートしている．HMEとHME接続用材料は2020年9月より保険適用となり，院外処方箋による保険薬局での供給も制度上可能となった．

構音訓練

口腔・中咽頭癌治療後の構音障害に対して構音訓練を行う．STは，術前から介入することで患者と家族の不安を軽減し，多職種と協働しながら構音障害の改善を図って日常生活上のコミュニケーション障害を軽減できるよう援助する役割を担う．口腔・中咽頭癌の中でも，構音の問題は舌や軟口蓋切除後に生じやすい．舌や軟口蓋が半分以上残存していれば，構音はほぼ日常生活に支障ない程度に保たれる．しかし，亜全摘以上の切除になると，筋皮弁で再建をしても残存舌の可動性や鼻咽腔閉鎖機能が制限され日常生活上のコミュニケーションに支障が出てくることが多いため，STの介入が必要となってくる．言語治療は，構音器官の基礎運動訓練と直接音に働きかける構音訓練を組み合わせて行うが，言語治療のみで十分な改善を得ることがむずかしい場合は，補綴的治療が必要となってくる．補綴的治療とは補綴的発音補助装置によって，構音機能を改善する方法で，補綴される部位および機能別に分類される．舌切除

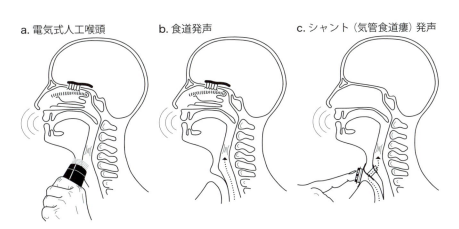

図1　代用音声の種類

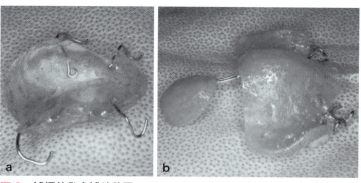

図 2　補綴的発音補助装置

a：舌接触補助床，b：軟口蓋挙上装置（鼻咽腔部補綴）．

［神田　亨：地域リハ 4：419, 2009 より許諾を得て転載］

文書 | 入院歴 | 手術記録 | 歯科処置 | 未承認一覧 | オーバービュー | ケア | プロブレム | CP | 情#0 01/24 ケア

食事

看護指示表示

		01/17(金)	01/18(土)	01/19(日)	01/20(月)	01/21(火)	01/22(水)
食事	食事						
	飲水						
	氷片						
	経管栄養						
	食事介助						
	食事準備						
	その他1						
	その他2	深夜 [アイスマッサージ] 日勤 [アイスマッサージ] 準夜 [アイスマッサージ]	深夜 [アイスマッサージ] 日勤 [アイスマッサージ] 準夜 [アイスマッサージ]	深夜 [アイスマッサージ] 日勤 [アイスマッサージ] 準夜 [アイスマッサージ]	深夜 [アイスマッサージ] 日勤 [アイスマッサージ] 準夜 [アイスマッサージ]	深夜 [アイスマッサージ] 日勤 [アイスマッサージ] 準夜 [アイスマッサージ]	深夜 [アイスマッサージ]

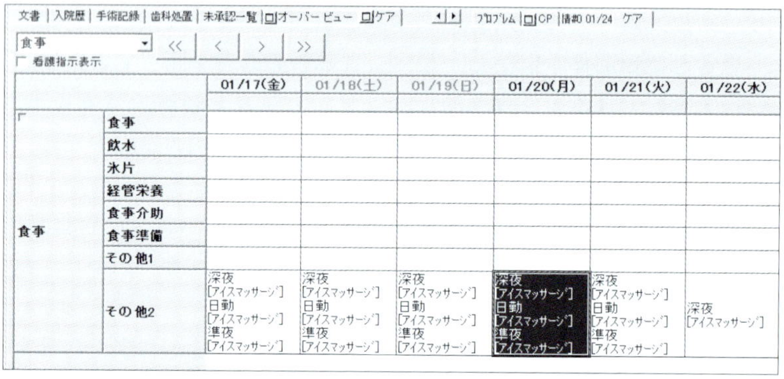

図 3　看護ケアに組み込まれた間接訓練（電子カルテ画面）

例，軟口蓋切除例に適用されるのは，主として舌接触補助床（図 2a）と鼻咽腔部補綴（図 2b）である．この補綴物は歯科医師に作製を依頼するため，歯科との連携が重要である．どの音の改善が狙いで，そのためにどのような形態の補綴物が必要か，補綴物の作製にはできるだけ ST が立ち会って歯科と協力して作製することが望ましい．ST は，作製前は患者へ補綴物の紹介や作製への誘導，作製過程においては聴覚印象による確認や口蓋形成上の助言，などを行うことで補綴物の作製を効率よく進める役割をもつ[2]．

摂食嚥下リハビリテーション

頭頸部癌の手術や化学放射線療法後の嚥下障害に対して摂食嚥下訓練を行う．ST は，術前から介入することで患者と家族の不安を軽減し，治療後の嚥下障害の改善を図って，実用的な栄養摂取手段を確立できるよう援助する役割を担う[3]．摂食嚥下訓練は多職種とのチームアプローチが欠かせない．当院の頭頸部癌周術期摂食嚥下訓練の取り組みの中で，多職種連携がスムーズに行えるよう工夫・実践している事柄を以下に記す．

1）病棟での間接訓練がスムーズに導入できるシステム

術後のアイスマッサージを病棟でもスムーズに導入できるよう電子カルテ上の看護ケア計画の中に取り込まれている（図 3）．

2）嚥下造影検査に多職種が同席する

術後の嚥下造影検査に多職種が同席することにより，参加者全員が症状を把握でき，検査終了後にその場で直接訓練の方針などを議論し決定できるという利点がある．

3）電子カルテ上で嚥下造影画像がみられる

電子カルテ上で画像所見を供覧できることで，多職種で共通した病態把握ができ，統一した指導

の実施につながる．

4) 医師の指示のもとに，ST・栄養士・看護師で協議して食形態 UP を図る

　昼食時に ST と栄養士が来棟し，病棟看護師と相談して食形態の変更や食事量の変更を主科医師了承のもとで行っている．変更手続きや情報共有がスムーズにでき，栄養管理についてもその場で協議できる利点がある．

5) 管理栄養士による退院前栄養指導

　退院前に，現時点の嚥下機能に沿った食事のつくり方や，在宅介護食品・配食サービスの紹介など，食事に関する指導を栄養士が専門的な立場で行っている．指導内容を統一するため，必要に応じて指導前に ST と栄養士で指導内容を相談している．

6) 歯科医師・歯科衛生士による周術期口腔ケアと補綴物の作製

　周術期には術前から歯科医師・歯科衛生士が介入して術後の創部感染や肺炎予防を目的に口腔ケアを施行している．術後は ST と協働して補綴物の作製を行っている．

　頭頸部癌治療後は，コミュニケーションや食事など人間の根源的な部分にかかわる多様な後遺症を生じるため，患者の抱えるさまざまな問題に対して十分なサポートを行うには，多職種でのチームアプローチが欠かせない．

文　献

1) 鶴川俊洋ほか：喉頭がん（術後）代用音声訓練の効果．がんのリハビリテーションベストプラクティス，日本がんリハビリテーション研究会（編），金原出版，東京，p70-78，2015
2) 神田　亨：口腔・中咽頭がん：訓練（1）外科的・補綴的治療．言語聴覚療法臨床マニュアル，改訂第 3 版，平野哲雄ほか（編），協同医書出版社，東京，p416-417，2014
3) 神田　亨：がんの摂食・嚥下リハビリテーション．総合リハ **40**：1103-1112，2012

G. ソーシャルワーカーの役割

癌治療が患者や家族の社会生活に与える影響

近年,癌に対する治療成績は向上し,今や5年相対生存率は64.1%[1]を占めるまでとなった.こうした癌医療の発展は,長期生存の実現だけにとどまらない.支持療法薬の発展に伴い,治療に伴う苦痛は大幅に軽減され,治療場所は入院主体から外来主体に移行されつつある.

しかし,癌患者が治療中に直面するつらさがすべて解決したわけではない.1980年代,癌患者が直面する,心理的・社会的・経済的問題は,「Death(死への不安・恐怖)」「Dependence(医療従事者や家族などの他者への依存)」「Disfigurement(治療や手術による容姿の変貌とそれによる心傷)」「Disability(仕事や役割などの社会的能力の低下)」「Distance(他者との関係に距離感が生じることによる阻害・崩壊)」という「5つのD」として示された[2].当時,癌患者の苦痛は,治療や手術による容姿の変貌といった身体的苦痛やそれによる心傷が上位を占めていた.その後,身体的苦痛は徐々に下位に移行し,2000年代の調査では,家族への影響や仕事への影響,社会活動への影響といった社会生活に関する事柄が上位を占めている[3].また2010年代以降は,表1[4〜7]に示すように,癌患者の社会生活と治療の両立に関する問題が存在していることが明らかとなり,政策的な整備が進められつつある.

今や,癌医療を安全に安心して完遂するためには,身体的苦痛への支援と並行して社会的・経済的問題を含める包括的な支援が必要不可欠なのである.

以上のことを踏まえ,本項では医療ソーシャルワーカーの役割について述べる.

医療ソーシャルワーカーに求められる視点と役割

癌領域において医療ソーシャルワーカーに求められる視点は,癌の罹患により生じる患者やその家族の身体面・精神面・心理面・社会面・経済面全体の苦痛を,生活の視点から理解することである.

表1 癌患者の社会的,経済的問題の特徴

項目	データなど	出典元・調査年など
若年層癌患者の増加	・子供をもつ患者の増加 ・就労可能年齢(20〜64歳)の癌患者:全体の約26%	がん対策情報センター(2020)
職業生活と治療の両立	・仕事をもちながら通院している患者:約32.5万人 ・23.6%が退職(家族も28.4%が退職) ・46.6%が世帯収入減 ・わが国は,癌治療のために2週間に1度程度通院する必要がある場合,働き続けられる環境だと思うか?: 　そう思う(37.1%)/そう思わない(57.4%)	厚生労働省(2010) 高橋(2012) 内閣府(2019)
経済的問題	・分子標的治療薬の中には,1ヵ月の薬剤費が20万円(本人3割負担)を超えるものもある ・患者から経済的問題を理由に治療継続を断念・処方延期の申し出を受けた経験のある医師:11.8%	濃沼(2010)ほか
一人暮らし・夫婦のみ高齢者世帯の増加	・現役世代2.0人で1人の65歳以上の者を支える家族構成に ・65歳以上の者のいる世帯は,全世帯の49.4%を占める ・65歳以上の者のいる世帯のうち,夫婦のみ世帯ならびに単独世帯は,61.1%を占める	厚生労働省(2019)

表2 癌治療に伴う生活上の困難と社会資源

	診断初期	治療開始・入院	退院・社会復帰	進行・再発期	終末期・死別
療養上の困難	・診断への疑問 ・療養場所の選択 ・住居・食物・金銭的問題 ・雇用・学校の問題 ・文化・言語の問題	・治療の決定・理解 ・介護者の有無 ・子供の世話の代行 ・妊娠 ・移動手段の確保	・生活の再構築 ・社会復帰 ・介護負担	・診断への疑問 ・終わりの見えない治療 ・終わりの見えない医療費 ・治療の選択・理解 ・民間・代替療法への思い	・療養の場の移行 ・残される家族の生活の問題
支援に用いる社会資源	・社会資源・人的資源の調整・導入・連携 ＊生活費・医療費の支援制度 　・傷病手当 　・生活保護 　・高額療養費と医療費控除 ＊生命保険や癌保険 ＊アスベスト給付金 ＊適切な医療機関への受療支援 ・文化・言語への支援調整 ＊通訳 ＊入管管理局・大使館との連携	・社会資源・人的資源の調整・導入・連携 ＊成年後見人制度 ＊児童相談所・子育て支援 ＊卵子・精子凍結保存 ＊移送サービス ＊副作用対策への支援 ＊ウィッグや補正下着などの情報提供と購入支援	・就労支援 ・社会資源・人的資源の調整・導入・連携 ＊生活を支える支援資源 　・障害年金 　・身体障害者手帳 　・介護保険 　・地域包括支援センター 　・配食サービス 　・民生委員の訪問 ＊医療資源 　・訪問看護ステーション 　・訪問診療 　・訪問リハビリテーション ほか ＊保護的サービス	・民間療法・代替療法への理解促進 ・臨床試験の理解促進 ・緩和医療の情報提供 ・修学・就労に継続の支援もしくは、休学・退職へのサポート ・移送手段の確保 ・家族の介護環境整備 ＊介護休暇 ＊ショートステイ高齢者マンションの活用	・療養場所選定の相談支援 ＊緩和ケア病棟 ＊一般病棟 ＊在宅ホスピス ・看取りに向けた支援 ＊単身者の引き取りや埋葬 ＊献体や臓器提供に関して患者の意向に伴う関係機関との調整援助 ＊法的支援（遺言書など） ・遺族の生活の再設計 ＊経済的自立（遺族年金・就労など） ・グリーフケア ＊遺族会への橋渡し

医療ソーシャルワーカーが患者やその家族の状況を理解する過程では，以下の3つの視点が重要となる．1つ目は，患者がどの程度自身の身体状況と治療計画について理解をしているかである．また，身体変化と患者自身が望んでいる社会生活のありように，差異がどの程度あるのかや受容状況など，身体的側面を整理する．2つ目は，これから起こりうる生活上の問題に関して，自力で問題を解決する手法や意欲をもちあわせているかや，本来の意思決定プロセスの特徴など，心理的側面からも患者理解を進めていく．そのうえで3つ目に，問題を改善するための支援資源を同定し，患者自身の動機づけやコミュニケーション支援を通じて問題解決の支援を行う．ソーシャルワークの実践は，癌罹患に伴い変化を余儀なくされた身体的・心理的・社会的・経済的状況を患者が望む社会生活にどのように統合していくかの過程である．

医療ソーシャルワーカーが展開する支援

1 社会資源の活用促進

経済的問題，社会復帰，介護力不足，言語の問題など，実用的な問題に対し，地域の社会資源や，公的社会保障制度の活用を促進し，問題の解決の支援を行う．

なお，癌の診断初期から終末期に至るまでの癌治療に伴う療養上の困難は，患者の年齢や家族構成，社会における役割などによりさまざまであるが，その中でも特に共通して見受けられる事柄とそれに対応しうる社会資源を表2に示す．

2 患者教室・サポートグループを通じた支援

患者教室・サポートグループでは，病気への適応，役割変化に伴う喪失感，家庭や職場との人間関係，機能的変化に対する対処法の伝達など，心理的・社会的問題を対象として取り扱う．具体的には多職種から編成される患者教室やセルフケア講習会，茶話会などがあげられる．その目的は，①各専門職や他の患者とのコミュニケーションを通じて生活上の困難に対する具体的かつ実践的な対処法を体験的知識として獲得すること，②コミュニケーションを通じて自尊心を取り戻す，といったことがあげられる[8]．

3 地域と協働して行う支援

医療ソーシャルワーカーは，医療機関内の多職種に限らず，地域の医療福祉従事者やあらゆる社会のネットワークのマネジメントも行う．それは，限られた支援資源の中でより効果的な支援を実現するための基盤づくりである．

具体的には，地域医療機関との定期的な情報交換会を通じた顔の見える関係会議や，カンファレンスの実施，行政と協働した市民向け癌サポートハンドブック作成，患者会と協働したサポートグループの開催，化粧品会社と協働し治療による副作用へ変色した皮膚に対するカバーメイクの体験会など多岐にわたる．

なお，医療ソーシャルワーカーは，既存の支援資源で解決できない問題に対して，新たな支援資源を院内多職種や地域医療福祉従事者，行政，地域のあらゆる関係者とともに問題を共有し，新たな支援資源の構築をめざす．地域ネットワークマネジメントの視点をもつことも必要不可欠である．

癌医療現場において，癌患者の社会生活に関する問題を捉えるとき，患者自身は「お金の問題を相談したら，治療の継続に支障が出るのではないか」などの感情を抱きやすく，問題を言語化しづらい状況にあることを忘れてはならない．だからこそ，医療者側から率先して，「仕事のことで心配なことはないですか？」「ご本人が入院されている間，子供さんのことをお願いできる方はいますか？」といった声がけを患者や家族に行い，「病院でもお金のこと，仕事のことを相談してもよい」というメッセージが送られることが重要となる．こうした声がけが，患者や家族自身が抱えていた疑問や不安を言語化するための大きな力となるのである．

医療ソーシャルワーカーは，多職種による患者への声がけがあってこそ，支援ニーズのある患者がソーシャルワークサービスにつながることを理解し，常々，院内外の多職種と癌患者特有の問題について共有する姿勢が必要である．あわせて，患者や家族の支援を展開する際には，院内外の多職種が協働しながら，誠実に応えていくことが，患者・家族の医療者との信頼関係の構築や，安全な治療の完遂につながっていくということを忘れてはならない．

文献

1) 国立がん研究センターがん対策情報センター：全国がん罹患モニタリング集計 2009-2011 年生存率報告, 2020
2) Goldberg RJ, Cullen LO：Depression in geriatric cancer patients：guide to assessment and treatment. Hosp J 2：79-98, 1986
3) Carelie N, et al：Changing patient perceptions of the side effects of cancer chemotherapy. Cancer 95：155-163, 2002
4) 厚生労働省：2019 年国民生活基礎調査の概況, 2019. https://www.mhlw.go.jp/toukei/saikin/hw/k-tyosa/k-tyosa19/index.html（2021 年 5 月参照）
5) 高橋 都ほか：「治療と就労の両立に関するアンケート調査」結果報告書. 厚生労働省がん臨床研究事業,「働くがん患者と家族に向けた包括的就業支援システムの構築に関する研究」班, 2012
6) 内閣府：がん対策に・たばこ対策に関する世論調査. 世論調査報告書令和元年 7 月調査, 2019. https://survey.gov-online.go.jp/r01/r01-gantaisaku/gairyaku.pdf（2021 年 5 月参照）
7) 濃沼信夫：がんの医療経済的な解析を踏まえた患者負担最小化に関する研究. 第 3 次対がん総合戦略研究事業分担研究報告書, 2010
8) 竹中文良：がん患者とその家族を対象とする医療相談システム開発のための基礎研究. 文部省科学研究費補助金研究成果報告書, 2001

第Ⅴ章

今後の展望

1. 新たなターゲットとバイオマーカー

　頭頸部に発生するもっとも一般的な悪性腫瘍である頭頸部扁平上皮癌について，特に転移・再発例の予後は依然として限定的である．したがって，治療成績の向上をめざした新たなターゲットを対象とした治療開発が継続して行われており，それらターゲット自体が層別化因子としてのバイオマーカーとして注目される．このほか，特にチェックポイント阻害薬における治療効果因子としてのバイオマーカーについての探索も進んでいる．本項ではこの領域の現況と今後の展望について述べる．

現在までの治療標的の代表例としてのEGFR

　ErbBファミリーの受容体であるEGFRは170 kDaの膜貫通型蛋白受容体であり，癌において増殖や浸潤，転移などに関与する．すなわち，そのリガンドであるEGFRやTGF-αなどが細胞外領域に結合し，EGFRやその他のErbBファミリー受容体による二量体が形成されると，細胞内EGFR-TKドメインでの自己リン酸化が惹起される．これにより，RAS-RAF-MAPK経路やPI3K-AKT経路に代表される下流シグナル伝達経路が活性化され，上記の過程が進行する．頭頸部扁平上皮癌では，90％以上の症例でEGFR遺伝子増幅や転写レベルでの活性化を介してEGFRが高発現しており，その過剰発現は予後不良因子として知られる[1,2]．EGFRを標的とするIgG1ヒト-マウスキメラ化モノクローナル抗体であるセツキシマブ（Cmab）は，局所進行例における放射線治療との併用や，再発・転移例における白金製剤/5-FUによる化学療法との併用療法においてその有用性が示され，同対象の標準治療の一翼を担う唯一の分子標的治療薬として用いられてきた．ただし，Cmabの治療効果予測因子として確立されたものはなく，これらを用いた個別化アプローチまでは成されてこなかった．現在，Cmabのもつ免疫賦活化作用との相加/相乗作用を期待して，特に免疫療法との併用療法が検証されつつある[3]．再発転移例を対象に，抗PD-L1抗体のペムブロリズマブや抗PD-L1抗体のアベルマブとの併用療法を評価した第Ⅱ相試験では，現時点では症例数が限定的であるものの，奏効割合45〜50％と良好な成績が報告されている[4,5]．

新たな治療標的

1 HRAS

　再発・転移性頭頸部扁平上皮癌の4〜8％が*HRAS*遺伝子変異陽性とされている[6]．RASは細胞膜との会合がその活性化に必要であり，HRASにおいてその会合はファルネシルトランスフェラーゼに依存していることから，同対象において経口ファルネシルトランスフェラーゼ阻害薬であるTipifarnibは単群非盲検第Ⅱ相試験（KO-TIP-001試験，NCT 02383927）で評価されている．*HRAS*変異のアレル頻度（VAF）が20％以上の20例について，客観的奏効割合55％（95％ CI 31.5〜76.9％），無増悪生存期間5.6ヵ月（同3.6〜16.4ヵ月），全生存期間15.4ヵ月（同7.0〜29.7ヵ月）を示した[7]．Tipifarnibと直近の前治療間で無増悪生存期間を比較した場合でも，Tipifarnibによる無増悪生存期間が有意に長く（5.6ヵ月 vs. 3.6ヵ月，$p=0.012$），Cmabに次ぐこの領域における新たな分子標的治療薬として注目される（図1）．FDAは，*HRAS*変異（VAF 20％以上）を有する白金製剤耐性の再発転移頭頸部扁平上皮癌に対する治療薬として，Tipifarnibを画期的治療薬に指定している．

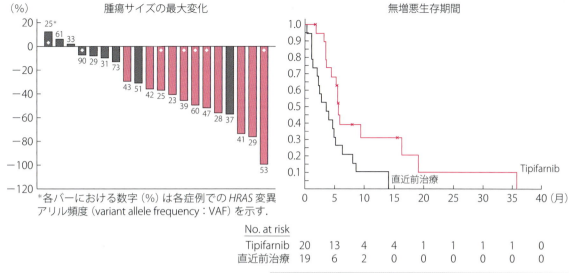

図1 *HRAS* 変異頭頸部扁平上皮癌に対する Tipifarnib 単剤療法を検証した第Ⅱ相試験

［Ho A, et al：J Clin Oncol 39：1856-1864, 2021 をもとに作成］

2 VEGF

　分子標的治療としての抗 VEGF 療法は，頭頸部扁平上皮癌を対象に細胞障害性抗癌薬との併用が検証されてきたが，全生存期間延長効果を示すには至っていない[8]．一方，同療法は腫瘍内へのリンパ球浸潤を助けることに加え VEGF を介した T 細胞の疲弊状態克服への寄与も報告されており，抗 PD-1 療法との併用効果が期待される[9,10]．レンバチニブは，VEGFR1～3 のほか，線維芽細胞増殖因子受容体（FGFR）1～4 の阻害活性などももつマルチキナーゼ阻害薬であり，ペムブロリズマブとの併用療法が評価された第Ⅰb/Ⅱ相試験（KEYNOTE-146 試験，NCT02501096）の頭頸部扁平上皮癌コホート 22 例において，ORR 36.4%（95% CI 17.2～59.3%），奏効期間中央値 8.2ヵ月（同 2.2～12.6ヵ月），無増悪生存期間 4.7ヵ月（同 4.0～9.8ヵ月）と良好な治療成績が報告された[11]．これらを受け，現在 CPS≧1% 以上の転移再発症例を対象に，ペムブロリズマブ単剤とペムブロリズマブ/レンバチニブ併用療法を比較する第Ⅲ相試験（LEAP-010 試験，NCT04199104）が進行中である[12]．このほか，白金製剤抵抗性の転移再発症例を対象に抗 PD-L1 抗体アテゾリズマブと抗 VEGF 抗体ベバシズマブ併用療法が第Ⅱ相試験で検証されている（NCT03818061）．

3 アポトーシス阻害蛋白質（inhibitor of apoptosis protein：IAP）

　癌細胞における治療耐性メカニズムの一端としてカスパーゼ依存性アポトーシスへの抵抗性が知られ，その感受性回復は治療戦略となる．高リスクの局所進行頭頸部扁平上皮癌 96 例を対象に，シスプラチン（$100\,\text{mg/m}^2$，3 週ごと，3 回）併用化学放射線療法へのアポトーシス阻害蛋白質阻害薬 Debio1143（xevinapant）の上乗せ効果が無作為化

表1 局所進行頭頸部扁平上皮癌を対象にした化学放射線療法におけるDebio-1143（xevinapant）の上乗せ効果を検証した比較第Ⅱ相試験

	CRT＋Debio-1143 (n＝48)	CRT＋placebo (n＝48)	OR/HR（95％信頼区間），p-value
18ヵ月局所制御割合（95％信頼区間）	54％（39〜69）	33％（20〜48）	OR：2.69（1.13〜6.42），p＝0.026
3年全生存割合（95％信頼区間）	66％（49〜78）	51％（34〜65％）	HR：0.49（0.26〜0.92），p＝0.0261
全生存期間中央値（95％信頼区間）	未達	36.1ヵ月（21.8〜46.7）	HR：0.49（0.26〜0.92），p＝0.0261
36ヵ月無増悪生存割合	72％	36％	HR：0.34（0.17〜0.68），p＝0.0023

［Sun XS, et al：Lancet Oncol 21：1173-1187, 2020, Bourhis J, et al：Ann Oncol 31 Suppl 4：S1168, 2020をもとに作成］

第Ⅱ相試験で検証されている[13,14]．原発巣がT2以上，喫煙歴（＞10 pack・year）を有するなどの適格基準を満たした高リスク局所進行頭頸部扁平上皮癌が登録され，化学放射線療法後18ヵ月時点での局所制御割合は，Debio1143群で54％，プラセボ群で33％であり，Debio1143群で有意に優れていた（オッズ比2.69, 95％ CI 1.13〜6.42, p＝0.026）．3年フォローアップ時における全生存期間および無増悪生存期間のHRは，それぞれ0.49（95％ CI 0.26〜0.92, p＝0.0261），0.34（95％ CI 0.17〜0.68, p＝0.0023）に至った（表1）．安全性解析（95例対象）によるグレード3以上の有害事象発生割合は，Debio1143群で85％，プラセボ群で87％，有害事象による死亡をプラセボ群で2例（4％）認めたものの，Debio1143群では認めなかった．局所進行例におけるシスプラチン併用化学放射線療法への上乗せ効果を示す確固たる介入が得られていない中，安全に治療成績を向上させる可能性があり期待は大きい．Debio1143は，未治療の局所進行頭頸部扁平上皮癌を対象とした白金製剤による化学療法と強度変調放射線治療との併用薬としてFDAの画期的治療薬に指定され，現在は第Ⅲ相試験での検証が行われている（TrilynX試験, EudraCT Number：2020-000377-25）．

4 ウイルス抗原

頭頸部癌におけるウイルス関連癌の代表例としてヒトパピローマウイルス（human papilloma virus：HPV）関連の中咽頭癌があげられる．これらHPV関連癌では，発癌において重要なHPV E6/E7蛋白質が理論上すべての腫瘍細胞に発現しうることから，特に免疫療法における標的として治療開発の対象となっている．HPV16 E6/E7由来の長鎖ペプチドワクチンであるISA101と抗PD-1抗体ニボルマブの併用療法は，再発性HPV16型関連癌24例において，奏効割合33％，完全奏効割合9％，病勢制御割合46％，奏効期間中央値10.3ヵ月，全依存期間中央値17.5ヵ月を示し，これらは従来報告されている抗PD-1単独療法での効果に比較して良好であった（中咽頭癌22例に限定すると，奏効割合36％，完全奏効割合9％）[15]．現在，CPS≧1％以上の転移再発症例を対象にしたペムブロリズマブ単剤とペムブロリズマブとHPV16 E6/E7を標的とするmRNAワクチン（BNT113）併用療法を比較する第Ⅲ相試験（AHEAD-MERIT試験, NCT04534205）など，抗PD-(L)1抗体とHPV治療ワクチンの併用療法を検証する複数の試験が進行中である（NCT04260126, NCT03633110, NCT03162224, NCT03260023, NCT03169764, NCT02955290）．

また，抗HPV応答を直接的に標的とした治療法として，HPV16 E7 11-20特異的なT細胞に結合し，IL-2を介して選択的に同T細胞を増殖させる融合蛋白製剤CUE-101もHPV関連頭頸部扁平上皮癌を対象にペムブロリズマブとの併用療法などが行われている（NCT 3978689）[16,17]．また，HPV関連

頭頸部癌はHPVウイルス蛋白抗原を標的とした遺伝子改変T細胞療法の対象でもある．同療法では，癌細胞の抗原提示装置に結合するHPV抗原を認識するT細胞受容体遺伝子を患者由来のTリンパ球に導入して作成する．HLA (human leucocyte antigen)-A2個体における重治療歴を有するHPV関連癌症例12例を対象に実施されたHPV16 E7[11-19]を標的とする遺伝子改変T細胞療法を検証した第Ⅰ相試験では，奏効割合50%（頭頸部扁平状上皮癌では2例が部分奏効，2例が安定）が得られ，奏効例においてT細胞製剤輸注後に遺伝子改変T細胞が長期にわたって腫瘍組織に浸潤する様子が認められている[18]．このほか，同様にHLA-A2個体におけるHPV関連癌症例12例を対象にHPV16 E6[29-38]を標的としたT細胞療法も実施されており，頭頸部扁平上皮癌1例が登録され腫瘍縮小が得られている[19]．

5 PD-1/PD-L1以外の免疫チェックポイント因子

抗CTLA-4抗体であるイピリムマブ（IgG1モノクローナル抗体）やトレメリムマブ（IgG2モノクローナル抗体）が抗PD-1/PD-L1抗体との併用療法として転移再発症例の一次治療および二次治療で評価されているが，現時点で標準療法を上回る治療成績が認められたものはない．Natural killer group 2A（NKG2A）は，NK細胞やCD8細胞上に発現して，そのリガンドであるHLA-Eが結合することでこれらの細胞溶解活性が減じる免疫チェックポイント因子である．NKG2A受容体に高い親和性で得意的に結合する非枯渇性ヒト化抗NKG2A IgG4モノクローナル抗体モナリズマブはこの抑制作用を阻害する．白金製剤による治療歴のある再発転移性の頭頸部扁平上皮癌40例［53%が2レジメン以上の全身療法療法歴あり，43%がPD-(L)1阻害薬による前治療歴あり］における非盲検単群第Ⅰ/Ⅱ相試験では，モナリズマブとCmab併用療法により奏効割合27.5%（95% CI 16〜43%），無増悪生存期間中央値4.5ヵ月（同3.5〜5.8ヵ月），全生存期間中央値8.5ヵ月（同7.5〜16.4ヵ月）であり，これは白金製剤抵抗性の再発転移頭頸部扁平上皮癌で報告されたCmab単剤療法の奏効割合（13%）の約2倍であった[20,21]．白金製剤とPD-(L)1阻害薬の治療歴を有する症例についての同試験の拡大コホート（40例）における奏効割合も20%（95% CI 11〜35%）に至り[22]，現在同対象において，Cmab/モナリズマブ併用療法とCmab単剤を比較検証する無作為化第Ⅲ相試験が進行中である（INTER-LINK-1試験，NCT04590963）．

6 その他の免疫担当細胞・液性因子

Eftilagimod alpha（LAG3-3lg, IMP321）は，LAG-3（lymphocyte activation gene3）蛋白質とヒト型IgG Fc部の可溶性融合蛋白質製剤であり，抗原提示細胞のHLA Class Ⅱ分子に結合して同細胞を活性化して，その後のT細胞誘導を介して抗腫瘍免疫応答を強化する．白金製剤抵抗性の転移再発頭頸部扁平上皮癌を対象として，ペムブロリズマブとeftilagimod alpha併用療法を検証した第Ⅱ相試験では，28例中完全奏効3例（10.7%）を含む10例で奏効が認められた（iRECISTにおける奏効割合35.7%）[23]．治療効果評価可能であった23例のみを解析対象とすると奏効割合は43.5%（10/23例）に昇り，かつPD-L1発現割合が比較的低い（CPS 1〜19%）の症例においても完全奏効が得られたことなどから，本剤は転移再発例における一次療法としてFDAから画期的治療薬に指定された（図2）．現在，PD-L1陽性（CPS≧1）の転移再発症例における一次治療として同併用療法とペムブロリズマブ単独が比較検証され，PD-L1陰性症例においては同併用療法が単群で評価されている（TACTI-003試験，NCT04811027）．

免疫系を抑制し，抗腫瘍免疫応答が減じさせている免疫細胞を標的とする戦略も注目される．制御性T細胞は，IL-10などの免疫抑制性サイトカインの産生をはじめとするさまざまな機序を通して免疫応答を減弱させるため，特に腫瘍局所における選択的な除去が抗腫瘍免疫応答増強につながりうる．制御性T細胞のマスター転写因子であるFOXP3を標的としたアンチセンスオリゴヌクレオチドのAZD8701などが抗PD-L1療法との併用で頭頸部扁平上皮癌を含む固形癌を対象に評価されている（NCT04504669）．その他，癌関連線維芽細胞（Cancer-associated fibroblast：CAF）（NCT03386721）

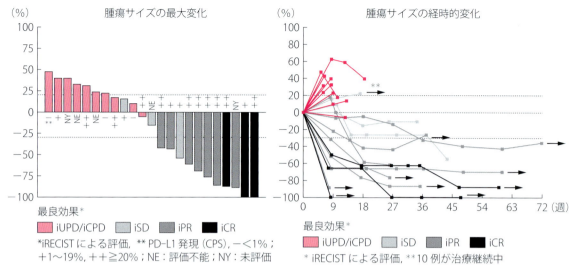

図2 白金製剤抵抗性転移再発頭頸部扁平上皮癌に対するペムブロリズマブとeftilagimod alpha併用療法を検証した第Ⅱ相試験（試験治療開始後病勢評価が可能であった23例）

[Krebs M, et al：J Immunother Cancer 8 Suppl 3：A839, 2020をもとに作成]

や腫瘍関連マクロファージ（tumor-associated macrophage：TAM）（NCT02526017，NCT03795610）などの免疫抑制系細胞についても，それぞれに特徴的な分子などを標的とした介入が検証されている．

TGF-β（transforming growth factor-β）は，癌微小環境においてさまざまな細胞から分泌され，腫瘍血管の新生や癌細胞の上皮間葉移行（epithelial mesenchymal transition：EMT）などを介して，癌のさらなる悪性化を招くとされるサイトカインである．Bintrafusp alphaは，抗PD-L1抗体とヒトTGF-βⅡ型受容体細胞外ドメインから構成された遺伝子組換え融合蛋白であり，抗PD-L1効果とTGF-βのトラップ機能の2つの機序で作用する免疫療法化合物である．TGF-βシグナル伝達経路の調節異常は特にHPV関連癌で重要な役割をもつとされ，事実転移再発頭頸部扁平上皮癌における同単剤の第Ⅰ相試験での奏効割合はHPV陰性癌で5％であったのに対し，HPV陽性癌では33％と高かった[24]．現在，切除可能な頭頸部扁平上皮癌を対象にbintrafusp alpha単剤による術前療法の第Ⅱ相試験が実施されている（NCT04428047）．

注目されるバイオマーカー

信頼度の高いバイオマーカーは，個々の症例への適切な治療分配につながる．ここでは頭頸部扁平皮癌に対する免疫チェックポイント阻害薬における治療効果予測因子としてのバイオマーカーに焦点を置いて述べる．

1 腫瘍組織におけるPD-L1発現

KEYNOTE-048試験においてPD-L1発現状況によって従来の化学療法（EXTREMEレジメン）に対するペムブロリズマブの優劣が異なるように，腫瘍組織におけるPD-L1の発現状況は抗PD-1/PD-L1療法における治療効果予測因子として位置づけを得ている．一方で，PD-L1陰性例でも抗PD-（L）1療法により奏効が得られる症例も認められており，より精度の高いバイオマーカーが求められているのが現状である．また，PD-L1は原発巣と転移巣間や同一組織内でも発現状況が異なったり，IFN-γで発現が誘導されるなど流動的であったりすることも留意すべきである．

2 遺伝子発現（gene expression profile：GEP），腫瘍変異量（tumor mutation burden：TMB）

　腫瘍組織における遺伝子発現や体細胞変異の観点から免疫チェックポイント阻害薬の治療効果を予測する試みがある．免疫学的な見地から腫瘍微小環境を反映すると考えられる 18 個の遺伝子発現状況（gene expression profile：GEP）によるペムブロリズマブ単剤療法（KEYNOTE-012 試験）の治療効果予測に関する解析では，免疫組織化学的染色による PD-L1 発現状況よりこれらの遺伝子発現解析のほうが奏効例の抽出において優れていた[25]．一方，頭頸部癌の体細胞変異量も他癌種と同様に症例ごとに大きく異なるが，その理解には HPV などのウイルス関連の有無などを考慮する必要がある．抗 PD-（L）1 療法で加療された頭頸部癌 126 例の解析では，ウイルス非関連癌における TMB は奏効例で有意に高く予後良好と関連していたのに対し，ウイルス関連癌では奏効例と非奏効例間で有意な差は認めず，予後との関連性も認めなかった[26]．すなわち抗 PD-1/PD-L1 療法への奏効という点では，ウイルス関連頭頸部癌における腫瘍遺伝子変異量の意義は，ウイルス非関連の場合のそれに比べて乏しい可能性がある．加えて，ネオアンチゲン量と CD8 陽性細胞腫瘍内浸潤が相関せず，TMB 高スコアであってもそれ単独では免疫チェックポイント阻害薬での奏効を予測しえない癌種の一例としても頭頸部癌があげられている[27]．一方，上記 KEYNOTE-012 試験における GEP 解析に TMB 解析を組み合わせた報告では，GEP と TMB の両者が高い場合がもっとも予後が良好であり，次いで GEP と TMB のいずれかのみが低値である場合，GEP と TMB の両者が低い場合がもっとも予後不良であった[28]．また，頻度的には少ないものの，高 TMB と相関するとされる microsatelite instability-high（MSI-H）の頭頸部扁平上皮癌が存在し，同例は抗 PD-L1 抗体に対して長期の完全奏効が得られたとする報告もある[29]．このように，頭頸部癌においては特に TMB の免疫チェックポイント阻害薬の治療予測因子としての意義について一定した見解はないが，今後も奏効例とともに奏効が期待しづらい集団の同定において役割を果たすと考えられる．

3 その他の試験を用いた評価

a 末梢血

　非侵襲的な方法である末梢血を用いた免疫チェックポイント阻害薬の治療効果予測の検討では，末梢血 CD8 陽性 T 細胞や PD-1 陽性制御性 T 細胞の多寡がニボルマブへの奏効や予後と相関する可能性が示されている[30]．また，血漿によって評価された TMB（bTMB）が高いことの意義も検証されている．白金製剤抵抗性の転移再発性頭頸部扁平上皮癌を対象に免疫療法（抗 PD-L1 抗体デュバルマブ＋／－抗 CTLA-4 抗体 tremelimumab）と従来の化学療法を比較した試験（EAGLE 試験，NCT92369874）において，bTMB が高い（≧16 mut/Mb）集団では，免疫療法が従来の化学療法よりも死亡リスクを 60％以上減少させることが判明している[31]．さらに，現時点で十分な症例数による解析には至っていないが，免疫チェックポイント阻害薬治療中の血中循環腫瘍 DNA の推移と治療効果との関連を示唆する所見が頭頸部癌においても示されてきている[32,33]．

b 口腔内細菌叢

　同様に非侵襲的な手法である口腔内細菌叢についての検討では，特定の菌種と頭頸部癌発癌の相関や免疫回避機構についての解明が進む一方，免疫チェックポイント阻害薬をはじめとする免疫療法の治療効果との関連は明らかにされていない[34]．糞便細菌叢の解析とあわせて今後の解明が期待される．

c ES 細胞や iPS 細胞など

　ES 細胞や iPS 細胞のほか，腫瘍組織を含むヒトの組織由来の細胞からの作成も可能な三次元培養システムであるオルガノイド（Organoid）は，従来の二次元培養システムと比較して，より生体内での器官・微小環境を模倣できることから，腫瘍免疫微小環境のモデルとしても注目されている．すなわち，同システムを用いることで，頭頸部癌領域においても従来よりも迅速かつ正確に免疫療法の治療効果予測についての情報が得られる可能性があり，新たな研究のプラットフォームの 1 つと

して期待される[35].

文献

1) Egloff AM, Grandis J：Epidermal growth factor receptor-targeted molecular therapeutics for head and neck squamous cell carcinoma. Expert Opin Ther Targets **10**：639-647, 2006
2) Ang KK, et al：Impact of epidermal growth factor receptor expression on survival and pattern of relapse in patients with advanced head and neck carcinoma. Cancer Res **62**：7350-7356, 2002
3) Gulati S, et al：Preliminary effects on the innate immune system with the combination of cetuximab and durvalumab in metastatic/relapsed head and neck squamous cell carcinoma in a phase Ⅱ trial. J Clin Orthod **37**：e14273, 2019
4) Sacco A, et al：Pembrolizumab plus cetuximab in patients with recurrent or metastatic head and neck squamous cell carcinoma：an open-label, multi-arm, non-randomised, multicentre, phase 2 trial. Lancet Oncol **22**：883-892, 2021
5) Forster M, et al：922P EACH：a phase Ⅱ study evaluating the safety and anti-tumour activity of avelumab and cetuximab in recurrent/metastatic squamous cell carcinomas. Ann Oncol **31**：S665, 2020
6) Mountzios G, et al：The mutational spectrum of squamous-cell carcinoma of the head and neck：targetable genetic events and clinical impact. Ann Oncol **25**：1889-1900, 2014
7) Ho A, et al：Tipifarnib in head and neck squamous cell carcinoma with hras mutations. J Clin Oncol **39**：1856-1864, 2021
8) Argiris A, et al：Phase Ⅲ randomized trial of chemotherapy with or without bevacizumab in patients with recurrent or metastatic head and neck cancer. J Clin Oncol **37**：3266-3274, 2019
9) Fukumura D, et al：Enhancing cancer immunotherapy using antiangiogenics：opportunities and challenges. Nat Rev Clin Oncol **15**：325-340, 2018
10) Kim C, et al：VEGF-A drives TOX-dependent T cell exhaustion in anti-PD-1-resistant microsatellite stable colorectal cancers. Sci Immunol **4**：eaay0555, 2019
11) Taylor MH, et al：A phase 1b/2 trial of lenvatinib plus pembrolizumab in patients with squamous cell carcinoma of the head and neck. J Clin Orthod **36** Suppl：6016, 2018
12) Siu LL, et al：Phase Ⅲ LEAP-010 study：first-line pembrolizumab with or without lenvatinib in recurrent/metastatic（R/M）head and neck squamous cell carcinoma（HNSCC）. J Clin Orthod **38** Suppl：TPS6589-TPS6589, 2020
13) Sun XS, et al：Debio 1143 and high-dose cisplatin chemoradiotherapy in high-risk locoregionally advanced squamous cell carcinoma of the head and neck：a double-blind, multicentre, randomised, phase 2 study. Lancet Oncol **21**：1173-1187, 2020
14) Bourhis J, et al：LBA39 3-years follow-up of double-blind randomized phase Ⅱ comparing concurrent high-dose cisplatin chemo-radiation plus xevinapant or placebo in high-risk patients with locally advanced squamous cell carcinoma of the head and neck. Ann Oncol **31** Suppl 4：S1168, 2020
15) Massarelli E, et al：Combining immune checkpoint blockade and tumor-specific vaccine for patients with incurable human papillomavirus 16-related cancer：a phase 2 clinical trial. JAMA Oncol **5**：67-73, 2019
16) Quayle SN, et al：CUE-101, a novel E7-pHLA-IL2-Fc fusion protein, enhances tumor antigen-specific t-cell activation for the treatment of HPV16-driven malignancies. Clin Cancer Res **26**：1953-1964, 2020
17) Pai S, et al：354 a phase 1 trial of CUE-101 a novel HPV16 E7-pHLA-IL2-Fc fusion protein in patients with recurrent/metastatic HPV16 head and neck cancer. J Immunother Cancer 8 Suppl **3**：A379, 2020
18) Nagarsheth NB, et al：TCR-engineered T cells targeting E7 for patients with metastatic HPV-associated epithelial cancers. Nat Med **27**：419-425, 2021
19) Doran SL, et al：T-cell receptor gene therapy for human papillomavirus-associated epithelial cancers：a first-in-human, phase Ⅰ/Ⅱ study. J Clin Oncol **37**：2759-2768, 2019
20) Cohen RB, et al：Monalizumab in combination with cetuximab in patients（PTS）with recurrent or metastatic（R/M）head and neck cancer（SCCHN）previously treated or not with PD-(L)1 inhibitors（IO）：1-year survival data. Ann Oncol 30 Suppl **5**：v460, 2019
21) Vermorken JB, et al：Open-label, uncontrolled, multicenter phase Ⅱ study to evaluate the efficacy and toxicity of cetuximab as a single agent in patients with recurrent and/or metastatic squamous cell carcinoma of the head and neck who failed to respond to platinum-based therapy. J Clin Oncol **25**：2171-2177, 2007
22) Cohen RB, et al：Combination of monalizumab and cetuximab in recurrent or metastatic head and neck cancer patients previously treated with platinum-based chemotherapy and PD-(L)1 inhibitors. J Clin Orthod **38** Suppl：6516, 2020
23) Krebs M, et al：790 a phase Ⅱ study（TACTI-002）of eftilagimod alpha（a soluble LAG-3 protein）with pembrolizumab in PD-L1 unselected patients with metastatic non-small cell lung（NSCLC）or head and neck carcinoma（HNSCC）. J Immunother Cancer **8** Suppl 3：A839, 2020
24) Cho BC, et al：Bintrafusp alfa, a bifunctional fusion protein targeting TGF-β and PD-L1, in advanced squamous cell carcinoma of the head and neck：results from a phase I cohort. J Immunother Cancer **8**：e000664, 2020
25) Ayers M, et al：IFN-γ-related mRNA profile predicts clinical response to PD-1 blockade. J Clin Invest **127**：2930-2940, 2017
26) Hanna GJ, et al：Frameshift events predict anti-PD-1/L1 response in head and neck cancer. JCI Insight **3**：e98811, 2018
27) McGrail DJ, et al：High tumor mutation burden fails to predict immune checkpoint blockade response across all cancer types. Ann Oncol **32**：661-672, 2021
28) Cristescu R, et al：Pan-tumor genomic biomarkers for PD-1 checkpoint blockade-based immunothera-

py. Science 362：eaar3593, 2018
29) Tardy MP, et al：Microsatellite instability associated with durable complete response to PD-L1 inhibitor in head and neck squamous cell carcinoma. Oral Oncol 80：104-107, 2018
30) Concha-Benavente F, et al：Characterization of potential predictive biomarkers of response to nivolumab in checkmate 141 in patients with squamous cell carcinoma of the head and neck（SCCHN）. J Clin Oncol 35 Suppl：6050, 2017
31) Li W, et al：Plasma-based tumor mutational burden（bTMB）as predictor for survival in phase Ⅲ EAGLE study：durvalumab（D）±tremelimumab（T）versus chemotherapy（CT）in recurrent/metastatic head and neck squamous cell carcinoma（R/M HN-SCC）after platinum failure. J Clin Oncol 38 Suppl：6511, 2020
32) Khagi Y, et al：Hypermutated circulating tumor DNA：correlation with response to checkpoint inhibitor-based immunotherapy. Clinical Cancer Research 23：5729-5736, 2017
33) Bratman SV, et al：Personalized circulating tumor DNA analysis as a predictive biomarker in solid tumor patients treated with pembrolizumab. Nature Cancer 1：873-881, 2020
34) Ferris RL, et al：Abstract CT022：evaluation of oral microbiome profiling as a response biomarker in squamous cell carcinoma of the head and neck：analyses from CheckMate 141. Clinical Trials 77 Supplement：CT022, 2017
35) Driehuis E, et al：Oral mucosal organoids as a potential platform for personalized cancer therapy. Cancer Discov 9：852-871, 2019

2. 今後，注目される治療法

A ロボット支援下手術

　ロボット支援下手術とは手術支援ロボットの補助下に行う術式のことである．現在使用されている手術支援ロボットはマスタースレイブ型のロボットといわれ，術者の思いどおりに操作できる手術支援機器として，もともとは遠隔手術などの軍事目的で開発されてきた．ロボット支援下手術では，通常皮膚に小切開を加えて術野にアプローチするが，頭頸部外科領域では，口，鼻といったnatural orifice（孔）が開いているため，多くの場合皮膚切開が不要であり，また内腔が狭く複雑であるため，本術式の非常によい適応である．特に経口的ロボット支援手術は2009年のFDAの承認とともに世界で広く普及しており[1]，わが国でも2018年にda Vinci Surgical Systemの頭頸部外科領域（経口手術に限る）での使用が薬機法上で承認されている．本項では手術支援ロボットについて解説したのち，頭頸部外科領域で主に行われている2術式について紹介し，最後に今後の展望について述べる．

手術支援ロボット

　現在わが国で普及している手術支援ロボットは，da Vinci Surgical System（以下，ダ・ヴィンチ）であり，ビジョンカート，サージョンコンソール，ペイシェントカートの3つから構成される（図1）．術者は手術台から離れたサージョンコンソールで3Dモニターを見ながら手元のハンドコントロール，フットスイッチを用いてロボットアームを操作して手術を行う．助手は術野で患者の傍に付き，手術の補助とともにロボットアームのマネジメントを行い，手術が安全に行われているかに注意を払う．

　ロボット支援下手術の利点は大きく4つある．①高解像度のカメラで切除対象に近接・拡大視が可能となり，術者はサージョンコンソールの3Dモニターで観察しながら，細かな血管，神経，剝離層などを確認しながら手術を行える．②自由度の高い多関節機能をもった鉗子を用いて，直感的な

ビジョンカート
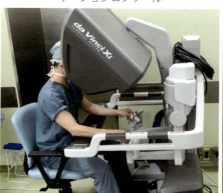
サージョンコンソール
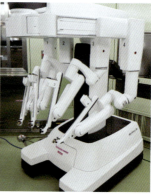
ペイシェントカート

図1 da Vinci Xi Surgical System

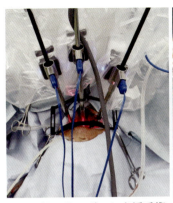
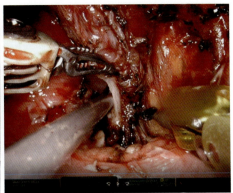

図2 経口的ロボット支援手術

手術操作を行うことができる．③フィルター機能により，術者の手ブレが補正され，安定した操作が可能になる．④モーションスケール機能が備わっており，術者の手の動きを1/2, 1/3, 1/5に縮小してアームに伝えることができ，細かな鉗子の操作も容易に行えるようになる．これらにより，従来の鏡視下手術と比較してもより精密な手術を行うことが可能となった．欠点としては，ロボットの設備費・消耗品費が高価であること，ロボット手術では触覚のフィードバックがないこと，頭頸部手術では，狭い術野に対してロボットが大きくアームが互いに干渉しやすいことなどがあげられる．

耳鼻咽喉科・頭頸部外科領域におけるロボット支援下手術は，中・下咽頭癌，喉頭癌に対する経口的ロボット支援下手術と，甲状腺癌に対するロボット支援下頸部手術に大別される．

経口的ロボット支援手術（transoral robotic surgery：TORS）

本手術はペンシルバニア大学のWeinsteinらによって開発された[2]．経口的ロボット支援手術では，開口器により咽頭・喉頭の術野を展開し，3D内視鏡とインストゥルメント2本を経口的に挿入して手術操作を行う（図2）．経口的手術では皮膚に孔を開ける必要がないこと，解剖学的に複雑で狭い咽喉頭の中で自在に鉗子を操作できる手術支援ロボットのメリットが生きることから，咽頭癌・喉頭癌は手術支援ロボットのよい適応の1つとされる．

Nguyenら[3]によるNational Cancer Database（NCDB）を用いた，中咽頭扁平上皮癌T1，T2症例9,745例に対するロボット支援下手術と非ロボット支援下手術の後ろ向きコホート研究において，5年生存率はそれぞれ84.8％，80.3％と，ロボット支援下手術のほうが有意に高かったと報告している．経口的ロボット支援手術の登場により米国では中咽頭癌治療のパラダイムシフトが起きており，NCDBによる中咽頭癌T1，T2（8,768例）に対する治療法の統計[4]では，2004年には手術主体で治療された症例の割合が56％，放射線治療主体の割合が44％であったのに対し，2013年には手術が82％と，手術の割合が年々増加している．

ロボット支援下頸部手術

ロボット支援下頸部手術の対象疾患は主に甲状腺腫瘍である．甲状腺腫瘍は女性に多い疾患であり，術後の創部の整容面は大きな問題となる．ロボット支援下頸部手術は頸部に皮膚切開を加えずに腫瘍の摘出ができることが大きな利点である．ロボット支援下甲状腺手術の術野へのアプローチ方法としては，両側腋窩と乳房からのアプローチ（bilateral axillo-breast approach：BABA），経腋窩アプローチ（transaxillary approach），耳後部アプローチ（retroauricular approach），経口的アプローチ（transoral approach）などが報告されてい

る[5]．それぞれ利点・欠点があるが，BABA や経腋窩アプローチは相対的に術野を広く確保しやすいこと，耳後部アプローチは頸部操作に慣れている耳鼻咽喉科医にとって馴染みやすい視野が得られること，経口アプローチは両側の甲状腺を操作しやすいこと，などが利点である．これらのロボット支援下頸部手術では，3D 内視鏡下に手術を行うため，反回神経や副甲状腺の視認性が向上し，反回神経損傷や副甲状腺機能低下症などの術後合併症を減らすことが期待しうる．

ロボット支援下手術のこれから

頭頸部ロボット支援手術は韓国や米国では普及しているものの，わが国ではまだ黎明期の状態が続いている．2018 年の適応拡大後，日本頭頸部外科学会が主体となり，頭頸部ロボット支援手術の安全な普及を目的とした指針，教育プログラム，レジストリが整備され，国内で運用されている．これまで手術支援ロボットの市場はダ・ヴィンチの寡占状態であったが，2020 年に初の国産手術支援ロボットである Hinotori が上市された．今後は，経口的ロボット支援手術の保険収載とともに，ロボット支援下頸部手術などへの適応拡大や保険収載がなされ，耳鼻咽喉科領域においてもロボット支援手術が広く普及し，一般的な医療となっていくことが期待される．

文 献

1) Tateya I, et al：Transoral surgery for laryngo-pharyngeal cancer - the paradigm shift of the head and neck cancer treatment. Auris Nasus Larynx **43**：21-32, 2016
2) O'Malley BW Jr, et al：Transoral robotic surgery（TORS）for base of tongue neoplasms. Laryngoscope **116**：1465-1472, 2006
3) Nguyen AT, et al：Comparison of survival after transoral robotic surgery vs nonrobotic surgery in patients with early-stage oropharyngeal squamous cell carcinoma. JAMA Oncol **6**：1555-1562, 2020
4) Cracchiolo JR, et al：Increase in primary surgical treatment of T1 and T2 oropharyngeal squamous cell carcinoma and rates of adverse pathologic features：National Cancer Data Base. Cancer **122**：1523-1532, 2016
5) Tae K, et al：Robotic and endoscopic thyroid surgery：evolution and advances. Clin Exp Otorhinolaryngol **12**：1-11, 2019

B 光免疫療法（アルミノックス治療）

光免疫療法（アルミノックス治療）とは，アルミノックス®と呼ばれる楽天メディカル独自の技術基盤を用いて開発された薬剤と光照射による癌などの治療を指し，米国国立がん研究所で開発された新しい治療法である[1,2]．アルミノックス®は，医薬品，医療機器，医療技術，その他の周辺技術を総合した技術基盤の総称で，特定の医薬品や医療機器を指す呼称ではない．ここでは，わが国で承認されたアキャルックス®（一般名：セツキシマブ サロカロタンナトリウム）点滴静注とレーザー光照射による頭頸部癌治療を光免疫療法（アルミノックス治療）として解説する．

作用機序

アキャルックス®は，キメラ型抗ヒト上皮成長因子受容体（EGFR）モノクローナル抗体（IgG1）であるセツキシマブと，光感受性物質である色素IR700を結合させた抗体–光感受性物質複合体である．抗体1分子につき平均2〜3個の色素分子が結合している（図1）．医療機器のBioBladeレーザーシステムからの690 nmの光を照射することによって，アキャルックス®の色素が励起され，腫瘍細胞の細胞膜を傷害する生物物理学的プロセスを誘発し，腫瘍細胞を壊死させると考えられている．殺細胞作用の誘導には光誘導性の活性化および抗原・抗体結合が必要なため，癌細胞のみを選択的に破壊すると同時に，腫瘍細胞を取り巻く正常組織の損傷を最小化することが期待されている[2,3]．さらに，上皮成長因子受容体（epidermal growth factor receptor：EGFR）を標的とした基礎研究では，さまざまな癌種でEGFR高発現の腫瘍で特異的に抗腫瘍効果があることが証明されている．

開発の経緯

厚生労働省から先駆け審査指定制度の対象品目としての指定を受け，2021年1月1日より切除不

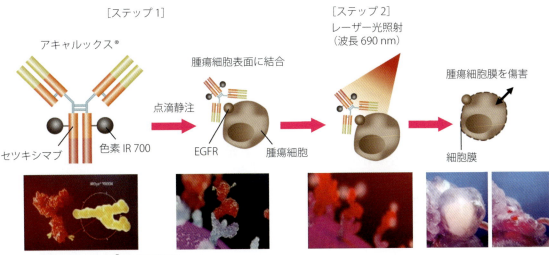

図1 アキャルックス®の作用機序
＜ステップ1＞
アキャルックス®は癌細胞の表面に多く現れる蛋白質に結合する．
＜ステップ2＞
690 nmのレーザー光を照射することで，アキャルックス®の色素が励起され，腫瘍細胞の細胞膜を傷害する生物物理学的プロセスを誘発し，腫瘍細胞を壊死させると考えられている．

［楽天メディカルジャパン株式会社より許諾を得て転載］

表1 施設要件と医師要件

◆施設要件
1 日本頭頸部外科学会に認定された指定研修施設であること
2 常勤の頭頸部癌指導医がいること
3 本治療の医師要件を満たす常勤医師がいること
4 「頭頸部癌診療連携プログラム(日本臨床腫瘍学会)」における連携協力医師との連携が組めること
5 常勤麻酔医が1名以上在籍すること
6 緊急手術の実施体制を有すること
7 医療機器の保守管理体制を有すること
8 医療安全管理委員会を有すること

◆医師要件
1 頭頸部癌専門医であること
2 本治療に関する講習会を受講・修了していること
3 抗体薬を含む癌化学療法の使用と経験を有すること
4 楽天メディカルジャパン担当者と定期的にコミュニケーションがとれること
5 本治療の安全対策に協力できること

◆本治療にかかわる指導医の資格基準
1 本治療の医師要件をすべて満たすこと
2 複数例の本治療の実施経験があり,本治療の施術者に対して適切な指示が出せること
3 術中に起こりうる合併症およびトラブルに対する十分な知識と判断能力を有すること

能な局所進行または局所再発の頭頸部癌に対して条件付きで保険承認された.国内での治療症例が限られていることから,アキャルックス®の製造販売後,一定数の症例に係るデータが集積されるまでの間は,全症例を対象に使用成績調査を実施する.また,本治療法についての講習を受け,十分な知識・経験のある医師のみによって治療が行われることが求められており,施設要件と医師要件が定められている[4](表1).

治療の実際

1 対象患者の選択

切除不能な局所進行または局所再発の頭頸部癌に対して適応を検討する.化学放射線療法などの標準的な治療が可能な場合にはそれらの治療を優先する.頸動脈に浸潤する症例は本治療の対象とならない.セツキシマブに対して重篤な過敏反応をきたした症例に対しては慎重に実施する.

2 インフォームドコンセント

治療の期待される効果,予測される副作用について十分説明し同意を得る.アキャルックス®投与後4週間は光曝露対策が必要となる.光曝露を避けるための帽子やサングラス,手袋,長袖の衣類,自宅での環境整備について説明し用意を整えてもらう.

3 薬剤投与

入院にて行う.投与中および投与後は光曝露対策として,カーテンを閉めて直射日光や室外からの光を遮断し,室内照明(蛍光灯)は薄暗く感じる程度の明るさとし,照度の高い読書灯の使用は控えてもらう.前投薬として副腎皮質ホルモン,抗ヒスタミン薬を静注したのちにアキャルックス®($640\,mg/m^2$)を2時間以上かけて点滴静注する.投与終了後も身体症状の観察を行い,インフュージョンリアクションなどの有害事象に備える.

4 光照射

アキャルックス®投与終了から20〜28時間後に光照射を実施する.病変に応じて穿刺して周囲に照射するシリンドリカルディフューザーや表面から照射するフロンタルディフューザーを用いて照射を行う.照射時間は1サイクルあたり4〜6分で病変の大きさにより複数回に分けて行う(図2).

5 経過観察

術後4週間,もしくは皮膚反応の消失が確認で

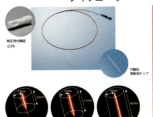
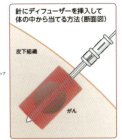
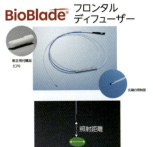
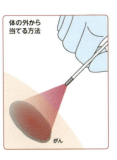

スポット径 17〜38 mm
照射距離　スポット径の 1.7 倍程度

ニードルカテーテル（有効長 50 mm）
ニードルカテーテル（有効長 70 mm）

図 2　BioBlade® レーザーシステムからの照射
深部の病変に対してはニードルカテーテルで穿刺し，シリンドリカルディフューザーを用いて照射する．表面の病変に対してはフロンタルディフューザーを用いて照射する

［楽天メディカルジャパン株式会社より許諾を得て転載］

きるまでは光曝露対策を行う．出血や舌腫脹，喉頭浮腫，皮膚障害などに注意し経過観察を行う．完全奏効が得られない場合には 4 週間以上の間隔をあけて，最大 4 回まで本剤を点滴静注およびレーザー光を病巣部位に照射することができる．

症例提示

　左頰粘膜癌 T3N3bM0 に対して他院で切除再建が行われ，術後シスプラチン併用放射線治療が行われた症例で，来院時に皮膚浸潤を伴う 5 cm 大の腫瘤を認めた．頸部の瘢痕が高度であり切除不能と判断した．全身麻酔下に超音波でニードルカテーテルを穿刺しシリンドリカルディフューザーによる光照射を行った．さらに本症例ではフロンタルディフューザーでの照射を追加している（図 3）．

　頭頸部扁平上皮癌に高発現している EGFR を標的とした腫瘍選択性の高い強力な治療である．今後，支援機器の開発による手技の標準化や併用療法の開発，早期の段階での使用も含めた適応拡大，新たな抗体複合体の開発による他癌種への応用などが期待される．

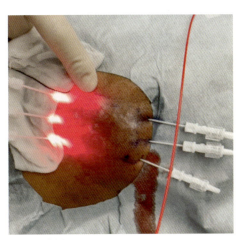

図 3　症例

文献

1) Kobayashi H, Choyke PL：Near-Infrared Photoimmunotherapy of Cancer. Acc Chem Res **52**：2332-2339, 2019
2) Mitsunaga M, et al：Cancer cell-selective in vivo near infrared photoimmunotherapy targeting specific membrane molecules. Nat Med **17**：1685-1691, 2011
3) Sato K, et al：Photoinduced ligand release from a silicon phthalocyanine dye conjugated with monoclonal antibodies：a mechanism of cancer cell cytotoxicity after near-infrared photoimmunotherapy. ACS Cent Sci **4**：1559-1569, 2018
4) 日本標準商品分類番号 874299 アキャルックス点滴静注 250 mg 2021 年 1 月改訂，第 3 版

C 放射線治療

本書では前版に引き続き，頭頸部癌治療全般について，診断，それぞれの治療方法，副作用とその対策および頭頸部癌診療における多職種診療（チーム医療）の重要性などが記載されている．頭頸部癌治療は，外科治療，放射線治療および化学療法のそれぞれの進歩とその至適な組み合わせによる集学的治療を基礎に，治療成績向上や有害事象低減および治療のさらなる安全性向上・非侵襲化などにより，治療後のQOL向上が図られてきた．特に頭頸部癌では，その解剖学的な特徴から，腫瘍の局在と周囲の重要なリスク臓器が近接しているため，放射線治療では治療可能比（therapeutic window）が狭い（**図1**）．そのため，技術的および集学的なアプローチに改善の余地がまだまだある．本項では今後に期待される治療のうち，放射線療法についてその技術的進歩や集学的治療にフォーカスして解説する．

放射線治療の技術は，二次元，三次元，さらに強度変調放射線治療（IMRT）や画像誘導技術の導入，ホウ素中性子捕捉療法（BNCT）や粒子線治療へと飛躍的に進歩し，その適応も拡大しつつある．さらに近年では，新規薬物療法として免疫チェックポイント阻害薬などの免疫療法の有効性が種々の癌腫で報告され，頭頸部癌でも臨床試験が進みつつある．本項では上記の進歩の中で，①粒子線治療，特に陽子線治療の新規技術である強度変調陽子線治療（intensity modulated proton beam therapy：IMPT）の頭頸部癌における有用性と可能性，②頭頸部癌に対する免疫療法と放射線治療併用の可能性と展望を取り上げて簡単に紹介する．

粒子線治療の医学物理的基礎と強度変調陽子線治療（IMPT）の特性・可能性

X線による放射線治療とは異なる粒子線治療の最大の特性は，物質中で粒子が停止する直前の部位でエネルギー損失がピークに達して，吸収線量がピークになるBragg peakといわれる点である．もちろん，この特性によりX線によりメリットがある線量分布が実現できる部位があることは確かではあるが，線束の広いブロードビームとBragg peakの組み合わせのみでは限界があることも確かである．

頭頸部癌では頸部リンパ節転移を有する咽頭扁平上皮癌や転移リスクが高いために，広範囲の予防照射を必要とする頭頸部腫瘍などでは，頸部リ

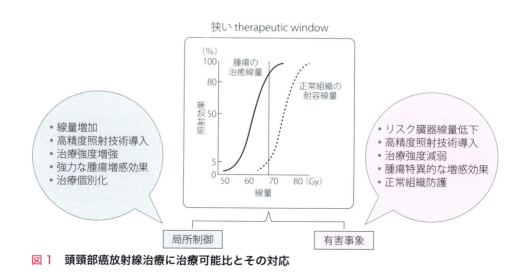

図1 頭頸部癌放射線治療に治療可能比とその対応

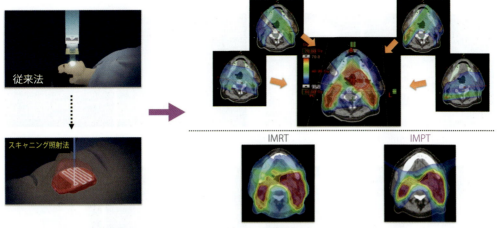

図2 スキャニング照射法と強度変調陽子線治療（IMPT）

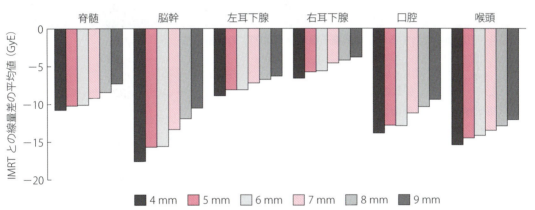

図3 強度変調陽子線治療（IMPT）によるリスク臓器線量低減（IMRTとの比較）—自験例による解析
○mmはスポットサイズを示す．

ンパ節を含めて広い範囲への複雑な照射が必要なため，現在のブロードビームを用いた散乱体法などの照射技術では適応がむずかしい場合が少なくなかった．そのため，現時点でも局所進行頭頸部扁平上皮癌に対してはIMRTが標準的な治療技術である．しかし，ブロードビームを用いた通常の陽子線治療の照射法に対して，ペンシル状の細いビームを用いたスキャニング照射法は，腫瘍の断面ごとに照射をすることで，腫瘍の形状の沿った線量分布実現という点では従来法より改善が認められる（図2）．さらに，スキャニング照射法のさらなる発展型であるIMPTは，IMRTの陽子線治療版であり，スキャニング照射を複数の照射方向からその強度も複雑に変えて（強度変調して）照射する技術である．そのため，従来のブロードビームを用いた散乱体法などを用いた陽子線治療では，対象疾患にはなりえない中咽頭癌などの局所進行頭頸部扁平上皮癌でも優れた線量分布が得られる（図2）．IMRTとの線量分布比較では，耳下腺，脳幹などのリスク臓器線量を有意に低減可能であり，特に腫瘍ターゲット外の中～低線量域もその性質から低減できることを確認している（図3）．図4に頸部リンパ節転移を有する下咽頭癌に対するIMPTの線量分布を示す．

局所進行頭頸部扁平上皮癌に対するIMRTとIMPTの比較では，model-based approachが利用されている．これは線量分布を特にリスク臓器線量に注目してその比較をNTCP（normal tissue complication probability）を用いた解析で定量化するものである．Tambasらはこの手法でIMPTが有用

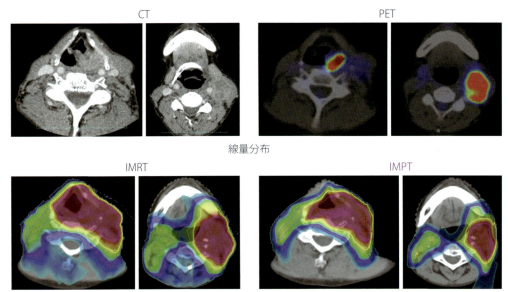

図4 下咽頭癌の対する強度変調陽子線治療（IMPT）の線量分布

な症例として，①T3-4などの局所進行例，②頸部リンパ節転移例，③治療前に嚥下障害を呈する症例および④化学療法併用例，としている[1,2]．Jakobiらは，IMRTに対してIMPTでNTCPが10%より大きく減らせる対象を45例の頭頸部扁平上皮癌症例で解析し，IMPTでベネフィットが大きいのは，①原発部位が軟口蓋や中咽頭など比較的咽頭の上方に位置する症例で，②誤嚥，嚥下障害，口内乾燥，開口障害軽減で特にその効果が期待できる，としている[3]．GrantらはIMPTで治療した中咽頭癌症例のQOL評価を実施し，治療後早期には一時的にQOL低下があるものの，終了後に比較的早期にbase lineレベルに回復するとしている[4]．Blanchardらは中咽頭癌に対するIMRTとIMPTのmatched pair解析で，治療成績は両者とも同等で経管栄養の依存割合や体重減少など，治療に関連した有害事象がIMPTで有意に低下したとしている[5]．このような背景から，今後はIMPTの導入で頭頸部扁平上皮癌に対する陽子線治療の適応拡大が図られる可能性がある．国際的にIMPTを用いた臨床試験はまだ限られているが，その有効性が検証されることで臨床導入が進むことが予想される．

放射線治療と免疫療法の相互作用

局所進行頭頸部扁平上皮癌では，臓器やその機能温存の観点から放射線治療の局所制御率向上は重要であり，頭頸部癌の放射線治療に関する93の臨床試験（17,346例）を対象としたメタアナリシスで，化学療法と放射線治療を同時併用した場合，放射線治療単独に比較して5年8%の生存率向上が得られることが明らかとなって以来，同時併用の化学放射線療法へ標準治療として確立していることは周知の事実である[6]．レジメンとしてはシスプラチンベースの同時併用は標準治療として確立している．EGFR阻害薬であるセツキシマブが承認されて，その有効性が期待されたが，シスプラチン同時併用を置き換えるレジメンとしては確立しておらず，残念ながらシスプラチン不可の場合の主要な選択肢と位置づけられている（図5）．

このような現状の中で，新規薬物療法として免疫チェックポイント阻害薬などの免疫療法が登場し種々の癌種でその有効性が報告され，頭頸部癌でも臨床試験が進みつつある．図6はClinicalTrial.govで"局所進行頭頸部扁平上皮癌"×"放射線治療"×"登録中"でサーチした結果をグラフにしたものであるが，実に約60%の臨床試験で免疫療法

シスプラチンベース	シスプラチン不可	免疫療法
• Concurrent CRT with 3 cycles of cisplatin given at a dose of 100 mg/m² every 3 weeks #Adelstein DJ et al；J Clin Oncol 2003；21：92-98, #Forastiere AA et al；J Clin Oncol 2013；31：845-852. • Concurrent 40 mg/m² or 30 mg/m² of cisplatin weekly #Bauml JM, et al；J Natl Cancer Inst 2019；111：490-497 #Noronha V,et al；J Clin Oncol 2018；36：1064-1072.	• Weekly carboplatin and 5-FU or paclitaxel #Bourhis J, et al；Lancet Oncol 2012；13：145-153. #Chitapanarux I, et al；Eur J Cancer 2007；43：1399-1406. • Concurrent cetuximab, an EGFR inhibitors #Bonner JA, et al；N Engl J Med 2006；354：567-578. #Magrini S, et al；J Clin Oncol 2016；34：427-435.	• Checkpoint inhibitors such as PD-L1 or PD-1 inhibitors with RT concurrently or sequentially #Burtness B, et al；Lancet 2019；394：1915-1928. #Mell LK, et al；J Clin Oncol 2019；37（Suppl）：Abstract 6065.
高用量シスプラチン同時併用が標準レジメンではあるが，ウイークリー投与との比較は明確になっていない．	EGFR阻害薬同時併用はシスプラチン同時併用を置き換えるレジメンとして確立していないが，シスプラチン不可の場合の主要な選択肢と位置づけられている．	免疫療法併用放射線治療の多くの臨床試験が実施中．

図5 頭頸部扁平上皮癌に対する併用化学療法の変遷と現状

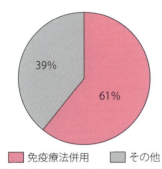

図6 頭頸部扁平上皮癌を対象とした実施中の臨床試験における併用薬の割合

ClinicalTrial.govで"局所進行頭頸部扁平上皮癌"×"放射線治療"×"登録中"でサーチした結果

が併用されており，その注目度の高さがうかがえる．放射線による免疫応答も明らかになりつつあり，放射線は免疫に対してアクセルとブレーキの両者の作用を有することもわかっている[7~9]．放射線による免疫応答活性化の機序には，①免疫原性細胞死の誘導，②腫瘍関連抗原の放出，③HLA class Ⅰの発現誘導，④DNA損傷を起点とするcGAS/Sting経路を介したⅠ型インターフェロンの放出（図7），などがある．一方，放射線により免疫を抑制する機序についても，①免疫抑制性細胞の誘導や②PD-L1発現誘導を介して免疫抑制に働くことがわかっている．後者は放射線にPD-L1阻害などの免疫チェックポイント阻害薬併用で抑制効果の解除が期待できる可能性が示唆されているため，この放射線治療と免疫療法の相互作用の解明が多くの臨床試験実施のrationaleとなっている．

放射線治療の効果を最大化するための併用療法で重要な因子を**表1**に示す．"Enhancement of tumor response"は現在のゴールデンスタンダードであるシスプラチンで高い効果があることは言うまでもないが，"toxicity independence"はその作用機序からも克服できていない．免疫療法では両者の作用機序の相違から，これらの因子を満たす可能性が期待されている．さらに頭頸部癌の特性と免疫療法の反応性については，頭頸部扁平上皮癌の治療反応性に関与するHPV（ヒトパピローマウイルス）感染の有無との相関では，腫瘍浸潤リンパ球にPD-1高発現CD8陽性細胞が治療抵抗性とされるHPV陰性症例に有意に多く，これがHPV陰性症例で免疫チェックポイント阻害薬に対する効果が高い理由とされている[10]．また，PD-L1抗体の同時併用が，頭頸部癌で通常使用される分割照射での効果を増強することも，preclinical studyで報告されており，臨床的の有効性を示唆する基礎となっている[11]．

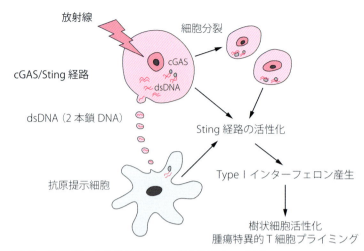

図7 放射線による免疫応答―cGAS/Sting 経路

表1 放射線治療と薬物療法の併用効果を最大化するための重要な因子

Spatial cooperation
放射線治療と薬物療法が異なる解剖学的部位に働く．全身化学療法は遠隔転移抑制に働き，同時併用化学療法は放射線治療の効果増強に働く，など．
Toxicity independence
同時に併用する2つの抗癌治療がお互いに治療強度を減ずることがなく実施可能．
Enhancement of tumor response
全身化学療法と放射線治療の相互作用が腫瘍効果反応を増強する．
Normal tissue protection
正常組織の耐容線量を向上する．

放射線治療と免疫療法併用の現状

　上記のように頭頸部扁平上皮癌で免疫療法，特に免疫チェックポイント阻害薬併用の有効性を示唆するデータが蓄積されてきているが，臨床的な有効性確立には至っていないのが現状である．PD-1 および PD-L1 阻害薬であるアベルマブの化学放射線療法への上乗せ効果を Stage Ⅲ～Ⅳの頭頸部扁平上皮癌を対象として検証した第Ⅲ相試験の JAVELIN head & neck 100 study が無効中止となり，有害事象もアベルマブ併用群で多かったと報告されている[12]．HPV 陽性および陰性症例での効果の相違などは明らかとなっていないが，頭頸部扁平上皮癌の治療反応性や特性に基づいた解析も必要かと思われる．アベルマブに関してはシスプラチンベースの化学放射線療法ではなくセツキシマブベースの化学放射線療法の臨床試験も行われており，現在実施中の他の臨床試験とともに今後の結果が待たれる[13,14]．

　頭頸部癌に対する放射線療法の進歩は，治療成績向上に結びついているが，同時化学放射線療法では現状でも急性期および晩期有害事象の増加という代償を患者に強いている．その改善に向けて，図8に示すように頭頸部癌の特性に基づいたアプローチ，放射線治療技術のさらなる改善，最適な併用薬とそのタイミングなど，まだ進歩の余地が残されている．頭頸部癌治療は集学的治療が奏効した代表的な疾患であり，今後もそれぞれの領域の進歩の結実による治療成績改善を期待したい．

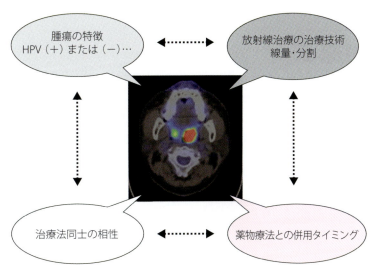

図8 頭頸部扁平上皮癌における最適な併用薬選択において考慮すべき因子

文献

1) Tambas M, et al：First experience with model-based selection of head and neck cancer patients for proton therapy. Radiother Oncol **151**：206-213, 2020
2) Tambas M, et al：Development of advanced preselection tools to reduce redundant plan comparisons in model-based selection of head and neck cancer patients for proton therapy. Radiother Oncol **160**：61-68, 2021
3) Jakobi A, et al：Identification of patient benefit from proton therapy for advanced head and neck cancer patients based on individual and subgroup normal tissue complication probability analysis. Int J Radiat Oncol Biol Phys **92**：1165-1174, 2015
4) Grant SR, et al：Prospective longitudinal patient-reported outcomes of swallowing following intensity modulated proton therapy for oropharyngeal cancer. Radiother Oncol **148**：133-139, 2020
5) Blanchard P, et al：Intensity-modulated proton beam therapy (IMPT) versus intensity-modulated photon therapy (IMRT) for patients with oropharynx cancer - a case matched analysis. Radiother Oncol **120**：48-55, 2016
6) Pignon JP, et al：Meta-analysis of chemotherapy in head and neck cancer (MACH-NC)：an update on 93 randomised trials and 17,346 patients. Radiother Oncol **92**：4-14, 2009
7) Gong J, et al：Radiation therapy and PD-1/PD-L1 blockade：the clinical development of an evolving anticancer combination. J Immunother Cancer **6**：46, 2018
8) Ferris RL, et al：Rationale for combination of therapeutic antibodies targeting tumor cells and immune checkpoint receptors：harnessing innate and adaptive immunity through IgG1 isotype immune effector stimulation. Cancer Treat Rev **63**：48-60, 2018
9) Sato H, et al：Rationale of combination of anti-PD-1/PD-L1 antibody therapy and radiotherapy for cancer treatment. Int J Clin Oncol **25**：801-809, 2020
10) Kansy BA, et al：PD-1 status in CD8＋T Cells associates with survival and anti-PD-1 therapeutic outcomes in head and neck cancer. Cancer Res **77**：6353-6364, 2017
11) Dovedi SJ, et al：Acquired resistance to fractionated radiotherapy can be overcome by concurrent PD-L1 blockade. Cancer Res **74**：5458-5468, 2014
12) Cohen EE, et al：ESMO Virtual Congress 2020
13) Elbers JBW, et al：Immuno-radiotherapy with cetuximab and avelumab for advanced stage head and neck squamous cell carcinoma：Results from a phase-I trial. Radiother Oncol **142**：79-84, 2020
14) Tao Y, et al：Avelumab-cetuximab-radiotherapy versus standards of care in locally advanced squamous-cell carcinoma of the head and neck：The safety phase of a randomised phase Ⅲ trial GORTEC 2017-01 (REACH). Eur J Cancer **141**：21-29, 2020

D 薬物療法

頭頸部癌に関する薬物療法の治療開発は目まぐるしい．現在，比較試験まで計画・進行している，あるいは承認される可能性のある注目に値する薬物療法を中心に概説したい．

頭頸部扁平上皮癌

1 抗PD-1抗体

ペムブロリズマブ，ニボルマブともに再発・転移頭頸部癌に使用可能となっているが，ペムブロリズマブは，局所進行癌に対する第Ⅲ相試験が2試験進行中である（表1）．

KEYNOTE-412試験は，局所進行頭頸部扁平上皮癌を対象として標準治療であるシスプラチン（CDDP）を同時併用する化学放射線療法（CDDP＋RT）にペムブロリズマブを同時併用，さらに維持療法として投与するする意義を検証する国際共同第Ⅲ相試験である[1]（表1）．抗PD-L1抗体であるアベルマブは，この試験と同様の試験デザインであるJAVERIN Head and Neck100試験の中間解析にて，主要評価項目のPFSの改善を示せなかったが[2]，本試験も同様に主要評価項目のevent-free survivalにおいて統計学的改善を示せなかった．

KEYNOTE-689試験は，局所進行頭頸部扁平上皮癌の術前治療としてペムブロリズマブ2回投与と，術後補助療法にペムブロリズマブを加える意義を検証した国際共同第Ⅲ相試験である．術後high risk因子を有する場合は，標準治療であるCDDP＋RTにペムブロリズマブを，術後low risk因子であれば，RTにペムブロリズマブを同時併用する（表1）．

表1 頭頸部扁平上皮癌を対象とした薬物療法の第Ⅲ相試験

Study名 (ClinicalTrials. No)	対象	N	試験デザイン	主要評価項目 データ収集 完了予定
KEYNOTE-412 (NCT 03040999)	局所進行	780	・CRT＋Pembro→Pembro維持療法 ・CRT＋プラセボ→プラセボ維持療法	2022年4月
KEYNOTE-689 (3) (NCT 03765918)	局所進行	704	・術前Pembro→外科切除 　▶ high risk→CRT＋Pembro 　▶ low risk→RT＋Pembro ・外科切除 　▶ high risk→CRT 　▶ low risk→RT	2025年7月
IMvoke010 (NCT03452137)	局所進行根治治療後	400	・アテゾリズマブ ・プラセボ	2022年10月
CheckMate651 (NCT02741570)	再発・転移	947	・ニボルマブ＋イピリムマブ ・EXTREMEレジメン	2021年5月
Interlink-1 (NCT04590963)	免疫チェックポイント阻害薬投与歴有 再発・転移	600	・モナリズマブ＋セツキシマブ ・プラセボ＋セツキシマブ	2024年3月
TrilynX (NCT04459715)	局所進行	700	・CDDP＋IMRT＋Xevinapant ・CDDP＋IMRT＋プラセボ	2024年12月

Pembro：ペムブロリズマブ，CRT：CDDP＋RT，EXTREM：5-FU＋プラチナ＋セツキシマブ，BEMPEG：ベンペガルデスロイキン

2 抗PD-L1抗体

アテゾリズマブはすでに，切除不能非小細胞肺癌，進展型小細胞肺癌，切除不能肝細胞癌，再発乳癌などで承認されている抗PD-L1抗体である．IMvoke010は，局所進行頭頸部扁平上皮癌根治治療後の患者を対象として，補助療法としてアテゾリズマブの意義を検証した国際共同第Ⅲ相試験である（表1）．患者登録は終了しており，現在経過観察中である．免疫チェックポイント阻害薬が頭頸部癌の補助療法の標準治療となるか注目されている．

3 抗CTLA-4抗体

白金抵抗性再発・転移頭頸部扁平上皮癌を対象とした第Ⅲ相試験（EAGLE試験）において，抗PD-L1抗体デュルバルマブと抗CTLA-4抗体トレメリムマブとの併用療法，デュルバルマブ単剤は，いずれも担当医選択治療群を統計学的有意に良好な生存を示すことができなかった[3]．

イピリムマブはすでに，根治切除不能な悪性黒色腫，腎細胞癌，非小細胞肺癌に，ニボルマブとの併用療法にて承認が得られている抗CTLA-4抗体である．CheckMate651試験は，再発または転移頭頸部扁平上皮癌の一次療法において，EXTREMEレジメンをコントロールアームとして，ニボルマブとイピリムマブ併用療法の有効性および安全性を評価する第Ⅲ相試験である（表1）．併用療法は，CPS 20以上の集団でもOSの統計学的改善は示せなかった．現時点で，再発または転移頭頸部扁平上皮癌に対して複合免疫療法は生存のベネフィットを示せていない．

4 Monalizumab

HLA-Eは，CD94/NKG2A抑制性受容体のリガンドであるが，78〜86％の頭頸部扁平上皮癌の腫瘍細胞に発現している．CD94/NKG2A抑制性受容体は，NK細胞と腫瘍浸潤CD8$^+$T細胞に認められ，HLA-Eと結合することで，NK細胞と細胞傷害性T細胞のよる腫瘍溶解を抑制する．

Monalizumabは，ファーストインクラスのヒト化抗CD94/NKG2A抗体であり，CD94/NKG2A抑制性受容体とHLA-Eとの結合を阻害することで，NK細胞と細胞傷害性T細胞による腫瘍溶解を活性化させる．HLA-EとCD94/NKG2A抑制性受容体が腫瘍細胞，リンパ球に高発現すると，ADCC活性を障害し，セツキシマブの効果も減弱させる．MonalizumabによってNKG2Aを阻害させることで，セツキシマブによるADCC活性を増加させることが示されたことから，Monalizumabとセツキシマブとの併用療法の開発が進行している．

白金製剤または抗PD-1/PD-L1抗体投与後に増悪した再発・転移頭頸部扁平上皮癌患者を対象とした第Ⅱ相試験において，Monalizumabとセツキシマブとの併用療法は，白金製剤抵抗性の患者集団（N＝40）に対して，奏効率27.5％，PFS中央値5ヵ月，OS中央値10.3ヵ月，さらに白金製剤と抗PD-1/PD-L1抗体抵抗性の患者集団（N＝40）に対して，奏効率20％，PFS中央値3.4ヵ月，OS中央値8.3ヵ月と良好な治療成績を示した．また，主な毒性はセツキシマブによるものであり，併用に伴う毒性の増強も認められなかった．

現在，白金製剤と抗PD-1/PD-L1抗体投与後に増悪した再発・転移頭頸部扁平上皮癌患者を対象としたセツキシマブ＋Monalizumab併用療法とセツキシマブ＋プラセボとの無作為化比較第Ⅲ相試験が進行中である（表1）．

5 Bempegaldesleukin

Bempegaldesleukin（BEMPEG：NKTR-214）は，ヒトの組換え型インターロイキン-2（IL-2）に6本の放出可能なポリエチレングリコール（PEG）鎖を結合させた薬剤である．完全にPEG化されたBempegaldesleukinは，生物活性をもたないプロドラッグである．生体内では，PEG鎖はゆっくりと遊離し，IL-2Rαサブユニットとの結合が制限された活性のあるIL-2結合体を生成し，二量体のβγ-IL-2受容体（IL-2Rβγ；CD122）に有利に作用する．IL-2Rαサブユニットに作用すると免疫を抑制する制御性T細胞（Treg）が増加するので，Bempegaldesleukinは，望ましくないTregよりもCD8$^+$T細胞やNK細胞を選択的に刺激することになる．

IL-2製剤が実臨床にて使用されている悪性黒色腫，腎細胞癌，膀胱癌において，Bempegaldesleukin とニボルマブ併用療法の第Ⅲ相試験が進行中である．頭頸部扁平上皮癌を含む固形癌を対象としたBempegaldesleukinとペンブロリズマブとの併用療法の第Ⅰ相試験（NCT03138889）が実施され，CPS 1以上の再発・転移頭頸部扁平上皮癌を対象としたBempegaldesleukinとペムブロリズマブとの併用療法とペムブロリズマブ単剤との第Ⅱ/Ⅲ相試験が計画されているが，悪性黒色腫にて併用の意義がない結果が発表されたことから，試験は中止された．

6 Xevinapant（Debio1143）

IAP（Inhibitor of apoptosis）は，活性化カスパーゼに結合し，不活化することでアポトーシスを強力に抑制する蛋白質である．頭頸部癌を含む多くの癌において，IAPの過剰発現が認められ，腫瘍の増悪，再発，予後不良に関連していることが報告されている．Xevinapantは，IAPのアンタゴニストであり，IAPファミリーの活性を阻害することで，カスパーゼの活性を促進させてアポトーシスに導く．

局所進行頭頸部扁平上皮癌を対象としたCDDP＋RT（CRT）にXevinapant併用の意義を検証した無作為化二重盲検第Ⅱ相試験において，主要評価項目である18ヵ月時点の局所制御率はCRT＋プラセボ群の33％と比べてCRT＋Xevinapant群では54％と有意に良好（HR 2.69，95％CI 1.13〜6.42，$p=0.0026$）であり，主要評価項目を達成した[4]．ESMO 2020では3年の長期追跡データが報告され，25ヵ月フォロー時点の局所制御のHR 0.53から0.47と低下し，3年の局所制御において22％の改善が示された．PFSもHR 0.37から0.34に低下し，3年時点で36％の改善が示された．OSもHR 0.65から0.49と低下し，初回報告時には統計学的有意差は示されなかったが，p値0.0261と統計学的有意差を示し，さらに15％の3年OSの改善が示された．Xepinapant併用にて特に毒性の悪化は認められず，安全性プロファイルも良好であることが示された．この試験の結果に基づき，2020年2月，米国食品医薬品局（FDA）より，治療歴のない局所進行頭頸部扁平上皮癌と診断された患者を対象に，現行の標準治療であるCDDP＋RTと併用する治療法として，Xevinapantは画期的治療法の指定を受けた．現在，CDDP＋RTにXevinapant併用の意義を検証する第Ⅲ相試験が進行中である（表1）．

7 酸化ハフニウムナノ粒子（NBTXR3）

STING（stimulator of interferon genes）は，さまざまなRNAおよびDNAウイルス感染に対する生体防御機構に重要な役割を果たす，小胞体局在膜蛋白として同定された分子である．cGAS-STING経路は，放射線誘導DNA損傷により活性化され，抗癌免疫活性化における重要な役割を果たす．NBTXR3は，酸化ハフニウムナノ粒子からなる新規の放射線増感剤であり，腫瘍内に注入する．NBTXR3局注後に放射線治療を受けた四肢・体幹壁の局所進行軟部肉腫患者は，放射線治療のみを受けた患者より高い病理学的奏効を示したことが報告されている．NBTXR3-301試験では，登録された180例がNBTXR3を腫瘍内に1回注入後に放射線治療を受ける治療（N＝79），または放射線治療単独（N＝80）にそれぞれ無作為に割り付けられた．両治療群とも治療後に外科的切除を受けた．主要評価項目である中央判定による病理学的完全奏効率は，NBTXR3＋放射線治療群16.1％に対して，放射線治療単独群7.9％に対して（$p=0.0448$）と統計学的有意にNBTXR3併用群で良好であった．注射部位反応を除いては，NBTXR3＋放射線治療の忍容性は非常に良好であり，放射線治療単独と同等の安全性プロファイルを示した．

ヒト頭頸部扁平上皮癌マウスモデルにて，放射線照射にNBTXR3局注後に放射線照射にすることで，放射線照射単独と比較して抗腫瘍効果の増強することが示された．CRT不適な局所進行頭頸部扁平上皮癌患者を対象としたNBTXR3局注後の放射線治療の第Ⅰ相試験の結果が報告されている[5]．NBTXR3を腫瘍内に局注し，翌日から放射線治療（70 Gy，85 fr，7週）が開始された．19例が登録され，MTDに達せず，DLT，重篤な有害事象は認められず，グレード1〜2の有害事象のみであった．有効性が評価可能であった16例中9例（56.3％）が原発CRとなり，RECIST評価による総合効果におけるCRが5例（31.3％）であった．この結果をもとに，現在は第Ⅲ相試験が計画されている．

唾液腺癌

1 ホルモン療法

唾液腺導管癌は，アンドロゲン受容体（AR）の発現が80〜90％認められ，AR陽性の唾液腺癌に対するホルモン療法の開発が進行している．精巣や副腎から分泌されるアンドロゲンの分泌や働きを妨げる薬であり，ARを阻害する薬剤とLH-RHアゴニストの2種類がある．最近は，これらを併用したcombined androgen blockade（CAB）療法が，AR陽性の唾液腺癌に対して，奏効率41.7％，PFS中央値8.8ヵ月，OS中央値30.5ヵ月と良好な治療成績を示した[6]．

ダロルタミドは，新しいアンドロゲン受容体阻害薬であり，第二世代の抗アンドロゲン製剤アパルタミドやエンザルタミドよりもアンドロゲン受容体と高い親和性をもって結合し，受容体機能を阻害する．ダロルタミドは，去勢抵抗性の前立腺癌患者を対象とした第Ⅲ相試験の結果から，去勢抵抗性の前立腺癌に対してすでに承認が得られている．わが国ではAR陽性の唾液腺癌を対象としたダロルタミドの第Ⅱ相試験が進行中であり，今後LH-RHアゴニストとの併用も計画されている．AR陽性の唾液腺癌に対してアパルタミドとゴセレリン併用療法の第Ⅱ相試験も実施されている（NCT04325828）．

2 HER2阻害薬

唾液腺導管癌は，HER2の発現が30〜40％認められ，HER2阻害薬の治療開発が進行中である．ドセタキセル＋トラスツズマブ併用療法は，HER2陽性唾液腺導管癌対して，奏効率70.2％，PFS中央値8.9ヵ月，OS中央値39.7ヵ月と良好な治療成績を示した[7]．

T-DM1は，抗HER2ヒト化モノクローナル抗体であるトラスツズマブと，化学療法薬であるDM1を安定したリンカーで結合した抗体薬物複合体（ADC）であり，すでにHER2陽性の乳癌に承認されている．HER2コピー数7以上の遺伝子増幅を有する固形癌を対象としたT-DM1の臨床試験にて（N=39），奏効率5.6％，PFS中央値3.1ヵ月，OS中央値8.4ヵ月と報告された[8]．HER2コピー数が高いほど奏効率が高い傾向が認められ，HER2コピー数129の耳下腺扁平上皮癌とコピー数21の耳下腺粘表皮癌はいずれも奏効が認められた．

トラスツズマブデルクステカン（T-DXd）もトラスツズマブとトポイソメラーゼI阻害薬とのADCであり，HER2陽性の再発・転移乳癌と再発・転移胃癌に承認が得られている．HER2陽性固形癌を対象としたT-DXdの第Ⅰ相試験において，2例の唾液腺癌も含むHER2陽性の乳癌・胃癌以外の固形癌（N=60）の奏効率は28.3％，PFS中央値7.2ヵ月，OS中央値23.4ヵ月と良好な治療成績が報告されている．わが国では，血液循環腫瘍DNAでHER2遺伝子増幅が検出された切除不能固形癌患者（唾液腺癌を含む）を対象としたT-Dxdの第Ⅱ相医師主導治験（HERALD試験）が進行中である（JapicCTI-194707）．

甲状腺癌

1 BRAF阻害薬＋MEK阻害薬

放射性ヨード内用療法抵抗性かつ*BRAF*変異を有する甲状腺乳頭癌（PTC）患者を対象としたダブラフェニブとトラメチニブの併用療法とダブラフェニブ単剤療法との比較第Ⅱ相試験（N=53）において，奏効率は併用群54％，単剤群50％（$p=0.78$），PFS中央値は併用群15.1ヵ月，単剤群11.4ヵ月（$p=0.27$）と，併用療法はやや良好な有効性が示された．さらに安全性プロファイルも併用療法においてより良好であることが示された．

BRAF^{V600E}変異は甲状腺未分化癌（ATC）でも20〜30％で認められる．*BRAF*^{V600E}変異を有する希少癌患者を対象として，ダブラフェニブとトラメチニブの併用療法の第Ⅱ相試験におけるATCコホート（16例）の結果が報告されている．奏効率は69％，中央判定で*BRAF*^{V600E}変異が確定した15例に限ると奏効割合は74％と高い抗腫瘍効果を示し，1年PFSとOSはそれぞれ79％と80％と良好な治療成績も示された[9]．この結果から，米国では同療法が*BRAF*^{V600E}変異陽性の切除不能または転移を有するATCに承認されている．わが国からも患者登録しており，今後，効能追加される見込み

である．この併用療法は，術前治療としての有用性も報告されている．VEGFR-TKI 抵抗性になった分化型甲状腺癌を対象としたダブラフェニブとトラメチニブ併用療法の有用性を検証する第Ⅲ相試験が計画されている．わが国では，$BRAF^{V600E}$ 陽性の甲状腺癌を対象にエンコラフェニブとビニメチニブとの併用療法の第Ⅱ相試験が進行中である（jRCT2011200018）．

2 RET 阻害薬

RET の融合遺伝子は甲状腺癌において 10～20％，RET の遺伝子変異は甲状腺髄様癌（MTC）にて散発性で 60％以上，遺伝性で 90％以上に認められる．RET は MTC で重要な治療標的であるが，これら RET 融合遺伝子を有する PTC における治療開発でも期待される．

セルペルカチニブは，RET を選択的に阻害する薬剤である．RET 遺伝子変異陽性の MTC に対して，VEGFR-KI 前治療歴を有する場合は奏効率 69％，1 年 PFS 82％，VEGFR-KI 前治療歴のない場合は奏効率 73％，1 年 PFS 92％と，良好な治療成績を示した[10]．さらに，RET 融合遺伝子陽性の甲状腺癌に対して，奏効率 79％，1 年 PFS 64％と良好な治療成績を示した本薬剤は，すでに RET 遺伝子変異陽性の非小細胞肺癌と甲状腺癌に承認された．現在，RET 遺伝子変異陽性の MTC を対象とした国際共同第Ⅲ相試験（LIBRETTO-531）が進行中である（NCT04211337）．

Pralsetinib（BLU-667）も RET を選択的に阻害する薬剤であり，RET 遺伝子異常を有する甲状腺癌に奏効率 47％と報告されており，米国 FDA は RET 遺伝子変異陽性の甲状腺癌に承認している．

3 抗 PD-1 抗体薬

抗 PD-1 抗体薬である Spartalizumab は，甲状腺未分化癌（ATC）を対象とした第Ⅱ相試験（N＝42）において，奏効率 19％，PD-L1 陽性例 29％，PD-L1 陽性 50％以上例 35％と，PD-L1 増加とともに奏効率が上昇した．さらに PD-L1 陽性例は長期奏効例が多く，予後良好であることも示された．

VEGF は，さまざまメカニズムによって免疫抑制に働いており，VEGF の過剰発現は，腫瘍内の免疫抑制細胞の集積を促進させることも報告されている．レンバチニブは基礎実験にて腫瘍関連マクロファージ，Treg を減少させて腫瘍免疫環境を変化させることが示されており，免疫チェックポイント阻害薬との併用療法による相乗効果が期待される．現在，わが国では根治不能な ATC に対してニボルマブとレンバチニブ併用療法の第Ⅱ相医師主導治験（NAVIGATION 試験）が進行中である（JapicCTI-194835）．

文献

1) Machiels JP, et al：Pembrolizumab given concomitantly with chemoradiation and as maintenance therapy for locally advanced head and neck squamous cell carcinoma：KEYNOTE-412. Future Oncology **16**：1235-1243, 2020
2) Lee NY, et al：Avelumab plus standard-of-care chemoradiotherapy versus chemoradiotherapy alone in patients with locally advanced squamous cell carcinoma of the head and neck：a randomised, double-blind, placebo-controlled, multicentre, phase 3 trial. Lancet Oncol **22**：450-462, 2021
3) Ferris RL, et al：Durvalumab with or without tremelimumab in patients with recurrent or metastatic head and neck squamous cell carcinoma：EAGLE, a randomized, open-label phase Ⅲ study. Ann Oncol **31**：942-950, 2020
4) Sun XS, et al：Debio 1143 and high-dose cisplatin chemoradiotherapy in high-risk locoregionally advanced squamous cell carcinoma of the head and neck：a double-blind, multicentre, randomised, phase 2 study. Lancet Oncol **21**：1173-1187, 2020
5) Hoffmann C, et al：Phase I dose-escalation study of NBTXR3 activated by intensity-modulated radiation therapy in elderly patients with locally advanced squamous cell carcinoma of the oral cavity or oropharynx. Eur J Cancer **146**：135-144, 2021
6) Fushimi C, et al：A prospective phase Ⅱ study of combined androgen blockade in patients with androgen receptor-positive metastatic or locally advanced unresectable salivary gland carcinoma. Ann Oncol **29**：979-984, 2018
7) Takahashi H, et al：Phase Ⅱ trial of trastuzumab and docetaxel in patients with human epidermal growth factor receptor 2-positive salivary duct carcinoma. J Clin Oncol **37**：125-134, 2019
8) Jhaveri KL, et al：Ado-trastuzumab emtansine（T-DM1）in patients with HER2-amplified tumors excluding breast and gastric/gastroesophageal junction（GEJ）adenocarcinomas：results from the NCI-MATCH trial（EAY131）subprotocol Q. Ann Oncol **30**：1821-1830, 2019
9) Subbiah V, et al：Dabrafenib and trametinib treatment in patients with locally advanced or metastatic BRAF V600-mutant anaplastic thyroid cancer. J Clin Oncol **36**：7-13, 2018
10) Wirth LJ, et al：Efficacy of selpercatinib in RET-al-

tered thyroid cancers. N Engl J Med **383**：825-835, 2020

索　引

数　字

^{192}Ir（イリジウム）　191
^{198}Au（金）　191
2D-RT（二次元照射）　223
2皮島の腹直筋皮弁　168
3D-CRT（三次元原体照射）　223

欧　文

A

abscopal effects of radiotherapy　264
adaptive radiotherapy（ART）　179, 188, 224
ADC（apparent diffusion coefficient）　260
Adenoid squamous cell carcinoma（acantholytic carcinoma, pseudovascular carcinoma）　41
Adenosquamous carcinoma（ASC）　41
AF法　188
AKT　13
ALK　13
androgen receptor　51
APOBEC3　9

B

Basaloid squamous cell carcinoma　41
Bempegaldesleukin　365
Berry靱帯　147
best supportive care（BSC）　224
BioBladeレーザーシステム　355
BNCT（ホウ素中性子捕捉療法）　196, 358
BRAF　12
BRAF阻害薬　247
Bragg peak　196, 358
B型肝炎対策ガイドライン　110

C

calponin　51
cancer stem cell　10
CGA（高齢者総合的機能評価）　113
cGAS/Sting経路　361
Christieレジメン　223
Clavian-Dindo分類　274
Cmab単剤療法　243
computed tomography（CT）　68
CPS（combined positive score）　239
CRT（化学放射線療法）　202
CRT後救済手術　174
CSGA（高齢癌患者における総合的機能評価）　229
CT　75, 259, 308
CTCAE　274
CTNNB1　52
CTV（臨床標的体積）　184, 224
C細胞　54

D

da Vinci Surgical System　119, 352
depth of invasion（DOI）　42, 75, 121
double Z-plasty　288
DTX単剤療法　243
Dual-energy CT（DECT）　85, 86

E

EBV（Epstein-Barrウイルス）　8, 25
EBV陽性原発不明癌　72
EGFR　8, 11
electronic patient reported outcome（ePRO）　268
ELPS（内視鏡的咽喉頭手術）　118, 142, 159
EMR（内視鏡的粘膜切除）　118
ENE（リンパ節被膜外進展）　42
ENEma　44
ENEmi　44
Enhancement of tumor response　361
EQ-5D　266
ESD（内視鏡的粘膜下層剥離）　118
ESMOガイドライン　17

F

FAP（家族性大腸ポリポーシス）　56
FAT1　8, 11
FDG-PET　261
FDG-PET/CT　309
field cancerization　6, 9
Field in field法　186
FK-WOリトラクター　134
FN（発熱性好中球減少症）　282
FNA（穿刺吸引細胞診）　52, 56
FOXE1　15
FT-UMP（悪性度不明の濾胞型腫瘍）　57

G

Gehanno法　168
genioglossus muscle　42
GEP（遺伝子発現）　349
Gross tumor volume（GTV）　224
GTV（肉眼的腫瘍体積）　183

H

health related QOL（HR-QOL）　266
HER2　51
hinge flap　143
Hippo-YAPシグナル経路　8, 11
HME　337
HPV（ヒトパピローマウイルス）　6, 19, 346
HPV関連中咽頭癌　34, 45
HPV陽性リンパ節転移　264
HRAS　52, 344
hyoglossus muscle　42
Hypo trialレジメン　223

I

IAP（アポトーシス阻害蛋白質）　345
imaging biomarker　258
IMPT（強度変調陽子線治療）　199, 358

IMRT（強度変調放射線治療） 18, 178, 182, 223, 358
interventional radiology（IVR） 211
inverse planning 186
irAE（免疫関連有害事象） 282, 300
ITTC（甲状腺内胸腺癌） 62

J
JAVELIN head & neck 100 study 362

K
Ki-67 51

L
LAG-3 347
LeFort I 型骨切り法 130
LET 線（エネルギー付与） 196
Leukoplakia 39
LMP1 8
Lymphoepithelial carcinoma（undifferentiated carcinoma） 41

M
magnetic resonance imaging（MRI） 68
MAPK 12
MDT（集学的治療チーム） 314
MEC（粘表皮癌） 50, 51, 62
MEN（多発性内分泌腫瘍症） 60, 14
model-based approach 359
Monalizumab 365
Morgagni 洞 71
MRI 75, 260, 308
mucoepidermoid carcinoma（MEC） 41

N
National Comprehensive Cancer Network（NCCN）ガイドライン 17, 305
NBI（狭帯域内視鏡） 46
NI-RADS 262, 263
NIFTP（乳頭癌様の核所見を有する非浸潤性濾胞上皮腫瘍） 55
NKX2-1 15
No-touch technique 170
NOTCH 8, 11
NOTCH1 9
NR4A3 51

NSAIDs（非ステロイド抗炎症薬） 250
NTCP（normal tissue complication probability） 359
NTRK 13

O
OIC（オピオイド誘発性便秘症） 253
oncogene addiction 6, 8
opioid based pain control program 277

P
p16 陰性癌 19
p16 蛋白 45
p16 免疫染色 25, 65
p16 陽性癌 19
p40 51
p53 14, 51
p63 51
palatoglossus muscle 42
pan-Trk 51
Papillary（exophytic）squamous cell carcinoma 41
PD-L1 239, 348
PEG チューブ依存 296
performance status（PS） 227
PF＋Cmab 療法 239
PF＋ペムブロリズマブ療法 239
Pittsburgh 分類 25
planning target volume（PTV） 224
positron emission tomography（PET）/ PET-CT 69
Pralsetinib（BLU-667） 248
PRKD1 52
PRO-CTCAE 266
PRO（患者報告アウトカム） 266
Proliferative verrucous leukoplakia（PVL） 39
PTEN 14
PTEN/PI3K 8, 11
PTV（計画標的体積） 184
PTX＋CBDCA＋Cmab 併用療法 243
PTX＋Cmab 併用療法 243
PTX 単剤療法 243
Pull-through 法 122

Q
QLQ-C30 266
QOL 116, 193, 222, 266

QUAD shot 222
quality of survival（QOS） 64

R
RAS 13
RBE（生物学的効果比） 196
RECIST version 1.1 263
RET 14
RET/PTC 12
Rosenmüller 窩 71
RT（放射線治療） 202, 276, 328

S
S-100 蛋白 51
S-1 単剤療法 243
SCC 抗原 109
SETTLE（胸腺様分化を示す紡錘形細胞癌） 62
SIB（同時部分追加照射）法 179, 188
SND（選択的頸部郭清術） 175
Spindle cell squamous cell carcinoma 40
spread-out Bragg peak：SOBP 196
ST（言語聴覚士） 296
Stage 分類 105
styloglossus mucle 42
super-selective neck dissection（超選択的頸部郭清術） 175
S 字状の皮膚切開 143

T
TERT 13
TGF-β 348
TMB（腫瘍変異量） 349
TNM 分類 102
TOVS（ビデオ喉頭鏡手術） 142
toxicity independence 361
TP53 8, 11
TPF 療法 233
TPLE（下咽頭喉頭頸部食道全摘術） 171
TPS（tumor positive score） 241
transoral laser microsurgery（TLM） 118
transoral videolaryngoscopic surgery（TOVS） 118
TRK 阻害薬 52
TSH（甲状腺刺激ホルモン） 296
TSH 抑制療法 25

tumor microenvironment　*10*
tumor thickness　*44*
two-step 法　*179, 188*

U
upper aero-digestive tract（UADT）　*38*

V
Verrucous carcinoma　*39*
video-assisted neck surgery（VANS）法　*118*
Visor 皮弁　*135*
VMAT（強度変調回転放射線治療）　*223*

W
Weber-Ferguson 切開　*126*
WHO 分類　*48*

X
Xevinapant（Debio1143）　*366*

Z
Zuckerkandl の結節　*147*

和　文

あ
亜鉛製剤　*295*
アキャルックス®　*355*
悪性黒色腫　*199*
悪性度不明な濾胞型腫瘍（FT-UMP）　*57*
アスタチン　*220*
アセトアミノフェン　*250*
アテロコラーゲン　*290*
アブスコパル効果　*264*
アポトーシス阻害蛋白質（IAP）　*345*
α 線　*200*
α-SMA　*51*
アルミノックス治療　*355*

い
一塊切除　*145*
一過性の頭痛　*278*
遺伝子改変 T 細胞療法　*347*
遺伝子発現（GEP）　*349*
遺伝子パネル検査　*247*
医薬品情報　*318*
咽喉頭異常感　*35*
飲酒　*311*
咽頭後間隙　*88*
咽頭後壁癌　*83*
咽頭収縮筋　*295*
インフォームドコンセント　*26, 227*

え
永久気管孔　*329*
栄養評価　*334*
疫学　*2*
壊死　*90*
エヌトレクチニブ　*248*
エネルギーデバイス　*123*
エピジェネティクス　*8*
遠隔転移　*208*
嚥下障害　*171, 295*
嚥下評価　*332*

お
オトガイ舌筋　*42*
オピオイド　*250, 251, 255*
オピオイドスイッチング　*251*
オピオイド誘発性便秘症（OIC）　*253*

オルガノイド　*349*

か
開口障害　*257, 297*
外耳道軟骨　*150, 151*
外切開による中咽頭切除　*135*
外側側頭骨切除術　*152, 153*
下咽頭　*85*
下咽頭・喉頭全摘出術　*140*
下咽頭癌　*35, 70, 139, 171*
下咽頭喉頭頸部食道全摘術（TPLE）　*171*
下顎縁枝　*124*
下顎骨区域切除　*169*
下顎骨骨髄炎　*192*
下顎再建プレート　*170*
下顎神経　*74*
下顎辺縁切除　*136*
化学放射線療法　*180, 203, 227, 233, 276, 360*
化学放射線療法（CRT）　*202*
各解剖学的指標　*89*
顎下神経節　*151*
顎下腺癌　*149*
顎義歯　*322*
顎骨浸潤　*76*
確定的影響　*292*
顎動脈　*126*
顎二腹筋　*150*
下口唇正中切開　*135*
下歯槽神経　*79*
画像診断　*68*
画像誘導技術　*358*
加速過分割照射　*180*
加速器　*197*
加速照射　*179, 188*
家族性大腸ポリポーシス（FAP）　*56*
片側マットレス縫合　*288*
寡分割照射　*180*
カボザンチニブ　*246*
カルシトニン　*109*
カルボプラチン　*205, 299*
癌遺伝子中毒　*8*
癌遺伝子パネル検査　*10*
眼窩骨膜　*127*
眼窩底硬性再建　*166*
眼窩内側骨切り　*128*
癌幹細胞　*10*
看護師　*328*

癌サバイバー　291, 292
患者報告アウトカム（PRO）　266
完全喉頭機能温存　119
癌疼痛　250
癌微小環境　10
顔面神経本幹　150
顔面神経麻痺　36, 151
顔面動脈　133
管理栄養士　334
緩和的放射線治療　222
緩和的薬物療法　227

き

気管カニューレ　329
気管孔狭窄　145
偽増悪（pseudo-progression）現象　264
喫煙　311
気道確保　273
機能温存　116, 117
機能性　165
キャンサーボード　111, 313
救済頸部郭清　175
救済手術　143, 174
急性期有害事象　276
胸管塞栓術　272
頬骨　127
胸鎖乳突筋　157
胸腺様分化を示す紡錘形細胞癌（SETTLE）　62
狭帯域内視鏡（NBI）　46
強度変調回転放射線治療（VMAT）　223
強度変調放射線治療（IMRT）　18, 178, 182, 223, 358
強度変調陽子線治療（IMPT）　199, 358
胸部 X 線検査　310
局所欠損　90
局所制御率　193
筋上皮マーカー　51
緊張　272

け

頸横動脈　157
計画標的体積（PTV）　184
頸肩後遺症　156
経口蓋法　129
経口的手術　159
経口的切除　133, 139, 142
経口的ロボット支援手術　353
経済的問題　341
経上顎洞法　130
経側頭下窩法　131
頸動脈鞘　157
頸動脈浸潤　88, 90
茎突舌筋　42
茎乳突孔　150
経鼻挿管　162
頸部郭清術　155
頸部超音波　309
頸部予防照射　195
頸部リンパ節転移　35, 70, 89
経翼突法　130
外科治療　116
血管浸潤　58
血管柄付き骨移植　169
結膜炎　278
血流　272
肩甲骨皮弁　170
肩甲舌骨筋上郭清　123
言語聴覚士（ST）　296, 337
原子炉　200
原発不明頸部転移　35, 104

こ

抗 PD-1 抗体　364
抗 PD-L1 抗体　365
高悪性度　23
広域発癌　304
構音訓練　337
口蓋舌筋　42
口腔潰瘍　194
口腔癌　33, 69, 75, 121
口腔乾燥　293
口腔ケア　67, 322
口腔内乾燥症　256
口腔内再建術　332
後口蓋弓癌　82
硬口蓋骨切り　128
甲状腺癌　37, 54, 146, 353
甲状腺癌取扱い規約　105
甲状腺機能低下症　189, 296
甲状腺刺激ホルモン（TSH）　296
甲状腺腫瘍診療ガイドライン　24
甲状腺内胸腺癌（ITTC）　62
甲状腺乳頭癌　245
甲状腺ホルモン　310
口唇，口腔癌　102
硬性ビデオ内視鏡　142
喉頭　85
喉頭温存　22, 202
喉頭温存・下咽頭部分切除術　139
後頭蓋窩　154
喉頭蓋前間隙　85
喉頭癌　35, 69, 142
喉頭機能温存手術　119
喉頭挙上　168
喉頭垂直部分切除術　143
喉頭全摘出術　144
口内炎　276, 279
後発頸部リンパ節転移　195
高齢癌患者における総合的機能評価（CSGA）　229
高齢者　229
高齢者総合的機能評価（CGA）　113
後連合　144
誤嚥性肺炎　290
呼吸困難　253
根治術後の補助療法　203
根治切除不能甲状腺癌　245

さ

再建術　116, 165
再建皮弁壊死　176
再照射　225
再発　174
再発・転移頭頸部癌　239
再発ハイリスク因子　203
サイログロブリン　109
ざ瘡様皮疹　280
サポートグループ　342
酸化ハフニウムナノ粒子（NBTXR3）　366
三次元原体照射（3D-CRT）　223
三者併用療法　211
残存　174
残存舌の可動性　167

し

歯科　322
耳下腺高悪性度癌　149
耳下腺低悪性度癌　149
自己免疫性疾患　228
シスプラチン　204, 299
自動吻合器　289
社会資源　341

社会復帰　341
シャント（気管食道瘻）発声　337
集学的治療　64
集学的治療チーム（MDT）　314
重粒子線治療　196
手術合併症　270
手術支援ロボット　352
術後合併症　175
術後出血　271
術後断端陽性　192
術後補助化学放射線療法　227
術中迅速組織診　133
腫瘍変異量（TMB）　349
腫瘍マーカー　109, 310
上咽頭癌　8, 33, 69, 71, 102, 103, 129, 178
上咽頭収縮筋　134
上顎癌　166
上顎神経　74
上顎スイング法　130
上顎全摘術　126, 166
上顎洞癌　126
上喉頭神経外枝　146
小線源治療　191
上皮筋上皮癌　50
上皮内癌（Tis）　23
上部消化管内視鏡検査　66
初期効果判定　305
食道発声　337
シリンドリカルディフューザー　356
神経血管束　86
神経周囲進展　73, 77
心血管毒性　301
滲出性中耳炎　297
腎障害　284, 299, 300
腎毒性　300

す
髄様癌　14, 37, 60, 246
スキャニング照射法　359
スキャニング法　197
スクリーニング検査　332
ステロイド　256, 330
ステロイドの局所注入　162
スペーサー　192

せ
正円孔　73
清潔　329

生物学的効果比（RBE）　196
声門下癌　36
声門癌　35
声門上癌　36
整容性　165
セカンドオピニオン　26, 28
舌亜全摘　168
節外進展　90
舌下神経　124
セツキシマブ　206, 344
セツキシマブ併用放射線治療　233
舌喉頭全摘　138
舌骨甲状膜　86
舌骨舌筋　42
舌根癌　82
舌根切除＋喉頭挙上を伴う縫縮手術　136
切除可能頭頸部癌　202
摂食・嚥下障害　332, 334
摂食嚥下リハビリテーション　338
切除不能頭頸部癌　203
舌神経　79, 122, 124, 151
舌接触補助床　338
舌動脈　133, 144
舌半側切除　167
舌部分切除術　122
舌扁桃溝　136
セルペルカチニブ　248
線エネルギー付与（LET）　196
前外側大腿皮弁　167
全頸部郭清　155
前口蓋弓癌　81
穿刺吸引細胞診（FNA）　52, 56
全照射期間　179
選択的頸部郭清術（SND）　175
センチネルリンパ節　155
腺内散布　54
腺内転移　54
腺房細胞癌　50
せん妄　270
腺様嚢胞癌　50, 51, 199
線量体積ヒストグラム　185
前腕皮弁　167

そ
層　272
造影 CT　66
造影 MRI　66
創部感染　176

ソーシャルワーカー　340
側頭後頭開頭　154
側頭骨亜全摘術　152, 153
組織壊死　176
組織型分類　18
咀嚼機能　166
ソラフェニブ　245

た
大口蓋神経　78
タイトレーション　251
代用音声　138, 337
耐容線量　293
唾液腺癌　48
唾液腺障害　189, 293
唾液腺導管癌　50, 149
唾液腺マッサージ　294
多職種チーム　296
多職種連携　313
多段階発癌モデル　6
多発性内分泌腫瘍症（MEN）　60, 14

ち
チーム医療　314
チオ硫酸ナトリウム　162, 211
中咽頭癌　34, 69, 81, 102, 168, 353
中咽頭癌（p16 陽性）　103, 104
中耳炎　278
中頭蓋窩法　132
中頭蓋底　154
超音波検査　68, 75
聴覚障害　299, 300
聴器癌　25, 32, 152
腸骨皮弁　170
超選択的頸部郭清術（super-selective neck dissection）　175
重複癌　64, 66
超分割照射　180
治療アルゴリズム　18
治療可能比（therapeutic window）　358
治療効果判定　258
鎮痛補助薬　253

つ
椎前間隙　88
椎前間隙浸潤　88
通常分割照射　180

て

低悪性度　23
定位放射線治療　225
低侵襲　117
低分化癌　14, 58
低マグネシウム血症（低 Mg 血症）　285
適応放射線治療　179
デッドスペース　176
テレフォンフォローアップ　319
電気式人工喉頭　337

と

頭蓋底浸潤　72
頭蓋内進展　73
導管内癌　23
頭頸部癌　16, 38, 64
頭頸部癌診療ガイドライン　16, 304
頭頸部癌取扱い規約　102
頭頸部がん薬物療法ガイダンス　16
頭頸部表在癌　159
頭頸部表在癌取扱い指針　46
同時部分追加照射（SIB）法　179
動注化学放射線療法　211, 212
動注化学療法　17, 211
導入化学療法　20, 227, 233
ドライバー遺伝子　6
トレーシングレポート　320
鈍的剥離　156

な

内頸静脈　157
内視鏡診断　94
内視鏡的咽喉頭手術（ELPS）　118, 142, 159
内視鏡的切除術　142
内視鏡的粘膜下層剥離（ESD）　118
内視鏡的粘膜切除（EMR）　118
内用療法　216
軟口蓋癌　83
軟骨浸潤　85

に

肉眼的腫瘍体積（GTV）　183
肉腫　63
二次癌　301
二次元照射（2D-RT）　223
ニボルマブ単独療法　241

乳頭癌　12, 37, 54, 146
　——高細胞型　55
　——充実型　55
　——びまん性硬化型　55
　——篩型　56
　——濾胞型　55
乳頭癌様の核所見を有する非浸潤性濾胞上皮腫瘍（NIFTP）　55
乳突削開　153
乳様突起　150
妊孕性温存法　114

ね

熱中性子線　200
粘液癌　63
粘表皮癌（MEC）　50, 51, 62
粘膜炎　194, 256, 276, 277, 279
粘膜下注射　160

は

肺毒性　301
ハイドロゲル創傷被覆・保護材　325
パクリタキセル　299
パッセンジャー遺伝子　6
発熱性好中球減少症（FN）　282
針生検　149
バルーン拡張術　289
破裂孔　73
反回神経　146
晩期合併症　179, 180, 299
晩期毒性　208
晩期有害事象　189
バンデタニブ　246

ひ

鼻咽腔部補綴　338
鼻炎　278
皮下気腫　273
光免疫療法　355
鼻腔癌　36
非骨化軟骨　86
腓骨皮弁　170
鼻出血　36
非ステロイド抗炎症薬（NSAIDs）　250
ビデオ喉頭鏡手術（TOVS）　142
ヒトパピローマウイルス（HPV）　6, 19, 65, 346
皮膚　328
皮膚炎　280

鼻副鼻腔癌　199
皮膚障害　285
皮弁採取部の選択　165
皮弁の選択　165
被膜浸潤　58
肥満　229
非薬物的ケア　256
標準的治療　17
病棟薬剤実施加算　318
ピロカルピン塩酸塩　294

ふ

フォローアップ　304
複合アプローチ法　131
副甲状腺　147
副神経　124, 157
腹直筋皮弁　168
副鼻腔炎　278
副鼻腔癌　36
浮腫　273
物理的刺激　330
部分脱毛　278
プロヴォックス Vega®　290
ブロードビーム法　197
フロンタルディフューザー　356
分子標的治療薬　180, 279
分泌癌　23, 50, 51

へ

ペムブロリズマブ　344
ペムブロリズマブ単独療法　239
ベルモントレポート　26
ベンゾジアゼピン　256
扁桃癌　81
扁平上皮癌　65

ほ

ボイスプロステーシス　290
傍咽頭間隙　71
傍咽頭間隙進展　72
縫合不全　176, 272
縫合閉鎖　145
放射性ヨウ素内用療法　25
放射線感受性　292
放射線増感　180
放射線治療（RT）　202, 276, 328, 333
放射線治療に伴う合併症　178
放射線治療病室　193
放射線皮膚炎　257, 277, 328, 329

傍声帯間隙　85
ホウ素化合物　200
ホウ素中性子捕捉療法（BNCT）　196, 358
保険薬局薬剤師　320
保湿　329
保存的頸部郭清術　156

■ま
末梢神経障害　299, 300

■み
味覚障害　257, 278, 295, 325, 326
未分化癌　14, 37, 59, 247
ミラノシステム　53

■め
明細胞癌　51
免疫関連有害事象（irAE）　282, 300
免疫染色　50
免疫チェックポイント阻害薬　322, 326

■も
モールド治療　193
モナリズマブ　347

■や
薬剤師　316
薬剤師外来　319

薬剤の総投与量　207
薬物療法　227, 282

■ゆ
有害事象　270
遊離空腸移植　171, 288
遊離空腸パッチグラフト　172
遊離前外側大腿皮弁　289
遊離組織皮弁移植術　117

■よ
陽子線治療　196
用量探索試験　212
ヨード染色　160
翼状突起骨切り　128
翼突筋　127
翼突筋静脈叢　127
予防的頸部郭清術　121, 123

■ら
ラロトレクチニブ　248
卵円孔　73

■り
リチウム粒子　200
粒子線治療　358
輪状咽頭筋切開　168
輪状甲状膜　86
臨床標的体積（CTV）　184

リンパ腫　62
リンパ節転移　33
リンパ節被膜外進展（ENE）　42
リンパ漏　271

■る
ルゴール染色　122

■れ
レジメンチェック　316
レジメン登録　316
レンバチニブ　245, 345

■ろ
濾胞癌　13, 37, 57
　——好酸性細胞型　58
　——広範浸潤型　57
　——微少浸潤型　57
　——被包性血管浸潤型　57
濾胞上皮　54
ロボット支援下頸部手術　353
ロボット支援下甲状腺手術　353
ロボット支援下手術　352

■わ
彎曲型喉頭鏡　142
彎曲鉗子　160
彎曲喉頭鏡　160

臨床頭頸部癌学 改訂第2版—系統的に頭頸部癌を学ぶために

2016年6月20日	第1版第1刷発行	編集者	田原　信，林　隆一，秋元哲夫
2018年9月1日	第1版第2刷発行	発行者	小立健太
2022年10月10日	改訂第2版発行	発行所	株式会社 南江堂

〒113-8410　東京都文京区本郷三丁目42番6号
☎（出版）03-3811-7236　（営業）03-3811-7239
ホームページ　https://www.nankodo.co.jp/
印刷・製本　永和印刷
装丁　Amazing Cloud Inc.

Clinical Head and Neck Oncology, 2nd edition
© Nankodo Co., Ltd., 2022

定価はカバーに表示してあります．
落丁・乱丁の場合はお取り替えいたします．
ご意見・お問い合わせはホームページまでお寄せください．

Printed and Bound in Japan
ISBN978-4-524-23089-1

本書の無断複製を禁じます．

|JCOPY|〈出版者著作権管理機構　委託出版物〉

本書の無断複製は，著作権法上での例外を除き禁じられています．複製される場合は，そのつど事前に，出版者著作権管理機構（TEL 03-5244-5088，FAX 03-5244-5089，e-mail: info@jcopy.or.jp）の許諾を得てください．

本書の複製（複写，スキャン，デジタルデータ化等）を無許諾で行う行為は，著作権法上での限られた例外（「私的使用のための複製」等）を除き禁じられています．大学，病院，企業等の内部において，業務上使用する目的で上記の行為を行うことは私的使用には該当せず違法です．また私的使用であっても，代行業者等の第三者に依頼して上記の行為を行うことは違法です．